육구연집

陸九淵集

❹

이 책은 (재)한국연구재단의 지원으로 학고방출판사에서 출간, 유통합니다.

한국연구재단 학술명저번역총서 동양편 *619*

육구연집

陸九淵集

저 육구연 陸九淵

역주 이주해 · 박소정

❹

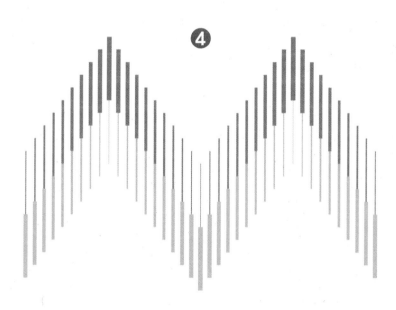

學古房

일러두기

1. 이 책은 북경 중화서국(中華書局)에서 출판한 『육구연집』(2014년)을 저본으로 삼았다.
2. 번역문, 원문 순서로 수록하였다.
3. 한자어는 우리말 독음으로 표기한 다음 번역문에는 ( )안에 한자를 넣었고, 각주에서는 우리말 독음을 생략하였다.
4. 원주는 각주에서 【 】로 표기하고 밝혔다.
5. 원문에는 없지만 이해를 돕기 위해 필요한 내용이 있으면 [ ]안에 삽입하였다.

『육구연집(陸九淵集)』을 세상에 내놓는 데까지 꼬박 4년이 걸렸다. 2014년 한국연구재단 명저번역 지원사업에 선정되어 본격적으로 번역에 착수한 게 2014년 9월이니, 정말 꼬박 4년이다. 처음 선정되었을 때 참으로 많은 생각이 들었다. 육구연이라는 철학자가 세상에 남긴 거의 모든 글이 다 묶여있는 책이 바로 『육구연집』이므로 육구연을 알고자 하는, 혹은 육구연을 연구하는, 혹은 송명 이학(理學) 내지는 심학(心學)을 전공하는 사람들에게 최소한 책임감 있는 번역을 제공해야 한다는 생각에 마음이 무거웠다. 문집 번역은 많이 해봤으나 『육구연집』은 기존의 문집과 그 성격이 판연히 다르므로 반드시 잘 해낼 수 있다는 보장도 없는 터였다. 게다가 분량 또한 압도적이어서, 숱한 고민과 두려움에 쉽게 착수하지 못했다.

이 책에서 가장 많은 분량을 차지하는 것은 편지글이다. 그는 문하생 및 동료들과 편지를 주고받으면서 학술 토론을 벌였는데, 태어나서 가장 많은 편지글을 번역하면서 편지라는 매체가 이토록 훌륭한 지식의 소통 담체가 되어준다는 사실에 놀라움을 감출 수 없었다. 더구나 그가 주희와 주고받은 논변을 읽으면서, 그들이 과연 어느 지점에서 갈리고 어느 지점에서 합치했는지, 어렴풋이나마 이해할 수 있었다. 간이(簡易)와 지리(支離). 그들은 서로 다른 공부법을 놓고 치

5

열하게 토론하고 공박하였으되 끝내 나이와 견해 차이를 넘어서 우의를 지켜냈다. 천 년 전의 논쟁을 지면으로 감상하면서 나도 모르게 몰입되던 순간이 많았으며, 후대에 이른바 심학(心學), 이학(理學)과 같은 구분 짓기가 과연 무슨 의미가 있는가 되묻기도 하였다.

육구연에 대한 학술적 평가는 뒤에 붙인 해제를 읽으면 될 것이므로 여기서 사족을 붙일 생각은 없다. 그러나 분과학문의 틀에 묶여 번다한 도문학(道問學)을 일삼고 있는 21세기 우리들에게 육구연이 남긴 글귀는 아프게 다가온다. 육경이 내 인생을 주석해야지 왜 내가 육경을 주석하느냐? 오늘날 우리들은 하나의 학술을 놓고 허다한 주석을 달고 있다. 그래야 공부라고 여긴다. 자기 주장과 의견을 세우고, 문파를 이루고, 이를 전승한다. 그래야 번듯한 학자라 여긴다. 육구연이 남긴 글을 번역하는 내내 깊은 성찰을 하게 되었으니, 내게 있어서 아주 고마운 책이라 아니할 수 없다.

마지막으로 독자들에게 고백하고자 하는 바는, 번역의 원래 목적이 읽지 못하는 언어로 되어 있는 글을 이해할 수 있는 언어로 바꾸어냄으로써 원문 없이도 "읽을 수 있게" 해야 하는 것인데, 여전히 번역투를 다 버리지 못해 난삽한 구문이 도처에 보인다는 사실이다. 앞으로 더욱 노력할 것이다.

육구연은 1139년 3월 26일에 태어나 1193년 1월 18일에 세상을 떠났다. 자(字)는 자정(子靜)이며 강서성(江西省) 금계(金溪) 사람이다. 상산(象山)에서 강학했다 하여 사람들은 그를 상산 선생이라고 부른다.

2018년 8월 막바지에
이주해 쓰다

8

9

권29

정문程文

보통 말할 때는 반드시 신의로써 하고 행동할 때는
반드시 신중하게 한다. 사악함을 막고 성을 보존하고, 세상을 선하게
만들면서도 스스로 자랑하지 아니하며, 덕을 넓혀 세상을 변화시킨다

황상원길, 황리원길

백성으로 하여금 각각 마땅한 바를 얻게 하다

성인은 이로써 마음을 씻어 물러나 은밀함 속에 이를 감추고,
길흉을 백성과 함께 근심하며, 신묘함으로써 미래를 알고
지혜로써 지나간 일을 간직한다

천지가 자리를 잡으면 성인이 그 능력을 완성시키고,
사람이 도모하고 귀신이 도모하여 백성이 그 능력에 참여한다

만물 위에 머리가 드러나니 만국이 모두 평안해진다

보통 말할 때는 반드시 신의로써 하고 행동할 때는 반드시 신
중하게 한다. 사악함을 막고 성을 보존하고, 세상을 선하게
만들면서도 스스로 자랑하지 아니하며, 덕을 넓혀 세상을 변
화시킨다 해시

庸言之信, 庸行之謹, 閑邪存其誠, 善世而不伐, 德博而化 解試

스스로를 이루는 방도를 알고, 그릇되고 치우친 것의 침범이 없다
면, 내 안에 있는 성(誠)은 기약하지 않아도 저절로 보존된다. 만물을
이루어주는 방도를 알고, 교만하고 넘치는 것에 연루됨이 없다면, 만
물에 미치는 덕(德)은 기약하지 않아도 저절로 교화시킬 수 있다.
「건괘(乾卦)」의 구일(九一)[1] 효사에서는 어떻게 하면 성에 이르고 덕
을 넓히는가를 말하고 있다. "보통 말할 때는 반드시 신의로써 하고
행동할 때는 반드시 신중하게 한다."[2]는 것은 스스로를 이루는 방도

---

1) 내용으로 보아 '九二'의 오자로 보인다.
2) 『周易』 「乾卦」의 「文言傳」에 나오는 내용이다. "구이에 이르기를, 즉 나타난
   용이 밭에 있으니 대인을 봄이 이로우리라 함은 무엇인가? 공자가 말씀하기를,
   대인은 용의 덕을 지니고 바르고 가운데 있는 자이라. 보통 때 말을 해도 신의
   로써 하며 평상시 행동함에 신중하게 한다. 사악함을 막고 성을 보존하고, 세상
   을 선하게 만들면서도 스스로 자랑하지 아니하며, 덕을 넓혀 세상을 변화시킨
   다. 『역』에 이르기를 나타난 용이 밭에 있으니 대인을 봄이 이롭다 한 것은

를 아는 것이다. 스스로를 이루는 방도를 안다면, 성(誠)이 어찌 이것 바깥에 있을 수 있겠는가? 또 사악함이 나를 해할 것을 두려워하여 이를 엄격히 막고, 털끝만큼의 그릇됨이나 치우침이 나를 침범하지 못하게 한다면 성(誠)은 날로 지극해질 것이고, 내 안에 있는 성은 또 한 기약하지 않아도 저절로 보존될 것이다. 이를 돌이켜 자신의 몸을 정성스럽게 하고, 미루어 나아가 이 세상을 선하게 만드는 것은 만물 을 이루어주는 방도를 아는 것이다. 만물을 이루어주는 방도를 안다 면, 덕이 어찌 이것 바깥에 있을 수 있겠는가? 또 자랑이 내게 병이 될까 두려워하여 모조리 제거하고, 털끝만큼의 교만함이나 넘침이 내 게 누를 끼치지 못하게 한다면, 덕은 나날이 넓어질 것이고, 만물에 미치는 덕 또한 기약하지 않아도 저절로 교화시킬 수 있을 것이다. 내 안에 있는 성이 반드시 보존될 것이라 기약하지 않아도 저절로 보 존될 수 있는 단서는 오직 사악함을 막는 데 있다. 만물에 미치는 덕 이 반드시 교화시킬 수 있을 것이라 기약하지 않아도 저절로 교화시 킬 수 있는 관건은 오직 자랑하지 않는 데 있을 뿐이다. 그런즉 하나 가 자라나면 하나가 꺼지는 천리(天理)와 인욕(人欲) 사이에는 가히 머리카락 하나 끼어들 수 없다고 말할 수 있다. "보통 말할 때는 반드 시 신의로써 하고 행동할 때는 반드시 신중하게 한다. 사악함을 막고 성을 보존하고, 세상을 선하게 만들면서도 스스로 자랑하지 아니하 며, 덕을 넓혀 세상을 변화시킨다." 이것이 바로 군자의 덕을 이루는 방도가 아니겠는가?

군자의 덕을 말한 것이다.(九二曰, 見龍在田利見大人, 何謂也? 子曰, 龍德而 正中者也. 庸言之信, 庸行之謹, 閑邪存其誠, 善世而不伐, 德博而化, 易曰見 龍在田利見大人, 君德也.)"

『중용』에서는 성(誠)을 이렇게 말했다. "스스로를 이루는 것뿐만
아니라, 만물을 이루어주는 방도이기도 하다."³⁾ 그렇다면 스스로를
이루고 만물을 이루는 방도는 모두 성(誠)에서 나오는 셈이니, 스스
로를 이루는 방도는 곧 만물을 이루어주는 방도이기도 하며, 스스로
를 이루는 방도 바깥에 이른바 만물을 이루어주는 방도라는 것이 달
리 있는 것이 아니다. 또 말했다. "성(性)의 덕은 내외의 도를 합한
것이다."⁴⁾ 그렇다면 성(誠)이라 하건 덕(德)이라 하건 똑같이 성(性)
에 근본하고 있는 셈이니, 저 이른바 성(誠)이라는 것은 곧 덕이나 마
찬가지이며, 성 바깥에 이른바 덕이라는 것이 달리 있는 것이 아니다.
『중용』의 뜻을 명확히 알있으면 「건괘」 구이(九_)에서 말한 군사의
덕[君德]에 대해 논의해볼 수 있다. 말과 행동을 신의로써 하고 신중
히 하는 것이 곧 구이가 스스로를 이루는 방도이며, 세상을 선하게
만들면서 자랑하지 않는 것이 곧 구이가 만물을 이루어주는 방도이
다. 저기서 말한 이른바 신의와 신중함이란 곧 자랑하지 않을 수 있
는 방도이다. 말과 행동을 버리고 달리 세상을 선하게 만들 방도를
찾는다는 것은 어긋난 짓이다. 사악함을 막고 성(誠)을 보존하는 것
은 성을 스스로 보존하는 것이고, 덕을 넓혀 교화시키는 것은 덕을
만물에 미치게 하는 것이다. 저기서 말한 '막고 보존한다'는 것은 곧
'넓히고 교화한다'는 것이니, 성을 보존하는 것 바깥에서 이른바 덕을
넓히는 법을 찾는다면 이는 미혹된 짓이다. 아침저녁으로 찾아다니고
도모하며 사람을 다스릴 방도를 구하면서 자기 자신을 돌아보아 구할
줄을 모른다면, 대인이 자신을 바로잡으면 만물도 바로잡히는 도리를

---

3) 『中庸』 25장.
4) 『中庸』 25장.

어찌 알겠는가? 구이에서 말한 세상을 선하게 만드는 것이란 그저 말과 행동 사이에 있을 뿐이다. 작은 은혜와 작은 신의를 자신의 덕으로 삼고자 하면서 성(誠)이란 가릴 수 없는 것임을 알지 못한다면, 천하에 밝은 덕을 밝히는 것[明明德]의 근본이 마음을 바르게 하는 것[正心]과 뜻을 정성되이 하는 것[誠意]에 있음을 어찌 알겠는가? 구이에서 말한 덕을 넓힌다는 것은 바로 성(誠)을 보존하는 것을 통해 이루어진다.

지극하도다! 천하에 존재하는 성(誠)이여. 자잘한 말 한 마디, 미미한 행동 한 가지는 보통 사람들이 소홀이 여기는 바이다. 그러나 말이란 내 몸에서 나와 백성들에게 미치며, 행동이란 가까운 데서 하지만 멀리까지 보인다. 말과 행동은 군자가 천지를 움직이는 방법이다. 군자가 기침하며 한 말이나 꼼지락거리는 행동은 모두 본받을 만하고, 경황 중이나 위급한 상황 중에서도 반드시 인(仁)에 거한다.[5] 평상시에 신의로써 하는 말은 모두 천하의 준칙이 될 수 있고, 평상시에 신중히 하는 행동은 모두 천하의 법도가 될 수 있으며, 나의 성(誠)에 이를 줄만 알지 말과 행동의 자잘함은 알지 못한다. 사악함과 바름은 마치 생사로 나뉘는 명이나 번갈아 사라지고 자라나는 음양과도 같아서, 그릇되고 치우친 습관이 털끝만큼이라도 침범하면 말이 이내 신실하지 못하게 되고, 행동이 이내 신중하지 못하게 된다. 그러니 어떻게 성(誠)에 이를 수 있겠는가? 따라서 관을 써 머리를 장엄하게 하는 것이나 신을 신어 발을 무겁게 하는 것이나, 수레에 올라

---

5) 『論語』「里仁」에 "군자는 밥 먹는 새라도 인도를 어기지 말아야 하고, 황망한 중에도 반드시 인에 있어야 하고, 넘어지는 중에도 반드시 인에 있어야 한다. (君子無終食之間違仁, 造次必於是, 顚沛必於是.)"라는 내용이 보인다.

화란(和鸞)⁶⁾의 소리를 듣는 것이나, 걸음 걸을 때 패옥의 소리를 듣는 것이나, 대야와 그릇에 명(銘)을 새기는 것이나, 책상과 지팡이에 경계의 글을 새기던 것은 모두 사악함을 막기 위함이니, 그릇됨과 치우침이 이르지 못하게 하는 방법이 여기 다 갖추어져 있다. 그런즉 내 몸에서 나타나 천지를 가득 메우고 있는 것들 중에 성(誠)이 아닌 것이 어디 있겠는가? 이것을 일러 기약하지 않아도 저절로 보존된다고 하지 않을 수 있겠는가?

크도다! 천하에 드러난 덕이여. 내게 있는 것을 미루어 나아가 천하까지 선하게 만드는 것,⁷⁾ 이는 본디 사람이 몹시 바라는 바이다. 그러나 "자신에게 [仁이] 있은 연후에 남에게 요구하고, 자신에게 [포악함이] 없은 연후에 남을 탓해야 하니, 스스로의 몸에 간직한 바가 서(恕)가 아니면서 남을 깨우친 자는 아직 있지 않았다."⁸⁾ 그렇기 때문에 군자는 몸을 바르게 함으로써 사방을 바르게 다스리고, 자신을 수양함으로써 백성을 편하게 해준다. 또한 해가 뜨면 반드시 만물을 비추고, 구름이 자욱하면 반드시 새싹에 비를 뿌리듯, 온화함과 순조로움이 가운데 쌓이면 꽃잎이 밖으로 피어나듯, 나의 선(善)을 극도로 끌어올리면 천하를 선하게 만들기에 충분하다. 그러나 자랑이 덕을 해침은 나무에 좀 벌레가 있고 싹에 해충이 있는 것과 같아서, 교만하고 넘치는 기운이 털끝만큼이라도 그 사이에 들어오면 선이 그 즉시 사라지고 해가 이내 미치게 된다. 그렇게 되면 덕이 어떻게 넓

---

6) 수레에 달던 일종의 방울을 가리킨다. 수레 앞 횡목에 달던 것을 '和'라 하고 멍에 앞에 달던 것을 '鸞'이라 한다.
7) 『孟子』「盡心上」에 "막히면 제 한 몸만 선하게 하고, 영달하면 천하까지 선하게 만든다.(窮則獨善其身, 達則兼善天下)"는 구절이 나온다.
8) 『大學』에서 인용한 구절이다.

어질 수 있겠는가? 따라서 있으나 없는 것처럼 하고, 가득 찼으나 비어 있는 듯 하며, 화육을 돕는 공이 있더라도 자랑하지 않고, 천지에 버금가는 지혜가 있더라도 어리석은 듯 행동하는 것이다. 저 인욕(人欲)을 없애 하늘과 짝이 되어서 겸허한 자세로 자랑하지 않으며, 교만하고 넘치는 기운이 일어날 방도가 없게 한다면, 말하지 않아도 믿게 되고, 노하지 않아도 위엄이 설 것이다. 이것을 일러 기약하지 않아도 저절로 교화시킬 수 있다고 하지 않겠는가?

　오호라! 자잘한 말과 행동으로 말미암아 세상을 선하게 만드는 데 이르고, 자신의 성(誠)을 보존함으로 말미암아 백성을 덕으로 교화시키는 데 이르니, 천하를 경영하는 큰 법도는 실로 지성(至誠)에 있도다. 그러나 지성을 아는 것은 실로 총명하고 지혜로우며 천덕(天德)에 도달하지 않은 자이고서는 불가능하다. 경전을 놓고 상고해볼 때, 「건괘」의 육효(六爻)는 은미하여 잘 보이지 않는다. 움직이되 아직 이루어지지 않은 것이 초구(初九)에서 말한 '잠(潛)'이다.[9] 귀하나 지위가 없고, 높으나 백성을 지니지 못한 것이 상구(上九)에서 말한 '항(亢)'이다.[10] 구삼(九三)인즉 위태로움에 처했을 때 덕(德)에 나아가라는 뜻이고,[11] 구사(九四)인즉 의심을 가지고 스스로를 시험해보라는 뜻이다.[12] 구오(九五)에서 나는 용이 하늘에 있다[13]고 한 것과 구

---

9) 「乾卦」 初九의 효사는 "잠긴 용이니, 쓰지 말라(潛龍, 勿用)"이다.
10) 「乾卦」 上九 효사는 "높은 용이니 뉘우침이 있으리라.(亢龍, 有悔)"이다.
11) 「乾卦」의 九三 효사는 "군자가 종일토록 굳세고 굳세어서 저녁에 두려워하면 위태로우나 허물은 없으리라(君子終日乾乾, 夕惕若, 厲, 無咎)"이다.
12) 「乾卦」의 九四 효사는 "혹 뛰어 못에 있으면 허물이 없으리라.(或躍在淵, 無咎.)"이다.
13) 「乾卦」의 九五 효사는 "나는 용이 하늘에 있으니 대인을 봄이 이로우니라.(飛龍在天, 利見大人)"이다.

이(九二)에서 나타난 용이 밭에 있다고 한 것은 모두 대인의 아름다움을 봄이 이롭다는 뜻이다. 군위가 이미 구오에 있다면, 저 군덕이라는 것을 용의 덕을 지니고 한가운데 서있는 자가 아니고서 그 누가 감당할 수 있겠는가? 성인께서 이에 스스로를 이루고 만물을 이루어주는 도(道와) 성(誠)을 보존하고 덕을 넓히는 요지를 드러내시어 후세 임금으로 하여금 성인의 말씀을 능히 깨달아 구이의 덕을 보전케 하고자 하셨으니, 그리한즉 천하를 다스리는 것도 어렵지 않다.

내가 일찍이 이를 순(舜)임금에게서 살펴봄에 "묻기를 좋아하고 천근한 말을 살피기를 좋아하셨으며, 악을 감추고 선을 드러내셨다."[14]고 하였으니, 보통 때 신의로써 말하고 평상시 신중하게 행동함이 과연 어떠한가? 백익(伯益)이 바친 경계의 말을 채납하셨으니 꺼리거나 기피함이 없었던 것이고 백우(伯禹)에게 상세히 명을 내렸으니 백우에게 자신의 잘못을 바로잡아달라 당부한 것이다.[15] 사악함을 막고 성을 보존한 것을 여기서 볼 수 있다. 높고도 높게 천하를 소유했으되 그것에 연연하지 않았으니,[16] 세상을 선하게 만들고도 자랑하지 않음이 과연 어떠한가? 백성들의 마음을 살펴보면 하늘을 한마음으로

---

14) 『中庸』 6장에 보이는 내용이다.
15) 앞 내용은 『尙書』「대우모」에 보인다. 익직이 만년의 순 임금에게 올린 경계를 말한다. "아! 경계하소서. 헤아림이 없을 때에 경계하시어 법도를 잃지 마시고 편안함에 놀지 마시고 즐거움에 지나치지 마시며, 어진 자에게 맡기되 두 마음을 품지 마시고 사악한 자를 제거하되 의심하지 마소서.(吁戒哉! 儆戒無虞, 罔失法度, 罔遊于逸, 罔淫于樂, 任賢勿貳, 去邪勿疑.)" 뒤의 내용은 『尙書』「益稷」에 보인다. "내가 잘못하면 네가 보필하라.(予違, 汝弼)"에 대해 孔穎達은 "내가 도를 위배하거든 네가 의로써 나를 보필하라(我違道, 汝當以義輔正我)"는 뜻으로 해석했다.
16) 『論語』「泰伯」에 나오는 말이다.

모셨고, 백성들의 풍속을 고찰해보면 집집마다 봉작을 하사 받을 만한 사람이 넘쳤으니, 덕을 넓혀 교화시킨 흔적을 여기서도 찾아볼 수 있다. 구이의 덕을 순임금은 가히 다 펼쳤던 것이다. 『주역』을 해석한 자는 구이의 효사를 순임금이 수렵하고 물고기 잡던 때의 일이라고 말하였는데,[17] 지금 이를 황제 때의 일로 말해도 되겠는가? 대답하노니, 지위를 놓고 보자면 수렵하고 물고기 잡던 때가 맞다. 하지만 덕을 놓고 보자면, 부자 또한 일개 필부에 지나지 않는다. 혹자는 [부자가] 요순을 조종으로 삼아 전술했다고 말하고,[18] 혹자는 요순보다도 어질었다고 말하는데, 「건괘」의 구이가 순임금을 설명하기에 부족하다고 누가 말할 수 있겠는가? 만약 그렇지 않다면 어떻게 이를 군덕(君德)이라고 말할 수 있겠는가?

知所以成己而無非僻之侵, 則誠之在己者不期而自存. 知所以成物而無驕盈之累, 則德之及物者不期而自化. 「乾」之九一, 何其誠之至而德之博也. "庸言之必信, 庸行之必謹", 是知所以成己矣. 知所以成己, 則誠豈有外乎此哉? 又懼夫邪之爲吾害而閑之也嚴, 使無一毫非僻之習以侵之, 則誠日益至, 而在己者不期存而自存矣. 反而誠其身, 推以善斯世, 是知所以成物矣. 知所以成物, 則德豈有外乎此哉? 又懼夫伐之爲吾病而去之也盡, 使無一毫驕盈之氣以累之, 則德日益博, 而及物者不期化而自化矣. 誠之在己者, 不期存而自存, 而其端特在於閑邪. 德之及物者, 不期化而自化, 而其機特在於不伐. 則天理人欲之相爲消長, 其間可謂不容髮矣. "庸言之信, 庸行之謹, 閑邪存其誠, 善世而不

---

17) 이는 程頤의 설명이다.
18) 『中庸』 30장에 "중니는 요순을 조상으로 삼아 전술하시고, 문왕과 무왕을 본받아 지키셨다.(仲尼祖述堯舜, 憲章文武)"라는 내용이 보인다.

伐, 德博而化", 此所以爲君德歟?

『中庸』之言誠曰: "非自成己而已也, 所以成物也." 然則成己成物一出於誠, 彼其所以成己者, 乃其所以成物者也, 非於成己之外復有所謂成物也. 又曰: "性之德也, 合內外之道也." 然則曰誠, 曰德, 一本乎性, 彼其所謂誠者, 乃其所以爲德者也, 非於誠之外復有所謂德也. 明乎『中庸』之說, 則「乾」九二之君德, 可得而議矣. 言行之信謹, 二之所以成己者也. 善世而不伐, 二之所以成物者也. 彼其所謂信謹者, 乃其所以不伐者也. 舍言行而求其所以善世者則乖矣. 閑邪存其誠, 誠之存諸己者也. 德博而化, 德之及乎物者也. 彼其所以閑而存者, 乃其所以博而化者也. 外乎誠之存, 而求其所謂德之博, 則惑矣. 若夫朝謀夕訪, 求所以治乎人, 而不知反求諸其身, 安知夫大人正己而物正? 而二之善世者, 特在乎言行之間而已也. 小惠小信, 欲以爲己之德, 而不知誠之不可掩, 安知夫明明德於天下者, 蓋本於正心誠意? 而二之德博者, 由乎其誠之存也.

至矣哉! 誠之在天下也. 一言之細, 一行之微, 固常人之所忽. 然言出乎身, 加乎民, 行發乎邇, 見乎遠. 言行, 君子之所以動天地也. 君子喘言蠕動皆足法, 造次顚沛必於是. 庸言之信, 而莫不可以爲天下則, 庸行之謹, 而莫不可以爲天下法, 知至乎吾之誠, 而不知夫言行之細也. 然邪之與正, 猶明魄之相爲生死, 陰陽之相爲消長. 非僻之習, 一毫焉侵之, 則言隨以不信, 而行隨以不謹矣, 尙何有於誠之至? 故爲冠以莊其首, 爲履以重其足, 在車聞和鸞之音, 行步聞佩玉之聲, 盤盂有銘, 几杖有戒, 所以防閑其邪, 而使非僻無自而至者備矣. 則凡見乎吾身而充乎天地者, 何往而非誠哉? 玆不曰不期而自存者乎?

大矣哉! 德之見於天下也. 推吾所有, 兼善天下, 此固人之所甚欲. 然"有諸己而後求諸人, 無諸己而後非諸人, 所藏乎身不恕, 而能喩諸人者, 未之有也." 故君子正身以正四方, 修己以安百姓. 且日麗必照物, 雲濃必雨苗, 和順積中, 英華發外, 極吾之善, 斯足以善天下矣. 然伐之害德, 猶木之有蠹, 苗之有螟. 驕盈之氣, 一毫焉間之, 則善隨以喪, 而害旋至矣, 尙何有於德之博? 故有焉而若無, 實焉而若虛, 功贊化育而不居, 智協天地而若愚, 消彼人欲而天焉與徒, 謙冲不伐, 而使驕盈之氣無自而作, 則凡不言而信, 不怒而威者, 乃所以爲德也. 玆不曰不期而自化者乎?

嗚呼! 由乎言行之細而至於善世, 由乎己之誠存而至於民之化德, 則經綸天下之大經者, 信乎其在於至誠, 而知至[19]誠者, 信乎非聰明睿知達天德者有不能也. 以經考之,「乾」之六爻, 隱而未見, 行而未成者, 初之潛也. 貴而無位, 高而無民者, 上之亢也. 三則以危而進德, 四則以疑而自試. 惟五以飛龍在天, 而二以見龍在田, 皆有利見大人之美. 夫君位既已在五, 則夫君德者, 非人之龍德而正中, 其孰足以當之? 聖人於是發成己成物之道, 存誠博德之要, 使後之人君能明聖人之言, 以全九二之德, 則天下有不足爲矣.

竊嘗稽之於舜, 好問而好察邇言, 隱惡而揚善, 則庸言之信, 庸行之謹爲如何? 納伯益儆戒之辭, 則罔有忌諱, 詳伯禹股肱之命, 則使之弼違, 閑邪存誠, 可見於此矣. 巍巍乎有天下而不與, 則善世不伐爲如何? 考其民之心, 則天下同戴, 稽其民之俗, 則比屋可封, 德博而化, 可見於此矣. 九二之德, 大舜其盡之矣. 說『易』者以爲九二之爻, 蓋舜之田漁時也. 今槪以爲帝之事可乎? 曰: 以位而言, 則田漁時也, 以德而言, 則夫子匹夫也. 或曰祖述堯舜, 或曰賢於堯舜, 孰謂「乾」之九二而不足以言舜乎? 不然, 則何以謂之君德?

---

19) [원주] '至'는 원래 '夫'라고 되어 있으나 道光本에 근거하여 '至'로 고친다.

황상원길, 황리원길

黃裳元吉, 黃離元吉

중(中)을 쓰는 것은 비록 때에 따라 방법이 다르지만 길(吉)을 얻으면 그 큼이 막대하다. 중의 덕은 어디를 가건 적당하지 않음이 없는 것이다. 황(黃)은 중의 색깔이다. 「곤괘(坤卦)」의 중은 육오(六五)에 있으며, 황상(黃裳)의 뜻이 있다.[20] 상은 치마를 말하며, 황색 치마는 가운데를 지키며 아래에 거한다. 위에 있는 사람의 우환은 아래에 거하지 못하는 것이니, 능히 가운데를 지키며 아래에 거할 수 있다면 어찌 대길하지 않을 수 있겠는가? 「이괘(離卦)」의 중은 육이(六二)에 있으며 황리(黃離)의 뜻이 있다.[21] '이(離)'란 붙음이며, '황리'란 붙어 있는 바가 정 가운데임을 뜻한다.[22] 붙어 있는 자의 우환은

---

20) 「坤卦」의 六五 효사는 "황색 치마가 크게 길하다.(黃裳元吉)"이다. 『伊川易傳』의 설명에 따르면 "坤은 신하의 도를 뜻하긴 하지만 다섯 번째 효의 자리가 사실 임금의 자리이므로 이를 경계해 누런 치마라면 크게 좋고 길하다고 말한 것이다. '누렇다'는 것은 중앙의 색이고 '치마'는 아래에 입는 것이다. 중용을 지키면서 아랫사람의 위치에 머무른다면 크게 길하다는 것이니, 이는 자신의 본분을 지킨다는 말이다.(坤雖臣道, 五實君位, 故爲之戒云黃裳元吉, 黃, 中色, 裳, 下服, 守中而居下則元吉, 謂守其分也.)"

21) 「離卦」의 六二 효사는 "황색 중심에 걸렸으니 크게 길하다.(黃離元吉)"이다.

22) 「離卦」의 六二 효사에 대해서 「文言傳」에서는 "황은 중앙의 색이고, 문채가 아름다우니, 文明하고 中正함은 아름다움이 성한 것이다. 그러므로 黃離라고 한 것이다. 文明中正한 덕으로 위로 文明하고 中順한 군주와 함께 하니, 그 밝음이 이와 같고, 붙은 바가 이와 같다면 大善의 길함이다.(黃, 中之色, 文之美也, 文明中正, 美之盛也. 故云黃離. 以文明中正之德, 上同於文明中順之君, 其明如是 所麗如是, 大善之吉也)"라고 하였다.

정 가운데를 얻지 못함에 있으니, 만일 정 가운데에 붙을 수 있다면 어디를 가건 대길하지 않을 수 있겠는가? 위치로 보면 육오와 육이라는 차이가 있고, 글자로 보면 상(裳)과 이(離)로 각각 다르며, 아래에 거하고 붙어 있음이 비록 때에 따라 다르지만 크게 길하다는 면에서는 일치한다. 중(中)의 덕이 아니고서 그 어떤 것이 이와 같을 수 있겠는가?

「곤괘」의 육오 효사에서는 "황상원길(黃裳元吉)"이라 하고, 「이괘」의 육이 효사에서는 "황리원길(黃離元吉)"이라고 하여 중의 도가 매우 크다는 것을 말하였는데, 세상 사람들은 그 말을 쉽게 여기며 그 뜻을 살피지 않는다. 요·순·우 세 성인이 [제위를] 서로 주고받을 때 했던 말이 한결같았으니, 도가 이보다 더 클 수는 없을 터인데도 그저 "그 가운데를 잡으라."[23]고만 말했을 뿐이다. 이 때문에 자사(子思)가 책에서 대중(大中)에 관한 이야기를 반복하고 시중(時中)[24]에 관한 논의를 간곡히 당부했던 것인데, 세상의 호사가들은 중의 뜻을 알지 못하고서 사람이 놀라 기뻐할 만한 행동을 하려고 한다. 성인에게 득죄할 뿐만 아니라 이로써 야기될 재난이 눈 깜짝할 사이에 찾아올 것이다. 일찍이 사람들에게 대길이란 소원할 수 있는 것임을 알려주었더니 모두가 이를 소원했다. 그러나 대중의 도를 알려주었더니

---

23) 『論語』「堯曰」에 "(요임금이 말했다.) 아! 순아. 하늘의 역수가 네 몸에 있으니, 진실로 그 中을 잡아라. 사해가 곤궁하면 하늘의 복이 영원토록 끊어지리라.(咨爾舜, 天之曆數在爾躬, 允執厥中. 四海困窮, 天祿永終)"라는 내용이 보인다.
24) 『中庸』 2장에 보인다. "군자는 중용을 지킨다. 그러나 소인은 중용에서 어긋난다. 군자가 중용을 행할 때는 군자답게 때에 맞추어 중을 쓰지만 소인이 중용을 행할 때는 소인답게 꺼리는 것이 없다.(君子中庸, 小人反中庸. 君子之中庸也, 君子而時中, 小人之中庸也, 小人而無忌憚也.)"

여전히 이를 쉬이 여기며 살필 줄을 몰랐다. 오호라! 자신들이 소원하는 바가 바로 자신들이 쉬이 여기는 것에서 나온 것임을 어찌 알겠는가?

그러나 자사가 말한 중(中)에는 대중에 관한 이야기만 있는 것이 아니라 시중에 관한 논의도 있다. 중을 쓰되 제 때 쓰지 못한다면 어찌 그것을 중이라 할 수 있겠는가? 자신이 「곤괘」 육오(六五)에 해당하는 처지가 된다면 음효이면서 윗자리에 거하게 된 것을 저어하게 되고, 윗자리를 저어하게 된다면 아랫자리에 머무는 것이 곧 중용이 되는 것이다. 가운데를 지키며 아래에 거한다면, 귀하지만 천한 자의 밑에 처할 수 있고, 높지만 낮은 자의 밑에 처할 수 있고, 능력 있지만 능력 없는 자의 밑에 처할 수 있고, 많이 가지고 있지만 적은 자의 밑에 처할 수 있다. 가운데를 지키며 아래에 거하는 것이 이와 같을 수 있다면, 천도(天道)가 보탬을 줄 것이요 지도(地道)에 막힘이 없을 것이요, 인도(人道)가 좋아할 것이요, 귀신이 복 주실 터이니, 그 길함이 어찌 크지 않겠는가? 황상원길은 「곤괘」의 육오가 중이 될 수 있는 까닭이다. 때로써 「이괘」의 육이를 살펴보면 음이 두 개의 양 사이에 붙어있다. 두 개의 양 사이에 붙어있다면 정 가운데에 붙어 있는 셈이 된다. 붙어 있는 곳이 정 가운데요, 의지하는 바가 중정(中正)한 사람이다. 아래로써 위에 붙어 있다면 위에 있는 것이 정 가운데가 되고, 위로써 아래에 붙어 있다면 아래에 있는 것이 정 가운데가 된다. 정 가운데 붙어 있는 것이 이와 같을 수 있다면 위와 사귐에 아첨하지 않을 수 있고, 아래와 사귐에 더러워지지 않을 수 있으며, 천지에 세워놓아도 어그러짐이 없고, 귀신에게 질정해보아도 의심할 바가 없으니, 그 길함이 어찌 크지 않을 수 있겠는가? 황리원길은 「이괘」의 육이가 중이 될 수 있는 까닭이다. 「건괘」와 「이괘」의 육오와 육이는 뜻에 있어 하나는 아래에 거하고 하나는 어딘가에 붙어 있다는 차이가 있지만 길함을 얻으면 모두 큼에 이를 수 있으니, 어디를 가건 적당하지 않은 바가 없다는 말이 참으로 옳구나.

내 일찍이 주나라 신하들 사이에서 [그 근거를] 찾아보았다. 주공(周公)은 숙부라는 가까운 신분으로 사보(師保)의 직임을 맡았는데, 머리카락을 쥐고 먹던 것도 뱉어가며[25] 허름한 집에 사는 사내에게 몸을 낮춤으로써[26] 마침내 주나라의 태평성세를 이루고 노(魯)나라 영토를 열었으니,[27] 황상원길은 주공(周公)에게서도 찾아볼 수 있다. 강태공(姜太公)은 출중한 책략을 품은 채 반계(磻溪) 물가에서 낚싯대를 드리우고 있었다. 게다가 여든의 나이였지만 어느날 문왕(文王)이 일어났다는 이야기를 듣자마자 벌떡 일어나 "그에게로 가야하지 않겠나?"라고 하고는 마침내 전쟁의 승리를 고하였으며,[28] 제(齊)나라를 세웠다. 황리원길은 강태공에게서도 찾아볼 수 있다.

비록 옛날 성현들 중에 중을 지키지 않은 자가 없었지만, 부자께서는 성인임에도 끝내 떠돌다 돌아가셨고 안자(顏子)는 현인임에도 죽을 때까지 누추한 골목에서 살았다. 그렇다면 이른바 크게 길하다는

---

25) 周公이 식사 중일 때나 머리를 감을 때에 귀한 손님이 집에 찾아오면 먹던 것을 뱉고[吐哺] 감고 있던 머리카락을 쥔 채[握髮] 맞이했다는 고사이다. 널리 인재를 구하고자 하던 마음을 상징한다.

26) 한나라 王充의 『論衡』 「語增」에 "주공이 예물을 가지고 허름한 집에 사는 사내에게 몸을 낮추었다.(周公執贄下白屋之士)"라는 내용이 보인다.

27) 주공이 노나라를 分封받았기에 이렇게 말한 것이다.

28) 『尙書』 「武成」에 "정미일에 주나라 사당에 제사지낼 적에 邦과 旬과 侯와 衛의 제후들이 크게 분주하여 豆와 변을 잡더니, 사흘 후 경술일에 섶을 살라 하늘에 제사지내고 산천에 망제를 지내어 전쟁의 승리를 크게 고하였다.(丁未祀于周廟, 邦甸侯衛駿奔走, 執豆籩, 越三日庚戌柴望, 大告武成)"라는 내용이 보인다.

말의 뜻은 대체 어디 있는가? 답한다. "공자와 안자는 만세토록 성현으로 일컬어지고 있으니, 어떤 길함이 이보다 더 크겠는가? 음흉하게 남을 해치고 높다란 집에 솥을 늘어놓고 밥을 먹는다 하여도, 해독만 더해가는 것을 보았을 뿐, 길함은 보지 못하였다."

　用中者雖異其時, 獲吉者皆極其大. 中之爲德, 言其無適而不宜也. 黃, 中色也. 「坤」中在五, 而有黃裳之義. 裳, 下裳也. 黃裳者, 守中而居下也. 在上者患不能居下, 能守中而居下, 安得而不大吉哉? 「離」中在二, 而有黃離之義. '離', 麗也. '黃離'者, 所麗得中正也. 附麗者患不得中正, 如所麗之中正, 安往而不大吉哉? 位有二五之殊, 辭有裳·離之異, 其居下附麗, 雖因時而不同, 而其爲大吉, 則一而已. 非中之爲德, 疇克爾哉?

　「坤」之六五曰黃裳元吉, 「離」之六二曰黃離元吉, 嘗謂中之爲道大矣. 世嘗玩於其說而莫之省也. 夫以堯·舜·禹三聖人相授受而同出於一辭, 則道宜莫大於此矣, 而不過曰"允執厥中." 故子思之書反覆乎大中之說, 丁寧乎時中之論. 而世之喜事者, 不明乎中之說, 欲爲驚人可喜之行, 是非獨得罪於聖人, 而其所以速戾取禍者, 蓋亦不旋踵矣. 嘗試告之以大吉之可願, 則莫不願, 至告之以大中之道, 則又玩而不知省. 嗚呼! 安知所願者乃出於其所玩者歟?

　然子思之言中, 不獨有大中之說, 而又有時中之論. 蓋中而非其時, 則烏在其爲中也? 時乎「坤」之六五, 則疑乎陰之在上, 疑乎其上, 則居下之爲中矣. 守中而居下, 則以貴而下賤, 以尊而下卑, 以能而下於不能, 以多而下於寡. 夫守中而居下如此, 則天道之所益, 地道之所流, 人道之所好, 鬼神之所福, 其吉豈不亦大矣乎? 黃裳元吉, 「坤」之六五所以爲中也. 時乎「離」之六二, 則以陰而麗於兩陽之間, 麗於兩陽之間, 則麗之中正者也. 所麗者中正之道, 所附者中正之人. 以下而附乎上, 則在上者中正也, 以上而附乎下, 則在下者中正也. 夫所麗之中正如此, 則上交不諂, 下交不瀆, 建諸天地而不悖, 質諸鬼神而無疑, 其吉豈不亦大矣哉? 黃離元吉, 「離」之六二所以爲中也. 「坤」·「離」之五·二, 其居下附麗之義雖殊, 而其獲吉則咸底乎大, 信乎無適而不宜也.

竊嘗求之有周之臣, 周公以叔父之親, 師保之任, 而握髮吐哺, 下於白屋之夫, 終以周致太平. 魯疆以啓. 黃裳元吉, 周公以之. 太公抱鷹揚之策, 垂釣乎磻溪之涯, 年且八十矣, 一旦聞文王作, 興曰: "盍歸乎來?" 終以大告武成, 齊國以建. 黃離元吉, 太公以之.

雖然古之聖賢, 未有不中者. 夫子之聖而卒於旅人, 顏子之賢而終於陋巷, 則所謂元吉者果安在哉? 曰: "孔·顏萬世稱聖賢, 吉孰大焉? 若乃險賊而崇軒列鼎, 吾見其益疾而已. 未見其吉也."

백성으로 하여금 각각 마땅한 바를 얻게 하다
使民宜之

백성에게 우리 도(道)의 뜻을 알게 할 수는 없지만 우리 도의 마땅함을 누리게 할 수는 있다. 도라는 것이 천하에 마땅하지 않다면 성인이 어찌 도를 취했겠는가? 성인이 나오셔서 이 세상에서 큰일을 하시며, 변화로써 통하게 하고 신묘함으로써 교화함에 천하 백성들이 뛰고 춤추며 모두들 이를 적합하게 여겨 편히 거했지만, 이는 그저 자신의 도를 다했을 따름이다. 『대전(大傳)』에서 "백성으로 하여금 각각 마땅한 바를 얻게 하였다."[29]고 한 것은 이를 두고 말한 것이다. 부자께서 말씀하셨다. "백성에게 도리(道理)를 따르게 할 수는 있어도 그것을 알게 할 수는 없다."[30] 성인이 아니고서는 실로 알게 할 도리가 없다는 것이다. 도(道)의 뜻이라면 저 어리석은 백성이 알지 못할 수 있지만, 도의 마땅함이라면 성인이 본디 천하 백성들과 함께 말미암고 함께 누릴 수 있다.

백성들이 아직 수렵과 물고기 잡는 법을 모를 적에 성인께서 일어나 망과 물고기 그물을 만들어주심에 백성들이 망과 물고기 그물을 편히 사용하였다. 백성들이 아직 밭 갈고 농사지을 줄을 모를 적에

---

29) 『周易』「繫辭下」에 보이는 내용이다. "신농씨가 죽자 황제와 요와 순이 일어나 변화로써 통하게 하여 백성으로 하여금 게으르지 않게 하고, 신묘함으로 교화시켜 백성으로 하여금 각각 마땅한 바를 얻게 하였다.(神農氏沒, 皇帝堯舜氏作, 通其變, 使民不倦, 神而化之, 使民宜之)"
30) 『論語』「泰伯」.

성인께서 일어나 쟁기와 보습을 만들어주심에 백성들이 쟁기와 보습을 편히 사용하였다. 거기에서 배와 노, 활과 화살, 절구와 절구 공이에 이르기까지 백성들이 편히 여기지 않은 것이 없었다. 비록 형상과 뜻을 「이괘(離卦)」와 「익괘(益卦)」 등에서 따왔지만 백성들로 하여금 각기 마땅한 바를 얻게 하는 데 있어서는 황제나 요나 순의 「건괘(乾卦)」 및 「곤괘(坤卦)」와 다르지 않다. 황제와 요와 순이 일어났을 때는 "만물을 갖추어 쓰임을 다하고, [象을] 세워 기구를 만들어서 천하 사람들의 이로움으로 삼은 것들이"31) 전대의 성인 때에 이미 모두 갖추어져 있었다. 그렇기 때문에 백성들로 하여금 따르게 하던 방도가 오직 무위지치(無爲之治)로 드러났을 뿐이다. 황제 때의 일은 육예(六藝)에 고증해보아 확신할 수 있는 바가 없으나 요순 때의 일은 [『尙書』의] 전(典)과 모(謨)에 드러나 있어 고증할 수 있다. 오형(五刑)를 밝히고 삼례(三禮)를 다스렸으며, 강하(江河)를 트고 호표(虎豹)를 몰아냈다. 법제를 세우고 토의하고 심의하고 자문을 구함으로써 백성들에게 편의를 제공한 것이 대략 적지 않았다. 그러나 부자께서는 다만 "아득하고 광활하심을 백성들은 형언할 수조차 없다."32)라고만 하셨고 아무 것도 하지 않아도 나라가 다스려졌으니, 그들이 백성들로 하여금 각각 그 마땅함을 얻게 한 방도는 일괄 도에서 나왔을 뿐이다. 그렇기 때문에 "요임금은 이것으로써 순임금에게 전해주었다."라고 한 것이다.

---

31) 『周易』「繫辭上」에 "만물을 갖추어 쓰임을 다하며, (象을) 세워 기구를 만들어서 천하 사람들의 이로움으로 삼은 것이 성인보다 큰 것이 없다.(備物致用, 立成器, 以爲天下利, 莫大乎聖人)"이라는 내용이 나온다.
32) 『論語』「泰伯」에서는 요임금의 덕을 가리켜 "아득하고 광활하심을 백성들은 형언할 수조차 없다.(蕩蕩乎民無能名焉)"고 하였다.

民不可使知吾道之義, 而可使享吾道之宜. 使道而不宜於天下, 則聖人亦烏取乎道哉? 聖人出而有爲於天下, 變而通之, 神而化之, 而天下之民鼓舞踴躍, 莫不以爲宜而安之者, 亦盡其道而已矣. 『大傳』曰: "使民宜之", 以此. 夫子曰: "民可使由之, 不可使知之." 非聖人固不使之知也, 若道之義, 則彼民之愚, 蓋有所不能知也. 若乃其道之宜, 則聖人固與天下之民共由而共享之.

方民未知佃漁也, 聖人作爲網罟, 而民宜於網罟矣. 方民未知耕稼也, 聖人作爲耒耜, 而民宜於耒耜矣. 以至舟楫·弧矢·杵臼, 莫不皆宜於民. 雖其以象以義, 取諸「離」·「益」之諸卦, 而其所以使民宜之者, 蓋無異於黃帝·堯·舜之「乾」·「坤」也. 當黃帝·堯·舜氏之作, 爲備物制用, 立成器以爲天下利者, 前聖已備之矣. 故其使民由之者, 獨見於垂裳之治. 黃帝之事, 於六藝無所攷信, 而堯舜之事, 則載之典謨, 彰彰可攷. 如明五刑, 典三禮, 疏江河, 驅虎豹, 凡建法立制, 都俞咨詢, 以宜其民者, 蓋不爲少矣. 而夫子特稱其蕩蕩無名, 無爲而治, 則其所以宜之者, 一出於道而已. 故曰: "堯以是傳之舜."

성인은 이로써 마음을 씻어 물러나 은밀함 속에 이를 감추고, 길흉을 백성과 함께 근심하며, 신묘함으로써 미래를 알고 지혜로써 지나간 일을 간직한다 성시

聖人以此洗心, 退藏於密, 吉凶與民同患, 神以知來, 知以藏往 省試

사람의 망령됨을 씻어내면 하늘로 돌아가는 길이 저절로 은미해지고, 자신의 마음을 다하면 외물과 교섭함에 혹시라도 연루될 일이 사라진다. 점괘의 덕이며 육효(六爻)의 뜻이며, 성인께서 하늘로 돌아가고 외물과 교섭하는 방도가 어쩌면 그리도 지극한가. 이것으로 마음을 씻어낸다면 사람의 망령됨은 남김없이 씻겨나갈 것이다. 사람의 망령됨이 씻기고 천리(天理)가 절로 온전해졌으면 물러나 은밀한 곳에 숨음으로써 하늘로 돌아갈 따름이다. 이로 말미암아 길흉의 우환을 백성과 함께 하면 자신의 마음을 다하지 않음이 없게 된다.[33] 마음을 다하게 되면 외물과 교섭함에 있어 심묘함으로써 미래의 일을 알게 되고, 지혜로써 지나간 일을 간직하게 되나니, 더 이상 무슨 연루됨이 있겠는가? 망령됨이 씻기어 하늘로 돌아가는 길이 절로 은미

---

33) 『周易』 「繫辭上」에 "이런 까닭으로 蓍草의 德은 원만하고도 신비롭고, 괘의 德은 방정하고 지혜로우며, 육효의 뜻은 바뀌며 가르쳐줌이다. 성인은 이로써 마음을 씻어 물러나 은밀함 속에 감추어 간직하고, 吉凶을 백성들과 함께 근심하여 신묘함으로써 미래를 알고 지혜로써 지나온 일을 마음속에 간직하나니, 그 누가 능히 이에 함께 할 수 있겠는가.(是故, 蓍之德, 圓而神, 卦之德, 方而知, 六爻之義, 易以貢, 聖人以此洗心, 退藏於密, 吉凶與民同患, 神以知來하知以藏往, 其孰能與於此哉)"라는 내용이 보이는데, 이 글은 전체적으로 이를 염두에 두고 지었다.

해지고, 마음을 다하여 외물과 교섭함에 혹시라도 연루됨이 사라진다면, 점괘와 육효의 쓰임이 어찌 형적(形迹)에만 머물러 있겠는가? 신묘함으로써 안다는 말을 또한 어찌 황당한 소견으로 엿볼 수 있겠는가? "성인은 이로써 마음을 씻어 물러나 은밀함 속에 감추어 간직하고, 백성과 함께 길흉을 근심하며, 신묘함으로써 미래를 알고, 지혜로써 지난 일을 간직한다."의 뜻은 이와 같은 것이다.

『중용』에서 이르기를, "군자의 도는 광대하면서도 은미하다. 필부필부의 어리석음으로도 가히 참여하여 알 수 있으되, 그 지극한 데에 이르러서는 비록 성인이라도 알지 못하는 바가 있으며, 필부필부의 불초함으로도 능히 행할 수 있으되, 그 지극한 데에 이르러서는 비록 성인이라도 행하지 못하는 바가 있다."[34] 성인도 알지 못하고 행하지 못하는 바가 있으니, 가히 은밀하고 정미한 경지라 이를 만하지만 필부필부가 알 수 있고 행할 수 있는 범위를 넘어서지 않는다. 도의 광대함은 언제나 은미하고, 은미한 것은 언제나 광대하다. 내외가 합쳐지고 체용(體用)[35]이 갖추어지면 사람이 털끝만큼이라도 덧붙이거나 잠시라도 떠날 수 없다. 성인은 점복과 육효 사이에서 마음을 씻고, 은밀하고 정미한 경지에 물러나 숨으며, 백성들과 함께하고 만물과 교섭한다. 따라서 길흉이 어지러이 오고가더라도 나의 마음은 언제나 은밀한 데 물러나 숨겨져 있다. 이것이 바로 요임금을 형용할 길 없는 까닭이요, 순임금이 무위지치(無爲之治)를 이룬 까닭이요, 문왕(文王)이 알려고도 하지 않고 알지도 못한[36] 까

---

34) 『中庸』 12장.
35) 體와 用은 중국 철학에 있어 하나의 중요한 범주인데, 간략히 말하자면 本體와 作用을 가리킨다, 일반적으로 '體'는 가장 근본적이고, 내재적이며, 본질적인 것으로 설명되고, '用'의 '體'의 외재적 표현 혹은 표상으로 해석된다.

닭이요, 『주역』이라는 책을 상수(象數)에 얽매여 부화하고 허황된 말로 설명할 수 없는 까닭이다.

　바다 위에서 노니는 갈매기나 여량(呂梁)에 흐르는 물은 무심(無心)이라 말할 수는 있으나 도심(道心)이라 말할 수는 없다. 따라서 이런 것으로 마음을 씻고 물러나 숨는다면, 그릇됨에 빠지고 마는 꼴만 보게 될 것이다. 진수(溱水)와 유수(洧水)를 건네주는 수레[37]와 하동(河東)으로 옮기는 곡식은[38] 인술(仁術)이라 말할 수 있지만 인도(仁

---

36) 『詩經』「大雅·文王之什」에 "상제께서 문왕께 말씀하셨다. 나는 밝은 덕을 품고, 소리와 색을 대단히 여기지 아니하며, 꾸밈과 고침을 훌륭하게 여기지 아니하고, 알려고도 하지 않고 알지도 못하여, 상제의 법칙을 따른다.(帝謂文王, 予懷明德. 不大聲以色, 不長夏以革, 不識不知, 順帝之則.)"라는 구절이 나온다.

37) 『孟子』「離婁下」에 "자산은 정 나라의 정치를 맡아보았는데, 자기가 타는 수레로 사람들을 태워 溱洧를 건네주었다. 이에 맹자께서 말씀하셨다. '은혜로우나 정치는 할 줄 모른다. 11월이면 人道橋가 완성되고, 12월이면 차교가 완성될 것이니, 그렇게 되면 백성들에겐 물 건널 근심이 사라진다. 군자가 정치를 하려면 길을 가면서 거리의 사람을 물리쳐도 괜찮다. 어떻게 한 사람 한 사람을 다 건네줄 수 있겠는가? 그러므로 정치하는 사람이 모든 사람을 기뻐하게 해주려 든다면 날마다 그 일만 하여도 모자랄 것이다.'(子産聽鄭國之政, 以其乘輿濟人於溱洧. 孟子曰, '惠而不知爲政. 歲十一月徒杠成, 十二月輿梁成, 民未病涉也. 君子平其政, 行辟人可也. 焉得人人而濟之? 故爲政者, 每人而悅之, 日亦不足矣.')"라는 내용이 보인다.

38) 『孟子』「梁惠王上」에 나오는 내용이다. "양혜왕이 말했다. '과인은 이 나라에 마음을 다하고 있다. 하내에 흉년이 들면 그 백성을 하동으로 옮기고 그 곡식을 하내에 옮기고, 하동에 흉년이 들어도 또한 그렇게 한다. 이웃 나라의 정사를 살피건대 과인의 마음 씀만 같은 자 없으되, 이웃 나라의 백성이 더 적어지지 아니하고 과인의 백성이 더 많아지지 아니함은 어째서인가?'(梁惠王曰, '寡人之於國也, 盡心焉耳矣. 河內凶則移其民於河東, 移其粟於河內, 河東凶, 亦然. 察隣國之政, 無如寡人之用心者, 鄰國之民不加少, 寡人之民不加多, 何也?')"

道)라고는 말할 수 없다. 이로써 백성과 함께하고 외물과 교섭한다면, 얕은 데 닿아 그만 옴짝달싹 못하는 꼴만 보게 될 것이다.

성인께서는 도가 밝히 드러나지 않을 것을 두려워하여 이 모두를 점괘와 육효 사이에 드러내시고, 반복하여 그 뜻을 밝힘으로써 망령됨을 씻어내면 하늘로 돌아가는 길이 절로 은미해지고, 마음을 다하면 외물과 교섭함에 연루됨이 없어짐을 알게 하셨으니, 천하를 깨우친 뜻이 또한 지극하다 이를 만하다. "대연(大衍)의 수가 50이고 그 쓰임이 49"이니, 연(衍)으로 말미암아 시초점이 생겨난 것이다.[39] "네 번 경영하여 역(易)을 이루고, 18번 변하여 괘(卦)를 이룬다."[40] 그런즉 시초점으로 말미암아 괘가 만들어진 것이다. 시초점이 생겨나고 괘가 이루어지면 강유(剛柔)가 갈마들고 길흉(吉凶)이 보이면서 효(爻)가 그 사이에 있게 된다. 사람이 만든 망령됨이 그 사이에 어찌 낄 수 있겠는가? 이로써 마음을 씻는다면 분명 하늘로 돌아갈 수 있을 것이다. 비록 6, 7, 8, 9가 끝도 없이 뒤섞이고 건(乾)·곤(坤)과

---

39) 인용문 부분은 『周易』「繫辭上」에 나온다. 河圖의 수는 1에서 10까지인데, 이를 모두 더하면 55이고, 이 天地數에서 생수 5를 빼면 50이 된다. 이것이 곧 大衍數이다. 그러나 태극수 1을 빼고 사용하므로 실제 수는 49이다. 점칠 때 사용하는 시초는 뿌리가 하나에 줄기가 100개인데, 그것을 둘로 나누어 사용하면 각각 50개가 되므로 대연수가 되는 것이다.

40) 『周易』「繫辭上」에 나오는 말이다. 네 번 경영한다는 것은 7, 8, 9, 6을 말한다. 陸績은 나누어 둘이 되게 하는 것이 1營, 하나를 새끼에 걸어 삼재를 상징함이 2營, 헤아려 넷씩 4시를 본뜨는 것이 3營, 남는 것을 扐(손가락 사이)에 돌려 윤달을 상징함이 4영이라고 설명했다. 곧 4번 헤아려 영위함을 말하니, 이로써 역의 한 효가 이루어지는 것이다. 荀爽의 해설에 따르면, 두 번 헤아리는 책수는 왼손 하나의 손가락들 사이에 걸린 것이다. 3번 걸어 가득 채워진 뒤에 하나의 효가 완성된다. 이것이 6번 되풀이되어 6효가 이루어지면 하나의 괘가 성립된다. 6효는 3×6=18변이다. 그러므로 18번 변하여 괘를 이룬다고 하였다.

[震·巽·坎·離·艮·兌] 육자(六子)가 쉬지 않고 요동을 치지만, 50이라는 수 중 이른바 사용하지 않는 1도 사실은 여기서 살펴볼 수 있다. 그러니 성인께서 물러나 숨는 경지가 어찌 이른바 잘못하여 빠지는 곳이겠는가?

득실의 상(象)이 형성되고 회린(悔吝)[41]의 실정이 드러나면 효(爻)가 알려주는 길과 흉이 곧 내가 백성들과 더불어 근심하는 바가 된다. 지성(至誠)은 신(神)과 같고 명을 받음은 메아리와도 같다. 사물이 다가옴에 이를 신령함으로 아는 것은 시초점의 원만함과 다르지 않다. 만물은 각기 의지한 바가 있고, 거쳐 간 것들은 변화하게 된다. 사물이 떠나감에 지혜로써 감추는 것은 괘의 방정함과 다르지 않다. 성인이 백성들과 함께하고, 만물과 교섭하는 것은 미치지 못하거나 옴짝달싹 못하고 붙어있는 것과는 다르다. 이로써 보건대 점괘와 육효의 쓰임이란 그 양단을 잡고서 백성에게 그 한가운데 것을 사용하는 것 아니겠는가!

일찍이 「함괘(咸卦)」를 고찰해 성인께서 마음을 씻은 오묘함을 터득한 적이 있다. 「함괘」의 「단사(彖辭)」에서는 천지만물의 정(情)을 밝혔고,[42] 「함괘」의 「상사(象辭)」에서는 비움으로써 남을 받아들이는 뜻을 밝혔는데, 이렇게 하면 사람의 망령됨을 씻어내고 천리로 돌아갈 수 있으며, 백성과 함께하고 외물과 교섭하는 도를 살필 수 있

---

41) 『周易』「繫辭上」에 "회린이란 근심하는 상이다.(悔吝者, 憂虞之象也.)"라는 말이 나온다. 회린은 화란이나 재앙을 뜻한다.

42) 「咸卦」의 「彖辭」는 "천지가 감하면 만물이 화생하고, 성인이 인심에 감하면 천하가 평화로워진다. 그 감한 바를 보면 천지만물의 정을 다 볼 수 있다.(天地感而萬物化生, 聖人感人心而天下和平. 觀其所感, 而天地萬物之情可見矣.)"이다.

다. 구사(九四) 효사에서 성인께서는 사(四)를 심(心)의 자리에 해당한다고 여겼으니, 마음을 움직여 통하는[感通] 도리에 대한 말씀이 특히 지극하다 할 수 있다.[43] [효사에서는] "마음을 곧게 하면 길하고 후회함이 없다"고 하였는데 「상(象)」에서는 "감통은 해가 되지 않는다."[44]고 하였으니, 사적인 감정에 해침을 당하지 않는다면 본연의 마음은 어디를 가건 다 바르고, 그 어떤 것과도 통할 수 있는 것이다. [효사에서는] "끊임없이 왕래하면, 너의 마음에 따르는 자는 같은 무리뿐이다."라고 하였는데, 「상」에서는 "광명정대하지 못하다."고 하였으니, 끊임없이 왕래하는 사심이라면 감통한 바가 반드시 편협할 것이어서 그를 따르는 자는 오직 사적인 벗뿐일 것이다. 성인께서 마음을 씻으실 때 끊임없이 오고가는 사적인 마음을 다 씻어내시고, 본연의 바른 마음을 온전케 하지 않았겠는가? 이것이 바로 물러나 은밀한 데 숨어서 능히 백성과 함께하고 외물과 교섭하되, 함정에 빠지고 얕

---

43) 「咸卦」의 九四 효사는 "마음을 貞하게 하면 길하고 후회함이 없다. 바쁘게 끊임없이 왕래하면, 너의 마음에 따르는 것은 같은 무리뿐이다.(貞吉悔亡. 憧憧往來, 朋從爾思)"인데 「傳」에서 말하기를 "感이란 사람의 움직임이므로, 함괘는 모두 사람의 몸에서 괘상을 취하고 있다. 구사는 心의 위치에 해당하는데, 그 마음에 감동시킨다고 말하지 않는 것은, 느끼는 것이 곧 마음이기 때문이다. 感의 道는 통하지 않는 것이 없다. 사사로운 마음의 걸림이 있다면 感通에 해가 되니, 이것이 이른바 후회라는 것이다. 성인이 천하의 마음을 움직이는 것은 춥고 덥고 비오고 햇볕이 나는 것과 같아서 통하지 않는 것이 없고 응하지 않는 것이 없으니, 또한 역시 마음이 貞하기 때문이다.(感者, 人之動也, 故咸皆就人身取象. 四當心位, 而不言咸其心, 感乃心也. 感之道無所不通. 有所私係, 則害於感通, 所謂悔也. 聖人感天下之心, 若寒暑雨暘, 無不通無不應者, 亦貞而已矣)"라고 하였다.

44) 「咸卦」의 「象辭」는 "貞하면 길하다 함은 감통이 해가 되지 않음을 말하고, 끊임없이 왕래한다 함은 광명정대하지 못함을 말한다.(貞吉悔亡, 未感害也, 憧憧往來, 未光大也)"이다.

은 데 갇히는 등 한곳에 치우치지 않을 수 있는 까닭인 것이다.

혹자는 말한다. "성인이라면 태어나면서부터 편안히 행할 줄을 아는 사람으로 그 마음은 만 가지 변화에 대응할 수 있으며, 생각하지 않고서도 터득하고 노력하지 않아도 정도에 맞는데, 마음을 씻어낼 필요가 있단 말인가?" 요순임금도 [人心은] 위태롭고 [道心은] 미묘하다는 경계[45]를 잊지 않았고, 당시 대신들이 "음란하고 놀기를 좋아한다."는 말과 "아무것도 하지 않고 놀기만 좋아하고 오만하고 포악한 짓을 한다."[46]는 말을 하였어도 자신을 업신여긴다 생각하지 않고서 즐겨 듣고 또 듣기를 원했다. 오호라! 이것이 바로 나면서부터 편히 행할 줄을 알고 생각하지 않아도, 노력하지 않아도 되는 까닭 아니겠는가? 마음을 씻은 것에 무슨 의심이 있으리오?

滌人之妄, 則復乎天者自爾微, 盡己之心, 則交乎物者無或累. 蓍卦之德, 六爻之義, 聖人所以復乎天交乎物者, 何其至耶. 以此洗心, 則人爲之妄滌之而無餘. 人妄旣滌, 天理自全, 退藏於密微之地, 復乎天而已. 由是而吉凶之患與民同之, 而己之心無不盡. 心旣盡, 則事物之交, 來以神知, 往以知藏, 復何累之有哉? 妄滌而復乎天者自爾微, 心盡而交乎物者無或累, 則夫蓍卦六爻之用, 又豈可以形迹滯? 而神知之

---

45) 『尙書』「大禹謨」에 나오는 내용으로, 舜이 禹에게 왕위를 전해 줄 때에 당부했던 경계의 말이다. "인심은 위태롭고 道心은 미묘하니, 정일하게 그 가운데를 잡으라.(人心惟危, 道心惟微, 惟精惟一, 允執厥中)"

46) 『尙書』「益稷」에 보이며, 禹가 舜임금을 경계하며 한 말이다. "단아나 주처럼 오만하지 마십시오. 아무것도 하지 않고 놀기만 좋아하고, 오만하고 포악한 짓만 하며, 밤낮으로 일삼았습니다. 물이 없는 곳에다가 배를 띄우며 떼를 지어 집에서 음탕하게 놀아 그의 후손도 끊기고 말았습니다.(無若丹朱傲, 惟慢遊是好, 傲虐是作, 罔晝夜頟頟, 罔水行舟, 朋淫于家, 用殄厥世)"

說, 又豈可以荒唐窺也哉? "聖人以此洗心, 退藏於密, 吉凶與民同患, 神以知來, 知以藏往", 其意如此.

『中庸』言: "君子之道費而隱, 夫婦之愚可以與知焉, 及其至也, 雖聖人亦有所不知焉. 夫婦之不肖, 可以能行焉, 及其至也, 雖聖人亦有所不能爲." 夫聖人有所不知不能, 則可謂隱密精微之地矣, 而不外乎夫婦之所可知所可能. 蓋道之費者未嘗不隱, 而隱者未嘗不費. 內外合, 體用備, 非人之所可毫末加而斯須去也. 聖人洗心於蓍卦六爻之間, 退藏於隱密精微之地, 而同乎民, 交乎物者, 雖吉凶往來之紛紛, 而吾之心未嘗不退藏於密. 此堯之所以無名, 舜之所以無爲, 文王之所以不識不知, 而『易』之書所以不可以象數泥而浮虛說也.

狎海上之鷗, 游呂梁之水, 可以謂之無心, 不可以謂之道心, 以是而洗心退藏, 吾見其過焉而溺矣. 濟溱·洧之車, 移河東之粟, 可以謂之仁術, 不可以謂之仁道, 以是而同乎民, 交乎物, 吾見其淺焉而膠矣.

聖人懼夫道之不明也, 擧而揭之蓍卦六爻之間, 反覆而發明之, 使知夫妄滌而復乎天者自微, 心盡而交乎物者無累, 夫其所以曉天下者, 亦云至矣. 大衍之數五十, 其用四十有九, 則由衍以生蓍. 四營而成『易』, 十有八變而成卦, 則由蓍以立卦. 蓍生卦立, 剛柔相推, 吉凶以告, 爻在其中矣. 人爲之妄尙安得而與於其間哉? 以此洗心, 信乎其復於天矣. 雖六·七·八·九之錯綜無窮, 乾坤六子之摩盪不息, 而五十之數, 所謂不用之一者, 實於是乎見之. 則聖人退藏之地, 豈所謂過而溺焉者哉?

得失之象形, 悔吝之情著, 則爻之所以爲吉凶者, 吾之所以與民同患者也. 至誠如神, 受命如響, 事物之來, 神以知之, 無以異於蓍之圓也. 物各付物, 所過者化, 事物之往, 知以藏之, 無以異於卦之方也. 夫聖人之同乎民, 交乎物者, 亦異於不及而膠焉者矣. 由是觀之, 蓍卦六爻之用, 其諸以執其兩端, 用其中於民也歟?

嘗考於「咸」之卦, 而得聖人洗心之妙. 於「咸」之「彖」, 發天地萬物之情, 於「咸」之「象」, 發以虛受人之義, 此固可以滌人妄而復天理, 觀乎同民交物之道也. 至於九四一爻, 聖人以其當心之位, 其言感通爲尤至. 曰"正吉悔亡", 而「象」以爲未感害也. 蓋未爲私感所害, 則心之本然, 無適而不正, 無感而不通. 曰"憧憧往來, 朋從爾思." 而「象」以爲未光大也. 蓋憧憧往來之私心, 其所感必狹, 從其思者獨其私朋而已. 聖人之洗心, 其諸以滌去憧憧往來之私, 而全其本然之正也歟? 此所以退藏於密, 而能同乎民, 交乎物, 而不墮於溺焉膠焉之一偏者也.

或曰: "聖人生知安行, 彼其心之酬酢萬變者, 蓋不思而得, 不勉而中, 而何以洗爲?" 蓋不知堯舜不能忘危微之戒, 而當時大臣, 有淫逸遊樂之辭, 有慢遊傲虐之辭, 君亦不以爲輕己, 且樂聞而願聽之. 嗚呼! 此其所以爲生知安行不思不勉者歟? 於洗心乎何疑.

천지가 자리를 잡으면 성인이 그 능력을 완성시키고, 사람이 도모하고 귀신이 도모하여 백성이 그 능력에 참여한다

天地設位, 聖人成能, 人謀鬼謀, 百姓與能

　　천지는 성인을 필요로 하지만 천지는 우리가 미치지 못하고, 성인은 천지를 필요로 하지만 성인 또한 우리가 미치지 못한다. 크도다! 천지와 성인의 미치지 못함이여.

　　위에 있으면서 만물을 덮고 있는 것이 하늘이다. 아래에 있으면서 만물을 싣고 있는 것이 땅이다. 천지가 만물을 덮고 싣고 있지만 그 능력을 완성하기 위해서는 성인이 필요하다. 천지 홀로 도맡아 한 적이 없거늘, 덮고 실은 공은 끝내 천지로 돌아간다. 이것이 바로 우리가 천지에 미치지 못하는 까닭이다. 성인은 천지와 더불어 셋으로 우뚝 서서 천지의 능력을 완성시켜주며, 그 지능은 천하에 대적할 바가 없다. 그러나 사람의 일이라면 경사(卿士)에게 상의하고 귀신의 일이라면 점괘에 물어본다. 비록 우매하고 천한 백성일지라도 능력 없다 여기지 않고서 함께 일을 도모한다. 그런즉 성인이 천하를 필요로 하는 면 또한 많다고 할 수 있다. 하지만 그 능력을 완성시킨 공은 끝내 성인에게로 돌아간다. 이것이 바로 우리가 성인에 미치지 못하는 까닭이다. 그러니 혼자의 지혜와 능력만 믿고 나만한 자가 없다 여기는 자라면 어떻게 더불어 천지와 성인의 일을 논할 수 있겠는가? "천지가 위치를 설정하니 성인이 능력을 이루며, 사람이 도모하고 귀신이 도모하여 백성이 더불어 능력을 발휘한다."[47]라고 한 것은 바로 이 때문이다. 일찍이 기자(箕子)가 무왕(武王)을 위해 펼친 「홍범(洪

範)」을 보았는데, 일곱 번째로 의심을 묻는 것에서 이르기를, "당신에게 큰 의문이 있으면 당신의 마음에 물어보고, 경사(卿士)에게 물어보고, 백성에게 물어보고, 거북점과 시초점에 물어보십시오."라고 하였다. 『주역』에서 성인이 천지의 능력을 완성시킨다고 말한 것과 말은 달라도 대략 그 뜻은 같다 할 수 있다. 하늘이 내려준 「홍범」은 온수(溫水)와 낙수(洛水)에서 나왔으니, 천지의 마음이 여기 매우 분명히 보이며, 도의 커다란 근원을 나는 여기서 보았다. 크도다! 천지와 성인의 미치지 못함이여!

저 높은 하늘은 일월성신(日月星辰)을 매달고 있고, 음양(陰陽)과 한서(寒暑)를 운행하고 있으며, 또한 만물을 덮고 있다. 저 두터운 땅은 화악(華嶽)을 싣고도 무거워하지 않고, 하해(河海)가 요동쳐도 한 방울 흘려버리지 않으며, 또한 만물을 싣고 있다. 천지간에 천지가 주관하지 않는 것이 어디 있겠는가. 그러나 만물을 덮고 싣는 능력은 성인이 있어야만 완성된다. 성인의 정사(政事)가 천지의 마음에 부합하면 온갖 복과 길상으로써 경사를 내리지만, 천지의 마음을 잃으면 불길함과 재앙으로써 두려워하게 만든다. 성인이 나타나 그 능력을 완성시켜주기를 기대해야 함이 어찌 그리도 지극한가? 이는 다름 아니라 사심 없이 천하의 위대함을 극대로 발휘할 수 있기 때문이다. 성인은 마름질하여 완성하고 [천지를] 돕는 책임48)을 떠맡음과 동시에 참여하여 섭리하는 권한을 쥐고 있으니, 그 도가 어찌 천지와 다를 수 있겠는가? 그 마음이 어찌 하늘과 다를 수 있겠는가? 조정의

---

47) 『周易』「繫辭下」에 나오는 말이다.
48) 『周易』「泰卦」의 「象辭」에 "천지가 사귐이 태이니, 군주가 보고서 천지의 도를 마름질하여 완성하고, 천지의 마땅함을 도와 백성을 보우한다.(天地交, 泰. 后以, 財成天地之道, 輔相天地之宜, 以左右)"라는 말이 보인다.

일이라면 경사들이 나서서 잘한 일이 있거든 더 나아갈 수 있도록 독려하고, 거스른 일이 있거든 고치도록 다그치며, 내게 허물이 있거든 바로잡아주고, 잘못된 점이 있거든 규정(糾正)토록 해준다. 종묘의 일이라면 시초점과 거북점을 쳐서 가지 수를 세어보고 낡은 거북 껍질에 구멍을 뚫는다. 그러니 내가 감히 경외하지 않을 수 있겠는가? 행함에 있어 의심 가는 점이 있을진대, 내가 감히 묻지 않을 수 있겠는가? 사람에게 도모하고 귀신에게 도모하는 것으로도 부족하다고 여기며 백성의 능력마저 내가 함께 도모하지 못할까 두려워한다. [악공은] 역사의 교훈을 외워 규간(規諫)하였고, 사인(士人)은 백성들 사이의 여론을 전달하였으며,[49] 서민들은 길에서 비방하고 장사꾼들은 저자에서 왈가왈부하였다. 그랬기에 비천한 꼴 베는 자나 나무하는 자라도 그 의견을 묻지 않은 적이 없었으니, 성인께서 천하를 대하신 것이 어찌 그리도 지극한가? 이는 다름 아니라 사심 없이 천지와 더불어 그 위대함을 같이 하기 때문이다. 천지는 성인을 필요로 하지만 덮고 싣는 공이 천지로 돌아가고, 성인은 천하를 필요로 하지만 천지를 완성시킨 능력은 성인에게 돌아간다. 오호라! 이것이 바로 우리가 천지와 성인에게 미치지 못하는 까닭인 것이다.

부자께서 요임금을 기리며 "오직 하늘만이 크거늘, 오직 요임금만

---

49) 『大戴禮記』「保傅」에 태자가 성년이 되면 민의를 알기 위해 다음과 같이 했다는 기록이 있다. "이에 선한 말을 올리는 깃발이 있고, 비판할 때 쓸 수 있는 목판이 있었으며, 감히 간언하기 위해 두드리는 북이 있었다. 악사가 시편을 외워 민의를 전달하고, 악공이 역사의 교훈을 외워 바른 말로 간언하며, 士가 백성들 사이의 여론을 전달하였다. 이렇게 학습을 통해 지혜가 자라게 하였다. (于是有進膳之旌, 有誹謗之木, 有敢諫之鼓. 鼓史誦詩, 工誦正諫, 士傳民語, 習與智長)"라는 말이 있다.

이 본받으시었네."라고 하였으나 클 수 있었던 까닭에 대해서는 "백성들이 무어라 형용하지 못하였다."라고 하였다.[50] 맹자께서는 순임금을 기리며 "대순에게는 위대함이 있다."고 하였으나, 그 위대할 수 있었던 까닭인즉 그저 "자신을 버리고 남을 따르고, 사람에게서 취하여 선한 일 하기를 즐겼기 때문"[51]이라고만 말씀하셨다. 묘당에서는 의견을 같이 하면 동의하고 반대하면 동의하지 않았으며,[52] 나중에 명하는 거북점이나 같이 따라주는 시초점이나[53] 공경하지 않음이 없었다. 사방 문을 열어놓고 사방으로 눈을 밝히셨기에,[54] 천한 꼴 베는 자와 나무하는 자의 의견이라도 모두 위에까지 전달될 수 있었다. 내 여기서 성인이 천지를 완성시키는 능력을 지닐 수 있던 까닭을 보았도다! 오호라! "필부필부가 스스로 극진히 섬기지 않으면 임금이 누구와 더불어 공을 이룰 수 있겠는가?"[55] 그러니 천하의 군주 된 자가 천지와 닮기 위해 노력하지 않을 수 있겠는가?

---

50) 『論語』「泰伯」.

51) 『孟子』「公孫丑上」.

52) 都는 찬미하는 말, 兪는 동의하는 말, 吁는 동의하지 않는 말, 咈는 반대하는 말을 뜻한다. 요임금, 순임금, 우임금이 조정에서 정사를 논할 때 쓰던 말인데 후에는 군신 간에 온화한 모습으로 정사를 논하는 것을 뜻하는 말로 사용된다. 동의하고 반대하는 것을 상징하는 말이다.

53) 『尙書』「大禹謨」에 "임금님께서 말씀하시기를, '우여, 관청의 점은 먼저 뜻을 정하고서야 뒤에 거북점을 명하니, 나의 뜻이 먼저 정하였거늘, 물은 꾀와 모두 같으며, 귀신들도 그렇게 따르고 거북과 점까지도 같이 따른다. 점은 길한 것을 거듭 치지 않는 법이다.(帝曰禹, 官占, 惟先蔽志, 昆命于元龜, 朕志先定, 詢謨僉同, 鬼神其依, 龜筮協從, 卜不習吉.)"

54) 『尙書』「舜典」에 "사악과 의논하여 사방의 문을 여시고, 사방으로 눈을 밝히시고 사방으로부터 잘 들리도록 하셨다.(詢于四岳, 闢四門, 明四目, 達四聰)"는 말이 보인다.

55) 『尙書』「咸有一德」.

天地有待乎聖人, 而天地爲不可及, 聖人有待乎天下, 而聖人亦爲不可及. 大哉! 天地聖人之不可及乎.

位乎上而能覆物者, 天也. 位乎下而能載物者, 地也. 天地能覆載萬物, 而成其能者, 則有待乎聖人. 天地未嘗專之也, 而覆載之功卒歸之天地, 此天地之所以爲不可及也. 聖人參天地而立, 成天地之能, 其智能非天下之敵也. 然人焉謀之卿士, 鬼焉謀之蓍龜, 雖百姓之愚且賤, 亦不謂其不能而與之焉, 則聖人之有待於天下者, 亦云衆矣. 然成能之功卒歸之聖人, 此聖人之所以爲不可及也. 然則恃一己之智能, 而謂人莫己若者, 豈可與論天地聖人之事哉? "天地設位, 聖人成能, 人謀鬼謀, 百姓與能", 以此. 嘗觀箕子爲武王陳「洪範」, 其七稽疑曰: "汝則有大疑, 謀及乃心, 謀及卿士, 謀及庶人, 謀及卜筮." 蓋與『易』言聖人所以成天地之能者, 異經同旨. 天錫之「洪範」, 出於溫·洛之水, 則天地之心, 於此甚白, 而道之大原, 吾於此而見之矣. 大哉! 天地聖人之所以爲不可及者乎.

天之高也, 日月星辰繫焉, 陰陽寒暑運焉, 萬物覆焉. 地之厚也, 載華嶽而不重, 振河海而不洩, 萬物載焉. 天地之間, 何物而非天地之爲者. 然而覆載萬物之能, 猶有待於聖人. 聖人之政, 有以當天地之心, 則諸福百祥以嘉慶之. 有以失天地之心, 則妖孽災異以警懼之. 彼其望於聖人以成其能者, 何其至耶? 無它, 無私焉而極天下之大也. 聖人膺裁成輔相之任, 秉參贊燮理之權, 道奚而可與天地殊? 心奚而可與天地異? 朝焉卿士, 善責汝進, 違責汝弼, 余愆是繩, 余繆是糾, 廟焉蓍龜, 揲枯鑽朽, 余不敢不敬? 有行有疑, 余不敢不問? 人謀鬼謀, 猶以爲未也, 懼夫百姓之能, 吾不與謀焉. 工誦箴諫, 士傳民語, 庶人謗於道, 商旅議於市, 雖芻蕘之賤, 未嘗不詢焉, 則聖人所以有待於天下者, 亦何其至耶? 無它, 無私焉而與天地同其大也. 天地有待於聖人, 而覆載之功歸焉, 聖人有待於天下, 而成天地之能者歸焉. 嗚呼! 此天地聖人之所以爲不可及也.

夫子頌堯曰: "惟天爲大, 唯堯則之", 而其所以爲大者, "民無能名"焉.
孟子頌舜曰: "大舜有大焉", 而其所以爲大者, 亦不過"舍己從人, 樂取
諸人以爲善." 廟堂之上, 都焉而吁, 咈焉而兪, 昆命之龜, 協從之筮, 罔
有不敬, 開四門, 明四目, 而芻蕘之賤, 咸得上達, 吾於此見其所以成天
地之能者歟! 嗚呼! 匹夫匹婦, 不獲自盡, 民主罔與成厥功. 君天下者,
可不勉所以與天地相似者乎?

만물 위에 머리가 드러나니 만국이 모두 평안해진다[56]

首出庶物, 萬國咸寧

성인에게는 드넓은 은택을 베푸는 도(道)가 있고, 천하에는 이루기 어려운 공이란 없다. 만물은 수없이 많고 만국 또한 허다하니, 성인이 머리를 드러내 이 모두를 편안히 다스리고자 한다면, 가히 이루기 어려운 공이라 이를 만하다. 그러나 성인이 널리 은택을 베푸는「건(乾)」을 체득하여 이로써 만물 위에 머리를 드러낸다면, 만국이 모두 평안해지는 것도 대단하다 여길 만하지 못하다.

만물 위에 머리가 드러나니 만국이 모두 평안해진다. 성인이 건원(乾元)의 쓰임을 얻음이 본디 크긴 하지만 천하란 쉽게 이야기할 수 없는 것이다. 크게 말해보건대 어떤 물건인들 갖추고 있지 않겠으며, 어느 곳인들 포괄하고 있지 않겠는가. 그러나 만물이 생성 변화하면 크고 작고 높고 낮은 모든 것들이 털끝만한 공간 사이에서 각기 마땅한 자리를 얻는다. [東, 西, 南, 北, 上, 下]의 육위(六位)가 이루어지면 잠기고[潛], 드러내고[見], 비상하고[飛], 도약하는[躍] 도가 각기 달라진다. 이 도를 체현하여 만물 위에 머리를 드러내고 만국을 평안히 다스리고자 한다면, 천하 사람보다 뛰어난 학식을 지닌 사람이 아니고서는 능히 해내지 못할 것이다.

바야흐로 잠겨 있을 때라면, 숨어 있어 드러나지 않고 행실 또한 완성되지 않았기 때문에 배움을 그쳐서는 안 된다. 모습을 드러내 밭

---

56)『周易』「乾卦」의「彖辭」에 나오는 말이다.

에 있을 때라면, 평상시 말을 신의로써 하고 행동을 조심스럽게 하여 사악함을 막아 성(誠)을 보존해야 하나니, 배움을 과연 그칠 수 있겠는가? 구삼(九三)은 위태롭고 구사(九四)는 의심스러우니[57] 덕에 나아가고 학업을 닦는 일에 더욱 해이해질 수 없다. 구오(九五)에서 말하는 천지와 덕을 합하는 것은[58] 위로 진퇴와 존망을 알되 그 바름을 잃어서는 아니 되니, 배움이 아니고서 과연 그 경지에 이를 수 있겠는가? '만물 위에 머리를 드러내는 것'은 '육룡(六龍)을 타는 데' 달려 있다.[59] 그러니 성인은 가장 높은 「건」의 여섯 양효를 갖추고도 언제나 배우기를 반복했던 것이다. 그 학문이 천하를 뛰어넘을 수 있다면 천하도 뜻을 다 펼치기에 부족할 터, 만국을 평안히 다스리는 것은 실로 대단한 일도 아닐 것이다.

　용구(用九)[60]의 「상사(象辭)」에서 "천덕은 머리로 삼음이 불가하

---

57) 「乾卦」의 九三 爻辭는 "군자가 종일토록 건실한 자세를 유지하면서 저녁까지 두려워하는 마음으로 조심하면, 비록 위태로운 지경을 당할지라도 허물이 없게 될 것이다.(君子終日乾乾, 夕惕若, 厲無咎)"이다. 九四 爻辭는 "뛰어올랐다간 다시 못 속에 내려와 잠기나, 허물은 없다.(或躍在淵, 無咎.)"이다.

58) 「乾卦」의 九五 爻辭는 "나는 용이 하늘에 있으니, 대인을 만나봄이 이롭다.(飛龍在天, 利見大人)"이다.

59) 「乾卦」의 「象辭」에서 이르기를, "위대하다, 건원이여. 만물이 이로써 생겨나며 하늘을 통어함이다. 구름이 움직여 비가 내리고 만물이 생성 변화하여 終始의 도가 크게 밝아지면 육위가 제 때 이루어지니, 이때 육룡을 타고서 하늘을 통어한다.(大哉乾元, 萬物資始, 乃統天. 雲行雨施, 品物流形, 大明終始, 六位時成, 時乘六龍以御天.)"

60) 「乾卦」의 六爻가 모두 陽爻인 것을 가리켜 用九라고 한다. 『주역』 각 괘의 효사는 初부터 上까지 여섯 개이다. 그런데 유독 「乾卦」와 「坤卦」만은 用九와 用六의 한 구절이 더 있다. 이것은 고대 점복과 관계가 있는데, 「건괘」의 用九는 여섯 개의 양효가 모두 음효로 바뀜으로써 「건」이 「곤」으로 변함을 의미하며, 「곤괘」의 用六은 여섯 개의 음효가 모두 양효로 바뀜으로써 「곤」이 「건」으

다."라고 하였거늘, 만물 위에 머리가 드러난다고 한 것은 어째서인가? 오호라! 머리 노릇하지 않기에 오히려 "만물 위에 머리를 드러내게 되는 것"이리라. 그래서 내가 배움이 없을 수 없다고 말하는 것이다.

聖人有兼覆之道, 天下無難辦之功. 庶物之多, 萬國之衆, 聖人欲首出而使之咸寧, 可謂難辦之功矣. 然聖人體兼覆之「乾」, 以是首出庶物, 則萬國咸寧, 不足多也.

首出庶物, 萬國咸寧, 聖人所以得乾元之用固大矣, 非天下之所可得而易言也. 大而言之, 何物而不備, 何所而不該. 然品物之形旣流, 洪纖高下, 毫厘之間, 而各有所宜. 六位之成, 則潛·見·飛·躍, 其道各異. 欲體是道以首庶物而寧萬國, 非夫學之超乎天下之上, 吾未見其能也.

方其潛也, 隱而未見行而未成, 則學固不可以已也. 及見而在田, 則庸言之信, 庸行之謹, 閑邪存誠, 是學果可以已乎? 三之厲, 四之疑, 固進德修業不可懈也. 至於五之與天地合德, 上而知進退存亡, 而不失其正, 非學果何以至之? 首出庶物, 蓋在於乘六龍, 而聖人於「乾」之六位, 莫不反復乎學. 使其學能超乎天下之上, 則天下有不足爲, 而萬國咸寧, 信乎其不足多也.

用九之辭曰: "天德不可爲首." 而乃以首出庶物, 何耶? 嗚呼! 不爲首蓋所以首出庶物, 而愚所以謂不可以無學者也.

로 변함을 의미한다.

권 30

정문程文

'효문제의 큰 공 수십 가지'에 관한 논의
孝文大功數十論

  사람의 미덕을 칭송할 때는 반드시 그 사람의 무거움을 더해주고
자 하기 마련이다. 사람의 미덕을 칭송하려 하나 그 사람의 무거움을
더해주기에 부족하다면 그 사람이 그릇됨 자임에 의심의 여지가 없
다. 입언(立言)에 있어 그릇됨이 있을 경우 반드시 후세에 비난거리
를 남기게 된다. 그러나 입언의 그릇됨이 후세에 비난거리를 남길 만
한 것이 아니라면 그 사람의 그릇됨은 보다 더 큰 것에 있다.
  효문제(孝文帝)는 한(漢)나라의 현군이다. 조조(晁錯)는 조정에 올
린 대책(對策)[1]에서 "이로움을 일으키고 해악을 제거하며, 법을 바꾸
고 전례를 개혁한" 사안 등을 열거하면서, '큰 공이 수십 가지'라고 요
약하였다.[2] 그 찬미 또한 지극하며, 그 말 또한 과장되었다. 그러나

---

1) 이 글은 「관리가 공평하지 않으면 정사가 펼쳐지지 않고 백성이 안녕하지 못하
   다(吏之不平, 政之不宣, 民之不寧)」라는 詔策에 대해 晁錯가 답변한 내용을
   중심으로 논리를 전개하고 있다.
2) 晁錯는 秦나라의 학정과 陳勝의 난이 일어난 이유를 설명한 뒤에 文帝의 업적
   을 기리며 다음과 같이 말했다. "지금 폐하께서는 하늘과 부합하시고 땅을 본뜨
   시며 만민에게 두루 은택을 내리심과 동시에 진나라의 흔적을 끊어내시고 그

훗날 문제의 어짊을 칭송하는 자들은 결코 이 말을 가져다 그 무거움을 더하고자 하지 않는다. 문제는 직언과 극간(極諫)을 해 줄 사람을 구했고, 조조 또한 직언과 극간으로써 명을 받들었다. 그가 갖춰 올린 상주문에 빠트린 것이 있다거나 황제를 보필함에 미치지 못한 바가 있다는 말은 들어보지 못했다. 그러나 공렬에 대한 칭송을 남발하였고, 같은 말을 거듭 반복하였다. 점차 아첨과 거짓으로 칭찬하고 아부하는 작태에 물들고, 억지로 끌어다 붙이고 겉을 꾸미느라 분주하였으되 정리(情理)에 맞는 사실이라곤 없으니, 그것이 그릇되었음

어지러웠던 법을 제거하셨습니다. 본업에 직접 임하시어 음험한 말세의 기운을 없애시고, 각박함과 어지러움을 해결하셨습니다. 또 관대한 마음으로 사람들을 사랑하시어 육형을 사용하지 않으셨으며 죄인에게 연좌죄를 묻지 않았습니다. 비방하는 말을 다스리지 않았으나 돈을 주조하는 자는 제거하셨고, 關을 통하게 하고 변새를 없애어 제후를 서얼로 대하지 않았습니다. 장로들을 빈객의 예로 대하고 고아들을 사랑으로 긍휼히 여겼으며, 죄인은 기한을 주어 풀어주었고 후궁은 출가할 수 있게 해주었습니다. 孝悌를 내려주시고 농민에게 세금을 걷지 않았으며, 영명한 조서로써 군사를 통솔하시고 사대부를 사랑하셨습니다. 방정한 인사를 구하여 등용하고 사악한 자들은 폐하여 내치셨습니다. 궁형을 없애시고 백성에게 해악 끼치는 자를 주벌하셨으며, 백성들을 위해 근심하고 위로하고 열후들을 도성으로 불렀습니다. 친히 농사지으시고 절약하시어 백성들에게 사치스럽지 않은 모습을 보이셨습니다. 천하의 이로움을 일으키고 해악을 제거하고, 법을 바꾸고 전례를 고침으로써 해내를 편하게 해주신 큰 공이 수십 가지인데, 모두 예전에 미치기 어려운 바이지만 폐하께서 이를 행하셨으니, 그 순정하고 두터운 도와 덕은 백성들에게 있어 크나 큰 행운입니다.(今陛下配天象地, 覆露萬民, 絶秦之迹, 除其亂法. 躬親本事, 廢去淫末, 除苛解嬈, 寬大愛人. 肉刑不用, 罪人亡拏. 非謗不治, 鑄錢者除, 通關去塞, 不孽諸侯. 賓禮長老, 愛恤少孤, 罪人有期, 後宮出嫁, 尊賜孝悌, 農民不租, 明詔軍師, 愛士大夫, 求進方正, 廢退奸邪, 除去陰刑, 害民者誅, 憂勞百姓, 列侯就都, 親耕節用, 視民不奢. 所爲天下興利除害, 變法易故, 以安海內者, 大功數十, 皆上世之所難及, 陛下行之, 道純德厚, 元元之民幸矣.)" 육구연이 뒤에 인용한 부분을 보면 문자에 약간의 출입이 보인다.

은 의심할 여지없다.

옛날 공명정대하고 반듯한 사인(士人)들은 조조가 대책에서 한 이 말에 깊이 주목하지 않았으며, 일리가 있다 여겨 혹시라도 취하지 않았다. 이는 이 말이 크게 틀려서가 아니라, 이 말이 대수롭지 않다고 여겼기 때문이다. "군자는 한 마디 말로 지혜로워지기도 하고, 한 마디 말로 지혜롭지 못하게 되기도 한다."3) 이 경우는 한 마디 말로 군자 된 도리를 잃은 것이다. 조조의 대책은 영합하는 말이나 견강부회하는 말이 아닌 것이 없으며, 오제(五帝)와 삼왕(三王)과 오백(五伯)에 관한 내용은 글 전체4)의 종지였음에도 이치에 어긋남이 매우 심하다. 요컨대 그 귀결처인즉 오직 직접 다스리라는 말로써 문제를 권면하고자 했을 따름이지만 이 또한 제왕의 도에서 크게 벗어나 있다. 이것이 바로 효문제의 큰 공 수십 가지에 대해 옛 사람들이 비난하지 않았던 이유이다. 그러나 말이란 마음의 소리이다. 조조가 조정에서 바친 대책이 어찌 황당하고 근거 없는 말로써 황명을 막아보려고 한 것에 그쳤겠는가? 가혹하기 그지없는 형명학(刑名學)에서는 군주로 하여금 가장 중임하는 신하를 폐하고, 자질구레하고 복잡한 직임을 직접 떠맡아, 지력도 다하고 힘도 바닥 난 채 그치고 싶어도 그치지 못하고, 나아가고 싶어도 그러지 못하게 만들고자 한다. 그렇게 되면

---

3) 『論語』「子張」에 "군자는 한 마디 말로 지혜로워지기도 하고 한 마디 말로 지혜롭지 못하게 되기도 하니, 말이란 신중하지 않을 수 없다.(君子一言以爲智, 一言以爲不智, 言不可不愼也)"라는 내용이 보인다.
4) 여기서 언급하고 있는 글은 晁錯의 「擧賢良對策」이다. 이 글에서 조조는 五帝의 일을 예로 들면서 '국가의 대체에 밝아야 함(明于國家大體)'을 설명하였고, 三王의 일을 예로 들면서 '인사의 종시에 통달해야 함(通于人事終始)'을 설명하였으며, 春秋五霸의 일을 예로 들면서 '直言極諫'을 설명하였다.

상황당 당연히 내게 모든 것을 위임할 것이고, 나는 비로소 지혜와 말솜씨를 펼칠 수 있게 되기 때문이다. 기지가 그러하기 때문에 그 공렬과 능력을 한껏 칭찬함으로써 하고자 하는 마음을 부추기고 용기를 격발시켜, 군주로 하여금 자기도 모르게 나의 말을 듣고 즐거워하도록 조장하는 것이다. 그런즉 '큰 공 수십 가지'라는 말이 대수로이 여길 만하지 못하다고 하여 방치할 수 있겠는가? 맹자께서 말씀하시기를, "군주의 악을 조장하는 자는 그 죄가 작지만 임금의 악에 영합하는 자는 그 죄가 크다."[5]고 하였다. 조조가 한 말은 바로 군주의 악에 영합하는 것이었다.

조조를 위해 해명하는 자가 말했다. "미덕에 순종하는 것 또한 군주를 모시는 도리이거늘, 어찌 그리 심히 나무라십니까?" 오호라! 말을 가려 살필 줄을 모르면 사람을 알 길이 없다. 평생토록 배운 학문과 평상시 간직하고 있던 생각들이 말로 표출되기 때문에 아무리 가리고 덮으려 해도 군자가 보면 마치 그 속을 들여다보듯이 훤히 알 수 있다. 하물며 마음속에 어떠한 생각을 가지고 이리저리 방법을 찾아내 사설(邪說)을 바치고자 하였으니, 이에 대해 알지 못하는 바가 있다면 말을 가려 살필 줄 아는 자라 말할 수 없다. 『춘추(春秋)』를 설명하는 자는 말이 무겁고 내용이 겹치는 것으로 보아 그 안에 분명 커다란 포폄(褒貶)의 뜻이 있으리라 여겼으니, 성인의 뜻도 언사에 드러났던 것이다. 대개 성스러움과 우매함, 사특함과 올바름이 비록 다르긴 하지만 그 뜻이 언사에 드러나면 같아진다. 눈을 부라리고 말을 거리낌 없이 한다면 나를 두려워하는 뜻이 드러난 것이다. 무거운 뇌물을 주고 달콤한 말을 한다면 나를 유혹하고자 하는 뜻이 드러난

---

5) 『孟子』「告子下」.

것이다. 조조가 문제의 공을 서술하면서 열거한 항목이 수십 가지이다. "본업에 직접 임하시고", "음험한 말세의 기운을 없애시고", "농민들에게 세금을 걷지 않으시고", "직접 농사지으시며 절약하시고" 백성들에게 사치스럽지 않은 모습을 보이셨다." 이 다섯 가지는 그저 한 가지 일일 뿐이다. "진나라의 자취를 끊어내시고", "각박함과 어지러움을 해결하고", "관대한 태도로 사람을 사랑하고", "육형을 쓰지 않고", "죄인에게 연좌죄를 묻지 않고", "비방하는 자를 다스리지 않고", "궁형을 없앴다." 이 일곱 가지 또한 한 가지 일일 뿐이다. 이밖에도 같은 일인데 조목만 달리 잡은 것이 더 존재한다. 그런데도 '큰 공'이라고 떠벌리고 수십 가지라 부풀렸으니, 그 뜻을 또한 살펴볼 수 있다. 과장과 칭찬으로 문제의 마음을 움직여 스스로 직책을 떠맡고자 결심하게 하고, 문제를 어지러운 지경에 던져 넣은 다음, 몰래 팔짱 끼고 그 곤경을 엿보다가 틈을 타 자신의 지혜와 말솜씨를 펼칠 요량이었던 것이다.

　문제 때에 일을 시작하여 경제(景帝)의 조정에서 뜻을 펼치더니, 마침내 칠국(七國)의 변란이 터져 한나라는 하마터면 산동(山東)을 잃을 뻔하였고, 원앙(袁盎)이 조용히 고한 한 마디에 조조는 마침내 동시(東市)에서 목이 달아나고 말았다.[6] 세상 사람들은 그가 참소 당해 죽었다며 안타까워들 하지만, 나만은 [그 덕에] 군주의 악에 영합하는 죄를 짓지 않을 수 있게 된 것을 기쁘게 생각한다.

---

6) 『史記』 권41 「晁錯袁盎列傳」에 보면 吳楚七國의 반란이 일어나자 평소 조조와 견원지간이었던 원앙은 경제에게 조조를 죽일 것을 진언하였고, 경제는 이 말을 받아들여 조조에게 朝衣를 입힌 다음 東市에서 처형했다.

頌人之美者, 必增重乎其人, 頌人之美, 而不足以增重乎其人, 則其非爲無疑矣. 立言之非者, 必貽譏於後世, 立言之非, 而不足以貽譏於後世, 則其非又有大焉者矣.

孝文, 漢之賢君也. 晁錯大廷之對, 枚數其興利除害變法易故之事, 而凡之曰'大功數十', 其美亦已至矣, 其言亦已夸矣. 而後世稱文帝之賢者, 初不以斯言而增重. 蓋文帝以直言極諫求人, 而錯亦以直言極諫充詔, 不聞條疏闕失, 輔帝不逮, 而猥用稱述功烈, 其辭諄複, 駸駸乎佞譽諛諜之風, 勞於附會粉飾, 而無中情當理之實, 其非無足疑矣.

然自昔公明通方之士, 於錯之對, 未嘗深致意於斯言, 非以爲然而或取之也, 蓋以其言之非有大過於是者, 而不必以斯言輕重之也. 君子一言以爲智, 一言以爲不智, 此一言之失者也. 若錯之對, 無非遷就牽合之說, 如五帝·三王·五伯之說, 一篇之襟領, 而悖理尤甚, 要其歸, 獨欲以自親事一說勸帝, 而又大乖乎帝王之道. 此孝文大功數十之說宜昔人之無譏焉耳. 雖然, 言心聲也. 錯以大廷對策, 豈徒爲是繆戾不根之說以塞詔而已耶? 蓋其刑名慘刻之學, 深欲其君廢放股肱之臣, 身履叢脞之任, 智慮力竭, 欲已不可, 欲進不能, 則勢必委之於我, 而我之辯智得伸焉. 其機如此, 則亦不得不盛稱其功烈能事, 以聳動其欲爲之心, 激發其敢爲之氣, 使之樂吾之說而不自知焉. 然則大功數十之說, 豈可謂之不足輕重而置之乎? 孟子曰: "長君之惡其罪小, 逢君之惡其罪大." 錯之斯言, 其逢君之惡者矣.

爲錯解者曰: "將順其美, 亦事君之道, 而何過之深乎?" 嗚呼! 不知言無以知人也. 彼其終身之所學, 平日之所存, 發之於言者, 雖欲掩匿蔽覆, 由君子觀之, 如見其肺肝. 況其處心積慮, 旁求曲取, 以附致其邪說, 而有所不知, 則不可謂之知言者矣. 說『春秋』者, 以爲言之重, 辭之複, 其中必有大美惡焉. 聖人之情, 猶可以辭見. 蓋聖愚邪正雖異, 而情見乎辭則同. 目動言肆, 懼我之情見矣. 幣重言甘, 誘我之情見矣. 錯述文帝之功, 其目數十. 如躬親本事, 廢去淫末, 農民不租, 親耕節用, 示民不奢, 此五者特一事也. 如絶秦之迹, 除苛解嬈. 寬大愛人, 肉刑不用, 罪人不拏, 誹謗不治, 除去陰刑, 此七者亦一事也. 其餘事同而條異者, 亦又有之. 號之以大功, 衍之以數十, 則其意亦可見矣. 蓋將以夸許聳動文帝之心, 而作其自任之意, 投之膠擾之地, 陰拱以窺其困而乘其隙, 以伸辯智焉.

肇端於文帝之日, 而遂申於景帝之朝, 卒然譁於七國之變, 而山東幾非漢有. 袁盎從容一說, 而要領竟分於東市. 世莫不有讒忌之惜, 而愚獨喜其少足以正逢君之罪.

천지의 성 중에 사람이 가장 귀하다[7]에 관한 논의
天地之性人爲貴論

　성인이 천하 사람들을 깨우쳐주심은 심히 지극하나 천하가 성인을 따름은 심히 적다. 사람이 천지간에 태어나 음양의 조화로움을 품부받고 오행의 빼어남을 품었으니, 이보다 더 귀한 존재가 어디 있겠는가. 본연의 것을 따르고 본디 지니고 있는 것을 온전히 한다면 이른바 귀하다는 것은 본디 스스로 지닐 것이고 스스로 알 것이고 스스로 누릴 것인데, 성인을 언급하는 것은 어째서인가? 오직 물욕에 함몰되어 스스로 빠져나오지 못하므로 이른바 귀한 것이 이욕(利欲)에 의해 빠져나와버리고, 참된 귀함은 이로 인해 침잠한 채 쇠미해져버린다. 성인은 이를 불쌍히 여겨 '천지의 성 가운데 사람이 가장 귀하다'[8]고 고해준 것이니, [사람들을] 깨우쳐주심이 또한 심히 지극하다. 따라서 그 책을 읽고 그 말씀을 듣는다면 누구라도 근심스러워하며 감발되는 바가 없을 수 없을 것이다. 그러나 유독 그 사설(辭說)과 의론 사이에 집착하고 있으니, 따르는 자가 적지 않을 수 있겠는가? '천지의 성 가운데 사람이 가장 귀하다'고 하였는데, 나는 성인이 깨우쳐주심이 이토록 지극함에도 이를 따르는 자가 적은 것에 깊이 느낀 바가 있다.

---

7) 이 말은 『孝經』「聖治」에 나오는 말이다.
8) 『孝經』「聖治章」에 보이는 말로 曾子의 "감히 묻건대 성인의 덕은 효보다 더한 것이 없습니까?(敢問聖人之德無以加於孝乎?)"라는 질문에 공자는 "천지의 성 중에 사람이 가장 귀하고, 사람의 행실은 효보다 큰 것이 없다.(天地之性, 人爲貴. 人之行, 莫大於孝.)"고 대답했다.

『맹자』에서는 '하늘을 아는 일[知天]'을 말할 때면 반드시 "성(性)을 알면 하늘은 알게 된다."[9]라고 말하였고, '하늘을 섬기는 일[事天]'을 말할 때면 반드시 "성을 기르는 것이 곧 하늘을 섬기는 것이다."[10]라고 말하였다. 『중용』에서 '천지의 화육을 돕다'를 말할 때면 반드시 "성을 능히 다할 수 있는 것"[11]을 근본으로 삼았다. 사람의 형체와 천지는 심히 아득하다. 그럼에도 『맹자』와 『중용』에서 그렇게 이야기하였으니, 이 어찌 황당하고 허탄한 이야기를 지어내 천하를 속이고자 함이겠는가? 이는 실로 나의 성 바깥에 다른 이치란 없으며, 능히 그 성을 다할 수 있는 자는 아무리 천지와 달라지고자 하여도 그렇게 될 수 없기 때문이다. 부자께서 증자(曾子)에게 효에 대해 고하며 이렇게 말씀하셨다. "옛날에 명철한 왕은 아버지를 섬김에 효를 다했기에 하늘을 섬기는 것도 분명하였다. 어머니를 섬김에 효를 다했기에 땅을 섬김에도 밝게 하였다."[12] 천지 섬기는 일을 이야기하면서 반드시 부모 섬기는 일 사이에서 찾았다. 여기에 이르러 [그 뜻이] 더욱 절실하고 더욱 분명해지나니, 결단코 달리 첩경으로 삼을 만한 다른 사설이나 의론이 없었던 것이다. "효보다 더한 것이 없습니까?"라는 질문이 있었기에 또한 "천지의 성 중에 사람이 가장 귀하다."고 대답한 것이니, 독경(篤敬)의 마음을 지니고 실천의 내실을 지닌 자가 이말을 듣는다면 마음에 느끼는 바가 없을 수 있겠는가? 여기에 이르고도 여전히 사설과 의론 사이에 집착한다면, 어찌 "세 모퉁이를 반추하지 못하는"[13] 정도에 그치겠는가?

---

9) 『孟子』「盡心上」.
10) 『孟子』「盡心上」.
11) 『中庸』 22장.
12) 『孝經』「感應章」에 보이는 내용이다.

비록 그렇긴 하지만 어리석은 내가 어찌 감히 이런 것으로 천하를 질책하겠는가? 다만 생각건대 옛날에는 성(性)에 관한 학설이 간략하였는데도 성을 보존하고 있는 자가 많았고, 후세에는 성에 대한 학설이 지나치게 많음에도 성을 보존한 자가 적다. 고자(告子)가 말한 여울물14) 이론은 군자라면 반드시 분별해야 하고, 순경(荀卿)의 성악설(性惡說)은 군자가 몹시 싫어하는 바이다. 그러나 고자는 부동심(不動心)을 사실 맹자보다 먼저 이루었고,15) 순경의 이론은 예(禮)에서 비롯되었다. 혈기와 지략과 용모와 태도 사이에서 시작해 천하 국가로 미루어나갔으니, 그 이론이 심히 아름다울 뿐만 아니라 요컨대 독경의 마음을 지니고 실천의 내실을 지닌 자가 아니고서는 이 경지에 쉬이 이를 수 없다. 오늘날 독경의 마음도, 실천의 내실도 없으면서, 맹자가 남긴 성선설 및 근세 선지자들의 실마리 되는 말들을 주어다가 명예를 훔치고 은택을 구하는 자들을 어찌 고자나 순경과 나란히

---

13) 『論語』「述而」에 "공자께서 말씀하시기를, 분발하지 않으면 계도해 주지 않고, 애태우지 않으면 일깨워 주지 않으며, 한 모퉁이를 들어 보여서 세 모퉁이를 반추하지 못하면 다시 말해 주지 않는다.(子曰, 不憤不啓, 不悱不發. 擧一隅, 不以三隅反, 則不復也)"라는 내용이 보인다.

14) 『孟子』「告子上」에 나오는 내용으로, 고자가 性을 湍水, 즉 여울물에 비유하면서 "동쪽으로 트면 동쪽으로 흐르고 서쪽으로 트면 서쪽으로 흐른다.(決諸東方則東流, 決諸西方則西流)"고 주장한 것을 가리킨다.

15) 『孟子』「公孫丑上」에 보이는 내용이다. "공손추가 물었다. '선생님께서 제나라의 경상이 되어 도를 행함에 제나라가 패자가 된다면 마음에 동요가 있겠습니까?' 맹자께서 말씀하셨다. '아니다. 나는 사십이 되고는 마음에 동요가 없었다.' 공손추가 말했다. '그렇다면 선생님은 맹분의 용기를 한참 능가합니다.' 맹자께서 말씀하셨다. '그런 것은 어려운 것이 아니다. 고자 같은 사람도 나보다 먼저 부동심이 되었다.(公孫丑問曰, '夫子加齊之卿相, 得行道焉, 雖由此霸王不異矣. 如此則動心否乎?' 孟子曰, '否. 我四十不動心.' 曰, '若是則夫子過孟賁遠矣.' 曰, '是不難, 告子先我不動心')"

놓고 말할 수 있겠는가? 따라서 고자나 순경과 같은 자질을 가지고도 배움의 방도를 잃었다면, 군자된 자로서 힘껏 변론하고 깊이 꾸짖음으로써 구절양장 언덕에서 장차 기울어가는 수레를 잡아 끌어주고, 잃어버린 길을 손으로 가리켜 돌아오는 길을 보여주어야 한다. 하지만 독경의 마음도, 실천의 내실도 없으면서 뜬금없이 성명의 학설만 퍼뜨리는 자라면, 나는 그저 병이라 여길 뿐이다.

오호라! 정수리부터 발꿈치까지, 모두 부모님께서 물려주신 몸이다. 천지 사이에 살면서 아침저녁으로 노심초사하며, 부끄러움 없기를 구하고 능력 없는 것을 두려워한다면, 맹자께서 "천지에 충만하다."[16]라고 하신 말씀과 부자께서 "사람이 귀하다."라고 하신 말씀에 거의 가까워질 수 있지 않겠는가?

聖人所以曉天下者甚至, 天下所以聽聖人者甚藐. 人生天地之間, 稟陰陽之和, 抱五行之秀, 其爲貴孰得而加焉. 使能因其本然, 全其固有, 則所謂貴者固自有之, 自知之, 自享之, 而奚以聖人之言爲? 惟夫陷溺於物欲而不能自拔, 則其所貴者類出於利欲, 而良貴由是以寢微. 聖人憫焉, 告之以'天地之性人爲貴', 則所以曉之者, 亦甚至矣. 誦其書, 聽其言, 乃類不能惕焉有所感發, 獨膠膠乎辭說議論之間, 則其所以聽之者不既藐矣乎? '天地之性人爲貴', 吾甚感夫聖人所以曉人者至, 而人之聽之者藐也. 『孟子』言'知天', 必曰"知其性, 則知天矣." 言'事天', 必曰"養其性, 所以事天也." 『中庸』言'贊天地之化育', 而必本之"能盡其性." 人之形體, 與天地甚藐, 而『孟子』·『中庸』, 則云然者, 豈固爲是闊誕以欺天下哉? 誠以吾一性之外無餘理, 能盡其性者, 雖欲自異於天地, 有不可得也. 自夫子告曾子以孝曰: "事父孝, 故事天明, 事母孝, 故

16) 『孟子』「公孫丑上」에서 浩然之氣를 설명하며 한 말이다.

事地察." 舉所以事天地者, 而必之於事父母之間, 蓋至此益切而益明, 截然無辭說議論之蹊徑. 至因其有"無以加於孝乎"之問, 又告之以"天地之性人爲貴." 有篤敬之心, 踐履之實者, 聽斯言也, 獨不有感於心乎? 於此而猶膠膠於辭說議論之間, 亦奚啻不以三隅反者哉?

雖然, 愚豈敢以是殫責天下, 獨以爲古之性說約, 而性之存焉者類多, 後之性說費, 而性之存焉者類寡. 告子湍水之論, 君子之所必辨, 荀卿性惡之說, 君子之所甚疾. 然告子之不動心, 實先於孟子, 荀卿之論由禮, 由血氣・智慮・容貌・態度之間, 推而及於天下國家, 其論甚美, 要非有篤敬之心, 有踐履之實者, 未易至乎此也. 今而未有篤敬之心, 踐履之實, 拾孟子性善之遺說, 與夫近世先達之緒言, 以盜名干澤者, 豈可與二子同日道哉? 故必有二子之質, 而學失其道, 此君子之所宜力辯深詆, 挽將傾之轅於九折之坂, 指迷途而示之歸也. 若夫未有篤敬之心, 踐履之實, 而遽爲之廣性命之說, 愚切以爲病而已耳.

嗚呼! 循頂至踵, 皆父母之遺體, 俯仰乎天地之間, 惕然朝夕, 求寡乎愧怍而懼弗能, 儻可以庶幾於孟子之"塞乎天地", 而與聞吾夫子"人爲貴"之說乎?

지智는 술術의 근원이다에 관한 논의
智者術之原論

    실재가 사라지는 원인 중에 명분이 높아지는 것보다 더한 것이 없고, 도(道)가 피폐해지는 원인 중에 학설이 상세해지는 것보다 더한 것이 없다. 학문이 빛을 잃으면서부터 사람들은 다투어 사술(私術)를 팔기 시작했고, 이에 지혜의 명분이 더욱 높아지고 학설이 더욱 상세해졌다. 그 누구인들 시비지심(是非之心)이 없겠는가? 성인의 지혜란 걸출하고 탁월한 자가 아니고서는 알 수 없다. 하지만 이에 앞서 누구나 똑같이 갖고 있는 마음을 얻었다. 따라서 성인께서 베푸신 것을 보면, 물리에도 맞고 사정에도 부합하며 민심에도 합당하여 어리석은 필부필부도 알 수 있으니, 높은 명분이 어디 있는가? 상세한 학설이 어디 있는가? 지혜가 사라지고 사술이 일어나자 지난날의 양심이 날로 속임수와 사기의 마당을 향해 치달았다. 그러나 이것으로는 실로 천하를 속이기에 부족했다. 이에 지혜의 명분을 훔쳐 자신의 거짓을 팔고자 했으니, 이에 명분이 높아지지 않을 수 없었다. 한갓 명분만 높아서는 안 되었기에 그럴듯한 학설로 문식하여 그 명분을 채우고자 하였으니, 이에 학설이 상세해지지 않을 수 없었다. 명분이 높아지고 학설이 상세해지자 지혜는 사실 날로 사라져갔고 폐단은 날로 심각해졌다. 이것이 곧 지혜를 해치는 적이었다.

    한나라 때 공손홍(公孫弘)은 "지혜란 술(術)의 근원이다."[17]라고

---

17) 『漢書』 권58 「公孫弘傳」에 나오는 말이다.

말했다. 지혜를 해친 죄로부터 도망갈 수 없긴 하지만, 나는 지혜에 관한 학설이 이로 인해 더욱 드러나게 된 것을 다행이라 여긴다. 세상 사람들이 공손홍을 나무랄 때는 늘 거친 밥을 먹고 베 이불을 덮고 자면서 주보언(主父偃)을 죽이고 동중서(董仲舒)를 교서(膠西)로 유배 보낸 일 등을 언급하는데,[18] 이것이 비록 사술을 부린 명백한

---

18) 「公孫弘傳」에 다음과 같은 단락이 나온다. "급암이 말했다. '홍은 삼공의 지위에 있으며 봉록도 많은데도 베 이불을 덮고 자니, 이는 거짓입니다.' 황제가 공손홍에게 묻자 홍이 사죄하며 말했다. '그렇습니다. 구경 중 저와 친하기로 급암만 한 자가 없으니, 지금 대정에서의 저에 대한 비난은 실로 저의 병폐를 적중했다 할 수 있습니다. 삼공의 지위에 올라 베 이불을 덮은 것은 실로 거짓을 꾸며 명예를 낚기 위함이었습니다. 신이 듣건대 관중은 제나라 재상으로 있으면서 집을 세 채나 가지고 있어 그 사치가 임금에 버금갔으나 환공은 이로써 패자가 되었습니다. 이는 분명 위로 임금을 참월한 행위입니다. 안영은 경공 밑에서 재상직을 맡았는데, 두 가지 고기를 먹지 않았고 첩에게 비단옷을 입히지 않았는데, 제나라는 또한 잘 다스려졌습니다. 이는 아래로 백성과 나란히 하고자 한 것입니다. 지금 제가 어사대부로서 베 이불을 덮지만 구경 이하 소리에 이르기까지 차등이 없어져 실로 급암이 말한 대로 되었습니다. 또 급암이 없었다면 폐하께서 어디서 그런 이야기를 들으셨겠습니까?' 이에 황제는 그를 겸손하다 여겨 더욱 높이 대해주었다. …… 공손홍은 한 가지 고기만 먹고 거친 밥을 먹었으며 그에게 의지해 사는 빈객들에게 봉록을 다 나눠주었기에 집에 남은 재산이라곤 없었다. 그러나 의심이 많아서 겉으로는 관대해 보였으나 속을 헤아릴 길 없었다. 누구든 그와 틈이 생기면 가깝고 멀고를 불문하고 겉으로는 잘해주는 척했지만 나중에 그들의 허물을 보고하였다. 주보언을 죽이고 동중서를 교서로 유배보낸 것은 모두 공손홍의 힘이었다.(汲黯曰, '弘位在三公, 奉祿甚多, 然為布被, 此詐也.' 上問弘, 弘謝曰, '有之. 夫九卿與臣善者無過黯, 然今日庭詰弘, 誠中弘之病. 夫以三公為布被, 誠飾詐欲以釣名. 且臣聞管仲相齊, 有三歸, 侈擬於君, 桓公以霸, 亦上僭於君. 晏嬰相景公, 食不重肉, 妾不衣絲, 齊國亦治, 亦下比於民. 今臣弘位為御史大夫, 為布被, 自九卿以下至於小吏無差, 誠如黯言. 且無黯, 陛下安聞此言?' 上以為有讓, 愈益賢之.…… 弘身食一肉, 脫粟飯, 故人賓客仰衣食, 奉祿皆以給之, 家無所餘. 然其性意忌, 外寬內深. 諸常與弘有隙, 無近遠, 雖陽與善, 後竟報其過. 殺主父偃, 徙

증거이기는 하지만 한 사람의 잘못이요 한 때의 해악에 지나지 않으며, 인지상정으로 알기 쉬운 것들이다. 거짓이 많고 사실과 다른 면이 있었지만 급암(汲黯)은 그의 불충을 능히 비난할 수 있었고, 겉으로는 관대하고 속내를 알 수 없었지만 반고(班固)는 그가 의심이 많다는 것을 능히 알 수 있었다. 그러니 이런 점은 깊이 주벌할 만한 것이 못 된다. 하지만 지혜의 명분을 훔쳐 자신의 사술을 팜과 동시에 이해(利害)의 결과로써 요약하고 그럴듯한 말로써 문식하여, 듣는 자들로 하여금 천하를 다스릴 때 사술이 없어서는 안 되며, 성인의 지혜라는 것도 결국 이러한 것에 지나지 않는다고 여기게 한 것, 이것이 바로 내가 말한 '지혜를 해친 적이요 도망칠 수 없는 죄'라는 것이다. 묵적(墨翟)이 인(仁)을 해친 것, 양주(楊朱)가 의(義)를 해친 것, 향원(鄕原)이 덕(德)을 해친 것 모두가 그럴듯한 말로써 참을 어지럽힌 예이니, 그 죄는 공손홍이 지혜를 운운한 것과 동등하다. 맹자께서 나오시어 이를 비판하며 인을 말하고 의를 말하고 덕을 말하자, 양주와 묵적과 향원으로 인해 인과 의와 덕의 학설이 더욱 분명해졌다. 따라서 누군가가 공손홍이 한 말에 근거하여 이를 비판함으로써 천하로 하여금 사술이 지혜를 해친다는 것을 깨닫게 할 수만 있다면, 공손홍이 한 말은 또한 지혜에 입장에서 볼 때 도리어 다행인 것이다.

공손홍이 말했다. "살생의 권병을 쥐고, 막혀 있는 길을 통하게 하며, 경중의 수(數)를 가늠하고, 득실의 자취를 논함으로써 원근의 사정이 모두 위에 드러나게 하는 것, 이것을 일러 술(術)이라 한다." 이것이 바로 이른바 '이해의 결과로써 요약하고 그럴듯한 말로써 문식

董仲舒膠西, 皆弘力也)"

하여 듣는 자들로 하여금 천하를 다스릴 때 사술이 없어서는 안 되며,
성인의 지혜라는 것도 결국 이러한 것에 지나지 않는다고 여기게 한
것'이다.

또한 성인의 지혜란 명철하고 통달하여서 털끝만큼의 사사로운 뜻
도 그 사이에 들어 있지 않다. 성인은 시비와 이해를 처리함에 있어
경중을 가늠하는 저울이나 길고 짧음을 재는 자, 아름다움과 추함을
비추는 거울 이상의 능력을 지니고 있어서, 생각하지 않고서도 파악
할 수 있다. 그런 까닭에 커다란 의문을 처리하고 중요한 논의를 결
정할 때에 마치 배고픈 자가 음식을 먹고 목마른 자가 물을 마시듯,
여름이면 갈옷을 입고 겨울이면 갖옷을 입듯 할 뿐이다. 만 가지 변
화에 응대함에 있어서도 본디 그러한 이치에 기인해 자연스럽게 일을
행할 뿐, 그 사이에 털끝만 한 것도 끼워 넣지 않는다. 이러할진대
술이라고 부를 수 있겠는가? 과연 정말 공손홍의 말과 같다고 할 수
있겠는가? 쇠를 녹여 칼날을 만들고, 흙을 뭉쳐 그릇을 만들고, 그물
을 만들고 쟁기와 보습을 만들고, 궁실(宮室)과 관곽(棺槨)을 만들고,
배와 수레와 활과 화살과 절구 등 이기(利器)를 만들었으니, 이는 모
두 옛날에는 없었던 물건을 창조하여 천하 사람들에게 [쓰도록] 가르
친 것들이다. 부자께서는 이 모두를 『주역』의 괘에서 취해왔다고 여
겼다. 즉 성인께서 지혜를 창조에 드러내실 때에도 본디 있는 것에
기인하면서 사사로운 뜻을 가하지 않았거늘, 하물며 죽이고 살리는
것, 막고 뚫는 것, 그리고 경중과 득실과 같은 일상적인 것을 공손홍
이 사술로써 하고자 했단 말인가? 『논어』에서 이르기를, "순임금과
우임금은 천하를 가지고도 관여하지 않으셨다."[19]고 하였고, 『시경』

---

19) 『論語』「泰伯」.

에서는 문왕을 칭송하며 "알지도 못하고 깨닫지도 못하지만 임금님의 다스림을 따르네."[20]라고 하였다. 죽이고 살리는 것과 막고 뚫는 것, 그리고 경중과 득실의 이치는 옛날이라고 해서 지금과 다르지 않다. 그런데도 기어이 사술로써 하고자 한다면, 순임금과 우임금과 문왕은 실로 공손홍만 못할 것이다.

학문이 빛을 잃으면서부터 성인의 지혜가 더 이상 드러나지 않았다. 세상 사람들은 천하를 경영하고, 법제를 만들고. 이로움을 얻어 순조로움을 완성하고, 끝없는 변화에 대응하는 것 모두가 성인 스스로 한 일이라 여기면서, 성인들은 그저 원래 있는 것에 기인하여 자연스럽게 하였을 뿐, 그 사이에 털끝만 한 것도 더하지 않았다는 사실을 알지 못한다. 부지런히 애쓰는 자들은 각기 자신의 사술로써 세상에서 뜻을 펼치기를 바라면서 이것이 바로 성인이 말한 지혜라고 말한다. 이에 춘추시대에 태어난 노자는 지혜를 버리라는 학술을 주장했고, 전국시대에 태어난 맹자는 천착함을 싫어한다[21]는 말을 했으니, 모두 사술을 드러내려고 한 것의 과실을 보았기 때문이다. 그러나 끝내는 장의(張儀)와 소진(蘇秦) 같은 자들의 종횡술(縱橫術), 상앙(商鞅)과 이사(李斯) 같은 자들의 형명술(刑名術)이 잡다히 사방에

---

20) 『詩經』「大雅・皇矣」.
21) 『孟子』「離婁下」에 "맹자께서 말씀하셨다. 천하의 性을 말함에 연고[故] 뿐이다. 연고는 利를 근본으로 삼는다. 지혜에 있어 싫어하는 바는 천착함이다. 만약 지혜로운 자가 禹임금이 물이 흐르게 한 것처럼 한다면 지혜에 싫어함이 없을 것이다. 우임금이 물을 흐르게 한 방법은 물의 성질을 억지로 돌리려하지 않은 것이다. 만약 지혜로운 자 역시 억지로 본성을 뒤집는 짓을 행하지 않는다면 지혜가 또한 클 것이다.(孟子曰, 天下之言性也, 則故而已矣. 故者以利 爲本. 所惡於智者, 爲其鑿也. 如智者若禹之行水也, 則無惡於智矣. 禹之行 水也, 行其所無事也. 如智者亦行其所無事, 則智亦大矣.)"라는 말이 나온다.

서 터져나와, 천하는 이로 인해 분열되고 무너져 버렸으며, 진나라에 이르러 모두 불에 타 사라지고 말았다. 공손홍은 한나라 때 태어나 유자로서 당대에 명성을 얻었다. 당시는 물에 빠진 자가 구해주기를 기다리고, 불에 타는 것들이 구제 받기를 기다리던 때였건만, 지혜의 명분을 높이고 지혜에 관한 학설을 상세히 하여 사술을 팔았다. 그러니 세상 사람들이 선왕의 지혜를 듣고자 하여도 누구에게서 들을 수 있었겠는가? 그래서 그를 일러 지혜를 해친 적이라고 한 것이다.

맹자는 성학을 전수한 자이다. 따라서 그는 말로써 성인의 지혜를 밝히 드러내주었으며 당시 이른바 지혜롭다는 자들을 가리켜 '천착한다'고 하였다. 노자는 하나만 얻었지 둘은 얻지 못한 성학의 이단이다. 그래서 사술이 없어지기를 바라면서 그를 통해 자신의 학문을 펼치고자 하였다. 그는 "배움을 끊고 지혜를 버리라."고 하였고, "지혜로써 나라를 다스리는 것은 나라의 적이다."[22]라고 말하였으니, 지혜라면 모두 배격하였던 것이다. 세상의 군자들은 그가 우리의 도를 더럽힌 것을 탓하기만 할 뿐, 그것이 모두 사술을 파는 자들의 허물임을 알지 못한다. 사술에 관한 학설이 깨지면 노자는 장차 구실을 잃게 되어 우리의 담장으로 도망쳐오기 바쁠 텐데, 무얼 더럽힐 수 있겠는가? 오호라! 노자의 학설, 맹자의 말씀, 그리고 장의와 소진과 상앙과 이사의 행위를 보니 사술이 지혜를 해쳐온 지 오래라, 한나라에 이르러서 그리된 것이 아니다. 하지만 옛날의 사술은 명분이 그다지 높지 않았고 학설이 그다지 상세하지 않았다. 그 때문에 변론하는 자들도 그다지 힘들이지 않았고, 비난하는 자들도 그다지 깊이 하지 않았다. 맹자 같은 분도 그저 "억지로 돌리려 하지 않으면서 천착을 싫

---

22) 각각 『老子』 19장, 20, 그리고 66장에 나오는 구절이다.

어했다."고만 말했을 뿐이다. 공손홍에 이르러 교활한 변론 솜씨로 임금 앞에서 대책을 펼치니, 지혜의 명분은 더욱 높아지고 사술에 관한 학설은 더욱 상세해졌다. 도에 밝지 않은 자라면 그럴듯한 것에 현혹되지 않을 수 없을 터, 변론함에 있어 힘을 다하지 않을 수 없고, 비난함에 있어 깊이 있게 하지 않을 수 없었다. 힘써 변론하고 깊이 비난한 덕에 지혜의 학설이 [이로 인해] 도리어 밝아졌다. 그래서 공손홍의 학설이 지혜에 있어서는 도리어 다행이라고 말한 것이다.

實亡莫甚於名之尊, 道弊莫甚於說之詳. 自學之不明, 人爭售其私術, 而智之名益尊, 說益詳矣. 且誰獨無是非之心哉? 聖人之智, 非有喬桀卓異不可知者也. 直先得人心之同然耳. 其見於施設, 則合物理, 稱情事, 犁然當乎人心, 夫婦之愚, 可以與知焉, 奚名之尊? 奚說之詳哉? 逮夫智失而私術興, 則向之良心日馳騖乎詭譎奸詐之場, 實不足以欺天下也. 將竊智者之名以售其詭, 故名不得不尊. 名不可以徒尊也, 將文近似之說以實其名, 故說不得不詳. 名尊說詳, 而智之實益亡, 弊益甚矣. 此則智之賊也.

漢公孫弘謂"智者術之原", 其賊智之誅固不可逭, 而愚又幸智之說由是而益明也. 世之罪弘者, 常以其飯脫粟, 爲布被, 殺主父偃, 徙董仲舒膠西, 此雖其挾術之明驗, 而特一人之過, 一時之害, 而常情之所易知者. 多詐不情, 汲黯能詰其不忠, 外寬內深, 班固能知其意忌, 蓋有不足深誅者. 至於竊智之名以售己之術, 要之以利害之效, 文之以近似之辭, 使聽之者誠以爲治天下不可以無術, 而聖人之智亦不過如此而已, 此吾所謂智之賊而不可逭之誅也.

然墨之賊仁, 揚之賊義, 鄕原之賊德, 皆以近似之亂眞, 其罪正與孫之言智等耳. 及孟子辭而闢之, 而曰仁, 曰義, 曰德, 由揚·墨·鄕原而其說益明. 有能因孫說而闢之, 使天下曉然知夫私術之賊智, 則孫之說, 亦智之幸也.

孫之說曰:"擅殺生之柄, 通壅塞之塗, 權輕重之數, 論得失之迹, 使遠近情僞, 畢見於上, 謂之術." 此所謂要之以利害之效, 文之以近似之辭, 使聽之者誠以爲聖人之智亦不過如此而已也.

且聖人之智, 明徹洞達, 無一毫私意芥蒂於其間. 其於是非利害, 不啻如權之於輕重, 度之於長短, 鑑之於妍醜, 有不加思而得之者. 故其處大疑, 定大論, 亦若饑食渴飲, 夏葛冬裘焉已耳. 雖酬酢萬變, 無非因其固然, 行其所無事, 有不加毫末於其間者. 夫如是, 可謂之術乎? 果必若孫之說乎? 鑠金爲双, 凝土爲器, 爲網罟, 爲耒耜, 爲宮室棺槨, 爲舟車·弧矢·杵臼之利, 此皆上世之所無有, 創物以敎天下者也. 而夫子則以爲皆取諸『易』之卦畫, 是聖人之智見於創立者, 猶皆因其固然, 而無容私焉. 況於生殺·通塞·輕重·得失之常, 而孫欲以其私術爲之乎? 『語』稱"舜·禹之有天下而不與焉", 『詩』稱文王"不識不知, 順帝之則." 夫生殺·通塞·輕重·得失之理, 昔非有異於今也. 必欲以私術爲之, 則舜·禹·文王誠不公孫氏若也.

自學之不明, 而聖人之智不復見矣. 世之人往往以謂凡所以經綸天下, 創立法制, 致利成順, 應變不窮者, 皆聖人之所自爲, 而不知夫蓋因其固然, 行其所無事, 而未嘗加毫末於其間. 彼役役者方且各以其私術求逞於天下, 曰此聖人之所謂智也. 故老氏出於春秋, 而有棄智之說, 孟子生於戰國, 而有惡鑿之言, 是皆見夫逞私術之失也. 然終至於縱橫如儀·秦, 刑名如鞅·斯者, 雜然四出, 而天下遂以分裂潰散, 至秦則燼然矣. 公孫氏生於漢, 而以儒名當世, 此溺待拯, 焚待救之時也, 乃復尊智之名, 詳智之說, 以售其私術. 世之人雖欲聞先王之智, 孰從而聽之? 故曰智之賊也.

孟子者, 聖學之所由傳也. 故其言, 發明聖人之智, 而指當時所謂智者以爲鑿. 老氏者, 得其一, 未得其二, 而聖學之異端也. 故幸夫私術之失, 因欲申己之學, 而其言則曰"絶學棄智", 又曰"以智治國, 國之賊",

是直泛擧智而排之. 世之君子, 常病其汚吾道, 而不知其皆售私術者之過也. 使術之說破, 則爲老氏者將失其口實, 而奔走吾門牆之不暇, 其又何汚焉? 嗚呼! 觀老氏之說, 孟子之言, 與儀·秦·鞅·斯之所爲, 則術之害智, 所從來久矣, 非直至漢而然也. 然昔之爲私術者, 名未甚尊, 說未甚詳, 故辯之者不力, 罪之者不深. 若孟子者, 不過曰行其所無事, 惡夫鑿而已. 至於公孫以黠中辯吻, 發策人主之前, 陳智之名益尊, 而術之說甚詳, 非明於道者, 有不能不爲其疑似所惑, 故辯之不得不力, 罪之不得不深. 辯之力, 罪之深, 而智之說不明者不也. 故曰弘之說, 亦智之幸.

방현령과 두여회의 모의와 결단이
어떠한가에 관한 논의
房·杜謀斷如何論

　　일에 있어 긴요한 부분에는 두 개의 관건이 없고, 계산에 있어 옳은 선택에는 두 가지 설이 없다. 하지만 오랜 생각 끝에 결론을 내리면 생각에 망설임이 남아 있고, 퍼뜩 깨달아 결론을 내리면 생각에 결단력이 있다. 그러므로 모의와 결단은 맡은 바는 다르지만 공은 같고, 명칭은 다르지만 기실 하나인 것이다. 천하의 일이란 긴요한 부분에 이르러 처리하기 어려운 법이기에 모의에 의지하게 된다. 모의에 뛰어나다 일컬어지지만 결단력이 부족한 자라고 해서 어찌 기지를 발휘해 말을 해보고자 시도하지 않겠는가? 다만 옆으로 미루어보고 이리저리 고찰해보며, 처음으로 거슬러 올라가보고 결과를 요약하면서 단서를 찾아가며 심사숙고한 끝에 답을 찾기 때문에 신중하고자 하는 마음이 강하고 강단 있게 결단을 내리고자 하는 마음이 약하다. 그렇기 때문에 혹시 온당치 못한 곳이 있을까 스스로 의심하지 않을 수 없는 것이다. 결단을 잘 내리는 사람의 경우에도 모의에 의거해 마침내 결단을 내린다. 맨 처음 모의할 적에 비록 자신에게서 나온 의견이 아니라 할지라도 어찌 자신의 생각 없이 남의 말만 따르면서 반드시 행해야 하는 일에 용단만 내릴 뿐이겠는가? 아마도 기질이 비범하고 호방하여 오래도록 단서를 찾아가며 심사숙고하는 일에 답답함을 느끼던 차에, 마치 웅크린 채 지내다 놀라 깨어나듯, 찌푸린 하늘이 홀연 밝아오듯, 한 마디 말을 듣고는 무언가를 느끼고 관건 되는 곳을 보고 홀연 무언가를 깨달았기에 결단 내리지 않을 수 없었을 뿐이다. 그런즉 모의와 결단은 비록 각기 맡은 바가 다르고 명칭도 다르지만 내실을 따져봄에 어찌 그 공이 같고 하나로 일치된다 아니 할 수 있겠는가?

당나라 방현령(房玄齡)과 두여회(杜如晦)는 태종이 천하를 얻도록 보좌하였는데, 사서(史書)에서 이르기를 방현령은 모의에 능했다고 하고 두여회는 결단에 뛰어났다고 하였다. 내가 이것에 관해 논해보고자 한다. 심하도다! 일에 있어 관건이란 참으로 두려워할 만한 것이어서, 모의하고 결단 내리는 일이라면 제대로 된 사람이 아니고서는 맡길 수 없다. 일찍이 이러한 이야기를 읽었다. 한나라 고조는 역생(酈生)의 모의에 따라 인장을 파서 육국(六國)의 후예를 [왕으로] 세우려고 했다. 고조가 식사를 하던 중 이러한 사실을 장량(張良)에게 알리자 장량은 앞에 놓인 젓가락을 빌려 상황을 계산해주었다. 이에 고조는 식사를 멈추고 음식을 뱉으며 노여움에 [역생을] 욕했으며, 가서 인장을 없애버리라고 명했다.[23] 석륵(石勒)은 고조보다 5, 6백 년 후의 사람인데, 오랑캐의 신분으로 중원을 차지했다. 글이라곤 전혀 알지 못했던 그가 어느 날 한나라 사서 읽어주는 것을 듣다가 거기에 실린 인장 파는 대목에 이르자 깜짝 놀라며 "이 방법은 실패할 것이 뻔한데, 어떻게 천하를 얻겠다는 것이냐?"라고 말했다. 그러다 장량이 계산하는 부분에 이르자 그제야 "다행히 이 사람이 있었군." 이라고 말했다. 오호라! 만일 역생이 인장을 차고 몇 십 리 멀리 떠나갔다면, 고조의 천하는 이미 없어졌을 것이다. 천하의 관건 되는 일

---

23) 『史記』 권55 「留侯世家」에 나오는 이야기이다. 여기서 酈生은 酈食其를 가리킨다.

을 안다는 것은 대략 이와 같이 두려운 것이다. 장량이 계산한 것도, 고조가 욕한 것도, 석륵이 놀란 것도 모두 긴요할 때에 일어나 마치 메아리처럼 서로 응했으니, 그저 우연만은 아니다. 그런즉 이른바 모의와 결단이라는 것은 혹시라도 잘못된 사람에게 맡겨서는 안 되며, 이에 방현령과 두여회의 재지 또한 논해볼 만하다는 것을 알 수 있다.

그렇긴 하나 방현령은 황제와 일을 모의할 때마다 "여회가 아니면 상의할 수 없습니다."라고 말했는데, 막상 두여회가 오면 끝에 가서 채택한 것은 방현령의 계책이었다. 인지상정으로 살펴볼 때, 방현령은 겸손하고 신중한 사람이 되었지만 두여회인즉 모의도 하지 않고 남 덕분에 일을 성사시킨 자가 되어버렸다. 오호라! 이로써 방현령과 두여회를 논한다면, 어린아이의 견해와 무엇이 다르겠는가? 혁추(弈秋)[24]가 중간에 바둑을 그만두었다 해도 그보다 조금 못한 자가 그와 바둑을 두어 이길 수는 없을 것이며, 왕량(王良)[25]이 중도에 수레 모는 일을 그만두었다 해도 그보다 조금 못한 자가 그의 채찍을 휘두를 수는 없을 것이다. 천하의 관건 되는 일을 처리함에 있어 적임자가 아닌 자를 그 사이에 넣을 수 있겠는가? 모의를 하건 결단을 하건, 반드시 기지와 지략이 부합하는 자라야 가능하다. 한신(韓信)이 조(趙)나라를 격파한 후 연(燕)나라로 사신을 보내자 연나라 사람들은 바람에 휩쓸리듯 그를 따랐다. 이 계책은 한신이 아니라 이좌거(李左車)가 낸 것이었지만 천하 사람들은 한신을 병법에 어두운 자라고 여

---

24) 춘추시대 魯나라에 살았던 바둑의 명인이다. 『孟子』「告子上」에 그에 관한 이야기가 짧게 나온다.
25) 王良은 춘추시대 晉나라 사람으로 造父와 더불어 御馬의 명인이라 일컬어진다.

기지 않는다.26) 추양(鄒陽)은 양(梁) 효왕(孝王)의 사죄를 받고 들어가 왕장군(王長君)을 만났는데, 그 덕에 양 효왕은 죄를 모면할 수 있었다. 비록 그 계책이 추양에게서 나온 것이 아니라 왕 선생에게서 나온 것이지만 천하 사람들은 추양이 변사(辯士)가 아니라고 생각하지 않는다.27) 잘하는 것을 빌려 이용할 줄 알았으니, 그들이 마음에서 깨달은 것이 실로 그들의 지략과 상부했던 것이었지 결코 구차히 따른 것이 아니었다. 그러한즉 방현령과 두여회의 모의와 결단은 궁음(宮音)과 상음(商音)이 서로 응하여 함께 소리를 이루는 것과 같고, 큰 도끼 작은 도끼를 번갈아 사용하여 기물을 완성하는 것과 같았음을 알 수 있나니, 결코 다른 시선으로 바라보며 우열을 논해서는 안 될 것이다.

또한 일찍이 말한 적이 있듯이, 태종이 활과 화살로 천하를 평정할 적에 스스로 낸 지략들이 전기(傳記)에 종종 보인다. 크게는 천 리 바깥에서 승리를 거두었고, 작게는 두 진영 사이에서 요긴한 때에 결단을 내렸다. 그의 뛰어난 능력과 신출귀몰을 보여주는 예는 이루 다 헤아릴 길 없을 정도이다. 천하를 평정하고 난 뒤 치도(治道)를 이야기하고 정사의 이치를 논할 때에는 큰 스승과 노련한 유자들마저 언변에서 눌렀으니, 그 밑에서 신하 노릇 하기도 어려웠을 것이다. 그러나 위북(渭北)에서 처음 만나고,28) 진왕부(秦王府)에 붙잡아 둔 이

---

26) 『史記』 권92 「淮陰侯傳」에 나오는 내용이다.
27) 『漢書』 권51 「賈鄒枚路傳」에 나오는 내용이다.
28) 『貞觀政要』 「任賢篇」에 "태종이 渭北 지방을 순행할 때 방현령이 군문에서 말채찍을 잡고 배알하였는데, 태종은 한번 보고 마치 예전부터 알아온 듯 느껴져 위북도행군기실참군에 임명하였다.(太宗徇地渭北, 玄齡杖策謁於軍門, 太宗一見, 便如舊識, 署渭北道行軍記室參軍.)"라는 내용이 보인다.

후로29) 모의할 일이 있으면 반드시 방현령과 하였고, 결단할 일이 있으면 반드시 두여회와 하였으니, 두 공의 재지를 어찌 천박한 자들이 엿보아 왈가왈부할 수 있겠는가? 그러나 전기를 고찰해보아도 모의와 결단의 흔적을 찾아볼 없으니, 오호라! 두 공의 재지에 [史家들이] 미칠 수 없었기 때문인가? 사신(史臣)들은 유방(柳芳)의 말을 취해 이렇게 말한다. "태종이 난을 진압하였으나 방현령과 두여회는 자신들의 공을 말하지 않았다. 왕규(王珪)와 위징(魏徵)이 간언에 뛰어났기에 방현령과 두여회는 그들에게 직언을 양보했고, 이적(李勣)과 이정(李靖)이 전쟁에 능했기에 방현령과 두여회는 문(文)으로써 그들을 도왔다."30) 참으로 방현령과 두여회의 모의와 결단의 근본을 제대로 보았다고 할 수 있다. 모의를 잘하지도 못하면서 서담지(徐湛之)가 심경지(沈慶之)에게 했듯 자기와 뜻을 달리 하는 사람을 억지로 말로써 이기고자 하고,31) 또 상대의 모의가 훌륭한 것을 질투하여 우승유(牛僧儒)가 이덕유(李德裕)32)에게 했듯 기필코 훼방 떨고 어지럽혀

---

29) 『容齋隨筆』「蕭房知人」에 보면 "당 태종이 진왕으로 있을 적에 부하들이 차출되는 일이 많아 근심하고 있었다. 그때 방교(방현령)가 말했다. '떠나는 자들이 많아도 아까워할 것 없습니다. 그러나 두여회는 왕을 보필할 재목입니다. 왕께서 사방을 경영하고자 하신다면, 두여회가 아니고서는 함께 공을 도모할 자가 없습니다.' 이에 그를 막부에 잡아두니, 마침내 명재상이 되었다.(唐太宗爲秦王時, 府屬多外遷, 王患之. 房喬曰, '去者雖多不足吝, 杜如晦王佐才也, 王必欲經營四方, 舍如晦無共功者.' 乃表留幕府, 遂爲名相.)"

30) 『新唐書』 권21 「房杜」에 나오는 말이다.

31) 沈慶之(386~465)는 南朝 송나라 때의 名將이다. 徐湛之(410~453)는 문인 출신이었는데, 송 文帝는 북벌을 반대하는 심경지에게 徐湛之, 江湛 등과 논쟁을 벌여보도록 명령한 바 있다.

32) 牛僧孺(779~847)와 李德裕(787~850)는 牛李黨爭의 영수들로, 당파를 만들어 헐뜯고 공격하며 국정 운영에 큰 지장을 초래하였다.

놓는 계책을 내놓는 자들이라면, 방현령·두여회의 모의 결단과의 거리가 어찌 천양지차에 그치랴? 그렇긴 하나 법률에 관한 책은 상세하지만 그들에게 예약으로써 기대한즉 부족함이 있고, 공리(功利)를 향한 뜻은 두터우나 도의(道義)로써 개괄해보면 성글기 짝이 없다. 비록 이러한 것으로 사람들을 탓하기에는 부족하지만, 또한 안타까움을 금할 길이 없다.

事之要者無二機, 計之得者無二說, 然而得於積思者其意疑, 得於忽悟者其意決. 此謀之與斷所以異任而同功, 殊稱而一致者也. 天下之事, 惟其要而難處也, 於是乎有賴於謀. 彼其以善謀稱, 而不足與斷者, 豈無得於其機, 而嘗試爲之說也哉? 顧特以其旁推曲攷, 原始要終, 紬繹復熟而得之, 則謹重之心勝, 而剛決之意微, 故不能不自疑其有所未善. 至於善斷者, 因其謀而遂斷之. 其始之爲謀, 雖不出於己, 而亦豈無得乎其心, 而徒狥人之說, 以勇於必行而已哉? 蓋其權奇偶儻, 方鬱於紬繹復熟之久, 而聞言輒契, 覘機忽悟, 如雷蟄而忽驚, 日曀而忽明, 其勢不能不決. 然則謀之與斷, 雖所任各異, 所稱各殊, 而要其實, 豈不同功而一致也哉?

唐房·杜佐太宗取天下, 而史稱玄齡善謀, 如晦長於斷, 愚請以是而論之. 甚哉! 機事之可畏, 而謀斷之任不可以非其人也. 嘗觀漢高祖聽酈生之謀, 刻印立六國後, 高祖方食, 以告張良, 良借前箸籌之, 高祖至輟飯吐哺怒罵, 令趣銷印. 石勒去高祖五六百載, 以奴虜之身, 據有中原, 初不知書. 一旦聽讀漢史至刻印事, 駭曰: "此法當失, 何以得天下?" 及讀至張良之籌, 乃曰: "賴有此人." 嗚呼! 使酈生佩印已行數舍之遠, 則高祖之天下, 幾已去矣. 知天下之機事, 率如是之可畏, 而張良之籌, 高祖之罵, 石勒之駭, 皆機緘互發, 如聲響相應, 非直偶然而已. 則知凡所謂謀者斷者, 皆不可以或非其人, 而房·杜之才智, 可得而論之矣.

雖然, 玄齡謀事帝所, 必曰"非如晦莫與籌之." 及如晦至, 則卒用玄齡策. 自常情觀之, 玄齡不失爲謙抑謹重, 而如晦則爲無謀而因人成事者耳. 嗚呼! 以此論房・杜, 此與兒童之見何異? 弈秋中柸而輟弈, 少下於弈秋者, 必不能以擧其某矣. 王良中道而弭興, 少下於王良者, 必不能以振其策矣. 天下之機事, 而可以非其人而與於其間哉? 或謀, 或斷, 必其機緘識略之相符者而後可也. 韓信破趙之後, 發使使燕, 而燕人從風而靡. 其策乃不出於韓信, 而出於李左車, 然天下不以韓信爲不知兵. 鄒陽受梁之謝, 入見王長君, 而梁罪竟解. 其計乃不出於鄒陽, 而出於王先生, 然天下不以鄒陽爲非辯士. 蓋因其善而用之, 與夫發悟於心者, 實機緘識略之相符, 而非苟從之者也. 如此則知房・杜之謀斷, 如宮商之相應而同於成聲, 如斤斧之迭用而同於成器, 初不可以差殊觀而優劣論也.

抑嘗言之, 太宗以弓矢定天下, 其智略之出於己者, 班班見於紀傳. 大焉制勝千里之外, 小焉決機兩陣之間, 超逸神變, 不可窮極. 及天下既定, 談治道, 論政理, 則老師宿儒詘其辯, 此亦難乎其爲臣矣. 然而自渭北一見之初, 秦府表留之後, 謀必於房, 斷必於杜, 則夫二公之才智, 豈淺淺者所可得而窺議哉? 及考之傳紀, 則夫謀斷之迹, 有不可得而見焉. 嗚呼! 此二公之才智, 所以爲不可及歟? 史臣取柳芳之言曰: "帝定禍亂, 而房・杜不言功, 王・魏善諫, 而房・杜遜其直. 英・衛善兵, 而房・杜濟以文." 此眞足以知房・杜謀斷之本矣. 若乃謀之不善, 而强欲以辯屈人之異己, 如徐湛之於沈慶之者, 又有嫉其謀之善, 而必爲沮格撓敗之計, 如牛僧儒之於李德裕者, 其視房・杜之謀斷, 奚啻天淵之相遼哉? 雖然, 法律之書詳, 而望之以禮樂則缺, 功利之意篤, 而概之以道義則疎, 此雖不足以是責之, 而亦不能不使人歎息也.

유안이 취하고 내어줄 줄을 알았다는 것에 관한 논의
劉晏[33] 知取予論

　천하의 일이란 두 가지를 다 얻을 수 없지만 이 말의 뜻을 아는 사람은 두 가지를 다 얻을 수 있다. 취하고 내어주는 것은 두 가지를 다 얻을 수 없는 경우에 해당한다. 백성에게 여유가 있으면 취하고, 나라에 여유가 있으면 내어주는 것, 이는 누구나 알 수 있는 이치이다. 나라가 부족할 때는 나라가 취해야 구제될 수 있고, 백성이 곤궁할 때는 나라가 내어줘야 소생할 수 있다. 이런 때를 당하여 나라의 부족함을 고려해 [백성에게서] 취하려면 반드시 백성을 아랑곳하지 않아야만 가능하다. 백성의 곤궁함을 고려해 [나라의 것을] 내어주려면 반드시 나라를 아랑곳하지 않아야만 가능하다. 두 가지를 다 얻을 수 없는 일 중에 이보다 더 심한 것이 어디 있겠는가? 그러나 가령 끝내 두 가지를 다 얻을 수 없다면 끝내 한 가지도 얻지 못하는 수도 있다. 그러니 취하고 내어준다는 것은 쉬이 알 수 있는 일이 아니다. 취하여 백성을 다치게 한다면, 이는 취하는 것이 무엇인지 모르는 것이다. 내어주어 나라를 다치게 한다면, 이는 내어주는 것이 무엇인지 모르는 것이다. 열고 닫고 거두고 흩뿌리는 권병을 손에 쥐고, 많고 적고 넘치고 부족한 수를 총괄하며, 폐단을 없애고 무너진 것을 일으키고, 넘치는 데서 퍼내 빈 데를 채워 넣으며, 사람들이 보지 못하는 데서 찾아내 사람들이 생각하지 않는 데서 일을 도모함으로써 취해

---

33) 劉晏(716~780). 字는 士安이며 曹州 南華(지금의 山東省 菏澤市) 사람이다.

도 백성을 다치게 하지 않고 내어주어도 나라를 다치게 하지 않은 일을 어찌 사람이 능히 알 수 있겠는가? 그럴 만한 재능이 있은 연후라야 그 이치를 이해할 수 있을 것이니, 당나라 사람 유안(劉晏)이 아니라면 내 누구와 더불어 돌아갈 것인가? 사가들 또한 취하고 내어준 일을 가지고 유안을 칭찬하였으니, 실로 유안을 제대로 알아준 것이다.

취하고 내어주기의 어려움을 탓하는 까닭은 한쪽이 부족한 어려움을 두고 말하는 것이 아니라 모두가 부족해지는 어려움을 두고 말하는 것이다. 아래 사람들에게 여유가 있어 취한다면 괜찮겠지만, 그쪽이 한창 부족한데 어떻게 취할 수 있겠는가? 위의 사람에게 여유가 있어 내어준다면 괜찮겠지만, 이쪽이 한창 부족한데 어떻게 내어줄 수 있겠는가? 천하에 모두가 부족해지는 병폐가 있다면 모두가 부족한 이치도 있는가? 이런 말을 들었다. "시냇물이 마르면 계곡이 차오르고, 구릉이 평평해지면 못이 그득해진다." 이 천하는 처음부터 모두 부족할 수는 없는 것이다. 위가 부족하다고 해서 반드시 아래에서 구할 필요는 없으니, 부족함을 채워줄 것들은 본디 위에 존재하고 있기 때문이다. 아래가 부족하다고 해서 반드시 위에서 구할 필요는 없으니, 부족함을 채워줄 것들은 본디 아래에 존재하고 있기 때문이다. 운수에 있어서의 이해에 밝지 못하면 배와 수레를 부리느라 막대한 비용이 들고, 저장에 있어서의 이해를 제대로 시행하지 못하면 부패하고 좀 먹는 피해로 인해 공가가 어려움을 겪는다. 화물 [저장]은 고생스럽고 [운수해야할] 길은 멀기 때문에 심(尋)으로 척(尺)을 들이고 휘[斛]로 말[斗]을 들이는 것이다.[34] 서리가 탐오를 저지르고 법이 망

_____

34) 10寸이 1尺이고, 8尺이 1尋이다. 斛은 10말에 해당한다.

가지면 사(私)는 튼실해지고 공(公)은 해를 입으며, 사가는 가득차고 공가는 텅 빈다. 이런 이유로 반드시 아래에서 구할 필요가 없다고 한 것이다. 부상(富商)은 기회를 틈 타 이자를 올리고, 호민(豪民)들은 약한 자를 곤혹스럽게 만들어 겸병해버리며, 탐관오리는 공가에 빌붙어 백성들을 침탈한다. 이에 허물어져가는 집35)마저 짓지 못하는데 줄줄이 이어선 밭두둑을 가진 자들은 여전히 그칠 줄을 모르고, 조강조차 배불리 먹지 못하는데 고기반찬 남아도는 자들은 여전히 사치를 다툰다. 이런 이유로 반드시 위에서 구할 필요가 없다고 한 것이다. 이로써 말해보건대 남고 부족하다는 수 또한 가히 알 만하고, 취하고 내어주는 도리 또한 가히 알 만하다.

그러나 일상적인 것에 익숙해진 자들은 변화가 생기면 깜짝 놀라고, 사사로움을 도모하는 것에 편리함을 느끼는 자들은 빼앗으면 덤빈다. 무리도 많고 권세도 두텁기 때문에 저항한즉 이기기 어렵고, 모의가 정교하고 계략이 심원하기 때문에 은밀한 속임수는 살피기 어렵다. 이익을 도모할수록 피해만 더욱 많아지고, 아끼면 아낄수록 비용만 더욱 늘어난다. 그런즉 천하의 인재란 과연 얻기 어려우며, 취하고 내어주는 도리 또한 과연 알기 어렵다. 왼손으로는 태산같이 버티고 오른손은 어린아이 감싸듯 굽히는 것, 이는 활 쏘는 자라면 모두 알고 있는 방법이다. 그러나 백 보 바깥에서 얇은 깃털을 맞추며 전후좌우로 오직 과녁만을 따를 수 있는 것, 이를 아는 자는 오직 후예(后羿)36) 뿐이다. 고삐를 잡고 채찍을 휘두르는 것, 이는 말 모는

---

35) 원문의 '繩甕'은 甕牖繩樞의 줄임말이다. 甕牖桑樞라고도 한다. 甕牖은 깨진 도자기로 만든 창문을, 繩樞는 밧줄로 매어 만든 문지도리를 말한다. 일반적으로 가난한 집을 상징하는 말로 사용된다.
36) 신화에 나오는 활쏘기의 명인으로, 태초에 하늘에 일제히 열 개의 태양이 떠오

자라면 모두 알고 있는 방법이다. 그러나 천 리 멀리까지 여섯 마리 말을 몰면서 이리저리 조종하며 마음먹은 대로 말을 몰 수 있는 것, 이를 아는 자는 오직 조보(造父)[37] 뿐이다. 나라가 부족하면 [백성에게서] 취하고, 백성이 부족하면 내어주는 일, 이는 사람이라면 모두 알고 있는 도리이다. 그러나 취하여도 백성을 다치게 하지 않고, 내어주어도 나라를 다치게 하지 않은 것, 이를 아는 자는 오직 유안뿐이다.

이로움과 병폐에 관한 분석은 원재(元載)[38]에게 보낸 편지에 갖추어져 있는데, 전조(轉漕)에 관한 내용이 매우 상세하더니,[39] 동위교(東渭橋)에서 북 소리 피리 소리 울리고 전조의 공이 이에 환히 드러났다.[40] 관리 선발이 엄정하여 관직 구하는 자들이 차라리 창고의 수입을 바쳐왔기에 서둘러 일을 진행함에 공을 이룰 수 있었다. 교령(敎令)이 엄밀하여 수천 리 밖이 눈앞이나 마찬가지였기에, 신음하는 소리이건 장난치는 소리이건 감출 길이 없었으며, 제오기(第五琦)[41]

르자 아홉 개를 쏘아 떨어뜨렸다는 전설이 전해온다.

37) 주나라 목왕시대의 말을 아주 잘 몰았던 사람. 목왕의 팔준마를 잘 몰아 총애를 받았다.

38) 元載(?~777). 字는 公輔이며 大歷年間에 재상이 되었다. 그러나 권력을 전횡하며 대규모 토목공사를 일으키는 등 사사로움을 일삼은 탓에 代宗의 미움을 사 결국 사사되었다.

39) 『新唐書』 권149 「劉晏傳」에 보면 御史大夫가 되어 東都, 河南, 江淮, 山南 지역의 轉運租庸鹽鐵使가 된 유안은 元載에게 편지를 보내 漕運의 이로움과 폐단을 각각 네 가지로 분석하였다.

40) 劉晏은 漕運을 대대적으로 정비하였는데, 그 결과 江淮의 양식이 조운을 통해 장안까지 도달하였으며, '한 말의 돈으로 한 말의 쌀을 실어 나르던' 것이 이제는 한 섬 당 700문의 돈이면 조운이 가능해졌으며 장안의 쌀값은 안정을 되찾았다. 이에 代宗은 친히 악대를 이끌고 東渭橋까지 나가 劉晏을 맞이하며, "그대는 나의 蕭何이다.(卿, 朕鄲侯也)"라고 칭송하였다.

보다도 정밀한 염법(鹽法)을 시행하여 땅에는 버려지는 수입이 없었다. 회(淮)·초(楚) 일대에서 금속을 제련하여 기물을 만드니, 재화가 남아돌았다. 그러니 그가 취한 것이 어찌 모두 아래에서 나온 것들이겠는가? 그랬기에 취했어도 백성을 다치게 하지 않았던 것이다. 발빠른 사람을 모집하여 고용했기에 장사치들은 물건 값을 마음대로 올렸다 내렸다 하지 못했고, 진휼을 실시했기에 호족들이 나약한 백성들의 곤궁함 틈을 이용하지 못했다. 검사하고 출납하는 일을 일괄 사인(士人)들에게 맡겼기에 서리들이 교활한 농간을 부리시 못했고, 조운을 감독하고 역(驛)을 주관하는 일을 일괄 관원이 맡아 하였기에 백성들은 짐을 내려놓고 쉴 수 있었다. 명분 없는 징수를 비록 폐했으나 소금 전매는 여전히 시행하였고, 진휼을 위해 곡식을 내보냈으나 대신 잡화가 들어왔다. 그러니 그가 내어준 것이 어찌 모두 위에서 나온 것들이겠는가? 그랬기에 내어주었어도 나라가 궁핍해지지 않았던 것이다. 오호라! 전란이 아직 끝나지 않았을 때여서 적을 향한 무기를 아직 내려놓지 못하였고, 역병과 기근을 겪은 뒤였음에도 군량미 운수를 아직 그만둘 수 없었다. 위에서는 밤낮으로 노심초사 일하고, 백성들은 어지러이 동요하는데, 유안은 그 사이에서 황망히 움직이며 깊이 계산하고 촘촘히 계획하여 남는 것을 가져다 부족한 곳을 메웠다. 나라에서 요역을 늘리지 않아 민력이 넉넉해지고, 백성들에게 세금을 더 부가하지 않아도 국용도 넉넉했다. 취하고 내어주는 도리를 알고, 취하고 내어주는 방도에 정통한 자가 아니라면, 그 누가

---

41) 第五琦(729~799). 字는 禹珪이며 中唐의 저명한 대신이다. 同中書門下平章事 등을 역임하였으며, 화폐 개혁을 시도해 명성을 얻었다. 또 鹽法을 개혁하여, 생산과 운송, 그리고 유통 판매까지 국가가 직접 장관하게 하였다.

이 일을 해낼 수 있었겠는가?

각박하게 인두세를 거두어들이고, 살갗을 벗기고 골수를 내리치며, 민력이 피폐해지도록 부려가면서 완성하기 어려운 도랑에다 조운의 공력을 쏟아 붓고, 서리들의 속임수를 모른 체하면서 이미 납부한 백성에게 포흠을 다그치며, 아래를 탈탈 털어 위에 보태주고, 백성을 곤궁하게 하여 임금을 기쁘게 하는 자라면, 수치도 모르고 나라를 망하게 한 위견(韋堅)[42] · 왕홍(王鉷)[43] · 양국충(楊國忠)[44]의 무리나 마찬가지이니, 기꺼이 유안 밑에 처한 채 사람들의 공분을 받아 마땅할 것이다. 인의를 논하고 예악을 서술하면서 고인들의 겉모습에만 다가갔지 고인들의 내실에는 다가가지 못하고, 장황한 말을 늘어놓지만 쓰임에 적합하지 못하다면, 배광정(裴光庭)이 우문융(宇文融)의 죄악을 폭로하였으되 국용의 부족이라는 책임을 감당하지 못한 것이나,[45]

---

42) 韋堅(?~746). 字는 子金이며 奉先 · 長安令 등을 역임했다. 禁苑 동쪽에 望春樓를 짓고 아래에 廣運潭을 파 漕運을 통하게 하여 매년 江淮로 화물을 실으러 가는 배들이 광운담 아래에 모이게 함으로써 황제의 환심을 샀다.

43) 王鉷. 唐 玄宗 때의 대신이다. 현종은 말년에 사치를 일삼아 궁중 창고에 가서 마음대로 물자를 취할 수 없어 못마땅해 하고 있던 차에 왕홍이 그 뜻을 간파하고는 매년 정해진 액수보다 많은 세금을 징수해 바쳐 국고에 저장해둠으로써 현종이 마음껏 쓸 수 있도록 해주었다.

44) 楊國忠(?~756). 양귀비의 친척 오라비이다. 양귀비가 현종의 사랑을 독차지하자 그 또한 재상으로 승진하여 衛國公에 봉해졌다. 재상으로 있는 동안 함부로 권력을 휘둘러 조정의 기강을 무너뜨렸으며, 安祿山과의 불화로 안사의 난을 초래한 장본인이기도 하다.

45) 裴光庭(678~733)은 현종 때 재상을 지냈다. 『舊唐書』 권105 「宇文融傳」에 "배광정은 당시 어사대부를 겸하고 있었는데, 우문융이 붕당과 어울린리고 있으며 그의 아들이 뇌물을 받았다며 우문융을 탄핵해 소주 평락위로 폄적시켰다.(裴光庭時兼御史大夫, 又彈融交游朋黨及男受贓等事, 貶昭州平樂尉.)"는 기록이 보인다. 또 『資治通鑑 · 唐紀二十九』에 다음과 같은 기록이 보인다. "우문

방관(房管)이 제오기를 미워할 줄만 알았지 어디서 재물을 취할 것인가 하는 질문에 대답하지 못한 것[46]과 마찬가지이니, 이는 곧 요순(堯舜)과 공맹(孔孟)의 학문을 모르는 것이다. 따라서 비록 유안 밑에 있지 않다 자처할지라도 천하가 모두 비웃을 것이다. 기꺼이 밑에 처한 자가 저와 같고, 그보다 위에 있고자 하는 자가 이와 같으니, 취하고 내어주는 도리를 유안이 아니고서 누구와 함께 논할 수 있단 말인가?

비록 그렇긴 하지만 성인의 도로써 논하고 군자의 지혜로써 비주어보건대 위견과 왕홍과 양국충이 한 짓을 비록 유안이 따르지는 않았지만 때로 같은 부류일 때도 있지 않았나 생각한다. 방관과 두광정이 유안을 비난하기에 부족하지만, 유안 또한 비난을 면하기 어렵지

용이 벌을 받았으나 국용이 여전히 부족하자 주상이 이를 염려하며 배광정 등에게 말했다. '경 등이 모두 우문용의 죄를 말하기에 짐이 그를 내쳤는데, 지금도 국용이 부족하니 이를 장차 어찌할 텐가? 경 등이 나를 돕는다는 게 대체 무엇인가?' 그러자 배광정 등은 두려워하며 대답하지 못했다.(宇文融旣得罪, 國用不足, 上復思之, 謂裴光庭等曰, '卿等皆言融之惡, 朕旣黜之矣, 今國用不足, 將若之何? 卿等何在佐朕?' 光庭等懼不能對.)"

46) 『新唐書』 권139 「房琯傳」에 보이는 내용이다. "이때 제오기가 재물의 이익을 말하여 총애를 입어 강회 조용사가 되었다. 방관이 간언하기를, '옛날 양국충이 재물을 긁어모아 천하에 원성이 자자했습니다. 지금 폐하께서 즉위하신 이래 백성들은 덕을 입지 못하고 있거늘, 지금 다시 제오기를 총애하고 있으니, 이는 한 명의 양국충이 죽자 또 한 명의 양국충이 태어난 것이나 진배없어, 먼 곳에 [황제의 덕을] 내보일 만한 것이 없습니다.' 황제가 말했다. '육군의 운명이 다급한데, 재물이 없으면 흩어진다. 경 등이 제오기를 미워하는 것은 가하나, 무슨 수로 재물을 취할 것인가?' 방관은 대답하지 못했다.(于是第五琦言財利幸, 爲江淮租庸使. 琯諫曰, '往楊國忠聚斂, 産怨天下. 陛下卽位, 人未見德, 今又寵琦, 是一國忠死, 一國忠生, 無以示遠方.' 帝曰, '六軍之命方急, 無財則散. 卿惡琦可也, 何所取財?' 琯不得對.)"

않을까 생각한다. 어째서인가? 유안이 취하고 내어준 것은 재능에서
나왔지 학문에서 나온 것이 아니요, 술(術)에 근본을 두었지 도(道)에
근본을 두지 않았기 때문이다. 재능에서 나오고 술에 근본을 두었다
면, 군주에게 있어서는 충신일지 몰라도 성군에게 있어서는 죄인이
다. 위에 법도가 있으면47) 유사(有司)로서의 직분을 가지고 다그치면
되지만, 임금이 기뻐하며 높여 총애하면 폐단이 생기지 않는 경우가
드물다. 『주역』에서 이재(理財)를 논한 것이나 『주관(周官)』에서 국
용을 제정한 것, 『맹자』에서 경계를 나눈 것이나, 취하여도 백성을 다
치게 하지 않고, 내어주어도 나라를 다치게 하지 않은 점은 유안과
다르지 않다. 그러나 강령과 법도가 있어 관리들이 따라 지킬 수 있
고 백성들이 믿고 의지할 수 있으므로 천하에 큰 이로움을 가져다주
었으되, 사람들은 의(義)가 있음만 알지 이(利)가 있음은 알지 못하였
으니, 이것이 유안과 다른 점이다. 그래서 재능에서 나왔지 학문에서
나오지 않았으며, 술에 근본을 두었지 도에 근본을 두지 않았다고 말
한 것이다.

　유안의 치재(治財)는 관중(管仲)이나 상앙(商鞅)을 넘어서지 못했
다. 중니의 문도라면 오 척 동자도 관중을 입에 올리는 것을 부끄러
워했고48), 증서(曾西)도 비교하려 하지 않았으며, 맹자도 그처럼 되

---

47) 『孟子』「離婁上」에 "위에 법도가 없으면 아래에서 법을 지키지 않는다.(上無道
揆也, 下無法守也)"는 말이 나온다. 朱熹는 『集注』에서 "도란 의리이고, 규란
재는 것이다. 도규란 의리로써 사물을 측량하여 적합한 것을 제정하는 것을 말
한다.(道, 義理也, 揆, 度也. 道揆, 謂以義理度量事物而制其宜)"라고 설명하
였다.
48) 『漢書』 권56 「董仲舒傳」에 "공자의 문하는 오척 동자라 할지라도 오패의 공로
를 입에 올리길 부끄러워한다.(是以仲尼之門, 五尺之童, 羞稱五伯)."라는 내
용이 보인다.

고자 하지 않았다.[49] 후세 사람들은 상군(商君: 商鞅)에 대해서 정확히 논평하면서, 진(秦)이 천하를 통일할 수 있었던 것도 상군 덕이고 진이 망한 것도 상군 때문이라고 말한다. 지금 유안이 한 행위를 보면, 차나 귤과 같은 진귀한 진공품을 늘 관부에 가장 먼저 바쳤고, 요직이나 높은 벼슬을 맡은 자들 대부분이 그의 문하에서 나왔다. 권귀를 두려워하며 그들의 사람에게 녹을 주었고, 입을 닫은 채 이익을 얻어먹었으니, 나라를 경영하는 자가 어찌 이런 것을 이롭게 여긴단 말인가? 만약 양염(楊炎)[50]에게 밀려나 죽지 않았다면 몸을 더럽히고 나라를 망하게 함이 이 정도에 그치지 않았을 것이다. 사람들은 모두 양염에게 밀려났다며 유안을 안타깝게 여기는데, 나만은 유안에게 있어 다행한 일이라 생각한다. 그래서 성인의 도로써 논하고 군자의 지혜로써 비추어볼 때 비난을 면하기 어려우며, 위견이나 왕홍이나 양국충과 같은 무리가 아니라는 법은 없다고 말했던 것이다.

비록 그렇기는 하지만 재능 있는 자 얻기가 어려워진 지 오래이다. 요순의 도로 고찰해보고 공맹의 학문을 탐구해보지 않은 사람이라면

---

49) 『孟子』「公孫丑上」에 보이는 내용이다. 혹자가 曾西에게 管仲과 더불어 누가 더 어지냐고 묻자 曾西가 낯빛을 바꾸며 말했다. "'네가 어찌 곧 나를 管仲에 비교하는가? 管仲이 군주의 신임을 얻어 저처럼 전단하였고, 국정을 행하기를 저처럼 오래하였으나 功烈이 저처럼 낮은데, 너는 어찌 나를 이에 비교하는가?' 맹자께서 말씀하셨다. '管仲은 曾西도 하지 않는 바인데, 네가 내게 그것을 원하는가?'('爾何曾比予於管仲? 管仲得君, 如彼其專也, 行乎國政, 如彼其久也, 功烈, 如彼其卑也. 爾何曾比予於是?' 曰, '管仲. 曾西之所不爲也, 而子爲我願之乎?')"

50) 楊炎(727~781). 字는 公南이며, 德宗 때 同中書門下平章事로 재상직을 수행했다. 劉晏이 元載의 죄를 심리하여 처형했을 때, 楊炎도 연루되어 폄적 당했기에 劉晏에게 원한을 지니게 되었다. 후에 德宗에게 劉晏을 모반죄로 무고하여 그의 관직을 박탈하고 賜死토록 했다.

괜히 장황한 말로 가벼이 논하지 말아야 할 것이다.

天下之事不兩得, 知其說者斯兩得之矣. 取予之說, 事之不兩得焉者
也. 民有餘而取, 國有餘而予, 此夫人而能知之者也. 至於國之匱, 方
有待乎吾之取而濟, 民之困, 方有待乎吾之予而蘇. 當是時, 顧國之匱
而取之乎? 必不恤民焉而後可也. 顧民之困而予之乎? 必不恤國焉而
後可也. 事之不兩得孰有甚於此哉? 使終於不兩得, 則終無一得焉爾
矣. 故取予之說, 不可謂易知也. 取而傷民, 非知取者也, 予而傷國, 非
知予者也. 操開闔斂散之權, 總多寡盈縮之數, 振弊擧廢, 挹盈注虛,
索之於人之所不見, 圖之於人之所不慮, 取焉而不傷民, 予焉而不傷
國, 豈夫人而能知之者哉? 必有其才, 而後知其說也. 非唐之劉晏, 吾
誰與歸? 史氏以知取予許之, 眞知晏者哉.

夫所病夫取予之難者, 非一不足之難, 而皆不足之難也. 下有餘而取
之可也, 彼方不足也, 而何以取之? 上有餘而予之可也, 此方不足也,
而何以予之? 天下有皆不足之病矣, 而有皆不足之理乎? 聞之曰: "川竭
而谷盈, 丘夷而淵實." 天下蓋未始皆不足也. 方其上之不足也, 不必求
之下也, 其可以足之者, 固有存乎其上焉者矣. 下之不足也, 不必求之
上也, 其可以足之者, 固有存乎其下焉者矣. 將輸之利害不明, 則費廣
於舟車之徭, 儲藏之利害不悉, 則公困於腐蠹之弊. 物苦道遠, 則尋以
輸尺, 斛以輸斗, 吏汚法弊, 則私良公害, 私盈公虛, 此所謂不必求之下
焉者也. 富賈乘急而騰息, 豪民困弱而兼并, 貪胥旁公而侵漁, 繩甕不
立, 而連阡陌者猶未已也, 糟糠不厭, 而餘芻豢者猶爭侈也. 此所謂不
必求之上焉者也. 由是言之, 有餘不足之數可得而見, 而取予之說可得
而知也.

然狃於常者, 變之則駭, 便於私者, 奪之則爭. 黨繁勢厚, 則捍格而
難勝, 謀工計深, 則詭秘而不可察. 圖利而害愈繁, 趨省而費益廣, 則
夫天下之才果不易得, 而取予之說果不易知也. 支左屈右, 夫射者擧知

之也, 至於中秋毫於百步之外, 左右前後, 惟的之從, 知之者惟后羿而已. 攬轡執策, 夫御者擧知之也, 至於致六馬於千里之遠, 周旋曲折, 惟意所適, 知之者惟造父而已. 國不足而取, 民不足而予, 夫人而能知之也, 至於取不傷民, 予不傷國, 知之者惟晏而已.

利病具於元載之書, 而轉漕之說詳, 鼓吹出於東渭之橋, 而轉漕之功著. 補辟之選精也, 干請者寧奉以廩入, 故趨督倚辦而功成. 敎令之出嚴也, 數千里無異於目前, 至嚬呻諧戲不敢隱, 鹽法密於第五琦, 而地無遺入. 鼓鑄興於淮·楚間, 而貨有餘繻, 彼其所以取之者, 豈盡出乎下哉? 是以取之而民不傷. 駛足募, 而商賈不得制物價之低昂, 賑救行, 而豪植不得乘細民之困溺. 檢核出內, 一委之士, 而吏無所竄巧, 督漕主驛, 一出之官, 而民得以息肩. 無名之斂雖罷, 而鹽榷實行, 米粟之賑雖出, 而雜貨則入, 彼其所以予之者, 豈盡出乎上哉? 是以予之而國不乏. 嗚呼! 創殘之餘, 而嚮敵之甲未解也. 饑疫之後, 而饋軍之輸未艾也. 上方宵旰, 而民且囂囂, 而晏也遑遑於其間, 深計密畫, 推羨補闕, 國不增役而民力紓, 民不加賦而國用足, 非夫知取予之說, 妙取予之術, 疇克濟哉?

若夫頭會箕斂, 剝膚椎髓, 疲民力而徼便漕之功於難成之渠, 捨吏欺而責負逋之租於已輸之民, 竭下以益上, 困民以悅君, 此則韋堅·王鉷·楊國忠之倫, 無恥敗國, 甘處乎晏之下, 而人皆憤焉者也. 至於談仁義, 述禮樂, 旣古人之文而不旣古人之實, 大言侈說而不適於用. 如裴光庭暴宇文融之惡, 而不能任國用不足之責, 房琯知惡第五琦, 而不能對何所取財之問. 此則不知堯·舜·孔·孟之學, 雖自處不在晏之下, 而天下皆笑之者也. 甘處乎下者如彼, 欲出乎上者如此, 則夫知取予者, 非晏之與而誰與也?

雖然, 論之以聖人之道, 照之以君子之智, 則堅·鉷·國忠雖晏所不爲, 而愚恐其有時而同科. 琯·光庭雖不足以詆晏, 而愚恐晏未免於可詆. 何則? 晏之取予, 出於才而不出於學, 根乎術而不根乎道. 出於才

而根於術, 則世主之忠臣而聖君之罪人也. 上有道揆, 而責以有司之事
焉可也. 人君悅而尊寵之, 鮮有不弊焉者也. 『易』之理財, 『周官』之制
國用, 『孟子』之正經界, 其取不傷民, 予不傷國者, 未始不與晏同, 而綱
條法度, 使官有所守, 民有所賴, 致天下之大利, 而人知有義而不知有
利, 此則與晏異. 故曰出於才而不出於學, 根於術而不根於道.

晏之治財, 未能過管·商氏. 仲尼之門, 五尺童子, 羞稱管仲, 曾西之
不爲, 孟子之不願. 至於商君, 則後世篤論, 以爲帝秦者商君也, 而亡
秦者亦商君也. 今晏之所爲, 如茗橘珍貢, 常冠諸府, 要官華使, 多出
其門, 畏權貴而稟其人, 默其口而啗以利, 爲國家者, 亦何利於此哉?
使不死於楊炎之擠, 則其汚身敗國者將不止此. 人莫不以楊炎之擠爲
晏惜, 而愚獨以爲晏之幸. 故曰, 論之以聖人之道, 照之以君子之智,
蓋未免於可訛, 亦未必不與堅·銑·國忠等同科.

雖然, 才之難也久矣. 道不稽諸堯舜, 學無窺於孔孟, 毋徒爲侈說以
輕議焉可也.

정치의 관대함과 잔혹함은 어느 것이 먼저인가에 관한 논의

政之寬猛孰先論

임금은 두 마음을 가져서는 안 되고, 정치에 두 개의 근본이 있어서는 안 된다. 임금의 마음과 정치의 근본에 둘이 있을 수 없거늘, 후세에 둘을 주장하며 근본 없는 말을 하는 사람들은 이를 탓한다. 관대함[寬]과 잔혹함[猛]에 관한 주장은 정치를 논함에 있어 근본 없는 것에 속한다. 임금의 마음을 갈라놓고 정치의 근본은 뒤흔드니, 그 해악이 이루 다 말할 수 없으되 안타깝게도 이를 변론하는 자가 없다.

당나라 헌종(憲宗)이 권덕여(權德輿)에게 정치에 있어 관대함과 잔혹함 중 어느 것이 먼저이냐고 물었는데, 당시 권덕여의 대답인즉 내가 말한 "임금의 마음과 정치의 근본"과 흡사한 면이 있는 듯하다.[51]

---

51) 權德輿(759~818). 字는 載之. 德宗 때에 太常博士에 임명되어 左補闕을 역임한 후 中書舍人이 되었다. 憲宗 때에는 禮部尙書‧同平章事가 되었다. 이 내용은 『資治通鑑』「唐紀」권54에 보인다. "을사일에 주상이 재상에게 물었다. '정치함에 있어 관대함과 사나움 중 무엇이 우선인가?' 권덕여가 대답했다. '진은 참혹함으로 인해 망했고 한은 관대함으로 인해 흥했습니다. 태종께서 「명당도」를 보고 등에 매질하는 것을 금하였습니다. 안사의 난 이후로 거듭 패역의 신하가 있었으나 모두 자멸하고 말았던 것은 조종의 어진 정치가 인심에 스며들었기 때문입니다. 그런즉 관대함과 사나움의 선후를 가히 알 수 있습니다.' 주상은 그 말을 훌륭하다고 여겼다.(乙巳 , 上問宰相, '爲政寬猛何先?' 權德輿對曰, '秦以慘刻而亡, 漢以寬大而興. 太宗觀「明堂圖」, 禁人背, 是故安史以來, 屢有悖逆之臣, 皆旋踵自亡, 由祖宗仁政結于人心, 人不能忘故也. 然則寬猛之先後可見矣.' 上善其言.)"

그러나 안타깝게도 뜻을 더 펼치고 더 키우지 못한 탓에 관대함과 잔혹함에 관한 내용을 미처 변론하지 못하였다.

관대함이란 아름다운 단어요 잔혹함이란 추악한 단어이니, 관대함과 잔혹함이라면 아름다움과 추악함으로써 논해야지 먼저와 나중으로써 논해서는 안 된다. 완강하고 따르지 않던[52] 시대에 억세고 사납고, 악독하고 잔인하고, 오만하게 거역하고, 공손하지 못하여 교화로써 복종시킬 수 없는 자들의 경우에는 성인들도 반드시 형벌로 다스리셨다. 그러나 이를 강함으로써 이겼다고 말한다면 괜찮겠으나 잔혹함으로써 했다고 말해서는 안 된다. 오형(五刑)을 사용하는 것을 일러 천벌이라 하니, 이는 그 죄가 처벌받아 마땅하므로 형벌을 면해주어서는 안 되며, 또한 성인이 그들에게 형벌을 주는 것이 아니기 때문이다. 그러니 잔혹하다고 말할 수 있겠는가? 오랑캐가 중국을 어지럽히고, 도적떼들이 안팎으로 들끓자 순임금은 기필코 고요(皐陶)에게 명하여 오형을 밝히도록 하였다.[53] 그러나 명령한 내용을 보면, "다섯 가지 가르침을 보필하여 형벌이 없어지도록 하라."[54]고 하였

---

52) 『尚書』「洪範」에 " 평화롭고 안락함에는 바르고 곧음으로 하고, 완강하고 따르지 않음에는 강함으로 이기게 하고, 화하고 따름에는 부드러움으로 이기게 한다.(平康正直, 强弗友剛克, 燮友柔克.)"는 구절이 나온다.
53) 『尚書』「舜典」에 "순임금이 말씀하셨다. 고요여, 오랑캐가 중국을 어지럽히며 도적떼들이 안팎으로 들끓고 있다. 그대를 士로 임명하니, 그대는 다섯 가지 형벌에 복역함을 두되 다섯 가지 복역을 세 곳에서 행하며 다섯 가지 귀양에 집을 두되 다섯 가지 집에 세 곳에 살게 하라.(帝曰, 皐陶, 蠻夷猾夏, 寇賊姦宄. 汝作士, 五刑有服, 五服三就, 五流有宅, 五宅三居.)"는 내용이 보인다.
54) 『尚書』「大禹謨」에 "순임금이 말씀하시기를, 고요여! 지금 신하들과 백성들이 아무도 나의 바람을 범하는 이가 없는 것은 그대가 士가 되어 다섯 가지 형벌을 밝히고 다섯 가지 가르침을 보필하여 나의 다스림을 맡아 잘 처리했기 때문이다. 형벌을 씀에 형벌이 없어지도록 하여 백성을 중정의 길에 맞도록 한 것은

다. 고요는 사사(士師)의 직임을 받아 간특한 자를 심문하고 난포한 자들에게 형벌을 주는 일을 맡아보았다. 그러나 순임금에게 보고할 적에는 "백성들을 관대하게 다스렸다."고 하였고, "죄는 자손에게까지 미치지 않게 하였다."고 하였으며, "의심스러운 죄는 가벼이 했다."고 하였고, "죄 없는 사람을 죽이느니 차라리 법도를 잃어 적용하지 않았으니, 살리기를 좋아하는 덕이 민심에 젖어들어 관리들을 범하지 않게 되었다."[55]고 하였다. 오호라! 이것이 바로 내가 말하는 임금의 마음이자 정치의 근본이니, 잔혹하다고 말할 수 있겠는가?

관대함과 잔혹함에 관한 학설은 옛날에는 없었다. 오직 『좌전(左傳)』에 실린 자산(子産)이 태숙(太叔)에게 고한 말에 나올 뿐이다.[56] 또 "관대함으로써 잔혹함을 구하고, 잔혹함으로써 관대함을 구한다."

그대의 공이니 더욱 힘쓰라.(帝曰皐陶, 惟茲臣庶, 罔或干予正, 汝作士, 明于五刑, 以弼五教, 期于予治. 刑期于無刑, 民協于中, 時乃功, 懋哉.)"라는 내용이 보인다.

55) 『尙書』「大禹謨」.

56) 『左傳』「昭公 12년」에 보이는 내용이다. "자산이 병이 들자 공자 大叔에게 말했다. '내가 죽으면 당신이 집정하게 될 것이오. 덕 있는 사람만이 관대한 정치로 국민을 설복시킬 수 있소. 그 다음으로는 엄하게 다스리는 것이 낫소. 불은 뜨거워 백성들이 보고 무서워하기 때문에 불로 죽는 일이 별로 없소. 그러나 물은 약해서 사람들이 가까이 가 놀기 때문에 물 때문에 죽는 일이 많소. 그래서 관대한 정치가 어려운 것이오.' …… 孔子가 말했다. '옳도다. 정치가 관대하면 백성들이 태만해지는데, 태만해진 것은 잔혹함으로 바로잡아야 한다. 정치가 잔혹하면 백성들을 해치는데, 해침을 당했을 시 관대함을 베풀어야 한다. 관대함으로써 잔혹함을 구하고 잔혹함으로써 관대함을 구하면 정치는 이로써 조화를 이루게 된다.'(鄭子産有疾, 謂子大叔曰, '我死, 子必爲政. 唯有德者, 能以寬服民. 其次莫如猛. 夫火烈, 民望而畏之, 故鮮死焉. 水懦弱, 民狎而翫之, 則多死焉. 故寬難.' …… 仲尼曰, '善哉. 政寬則民慢, 慢則糾之以猛, 猛則民殘, 殘則施之以寬. 寬以濟猛, 猛以濟寬, 政是以和.)"

는 말도 있는데, 부자의 입을 빌리고 있다. 오호라! 이는 부자의 말씀이 아니다. 적혀있기를, "정치가 관대하면 백성들이 태만해지는데, 태만해진 것은 잔혹함으로 바로잡아야 한다. 정치가 잔혹하면 백성들을 해치는데, 해침을 당했을 시 관대함을 베풀어야 한다."고 하였는데, 임금의 정치라는 것이 관대하면 잔혹해져야 하고, 잔혹하면 관대해져야 하며, 백성 된 자들이 태만하다고 해서 해쳐야 하고, 해침을 당했다고 해서 다시 태만해져야 하다니, 이는 사람들이 원하는 바가 아니다. 오호라! 이는 부자의 말씀이 아니다. 『논어』에서는 부자의 모습을 "위엄 있으나 사납지 않다."57)고 표현했고, 『상서(尙書)』에서는 희화(羲和)의 죄를 헤아리며 "사나운 화염보다도 더 심하다."58)고 하였으며, 『예기(禮記)』에는 "혹독한 정치가 호랑이보다도 무섭다[猛]."59)는 공자의 말씀을 적고 있다. 따라서 잔혹하다는 것은 추악한 단어이지 아름다운 단어가 아니니, 어찌 앞세워서 안 될 말 정도에 그치겠는가? 이는 단 하루도 있어서는 안 될 단어이기에, 아름답고 추함으로써 논할 수는 있으나 먼저와 나중으로 논할 수는 없다고 말한 것이다. 좌씨(左氏)가 경전에 전(傳)을 달았지만 『춘추(春秋)』를 해설하는 자들은 『좌전』의 병폐가 무(誣)에 있다고 하였고,60) 유종원(柳宗元)은 『국어(國語)』를 비난하면서 "무늬 비단으로 함정을 가리는

---

57) 『論語』「述而」.
58) 『尙書』「胤征」.
59) 『禮記』「檀弓下」.
60) 范甯은 「穀梁傳集解序」에서 "『좌전』은 화려하고 풍부하나 잘못이 誣에 있고, 『곡량전』은 맑고 아름다우나 잘못이 短에 있고, 『공양전』은 논리적이나 잘못이 俗에 있다.(左傳豔而富,其失也誣, 穀梁淸而婉, 其失也短, 公羊辯而裁, 其失也俗.)"고 하였다.

꼴"[61]이라고 하였다. 저 관대함과 잔혹함에 관한 학설이 무고하는 정도와 설치해놓은 함정은 실로 크다고 할 수 있다.

좌씨는 말할 만하지 못하다 치더라도, 서한(西漢) 동 생(董生: 董仲舒)이 올린 세 편의 대책(對策)[62]을 보고서 나는 유감이 없을 수 없었다. 세 편 대책의 내용에는 대체적으로 고요·기(夔)·이윤(伊)·부열(傅說)·주공(周公)·소공(召公)의 순정한 풍모가 남아 있어, 경모의 마음을 더하게 만든다. 첫 번째 편에 "왕은 마땅히 하늘에서 단서를 구해야 하며, 덕을 부려야지 형(刑)을 부려서는 안 된다."[63]는 말이 나오는데, 이는 시대의 병폐를 매우 적실히 지적한 말이다. 무제(武帝)는 다시금 책(策)을 냈는데, 이른바 "상(商)나라 사람은 오형을 쥐고 간악한 자를 감독했고, 피부를 상하게 함으로써 악을 징벌하였다."[64]는 말을 한 뒤, 이어서 주나라와 진나라 때의 일을 언급함으

---

61) 柳宗元의 「答吳武陵論非國語書」에 나오는 내용이다.
62) 董生은 董仲舒를 말한다. 여기서 말하는 세 편의 대책문은 「天人三策」을 가리킨다.
63) 「天人三策」 중에 "그런즉 왕이 무언가를 해보고자 할 때에는 마땅히 그 단서를 하늘에서 구해야 한다. 천도 중에 큰 것은 음양이다. 양은 德이고, 음은 刑이다. 형은 죽이는 것을 주로 하고 덕은 살리는 것을 주로 한다. 따라서 양은 늘 大夏에 거하며 낳고 기르고 키워주는 일을 맡아 하고, 음은 늘 大冬에 거한 채 공허하고 쓸모없는 곳에 쌓여 있다. 이로써 하늘은 덕을 부리지 형을 부리지 않음을 알 수 있다.(然則王者欲有所爲, 宜求其端於天. 天道之大者在陰陽. 陽爲德, 陰爲刑, 刑主殺而德主生. 是故陽常居大夏, 而以生育養長爲事, 陰常居大冬, 而積于空虛不用之處, 以此見天之任德不任刑也.)"는 내용이 보인다.
64) 이 내용은 『漢書』 권56 「董仲舒傳」에 보인다. "은나라 사람들은 오형을 쥐고서 간악한 자를 감독하였고, 피부를 상하게 하면서 악을 징벌하였다. 성왕과 강왕은 이를 따르지 않았으나 40여 년간 천하에 죄를 범하는 자가 없어 감옥이 텅 비었으며, 진나라는 이를 사용했으되 죽은 자가 허다하고 처형당한 자가 줄을 이었으니, 아아 슬프도다!(殷人執五刑以督奸, 傷肌膚以懲惡. 成康不式, 四十

로써 질문을 하였다. 나는 일찍이 당시 대조(待詔)로 있던 백여 명이
이 책문을 들었을 때 동중서의 "덕을 부려야지 형을 부려서는 안 된
다."는 말에 어쩌면 자극 받았을 수도 있을 것이라고 생각했다. [무제
가 내린] 책도 대략 유래가 있을 터이거늘, 동중서가 이를 변론하지
않은 까닭인즉, 주나라 때 형벌을 사용하지 않음으로써 얻은 효과는
교화가 점차 스며들고 인의(仁義)가 두루 퍼진 덕분이지, 피부를 상
하게 함으로써 얻은 효과가 아님을 입증하기 위해서였다. 동중서는
마치 더 대답할 말이 없다는 듯 황제의 말에 타협했다. 주나라가 형
벌을 사용하지 않은 미덕이나, 진나라가 형벌을 사용한 그릇됨은 본
디 무제 스스로 말했다. 무제가 그런 질문을 했던 것은 다만, "상나라
사람이 오형을 쥐고 간악한 자를 감독하고, 피부를 상하게 함으로써
악을 징벌한" 것은 주나라 때 형벌을 쓰지 않은 것이나 진나라 때 형
벌을 쓴 것과 다르다고 여겼기 때문이니, 무제는 바로 이를 근거로 법
을 사용하고자 하는 뜻을 이루려했던 것이다. 이 말은 아마도 『대기
(戴記)』 중 "상나라 사람은 처벌을 앞세우고 행상(行賞)을 뒤로 했
다."에서 나왔을 것이다. 오호라! 『상서』를 모조리 믿느니, 차라리
『상서』가 없는 게 낫다[65]고 하였다. 전국시대(戰國時代) 군주들은 전
쟁을 벌여 성을 쟁취하느라 죽인 사람이 성을 가득 메웠고, 전쟁을
벌여 땅을 차지하느라 죽인 사람이 들판에 넘쳐났다. 맹자는 "피가
[강물처럼] 흘러 방패가 떠다닌다."라는 말을 힘껏 변론하며 옳지 않
다고 여겼다.[66] 「무성(武成)」은 [『상서』 중] 『주서(周書)』에 속한다.

_____

餘年天下不犯, 囹圄空虛. 秦國用之, 死者甚衆, 刑者相望, 秏矣哀哉!)"
65) 『孟子』「盡心下」에 나오는 말이다. 혹자는 書를 『尙書』가 아닌 모든 책을 지칭
    한다고 풀이하기도 한다.
66) 孟子가 「盡心下」에서 『尙書』는 다 믿기 어렵다고 변론하면서 한 말이다. 『尙

전국은 주나라 세상이다. 『상서』는 또 부자께서 산정(刪定)한 것으로 맹자의 시대로부터 멀지 않다. 하지만 그 내용 중에 이치[理]를 해치고 사실을 왜곡함으로써 임금의 마음 씀을 병들게 하기에 충분한 것이 있다면 힘껏 변론하여도 무방하다. 무제 때에 경서들이 진나라 분서갱유의 잿더미 속에서 나왔는데, 『예기』만은 이대(二戴)[67]의 입을 통해 전해졌기 때문에 온전한 성인의 책이 아님이 분명하다. 이른바 "오형을 쥐고 피부를 상하게 하였다."는 말 또한 이치와 사실을 거스르고 있음이 매우 명백하다. 동중서는 어찌하여 "능히 관대하고 능히 어질다"[68]는 말, "너그러이 정사를 베푸시고"[69]라는 말, "임금이 오시니 우리는 이제 살아났다"[70]는 말, "임금이 오심에 그 형벌이 없어지겠네."[71]라는 말을 고찰하여 고하지 아니하고서, 또 『대기(戴記)』에

書』「武成」에서는 주나라 무왕이 은나라를 정벌할 때의 상황을 묘사하면서 "그들이 쏟은 피가 흘러 절구 공이를 띄울 정도가 되었다(血流漂杵)"고 하였는데, 맹자는 이의 그릇됨을 변론하면서 "『상서』를 다 믿느니 차라리 『상서』가 없는 편이 낫다. 나는 무성편의 글 가운데 두서너 쪽만을 취할 따름이다. 인자한 자는 천하무적이다. 지극히 인자한 武王이 지극히 인자하지 못한 紂王을 정벌하였는데, 어떻게 방패를 띄울 정도로 피가 흘렀겠는가?(盡信書, 則不如無書. 吾於武成, 取二三策而已矣. 仁人無敵於天下, 以至仁伐至不仁, 而何其血之流杵也)?"라고 말했다.

67) 漢나라 禮學者인 戴德과 그의 형의 아들 戴聖을 가리킨다. 대덕이 지은 예학은 大戴禮, 대성이 지은 예학은 小戴禮라고 하는데, 이것이 한나라 때 나온 禮記로, 禮의 이론과 실제를 기술한 五經의 하나이다. 한나라 무제 때에 河間의 獻王이 공자와 그 후학들이 지은 131편의 책을 모아 정리한 뒤에 宣帝 때 劉向이 214편으로 엮었다.

68) 『尙書』「仲虺之誥」에 나오는 말이다.

69) 『詩經』「商頌・長發」에 나오는 말이다.

70) 『尙書』「仲虺之誥」에 나오는 말이다. "우리 임금님 오시기를 기다렸는데, 임금님이 오셨으니 우리는 이제 살아났다.(徯予后, 后來其蘇)."

71) 『尙書』「太甲中」에 나오는 말이다.

나오는 "처벌을 먼저 하고 행상을 뒤로 하다"는 말의 뜻을 펼쳐 그 시비 분별을 명백히 함으로써 무제의 미혹됨을 없애주지 아니하고서, 도리어 그의 말에 타협하며 변론하지 않았단 말인가? 이 또한 맹자와 다르다. 장탕(張湯)의 무리가 마침내 제 뜻대로 관직을 도맡고, 공경들 사이에서 종종 옥에 가두어 죄상을 만들어 내는 일이 벌어지고, 지견법(知見法)[72]이 생겨나고, 수의사자(繡衣使者)[73]까지 나오고, 법망은 촘촘해지고 법문은 삼엄하였는데도 간특한 무리들은 갈수록 기승을 부렸으니, 나는 동중서가 올린 대책에 대해 유감이 없을 수 없다. 두 대(代)가 지나 선제(宣帝)가 패도로써 전횡할 때나 그 뒤를 이은 원제(元帝)가 부드러움으로 전환했을 때나, 이러한 주장은 모두 밝히 펼쳐지지 않았으니, 모두 이러한 학설에 밝지 못했기 때문이다.

일찍이 말했듯이 옛날의 제왕들도 형벌을 폐지한 적이 없으며, 형벌이란 천하에서 없어질 수 없는 것이다. 그저 임금의 마음이나 정치의 근본이 아닐 따름이다. 그러나 형벌을 사용할 적에 관대하고 인자한 마음을 보이는 것, 이것이 바로 옛날 제왕들이 정치를 하던 방법이었다. 요임금이 순임금을 발탁하자 순임금은 첫 번째로 사흉(四凶)을 주벌했고,[74] 노(魯)나라에서 공자를 등용하자 공자는 첫 번째로

---

72) 『史記』 권61 「酷吏列傳」에 나오는 일종의 법이다. 관리들이 범법 사실을 보았거나 알았을 때, 반드시 고발하여 검거해야지 검거하지 않으면 알고도 놓아준 죄(故縱)에 해당하며, 처벌해야 하는 범죄에 대해서는 반드시 처벌해야지 처벌하지 않으면 이 역시 故縱에 해당한다. 보았거나 알았으면서도 故縱한 자는 범죄자와 꼭같은 처벌을 받게 된다.

73) 繡衣直指 혹은 繡衣御史라고도 칭한다. 武帝 天漢 2년(기원전 99)에 光祿大夫 范昆 및 일찍이 九卿을 역임했던 張德 등으로 하여금 비단 옷을 입고 부절과 虎符를 들고서 농민 기의군을 진압하게 한 데서 유래된 명칭이다. 후에는 도적을 체포하는 일도 맡아 했다.

소정묘(少正卯)를 주벌했다.[75] 이 두 성인께서 지극히 인자한 마음으로 삼가 천벌을 행함으로써 이 백성들이 사특한 무리의 해악을 입지 않게 해주시고, 악을 징벌하고 선을 권장함으로써 모두가 드넓은 은택 안에서 헤엄칠 수 있도록 해주셨으니, 순임금과 공자의 관대하고 인자한 마음을 나는 사후예(四後裔)와 양관(兩觀) 사이에서 보았다. 그러니 임금으로서 어찌 한 순간인들 이 마음이 없을 수 있겠으며, 이른바 정치라는 것이 또한 어디를 가건 여기서 나오지 않겠는가? 그래서 말하기를, 임금은 두 마음을 가져서는 안 되며 정치에 두 근본이 있어서는 안 된다고 한 것이다.

당나라 이길보(李吉甫)[76]가 일찍이 헌종(憲宗)에게 말했다. "형과 상은 임금이 쥐고 있는 두 개의 권병이라 하나도 폐해서는 안 됩니다. 지금 폐하께서는 혜택을 두루 베푸셨으나 위엄어린 형벌은 아직 떨쳐지지 않아서 나라 안팎이 해이해져 있으니, 원컨대 지엄함을 더함으로써 위엄을 떨치소서."[77] 당시 헌종은 이강(李絳)에게 고문을

---

74) 『尙書』「堯典」에 보인다. 순임금은 "공공을 유주에 유배 보내고, 환두를 숭산으로 쫓았으며, 삼묘를 삼위산으로 내치고, 곤을 우산에서 죽을 때까지 갇히게 하였다. 네 죄인에게 벌을 주자 천하가 모두 귀복하였다.(流共工于幽州, 放驩兜于崇山, 竄三苗于三危, 殛鯀於羽山. 四罪而天下咸服.)"

75) 『孔子家語』「始誅」에 "이에 정사를 본지 이레 만에 정치를 어지럽힌 대부 소정묘를 주벌하고 양관 아래에서 그를 죽였다.(於是朝政七日而誅亂政大夫少正卯, 戮之于兩觀之下.)"라는 내용이 보인다.

76) 李吉甫(758~814). 字는 弘憲. 元和年間에 두 차례나 재상을 역임하였고, 한 차례 淮南節度使로 파견되었다. 越國公에 봉해져 西川·鎭海를 평정하였고, 번진 세력을 약화시키는 등, 唐 憲宗의 元和中興을 크게 도왔다.

77) 『資治通鑑』「唐紀」권54에 보인다. 문자에 약간의 출입이 보인다. "상벌은 임금이 쥐고 있는 두 개의 권병이라 하나도 폐해서는 안 됩니다. 지금 폐하께서 등극하신 이래로 혜택은 깊이 베푸셨으나 위엄어린 형벌은 아직 펼치지 않아 나라 안팎이 해이해져 있으니, 원컨대 지엄함을 더함으로써 위엄을 떨치소서.

청하였는데, 이강은 비록 덕을 숭상해야지 형벌을 숭상해서는 안 된다는 말로써 절충할 수는 있었으나 끝내 이치에 딱 들어맞는 말을 하지는 못했다. 만약 그가 "길보가 재상이 되었으니, 안팎으로 정말 오만하게 거역하고 음탕하게 방종하여 윤상을 무너뜨리고 풍속을 어지럽혀 도저히 도망칠 길 없이 법을 거스른 자가 있다면, 어찌 그 죄를 명백히 논하여 주상에게 고함으로서 천벌을 행하지 않는가? 어찌하여 형벌과 위세가 떨쳐지지 않는다고 모호하게 말하면서 임금에게 지엄함을 더하라고 권하는가? 이것이 어찌 순임금이 형벌을 밝힌 마음이자 고요가 순임금에게 고한 뜻이겠는가?"라고 말했다면, [刑賞 중] 하나만 폐지하라는 말을 하지 않고도 이길보의 실수가 절로 드러났을 것이다. 아아! 이길보의 이 말은 가히 본심을 잃은 것이라 말할 수 있다. 그 후에 우적(于頔)[78]이 형벌을 더욱 엄준하게 할 것을 권하자 황제는 조정에서 그 말을 고하며 그 뜻을 추론했는데, 이길보는 물러나와서 고개를 숙인 채 종일토록 담소하지 않았다. 그러니 이길보는 또한 수치가 무언지 아는 사람이었다고 말할 수 있다. 후에 각박하고 잔혹한 정치로써 임금에게 답하고자 하는 자가 있다면, 이를 보고 경계로 삼아야 할 것이다!

훌륭하도다! 권덕여가 임금에게 고한 말이여! 맹자가 군주들에게 고했던 말의 요점에 부합하는 면이 있지만, 안타깝게도 결론을 맺지 못하였다. 임금이 선왕의 정치에 나아가는 길은 인자한 마음이 일어나는 순간에 시작된다. 그러나 이런 저런 일이 생겨나고 이해가 서로

(賞罰, 人主之二柄, 不可偏廢. 陛下踐祚以來, 惠澤深矣, 而威刑未振, 中外懈惰, 願加嚴以振之.)"

78) 于頔(?~818). 字는 允元이며 憲宗 때에 재상을 지냈다.

얽히면 이 마음은 늘 위태로워지고 쉬이 가려진다. 하물며 물은 약하고 불은 맹렬하다는 말이 『좌전』에 실려 있고, 최식(崔寔)은 "엄하면 다스려지고 관대하면 문란해진다."[79]는 말을 하였는데, 세상에서는 이 말을 비난하지 않는다. 어느 날 임금이 관대함과 잔혹함 중 어느 것을 먼저 해야 하겠느냐고 물어올 시, 혹 무언가에 의해 눈이 가려서 그런 질문을 한 게 아닐지 어찌 알겠는가? 권덕여는 맨 처음으로 태종(太宗)이 「명당도(明堂圖)」를 보고서 등 채찍질하는 형벌을 없앤 사실을 고하였는데,[80] 이것이 맹자께서 [제물로 잡혀가는] 소를 본 일로써 제나라 선왕(宣王)께 고한 것과 무엇이 다른가? 실로 인자한 마음을 일으키기에 충분하였으니, 헌종이 의심 없이 그렇다고 여기고 후에 이길보나 우적의 말에 현혹되지 않은 채 이강에게 물어보고, 또 조정 대신에게 논의해보라 한 것도 분명 권덕여가 한 이 말의 힘 덕분이었을 것이다. 비록 그렇지만 인자한 마음과 인자한 말씀이 있는데도 백성들이 그 은택을 입지 못하는 것은 선왕의 정치를 행하지 못하였기 때문이다. 인자한 마음을 일으킨 것만으로는 정치를 논하기에 부족하다. 맹자께서 인자한 마음을 일으키신 까닭은 장차 선왕의 정치로써 고하기 위함이었다. 권덕여의 경우 더 이상 여기에 나아가지 못하였으니, 이것이 바로 그가 끝까지 밀고가지 못한 것을 내 애석해하는 이유이다.

오호라! 이는 이미 오래 전부터 하기 어려운 이야기였다. 그래서 요임금 때부터 과부와 홀아비를 불쌍히 여겼고, 그래서 순임금은 고

---

79) 崔寔(약 103~약 170)은 동한의 정치가이다. 그는 「政論」에서 "천하를 다스리는 사람은 상덕이 아닌 바에야 엄격히 하면 다스려지고 관대히 하면 문란해진다. (凡爲天下者, 自非上德, 嚴之則治, 寬之則亂)"라고 말했다.
80) 각주 51 참고.

요(皋陶)의 아름다움을 칭찬했으며,[81] 그래서 우임금은 백익(伯益)이 한 말을 채택했고, 그래서 탕임금은 학정(虐政)을 대신할 정치를 우대하였고, 그래서 문왕은 크게 밝은 덕을 밝히셨고,[82] 무왕은 옥에 갇힌 기자(箕子)를 풀어주셨고, 그래서 목왕(穆王)에 이르러서도 여전히 「여후지명(呂侯之命)」을 지을 수 있었다. 삼대(三代) 이후로 이 도가 행해지지 않더니, 맹자가 죽은 후로는 이 도가 밝혀지지 않았다. 한나라 순유(純儒)라 할 수 있는 동중서마저도 아쉬움을 남기니, 내 권덕여를 어찌 더 나무랄 수 있겠는가?

君不可以有二心, 政不可以有二本. 君之心, 政之本, 不可以有二, 而後世二之者, 不根之說有以病之也. 寬猛之說, 其論政之不根者歟! 歧君之心, 撓政之本, 其害有不可勝言者, 惜乎未之辨也.

唐憲宗問權德輿政之寬猛孰先, 當時德輿之對, 似亦有得乎吾所謂 "君之心, 政之本"者矣. 惜乎其不能伸之長之, 而寬猛之說未及辨也.

寬者, 美辭也. 猛者, 惡辭也. 寬猛可以美惡論, 不可以先後言也. 强弗友之世, 至於頑嚚 · 疾狠 · 傲逆 · 不遜, 不可以誨化懷服, 則聖人亦必以刑而治之. 然謂之剛克可也, 謂之猛不可也. 五刑之用, 謂之天討, 以其罪在所當討, 而不可以免於刑, 而非聖人之刑之也, 而可以猛云乎哉? 蠻夷猾夏, 寇賊姦宄, 舜必命皋陶以明五刑. 然其命之之辭曰: "以

---

81) 『尙書』「呂刑」에 순임금이 고요를 칭찬하며 "나로 하여금 내가 바라는 대로 다스릴 수 있도록 하여, 온 천하가 바람에 움직이듯 교화되었으니, 이는 오로지 그대의 아름다운 공이다.(俾予從欲以治, 四方風動, 惟乃之休.)"라고 말하는 내용이 나온다.
82) 『尙書』「康誥」에 "너의 크게 밝으신 아버지 문왕께서는 능히 덕을 밝히고 벌을 신중히 하셨으며, 감히 홀아비와 과부를 업신여기지 않으셨다.(惟乃丕顯考文王, 克明德愼罰, 不敢侮鰥寡.)"라는 내용이 나온다.

弼五教, 期于無刑." 皐陶受士師之任, 固以詰姦慝, 刑暴亂爲事也, 然其復於舜者, 曰"御衆以寬", 曰"罰弗及嗣", 曰"罪疑惟輕", 曰"與其殺不辜, 寧失不經, 好生之德, 洽于民心, 兹用不犯于有司." 嗚呼! 此吾所謂君之心而政之本也, 而可以猛云乎哉?

寬猛之說, 古無有也, 特出於左氏載子產告子太叔之辭, 又有"寬以濟猛, 猛以濟寬"之說, 而託以爲夫子之言. 嗚呼! 是非夫子之言也. 且其辭曰: "政寬則民慢, 慢則糾之以猛, 猛則民殘, 殘則施之以寬." 使人君之爲政, 寬而猛, 猛而寬, 而其爲之民者, 慢而殘, 殘而慢, 則亦非人之所願矣. 嗚呼! 是非夫子之言也. 『語』載夫子之形容, 曰"威而不猛", 『書』數羲和之罪, 曰"烈于猛火", 『記』載夫子之言, 曰"苛政猛於虎也." 故曰猛者惡辭也, 非美辭. 是豈獨非所先而已耶? 是不可一日而有之者也. 故曰可以美惡論, 不可以先後言也. 左氏之傳經, 說『春秋』者病其失之誣, 柳宗元非其『國語』, 以爲"用文錦覆陷穽." 彼其寬猛之說, 其爲誣而設陷穽也大矣.

左氏不足道也, 吾觀西漢董生三策, 不能無恨. 三策之辭, 大抵粹然有皐・夔・伊・傅・周・召之風, 使人增敬加慕. 其首篇有"王者宜求端於天, 任德不任刑"之說, 尤切時病. 至武帝再策之, 所謂"商人執五刑以督姦, 傷肌膚以懲惡"之說, 且繼以周・秦之事爲問. 嘗謂當時待詔者百有餘人, 至於此語, 未必非仲舒"任德不任刑"之言, 有以激之也. 此其說蓋亦有所自來, 而仲舒乃不之辯, 特推周家刑措之效, 以爲由於教化之漸, 仁義之流, 非獨傷肌膚之效也. 殆若無以加答, 而遷就其說者然. 若夫周措刑之美, 秦用刑之非, 武帝固自言之矣. 彼之所問者, 特以"商人執五刑以督姦, 傷肌膚以懲惡", 有異於周之措而秦之用, 此則武帝之所據以遂其任法之意者也. 此其說, 蓋出於『戴記』"商人先罰後賞"之言. 嗚呼! 盡信書, 不如無書. 戰國之君, 爭城以戰, 殺人盈城, 爭地以戰, 殺人盈野, 孟子必力辯"血流漂杵"之言, 以爲非是. 「武成」, 周書也, 戰國, 周之世也. 書者, 又夫子所定, 去孟子未久也. 至其言有害理非實, 而足以病人君之心術, 亦必力辯而無嫌. 武帝之時, 經籍出於秦火灰燼之餘, 而記『禮』之書, 特傳於二戴之口, 其非聖人之全書明甚. 其所謂"執五刑, 傷肌膚"之說, 又背理非實, 亦彰彰明甚. 仲舒胡不稽"克寬克仁"之言, "敷政優優"之言, "后來其蘇", "后來其無罰"之言以告之. 且申『戴記』"先罰後賞"之說, 明明辨其非是, 以袪武帝之惑, 顧乃遷就其說而不之辯, 亦異於吾孟子矣. 張湯之徒, 竟以任職稱意, 公卿之間, 往往繫獄具罪, 知見之法興, 繡衣之使出, 網密文峻, 而奸宄愈不勝, 吾於仲舒之策, 不能無遺恨焉. 至再傳而爲宣帝之雜霸, 又轉而爲元帝之優柔, 皆此說之不明也.

嘗謂古先帝王未嘗廢刑, 刑亦誠不可廢於天下, 特其非君之心, 非政之本焉耳. 夫惟於用刑之際而見其寬仁之心, 此則古先帝王之所以爲政者也. 堯擧舜, 舜一起而誅四凶, 魯用孔子, 孔子一起而誅少正卯. 是二聖人者, 以至仁之心, 恭行天討, 致斯民無邪慝之害, 惡懲善勸, 咸得游泳乎洋溢之澤, 則夫大舜‧孔子寬仁之心, 吾於四後裔‧兩觀之間而見之矣. 然則君人者, 豈可以頃刻而無是心, 而所謂政者, 亦何適而不出於此也. 故曰, 君不可以有二心, 政不可以有二本.

唐李吉甫嘗言於憲宗曰: "刑‧賞, 國之二柄, 不可偏廢. 今恩惠洽矣, 而刑威未振, 中外懈怠, 願加嚴以振之." 當時帝顧問李絳, 絳雖能以尙德不尙刑之說折之, 然終未能盡愜於理. 蓋亦曰: "吉甫爲宰相, 若中外誠有傲逆淫縱, 敗常亂俗, 麗於法而不可逭者, 盍亦明論其罪, 告主上以行天討乎? 何乃泛言刑威不振, 勸人主以加嚴, 此豈大舜明刑之心, 而與皐陶所以告舜之意乎?" 如此, 則不墮於偏廢之說, 而吉甫之失自著矣. 噫! 吉甫斯言, 可謂失其本心者矣. 其後于頔勸帝峻刑, 帝乃告諸朝而推論其意, 吉甫退而抑首不言笑竟日, 則吉甫亦可謂知恥者矣. 後之欲以險刻苛猛之說復其君者, 尙鑒于此哉!

善哉! 德輿之所以告其君者乎! 蓋亦有合乎吾孟子告君之機, 惜乎其無以終之也. 人君之所以進於先王之政者, 蓋始於仁心之一興爾, 然而事物之至, 利害之交, 此心常危而易蔽. 況夫水溺火烈之說載於左氏, 嚴理寬亂之論著於崔寔, 而世莫之非. 一旦而君有寬猛孰先之問, 安知其不有所蔽而然乎? 德興首告以太宗觀「明堂圖」以罷鞭背之罪, 此與孟子以見牛之說告齊宣王何異? 眞足以興其仁心矣. 宜乎憲宗然之無疑, 其後不惑於吉甫·于頓之說, 而能顧問李絳, 推論于朝者, 未必非德興斯言力也. 雖然, 有仁心仁聞, 而民不被其澤者, 不行先王之政也. 仁心之興, 固未足以言政. 孟子之興其仁心者, 固將告之以先王之政也. 若德興則不復進於是矣, 此吾所以惜其無以終之也.

嗚呼! 是說之難久矣. 自堯以是而哀鰥寡之辭, 舜以是而稱皋陶之休, 禹以是拜伯益之言, 湯以是優代虐之政, 文王以是明不顯之德, 武王以是釋箕子之囚, 至于穆王猶能以是而作「呂侯之命」. 三代降, 斯道其不行矣, 孟子沒, 斯道其不明矣. 夫自漢儒之純如仲舒, 猶不能使人無恨, 則吾於德興乎奚責?

언제나 이기는 도를 일러 '유柔'라고 한다
常勝之道曰柔

    인정상 몹시 원하는 것은 언제나 몹시 원하지 않는 것을 능가한다. 천하의 승자의 자리에 있으면서 온 천하에 아무도 그를 이길 자가 언제나 없는 것, 이는 사람들이 늘 몹시 원하는 바이다. 승자의 모습을 드러내고 승자의 위세를 펼치며, 드높은 기세로 모두와 대적하면서 조금도 꺾이는 모습이 없다면, 이는 보통 사람들의 마음에 늘 통쾌히 여기는 바요 이렇게 하면 승리를 거둘 수 있다고 여긴다. 그러나 세상에서 패하는 이유 또한 늘 여기에 있으며 이렇게 해서 요행히 승리하는 경우는 만 분의 일도 되지 않는다. 한편 살펴보아도 승자의 모습이라곤 없고, 대적해보아도 승자의 위세라곤 없으며, 물러나 스스로를 지키며 사람에게 어떤 위력을 가할 능력도 없어 보인다면, 이는 보통 사람들이 심히 원치 않는 바요 이렇게 해서는 승리를 거둘 수 없다고 여긴다. 그러나 이런 모습 앞에서 용맹한 자는 힘을 잃고 지혜로운 자는 모략을 잃는다. 온 천하가 말하는 승자가 될 듯 보이는 자들은 언제나 이런 모습 앞에서 강함을 잃나니, 언제나 이기는 방도 중에 이보다 더 나은 것은 없다. 그렇다면 몹시 원치 않는 바가 몹시 원하는 것을 가져올 수 있는 방도가 되는 셈이거늘, 사람들은 이를 알지 못한다. "언제나 이기는 도를 일러 유(柔)라 한다."[83]라고 열어구(列禦寇)가 말한 까닭이 바로 여기에 있다.

---

83) 『列子』「黃帝」.

나는 일찍이 열어구가 한 이 말은 함부로 비난해서도 안 되고 함부로 찬동해서도 안 된다고 논한 바 있다. 어째서인가? 승리에 있어 세(勢)만 논하고 이(理)를 논하지 않는다면 유순함[柔]을 통하지 않고서도 이길 수 있다. 유순함의 체(體)만 말하고 용(用)을 말하지 않는다면 유순함으로 이기지 못할 수 있다. 초(楚)나라 병사들을 모조리 동원해서 추(鄒)나라 진영으로 달려간다면, 추나라 사람은 반드시 초나라 궁정에 포로로 사로잡힐 것이다. 제(齊)나라 변방의 군력을 싹 쓸어서 설(薛)나라 도성에 쳐들어간다면, 설나라 군주는 반드시 제나라의 명을 받들 것이다. 이러한 승리는 유순함을 통해 얻은 것이 아니다. 그러나 주(周)나라는 기산(岐山)에 도읍해서 왕업을 일으켰고, 월(越)나라는 회계(會稽)에 둥지를 틀고서 패권을 이루었으며, 촉한(蜀漢)[의 劉邦]은 족히 항우(項羽)를 무찌를 수 있었고, 곤양(昆陽)[의 光武帝]는 족히 왕망(王莽)을 죽일 수 있었다. 이는 모두 유순함으로써 거둔 승리였다. 유순함으로써 하지 않은 것이라면 세(勢)이고 유순함으로써 한 것이라면 이(理)다. 이에는 항상됨이 있으나 세에는 항상됨이 없다. 따라서 세란 본디 논할 만하지 못하며 승리는 본디 유순함으로부터 나온다. 뱁새의 둥지[84]로는 숭산과 형산의 버려진 돌조차 감당하기 부족하고, 메마른 버드나무로 만든 사다리로는 막야검(鏌鋣劍)[85]의 무뎌진 칼날조차 시험하기 부족하다. 이러한 유순함

---

84) 『荀子』「勸學」에 "남방에 새가 있는데, 이름이 뱁새이다. 뱁새는 깃으로 둥지를 만들고 머리털로 엮어서 갈대에 매어놓는다. 바람이 불어와 갈대 이삭이 꺾으면 알이 깨지고 새끼도 죽으니, 이는 둥지가 온전치 못해서가 아니라 둥지를 매어 놓은 곳이 잘못된 까닭이다.(南方有鳥焉, 名曰蒙鳩, 以羽爲巢, 而編之以髮, 繫之葦苕, 風至苕折, 卵破子死, 巢非不完也, 所繫者然也.)"라는 내용이 보인다.

이라면 승리를 가져올 수 없다. 그러나 천하에서 지극히 유순한 것 중에 물보다 더한 것이 없어서 견고하고 강한 것을 공격할 적에 물을 앞세울 수 있는 사람은 없다. 동정호(洞庭湖)와 팽려호(彭蠡湖)에 가득 고인 물은 무소처럼 단단한 뿔도 아니요 금석으로 쌓은 성도 아니다. 하지만 미천한 장부가 검을 휘두르며 물을 베어보아도 힘만 들뿐 물은 갈라지지 않으며, 돌을 던져 깨뜨려보아도 돌만 떨어질 뿐 물은 깨지지 않는다. 그러니 유순한 물이지만 이길 수 없는 것은 아니다. 이길 수 없는 것은 체(體)요, 이길 수 있는 것은 용(用)이다. [물의] 본체[體]는 그저 유약할 뿐이지만 그것의 쓰임[用]은 그저 유순하기만 한 데 있지 않다. 따라서 [물의] 본체는 본디 논할 만하지 못하지만 유순함은 본디 승리를 가져올 수 있다. 승리함에 있어 세(勢)만 논하고 이(理)는 논하지 않으며, 유순함의 체만 말하고 용을 말하지 않으면서 찬동하는 자라면, 이는 제대로 알지 못하면서 구차히 남의 의견을 따르는 자이다. 하지만 비난하는 자 역시 어리석으면서 과감히 자임하는 자이다. 그것을 비난하는 것의 폐단은 종종 승리의 세만을 놓고서 말할 뿐, 승리의 이에 관해서는 알지 못하는 데 있다. 육국(六國)을 합병했지만 진(秦)나라는 몰락했고, 남북을 통합했지만 수(隋)나라는 망했으니, 이는 승리의 세만을 믿었을 뿐, 이 세라는 것이 늘 한결같을 수 없는 것임을 몰랐기 때문이다. 찬동하는 것의 폐단은 그것에 유순함의 본체만 있지 유순함의 쓰임이 없다는 것을 모르는 데 있다. 원제(元帝)은 우유부단함으로 한나라를 쇠하게 만들었고, 덕종(德宗)은 고식적인 안주로 당나라를 약화시켰으니, 이는 유순함

---

85) 莫邪劍. 보통 날카로운 검을 상징하는 말로 사용된다. 春秋時代 뭇나라 사람 莫邪가 검 주조에 빼어났기에 그렇게 일컬어진다는 주장도 있다.

의 본체만 알았지 유순하기만 해서는 쓸모가 없다는 것을 몰랐던 것이다.

척확(尺蠖)이 몸을 굽히는 것은 펼치기 위함이고, 용과 뱀이 칩거하는 것은 몸을 보존하기 위함이다.[86] 맹호가 깊은 계곡에 엎드리고 있지만 그 위엄은 더욱 가까이 할 수 없고, 청룡이 깊은 못에 똬리를 틀고 있지만 그 신령함은 더욱 친압할 수 없다. 승리의 세라는 것이 만약 이와 같다면, 어찌 한결같음이 없겠는가? 여기서의 세는 본디 유순함에서 나온 것이니, 방금 말한 세와 다른 것이다. 승자의 모습이라곤 찾아볼 수 없고, 사람을 놀라게 하는 소리조차 들을 수 없으며, 유혹해도 기쁘게 만들 수 없고, 자극해도 성나게 할 수 없는 것, 유순함의 본체가 만일 이와 같다면, 어디를 가건 이기지 못하겠는가? 여기서의 본체는 본디 쓰임이 있는 것이니, 방금 말한 유순하기만 한 것과는 다른 것이다. 오호라! 세상에서 승리를 논하는 사람들은 진나라가 [육국을] 병탄한 것과 수나라가 남북을 통일한 것만 통쾌히 여긴다. 반면 유순함을 말하는 사람들은 한나라 때의 우유부단함이나 당나라 때의 고식적인 안주에만 집착하니, 내 무슨 수로 유순함이 무엇인지를 아는 자를 얻어 더불어 승리의 도를 논해볼 수 있을까?

비록 그렇긴 하지만 화산(華山)에 오르면 뭇 산들이 구불구불 이어져 보이지 않을 수 없고, 푸른 바다에 배 띄우면 장강과 한수도 실처럼 흐르는 도랑으로 보이지 않을 수 없으며, 성인의 도를 알고 나면 열어구의 학문은 [공자의] 문이나 담장 옆에 거의 설 수조차 없음을

---

86) 『周易』「繫辭下」에 "척확이 몸을 굽히는 것은 펼치기를 구함이고, 용과 뱀이 칩거하는 것은 몸을 보존하기 위함이다.(尺蠖之屈, 以求信也, 龍蛇之蟄, 以存身也.)"라는 말이 나온다.

알게 된다. 대저 스스로를 바로 세우는 학문에 이기기를 바라는 마음
이란 있을 수 없으며, 대중(大中)의 도는 강(剛)이나 유(柔)에 치우침
이 없다. "깊이 잠기는 이는 강으로 다스리고, 고명한 이는 유로 다스
린다."[87]고 했으니, 이는 덕의 중(中)이다. "강(强)하여 순하지 않은
이는 강으로 다스리고, 온화하고 순한 이는 유로 다스린다."고 했으
니, 이는 시(時)의 중(中)이다. 강을 사용해야 할 때에 강을 사용하는
것은 강이 아니라 중이요, 유를 사용해야 할 때에 유를 사용하는 것
은 유가 아니라 중이다. 그 도(道)에는 내외가 합쳐져 있고, 체용이
겸비되어 있어서 신명과 더불어 하나가 되니, 그 사이에 이기기를 구
하는 마음이 또 어디 있겠는가? 굽히고 펴고는 때를 살펴야 하지만
이기고 이기지 못하고는 오직 그 덕에 달려있다. 탕(湯)임금이 일찍
이 갈(葛)나라를 섬겼으나 음식 내가는 자들의 원수가 이끈 군대를
마침내 섬멸했고,[88] 문왕(文王)이 일찍이 곤이(昆夷)를 섬겼으나 떡

---

87) 『尙書』「洪範」에 보이는 내용이다. "여섯째 삼덕은 첫째는 정직이고, 둘째는 강
   으로 다스림이고, 셋째는 유로 다스림이다. 평강한 이는 정직이고, 강하여 순하
   지 않는 이는 강으로 다스리고, 온화하고 순한 이는 유로 다스리고, 깊이 잠기는
   이는 강으로 다스리고, 고명한 이는 유로 다스리느니라.(六三德, 一曰正直, 二
   曰剛克, 三曰柔克. 平康正直, 彊弗友, 剛克, 燮友, 柔克, 沉潛, 剛克, 高明,
   柔克.)"

88) 우선 『尙書』「仲虺之誥」에 보면 "갈나라 임금이 음식을 내가는 자들을 원수로
   삼자 갈나라로부터 처음 정벌을 시작했다.(乃葛伯仇餉, 初征自葛.)"는 내용이
   나오는데, 孔安國은 『尙書傳』에서 이르기를, "갈백은 거리를 순행하다가 농민
   들이 밭으로 음식을 내가는 것을 보고는 그들을 죽이고 음식도 빼앗았다. 그래
   서 '구향이라고 부르니, 구는 원수라는 뜻이다.(葛伯游行, 見農民之餉於田者,
   殺其人, 奪其餉, 故謂之仇餉. 仇, 怨也.)"라고 하였다. 『孟子』「滕文公下」에
   서도 이 일을 다루고 있다. "탕임금이 박 땅에 거할 때 갈나라와 이웃하며 지냈
   는데, 갈 임금이 방탕하여 제사를 모시지 않았다. 탕임금이 사람을 시켜 '왜
   제사 지내지 않느냐?'고 묻자 '공양할 희생이 없다.'고 대답했다. 탕임금은 소와

갈나무 두릅나무 베어 백성들이 다니는 길을 내셨으니,[89] 이는 이기기를 구해서가 아니라 때를 본 것이다. 우순(虞舜)이 방패를 들고 춤을 추자 유묘가 이르렀고,[90] 주나라가 성루를 지키자 숭(崇)이 항복해 왔으니,[91] 이는 유순함을 쓴 것이 아니라 덕을 펼친 것이다. 게다

양을 보냈지만 갈 임금은 이를 먹어버리고 또 제사 지내지 않았다. 탕임금이 또 사람을 보내 '왜 제사 지내지 않느냐?'고 묻자 '공양할 기장밥이 없다.'고 대답했다. 탕임금은 박 땅 사람들은 보내 농사짓게 하면서 노약자에게 음식을 보내주었다. 갈 임금은 백성들을 이끌고 가 술과 밥과 쌀 가진 자들의 것을 다 빼앗았으며 주지 않는 자들은 죽여 버렸다. 한 아이가 기장밥을 가지고 가는데 그를 죽이고 그것마저 빼앗았다. 『상서』에 '갈백이 음식 내가는 자를 죽이다.'라는 내용이 나오는데, 바로 이를 두고 한 말이다. 이 아이를 죽였기 때문에 천하 사람들은 모두 말하길, 세상의 부를 탐내서가 아니라 필부필부를 위해 복수해주기 위함이었다라고 하였다. 탕임금은 첫 정벌을 갈나라부터 시작하여 열한 번째에 이르러 천하무적이 되었다.(湯居亳, 與葛為鄰, 葛伯放而不祀. 湯使人問之曰, '何為不祀?' 曰, '無以供犧牲也.' 湯使遺之牛羊, 葛伯食之, 又不以祀. 湯又使人問之曰, '何為不祀?' 曰, '無以供粢盛也.' 湯使亳眾往為之耕, 老弱饋食. 葛伯率其民, 要其有酒食黍稻者奪之, 不授者殺之. 有童子以黍肉餉, 殺而奪之. 『書』曰'葛伯仇餉', 此之謂也. 為其殺是童子而征之, 四海之內皆曰, 非富天下也, 為匹夫匹婦復讐也. 湯始征自葛載, 十一征而無敵於天下.)"

89) 『詩經』「大雅·緜」에 "성냄을 그치니 아니하시나 위로하는 정성도 여전하셨네. 가시나무 베어내고, 다니는 길을 통하게 하니, 곤이들이 달아나네, 숨이 차도록.(肆不殄厥慍, 亦不隕厥問. 柞棫拔矣, 行道兌矣. 混夷駾矣, 維其喙矣.)"이라는 구절이 보인다. 이와 관련하여 『孟子』「梁惠王下」에는 "오직 인자만이 큰 것으로써 작은 것을 섬길 수 있나니, 이 때문에 탕임금은 갈나라를 섬겼고, 문왕은 곤이를 섬겼다.(惟仁者爲能以大事小, 是故湯事葛, 文王事昆夷)"라는 내용이 보인다.

90) 『尙書』「大禹謨」에 "황제께서 크게 文德을 펴 干과 羽를 들고 섬돌에서 춤추게 하니 70일 만에 유묘가 이르렀다.(帝乃誕敷文德, 舞干羽于兩階, 七旬, 有苗格.)"는 내용이 보인다.

91) 『左傳』「僖公 19년」에 다음과 같은 내용이 보인다. "문왕은 숭나라의 덕이 어지럽다는 말을 듣고 토벌에 나섰으나 한 달이 지나도록 항복하지 않았다. 이에 물러나 가르침을 닦고서 다시 치니, 성루 그 자리에서 항복해왔다.(文王聞崇德

가 남방의 강(强)함은 너그럽고 유순함으로써 가르치는 데 있으며,[92] 신장(申棖)의 욕심은 강(剛)이라 말할 수 없다.[93] 강(剛) 속에 지극히 유순한 덕이 담겨 있고, 유(柔) 속에 지극히 강한 쓰임이 담겨져 있는 데 어떻게 하나에 치우쳐 명명할 수 있겠는가? 힘없이 유순함을 말하는 자나 끊임없이 승리를 말하는 자라면 내 논할 바 아니다. 그러나 열어구의 학설을 공부하는 자로서 이런 이야기에 오염되어 거꾸로 치닫지 않을 수 있다면, 또한 배운 바를 버리고 성인의 도를 물을 수 있으리니, 성인의 도를 알고 나면 열어구의 학문인즉 거의 [공자의] 문과 담장 옆에 설 수조차 없을 것이다.

비록 그렇기는 하지만 열어구의 학문은 노자로부터 배운 것이다. 노자는 '겨루지 않음의 덕'을 통해 잘 이기는 법을 설파했고,[94] 열어

亂而伐之, 軍三旬而不降. 退修教而復伐之, 因壘而降.)"
92) 『中庸』 10장에 "자로가 强에 관하여 묻자 공자께서 대답하셨다. '네가 묻는 것이 남방의 강이냐? 북방의 강이냐? 그렇지 않으면 너 자신이 지향하는 강이냐? 너그러움과 유순함으로써 가르쳐주고, 無道함에 보복하지 않는 것이 남방의 강이니, 군자가 이에 거한다. 병기와 갑옷을 입고 전투에 임하여 죽더라도 싫어하지 않는 것은 북방의 강이다. 네가 말하는 강자가 결국 여기에 거한다.'(子路問强. 子曰, '南方之强與? 北方之强與? 抑而强與? 寬柔以教, 不報無道, 南方之强也, 君子居之. 衽金革, 死而不厭, 北方之强也. 而强者居之.')"라는 내용이 보인다.
93) 『論語』 「公冶長」에 "공자께서 말씀하셨다. '나는 아직 강한 자를 보지 못하였다.' 혹자가 '신장'이라고 답하자 공자께서 말씀하셨다. '장은 욕심일 뿐이니, 어찌 강하다 할 수 있겠느냐?(子曰, '吾未見剛者.' 或對曰, '申棖.' 子曰, '棖也慾, 焉得剛?')"라는 내용이 보인다.
94) 『道德經』 68장에 "훌륭한 무사는 무용을 보이지 않고, 전쟁에 능한 자는 성내지 않는다. 적을 잘 이기는 자는 대적하지 않고, 사람을 잘 부리는 자는 스스로를 낮춘다. 이를 일러 '겨루지 않음의 덕'이라고 한다.(善爲士者, 不武, 善戰者, 不怒, 善勝敵者, 不與, 善用人者, 爲之下. 是謂不爭之德.)"라는 말이 나온다.

구는 언제나 이기는 도를 유순함에 두었으나 기실은 일치한다. 비록 성학의 이단이라 군자들이 취하지 않는 바이기는 하지만 이들의 학문인즉 무사(無死)의 개념을 이해한 바 있고, 그들의 학술인즉 열고 닫고 취하고 내주는 오묘함을 터득한 바 있으니, 얕은 견해로써 살필 수 있는 상대가 아니다. 그들의 도를 가지고 유세로 흘러들어간 자들은 소진(蘇秦)과 장의(張儀)의 종횡가(縱橫家)가 되었고, 법으로 흘러들어간 자들은 신불해(申不害)나 한비자(韓非子)의 형명가(刑名家)가 되었으며, 병법으로 흘러들어간 자들은 손무(孫武)와 오기(吳起)의 병가(兵家)가 되었다. 고조는 장량(張良)으로부터 [柔의 도를] 얻어 한나라 왕업을 열었고, 조참(曹參)은 개공(蓋公)으로부터 이를 얻어 한나라 법을 수호할 수 있었으며, 광무제(光武帝) 때에 이르러서는 포상(苞桑)의 설에서 얻은 바가 있어 한을 중흥하고 천하를 다스렸다.[95] 지금 선물이나 서찰 따위를 보내는 지혜로써 비루하고 천박한 것에 정신을 피폐하게 만드는 자들이라면, 장의나 소진이나 신불해나 한비자 등을 위해 일할 수 없음은 물론, 가슴 속 생각을 맘껏 떠벌리며 노자나 열어구의 학문을 망령되이 논하고자 하여도 태반이 스스로의 역량을 알지 못하는 꼴밖에는 되지 못할 것이다. 그래서 함부로 비난해서도 안 되고, 함부로 찬동해서도 안 된다고 말한 것이다.

---

95) 『周易』「否卦」에 "나라가 망할까 망할까 걱정하여 무더기로 난 뽕나무에 매듯한다.(其亡其亡, 繫于苞桑)"는 말이 나오는데, 후에 나라의 근기가 튼튼한 것을 일러 '苞桑'이라고 하였다. 『後漢書』「吳漢蓋延等傳論」에 "광무제는 황석공의 책을 깊이 읽고 나라의 근기를 뽕나무에 든든히 매어놓으셨다.(光武審黃石, 存苞桑.)"라는 말이 나오는데, 李賢은 注에서 "성인이 천자의 자리에 있으면서 편안히 있어서는 안 되며 늘 위태로운 듯 두려워해야 함을 말한 것이니, 이것이 바로 뽕나무에 매어놓았다는 뜻이다.(言聖人居天位, 不可以安, 常自危懼, 乃是繫於苞桑也.)"라고 설명하였다.

人情之所甚欲, 常出於其所甚不欲. 處天下之勝, 而擧天下常無以勝之者, 此固人情之所甚欲也. 若乃暴之而有勝人之形, 張之而有勝人之勢, 嵬嵬然與物爲敵, 而未始少屈者, 此則快於常人之情, 而以爲可以致勝焉者也. 然而天下之取敗者常出於此, 而幸勝者不萬一焉. 至於窺之而無勝人之形, 抗之而無勝人之勢, 退然自守, 初若無以加乎人者, 此則常情之所甚不欲, 而以爲無足以致勝焉者也. 然而勇者於此喪其力, 智者於此喪其謀, 擧天下之所謂若可以勝人者, 皆於此而喪其强, 則夫常勝之道蓋無越於此者. 然則其所甚不欲者, 乃所以致其所甚欲者, 而人或未之知也. "常勝之道曰柔", 列禦寇之所以言也.

竊嘗論之, 禦寇是說, 固不可以苟訾, 亦不可以苟贊. 何者? 論勝之勢而不及理, 則勝有不出於柔, 語柔之體而不及用, 則柔有不可以致勝. 悉楚甲以奔鄒之陳, 則鄒之將必俘楚之庭, 掃齊境以臨薛之城, 則薛之君必惟齊之命, 是勝未始出乎柔也. 然周以岐山之邑而興王業, 越以會稽之棲而成伯圖, 蜀漢足以斃項, 昆陽足以死莽, 是勝未始不出乎柔也. 蓋不出乎柔者, 勢也, 出乎柔者, 理也. 理可常也, 而勢不可常也, 是勢果不足論而勝果出於柔也. 蒙鳩之巢, 不足以當嵩·衡之遺石, 枯楊之梯, 不足以試鏌鋣之餘鋒, 是柔未始可以致勝也. 然天下之至柔者莫若水, 而攻堅强者莫之能先. 洞庭·彭蠡之瀦是汪然者, 非犀兕之堅, 金石之郛也. 有賤丈夫焉, 奮劍而裂之, 力則疲而水則不可裂也, 投石而破之, 石則墜而水則不可破也. 則是柔未始不可以致勝也. 蓋不可以致勝者, 其體也, 可以致勝者, 其用也. 體者徒柔也, 而用者不徒柔也, 是體果不足論, 而柔果可以致勝也. 論勝之勢而不及勝之理, 語柔之體而不及柔之用, 然而贊之者, 是不明而苟於徇人也. 然而訾之者, 是愚而果於自任也. 訾之之弊, 往往徒恃其有勝之勢, 而不知其無勝之理. 六國幷而秦以破, 南北混而隋以亡, 此恃勝之勢, 而不知勢之不可常也. 贊之之弊, 往往徒以其有柔之體, 而不知其無柔之用. 元帝以優柔而微漢, 德宗以姑息而弱唐, 此有柔之體, 而不知徒柔之無用也.

尺蠖之屈, 以求伸也, 龍蛇之蟄, 以存身也. 猛虎伏於深谷, 而其威愈不可玩, 翠虯蟠於深淵, 而其靈愈不可狎. 使勝之勢而若此, 則烏有不可常也哉? 是其勢固出乎柔, 而非向之所謂勢者也. 泊然而無勝人之形, 寂然而無震人之聲, 誘之不可得而喜, 激之不可得而怒. 使柔之體而若此, 則亦何往而不勝哉? 是其體固有所用, 而非向之所謂徒柔也. 嗚呼! 天下之言勝者, 每快於秦之幷吞, 隋之混一. 而言柔者, 又多溺於漢之優柔, 唐之姑息. 則吾又安得夫知柔之說者, 而與之論常勝之道哉?

雖然, 登華岳, 則衆山不能不迤邐, 浮滄海, 則江·漢不能不汚沱, 明聖人之道, 則禦寇之學幾不能立其門牆. 蓋正己之學, 初無心於求勝, 大中之道, 初不偏於剛柔. 沉潛剛克, 高明柔克, 德之中也. 强弗友剛克, 燮友柔克, 時之中也. 時乎剛而剛, 非剛也, 中也. 時乎柔而柔, 非柔也, 中也. 其爲道也, 內外合, 體用備, 與天地相似, 與神明爲一, 又安有求勝之心於其間哉? 屈伸視乎時, 勝否惟其德. 湯嘗事葛矣, 而仇餉之師竟擧, 文王嘗事昆夷矣, 而柞棫之道終兌, 非求勝也, 時也. 虞干舞而苗格, 周壘因而崇降, 非用柔也, 德也. 且南方之强, 在於寬柔以敎, 而申棖之慾, 則不可謂之剛. 蓋剛之中有至柔之德, 而柔之中有至剛之用, 安得以一偏而名之哉? 彼靡靡而言柔, 行行而言勝, 固無議焉耳矣. 顧爲禦寇之說者, 於此非羞汗反走, 則亦將舍所學而問聖道之津矣. 故明聖人之道, 則禦寇之學幾不能立於門牆.

雖然, 禦寇之學, 得之於老氏者也. 老氏駕善勝之說於不爭, 而禦寇托常勝之道於柔, 其致一也. 是雖聖學之異端, 君子所不取. 然其爲學固有見乎無死之說, 而其爲術又有得於翕張取予之妙, 殆未可以淺見窺也. 其道之流於說者, 爲蘇·張之縱橫, 流於法者, 爲申·韓之刑名, 流於兵者, 爲孫·吳之攻戰. 高祖得於張良而創漢業, 曹參得於蓋公而守漢法, 逮光武有見乎苞桑之說, 遂以興漢而理天下. 今包苴竿牘之智, 弊精神乎塞淺者, 其於蘇·張·申·韓之倫無能爲役, 而欲肆其胸臆以妄議老氏·禦寇之學, 多見其不知量也. 故曰不可以苟訾, 亦不可以苟贊.

권31

정문程文

제과에 대해 묻다 해시

問制科 解試

  대(對): 제과(制科)¹⁾에는 법이 있어서는 안 됩니다. 제과에 법이 있다니, 저는 제과에서 뽑으려는 사람이 과연 어떤 사람인지 모르겠습니다. 달팽이나 지렁이 잡는 미끼를 바다에 던져 놓고서 배를 집어삼킬 물고기를 기대하는 것을 당나라 가지(賈至)는 제과(諸科)²⁾의 병폐라고 여겼습니다.³⁾ 오늘날 제과라는 것은 천자께서 직접 조서를 내려 비범한 인재를 바라는 방편입니다. 그러나 비범한 인재를 구구한 법제의 구속으로 얻을 수 있다고 누가 말할 수 있겠습니까?

---

1) 制擧 혹은 大科, 特科라고도 부른다. 특수한 인재를 선발하기 위해 비상시적으로 치르던 인재 선발 방식의 일종이다. 당나라 때는 制科가 크게 성행했으나 송나라 때에 이르러서 貢擧가 발달하면서 制科는 점차 시들해졌다. 制科는 임시 선발 방식이기 때문에 황제의 조서가 내려와야 거행할 수 있었으며, 구체적인 과목과 시간 또한 정해져 있지 않았다. 종류로는 賢良方正科, 直言極諫科, 그리고 茂材異等科가 있었다.
2) 당나라 때 과거 시험에 존재하던 모든 科目을 총칭하는 말이다.
3) 당나라 賈至(718~772)는 「議貢擧疏」에서 "지렁이나 달팽이를 낚는 미끼를 어지러이 바다에 드리워놓고서 배를 집어삼킬 만한 물고기를 바라다니, 또한 어렵지 않겠는가?(夫以蝸蚓之餌雜垂滄海, 而望吞舟之魚, 不亦難乎?)"라고 말한 바 있다.

과거라는 것은 한나라 때 생겨나 당나라 때 성행했습니다. 우리 송나라에 이르러서는 그 법이 더욱 조밀해지고 얻은 인재 또한 한나라나 당나라에 비해 훨씬 우수했습니다. 어째서이겠습니까? 저는 일찍이 한나라의 병폐는 경전 때문에 생겨났고, 당나라의 병폐는 문학 때문에 생겨났다고 논한 바 있습니다. 우수한 재주와 뛰어난 능력을 지닌 사인(士人)들 대부분이 훈고(訓詁)와 성률(聲律) 사이에 빠져있었으니, 한나라와 당나라 때의 과거는 법을 탓할 수 없습니다. 우리 송나라 과거의 번영은 인종(仁宗) 때가 최고였습니다. 앞 선 세 명의 황제들이 천하를 오래도록 넉넉히 길러온 뒤를 이어받았기에, [당시 세상에는] 화기가 넘쳐났고 인재 또한 많았습니다. 학술은 아정(雅正)하여서, 경술은 한나라보다 못하지 않았고 문학은 당나라보다 못하지 않았습니다. 천성연간(天聖年間: 1023~1032)에 내려온 과거를 회복한다는 조서[4]만 보아도, 다스림을 도모하고자 하는 마음이 날카로웠으며 인재를 구하고자 하는 생각이 절실했음을 알 수 있습니다. 천하의 사인들 중 떠들썩하게 일어나 구름처럼 모여들어 천자께서 계신 조정 뜰을 한바탕 뒤흔들어놓고자 하던 자들은 모두 가슴이 충만하고 관을 드높게 쓴 유자들이었습니다. 이에 첫 번째 선발에 부정공(富鄭

---

4) 天聖 5년(1027)에 仁宗은 조서를 반포하여 策論으로 천하의 사인을 선발하고 강등시키는 법을 정함으로써 과거 개혁의 서막을 열었다. 『文獻通考』권33에 보면, 仁宗은 "짐은 몇 개의 길을 열어 천하의 사인을 받아들이고자 하는데, 제과만이 오래도록 설치되지 않아 나의 호걸들의 혹 이런 탓에 버려지지 않았을까 한다. 이에 이 과를 다시 설치한다.(朕開數路以詳延天下之士, 而制擧獨久置不設, 意吾豪傑或以故見遺也, 其復置此科.)"고 반포하고 그 이름을 증설하였는데, 賢方正能直言極諫科, 博通墳典明於敎化科, 才識兼茂明於體用科, 詳明吏理可使從政科, 識洞韜略運籌帷幄科, 軍謀宏遠材任邊寄科 여섯이 있었다.

公)5)을 얻었고, 두 번째 선발에 장문정(張文定)6)을 얻었습니다. 그밖에 하(何)·장(張)·소(蘇)·전(錢)7)과 같은 사람들도 있어 인재 얻음의 성대함으로 이름이 드높았습니다.

그런데 얼마 있다가 범 문정공(范文正公)8)이 이런 말을 했습니다. "조정에서 시제를 내릴 때, 때로는 급하지 않은 시무를 묻기도 하고 성현의 책이 아닌 것을 뒤섞기도 하면서 그들이 알지 못하는 것이 무엇인지를 엿보려 하고 익숙히 익혀온 것을 그르치려 하는데, 이는 그지 대다수 사인들의 마음을 그르치기에 딱 좋을 뿐이니, 학문을 권하고 인재를 육성하고자 하는 뜻은 아닐 것입니다."9) 가우연간

---

5) 富弼(1004~1083). 字는 彦國이며 洛陽 사람이다. 天聖 8년(1030)에 茂才異等科에 급제하여 絳州, 鄆州 通判을 역임하였고, 開封府推官 및 知諫을 맡았다.
6) 張方平(1007~1091). 字는 安道이고 號는 樂全居士이며, 南京 사람이다. 景祐 원년(1034)에 茂才異等科에 급제하여 昆山知縣이 되었다. 후에 賢良方正科에 급제하여 睦州 通判이 되었고, 후에 知諫院, 知制誥, 知開封府, 翰林學士, 御史中丞 등을 역임하였다. 神宗 때는 參知政事에 배수되었다. 『樂全集』40권이 전한다.
7) 『文獻通考』 권33에 苗昌言이 올린 상소가 인용되어 있는데, 인종 때 증설한 제과에 何詠, 富弼, 余靖, 尹洙, 蘇紳, 張方平, 江休復, 張伯玉의 이름이 열거되어 있다.
8) 范仲淹(989~1052). 字는 希文이고, 江蘇 吳縣 사람이다. 大中祥符 8년(1015)에 급제하여 廣德軍司理參軍이 되었으며, 후에 興化縣令, 秘閣校理, 陳州通判, 蘇州知州 등을 역임했다. 慶歷 3년(1043)에는 參知政事가 되어 「答手詔條陳十事」를 황제에게 올리며 10가지 개혁조치를 제안한 바 있다.
9) 范仲淹이 지은 「上時相議制擧書」에서 인용하였다. "조정에서 시제를 낼 때는 거자들이 경서의 대의와 王覇의 요략을 모두 잘 알고 있을 것이라 여겨, 도리어 물리치고 묻지 않았습니다. 그래서 때로는 급하지 않은 시무를 묻기도 하고, 성인의 책이 아닌 것을 뒤섞어 넣기도 하여 28장수의 공훈을 구별하게 하기도 하고, 72제자의 덕행을 진술하게 하기도 하였습니다. 이와 같은 것이 무슨 보탬이 되겠습니까? 그들이 모르는 것이 무엇인지를 살피기 위해 평상시 익혀왔던 것들을 그르치며, 교육에 뜻을 두지 않고, 선발하고 탈락시키는 것만을 공으로

(1056~1063) 말에 소 문충공(蘇文忠公)[10]은 제책(制策)에 답하며 이렇게 말했다. "폐하께서 현량지사(賢良之士)를 뽑기 위해 친히 책문을 내리는 것은 전례에 부응하기 위해서일 뿐입니다. 그러니 어찌 신의 말이 진정으로 능히 폐하의 마음을 움직일 수 있겠습니까?"[11] 어리석은 저는 인종은 뛰어난 군주였으며, 현자를 좋아하는 진심은 요임금이나 순임금, 그리고 삼왕(三王)[12]보다 뒤지지 않을 것이라고 생각합니다. 그럼에도 당시 대신 [범중엄]이 사인들을 그르친다는 의론을 내고, 제과를 치르는 사람 [소식]이 전례에 부응할 뿐이라는 말을 한 것은 아마도 그 법 탓일 것입니다. 그러므로 천성연간의 법은 바

삼고 있으니, 이와 같은 생각은 아마도 조정에서 학문을 권하고 인재를 육성하는 방도가 아닐 것입니다.(朝廷命試之際, 謂所擧之士皆能熟經籍之大義, 知王霸之要畧, 則反屛而弗問, 或將訪以不急之務, 雜以非聖之書, 辨二十八將之功勳, 陳七十二賢之德行, 如此之類, 何所補益? 蓋欲伺其所未至, 誤其所常習, 不以敎育爲意, 而以去留爲功, 若如所量, 恐非朝廷勸學育才之道也.)"

10) 蘇軾(1037~1101). 자는 子瞻, 호는 東坡이며, 眉州 사람이다. 부친인 蘇洵, 아우인 蘇轍과 더불어 三蘇로 일컬어지며 나란히 당송팔대가의 반열에 오른 송대 대표적 문인이자 정치가이다. 嘉祐 2년(1057)에 과거에 응하여 歐陽脩로부터 칭찬을 받았고, 嘉祐 6년(1061)에 制科에 3등으로 급제하여 大理評事, 簽書鳳翔府判官에 제수되었다. 그러나 1068년 신종이 즉위하자 왕안석을 중심으로 한 개혁파가 신법을 시행했는데, 이에 대해서 비판적이었던 소식은 新法黨과 대립하게 되어 결국 지방을 전전하게 되었고 1079년에도 烏臺詩案에 연루되어 조정을 비방하는 내용의 시를 썼다는 죄목으로 체포되었다. 1085년, 철종이 즉위하고 신법이 폐지되면서 소식도 다시 발탁되어 조정의 요직에 오르게 되었다. 그러나 철종의 친정이 시작되면서 다시 신법이 부활하고, 소식은 다시 좌천되어 惠州司馬로 임명되었으나 그를 질시하는 정치인들로 인해 海南島까지 유배되어 비참하게 지냈다. 철종이 죽고 휘종이 즉위하면서 제거옥국관이라는 명예직에 봉해져 상경하던 도중 병으로 常州에서 예순여섯 해의 생을 마감했다.

11) 「御試制科策一道」에 나오는 구절이다.

12) 일반적으로 夏禹와 商湯, 그리고 周 文王을 가리킨다.

뀌지 않을 수 없습니다.

　삼가 생각해보건대, 주상께서 등극하신 이래 20년 동안 [제과에 관한] 조서를 세 번 내리셨는데, 뜻이 날카롭고 박식한 인재들의 [경전] 외우고 전주(傳注)나 다는 치우친 학문 방법과 지식을 쌓아야 하고 시종도 들어야 하는 어려움 등을 모두 일소하여 새롭게 바꾸었으니, 범 문정이 말한 '많은 사인들을 그르친다'는 것들은 대개 바뀌었을 것입니다. 가을 9월은 현량방정과(賢良方正科) 시험이 있던 때였으나, 집사 대인께서 제생들에게 시험 일자에는 변통의 법이 있다고 하교하시면서, 올해는 여러 군(郡) 중에 가뭄 든 곳이 한 둘이 아니니, 성탕(成湯)이 자책했던 일13)과 선왕(宣王)이 백성을 근심했던 일,14) 영장자(甯莊子)가 하늘의 뜻을 안 것15)과 장문중(臧文仲)이 사람의 일을 안 것16) 등 먼저 해야 할 것과 마땅히 해야 할 것, 쓸 수 있는 것과

---

13)　『史記』권3「殷本紀」에 따르면, "7년 동안 큰 가뭄이 들자 탕 임금은 상림의 뜰에서 기도하며, 여섯 가지 일로 자책하였다. 정치가 절도에 맞지 않는가? 백성이 실직하였는가? 궁실이 드높은가? 여인네의 간청이 많았는가? 뇌물이 나돌았는가? 참소하는 자들이 창궐했는가? 그러자 말을 마치기도 전에 큰 비에 수 천 리에 내렸다.(大旱七年, 湯禱于桑林之野, 以六事自責. 曰政不節與? 民失職與? 宮室崇與? 女謁盛與? 苞苴行與? 讒夫昌與? 言未已, 大雨數千里.)"고 한다.

14)　『詩經』「大雅·雲漢」에 실린 내용을 말한다. 이 시는 周 宣王이 하늘에 비를 기원하면서, 하늘이 비를 내리시어 백성들의 괴로움을 없애달라고 하소연하는 내용을 담고 있다.

15)　『左傳』「僖公 19년」에 보이는 내용이다. "영장자가 말하기를, '옛날 주나라에 기근이 들었을 때, 은나라를 물리치자 풍년이 들었다고 합니다. 지금 형나라가 무도하나 그 나라를 정벌할 제후가 없습니다. 하늘이 혹 우리로 하여금 형나라를 정벌하게 하려고 하는 것인지도 모르겠습니다.'라고 하였다. 위나라 임금은 그 의견을 따라서 형나라 정벌에 나섰는데, 군사를 일으키자 비가 쏟아졌다.(甯莊子曰, '昔周饑, 克殷而年豐. 今邢方無道, 諸侯無伯. 天其或者欲使衛討邢乎?' 從之, 師興而雨)."

행할 수 있는 것들을 조정의 대책(對策)에 적용해볼 수 있을 것이라고 말하였습니다. 정말 이와 같다면 소 문충공이 말한 '전례에 부응할 뿐이다'라는 것도 또한 개혁되었을 것입니다. 비록 그렇다고는 하나 경력(慶曆) 6년(1046)에 감찰어사(監察御史) 당순(唐詢)[17]은 한나라 때 전례대로 재이(災異)가 발생한 후에 선발 시행할 것을 간청하며, 현세의 중요한 시무로써 친히 책문을 내리시고, 비각의 시험을 파하라는 여섯 편의 글을 올렸는데,[18] 참지정사(參知政事) 오육(吳育)[19]

---

16) 周莊公 11년조(기원전 686)에 "가을에 송나라에 홍수가 났다(秋, 宋大水)"는 내용이 있는데, 『左傳』의 설명을 보면 다음과 같다. 周莊公이 사자를 보내 "하늘이 淫雨를 내려 곡식을 해쳤으니 어찌 위로하지 않을 수 있겠소?"라고 위로하자 宋나라 군주는 "제가 공경스럽지 못했기 때문에 하늘이 재앙을 내렸습니다."라며 자신의 잘못을 자책했다. 魯나라의 大夫 臧文仲이 이 말을 듣고서 "송나라는 일어날 것이다. 禹와 湯이 모든 것을 자신의 잘못으로 돌리니 나라가 흥성했고, 桀과 紂가 모든 것을 남의 죄로 돌리니 나라가 멸망했다."고 말했다.

17) 唐詢(1005~1064)은 字가 彦猷이고 錢塘(지금의 杭州) 사람이다. 天聖年間에 급제하여 知長興縣이 되었고 후에 太常博士를 역임했다. 그러나 吳育이 參知政事로 있을 때 재상 賈昌朝와 親黨의 혐의가 있다는 이유로 唐詢을 知廬州로 퇴출시켰다. 이에 吳育에 불만을 품은 唐詢은 制科 출신인 吳育을 제거하고자 制科를 폐지할 것을 주청하는 상소를 올렸으나 인종의 윤허를 얻지 못하였다.

18) 『宋史』 열전 62에 唐詢이 상주한 내용이 인용되어 있다. "현량방정, 직언극간, 무재이등과는 한나라와 당나라 때는 상설되어 있지 않았습니다. 만약 하늘에 재이가 나타나거나 정사에 결함이 생겼다면 신하들에게 조서를 내려 추천하게 하면 될 터, 진사과와 동시에 열어서는 안 됩니다. 만약 재이로 인하여 비상시에 인재 선발을 해야 한다면, 한나라 때 전례대로 현세의 중요한 시무로서 친히 책문을 내리시고 비각의 시험은 없애셔야 합니다.(賢良方正, 直言極諫, 茂才異等科, 漢唐皆不常置. 若天見災異, 政有闕失, 則詔在位薦之, 不可與進士同時設科. 若因災異, 非時擧擢, 宜如漢故事, 親策當世要務, 罷秘閣之試.)"

은 안 된다고 하였습니다. 어리석은 저는 늘 오육의 못나고 용렬함을 비난해왔습니다. 당순의 뜻이 현자를 대하는 요체를 알았다고는 할 수 없으나, 군주가 예를 다하도록 면려할 수는 있었습니다. 또한 응시하는 자들이 너무 많은 것을 우려하여, 방법을 써서 그 길을 막으려 했던 것입니다. 그런데 오육이라는 자는 당순의 뜻을 주멸하고 그 말만을 취하여 확대 해석하였습니다. 만약에 "다스려지지 않는다 생각되거든 선발하고, 빠진 것이 있다고 생각되거든 선발하고, 정사에 결함이 있으면 선발하고, 재이가 발생하면 선발하고, 크게 모의할 것이 있으면 선발한다. 임금이 선발하고 싶고 묻고 싶은 바가 있거든 법에도 얽매이지 말고 때에도 제한을 두지 말라."고 한다면, 제과를 설치한 것이 아마도 큰 도움이 될 수 있을 것이고, 제과라는 이름에도 부끄러움이 없었을 것입니다. 이런 생각은 하지 못하고서 외람되이 "법은 바뀔 수 없다."고 말하다니, 아아! 현량을 대함에 서리나 노예를 대하듯 하는 면이 남아 있는데, 아직도 바뀌어서는 안 된단 말입니까? 못나고 용렬한 신하가 현자를 대하는 예법도 모르면서 이처럼 명군의 정사를 망가뜨려놓다니! 그래서 천성연간의 제과법은 바뀌지 않을 수 없다고 말했던 것입니다.

한·당 시대에는 정해진 법이 아직 없었습니다. 이른바 다섯 명으로써 선발했다는 말은 오직 조조(晁錯)만이 그러하였습니다. 당시 유사(有司)와 제후왕(諸侯王)과 삼공(三公)과 구경(九卿)과 주군

---

19) 吳育(1004~1058). 字는 春卿이다. 宋 仁宗 때의 대신이며, "송나라 건국 이래 제책으로 3등 안에 든 사람은 오육과 蘇軾 뿐이다(自宋初以來, 制策入三等, 惟吳育與軾而已)."(『宋史』 권338 「蘇軾傳」)라는 찬사를 받은 인물이다. 지모가 뛰어나고 간언을 잘해 황제를 바르게 인도하고 변방을 안정시키는 데 큰 공을 세웠다.

육구연집 ❹
122

리(主郡吏)에게 특별 조서를 내려 현량을 천거하도록 하였으나[20] 조조를 천거한 자는 딱 다섯 명 뿐이었습니다. 공손홍(公孫弘)·동중서(董仲舒)·곡영(谷永)·두흠(杜欽) 등의 경우도 이들을 추천하고 선발하고 발탁할 때 반드시 다섯 명이 있었던 것은 아닙니다. 그러니 다섯으로써 한다는 것에 정해진 법이 있었던 것은 아닌 반면, 우리가 둘로써 하는 것에는 정해진 법이 있습니다. 셋으로써 묻는 것은 동중서만이 그랬습니다. 당시에 대책이라는 것은 아직 격식이 완성되지 않았고 기틀이 잡히지 않은 탓에 "내용이 분별됨이 적고 뜻이 불분명하여"[21] 두 번 세 번 썼던 것이지, 조조·곡영·두흠 등은 모두 한 편에 그쳤고, 공손홍은 다시 묻는 것에서 그쳤으니, 반드시 세 편이어야만 했던 것은 아닙니다. 한나라 때 셋으로 한 것에 정해진 법이 있었던 것은 아닌 반면, 우리가 하나로써 하는 것에는 정해진 법이 있습니다. 응시자의 수가 많고 적고에 관한 것은 더더욱 개괄적으로 논할 수 없습니다. 한나라 때 응시자는 수 백 명이었

---

20) 漢 文帝의「策賢良文學詔에 보면 다음과 같은 내용이 있다. "지금 짐은 천자의 자리를 얻어 종묘 제사를 이어받았으나, 짐이 부덕하고 불민하여, 눈으로는 밝히 통찰할 수 없고 지혜로는 다스릴 수 없다. 이는 대부들이 익히 들어온 이야기이다. 이에 유사와 제후왕과 삼공과 구경, 그리고 주군리(군수)들에게 조서를 내리나니, 각기 뜻에 대라 현량으로서 국가의 요체에 밝고, 인사 전체에 통달한 자, 또 직언 극간하는 자 몇 명씩을 선발하도록 하여 짐이 미치지 못하는 바를 바로잡도록 하라.(今朕獲執天子之正, 以承宗廟之祀, 朕旣不德, 又不敏, 明弗能燭, 而智不能治, 此大夫之所著聞也. 故詔有司·諸侯王·三公·九卿及主郡吏, 各帥其志, 以選賢良明于國家之大體, 通于人事之終始, 及能直言極諫者, 各有人數, 將以匡朕之不逮.)"

21) 『漢書』권56「董仲舒傳」에 "내용에 분별됨이 적고 뜻이 불분명한 것은 신이 천하고 비루한 탓입니다.(辭不別白, 指不分明, 此臣淺陋之罪也.)"라는 말이 나온다.

으나 당나라 영창연간(永昌年間: 1664~1665) 초에 대책을 바친 자는 천여 명이나 되었습니다. 당시 장간지(張柬之)22)가 일등을 하였는데, 이 사람은 적인걸(狄仁傑)23)이 말한 재상의 재목이자 이장(二張)24) 주벌의 공을 이룬 자입니다. 응시자가 많다고 해서 선발된 자가 인재가 아니라고는 말할 수 없다는 것입니다. 따라서 한·당의 제과는 법을 탓할 수 없습니다.

이제껏 예로 든 일들은 학문에 종사하는 자의 직임이 아닌지라, 어리석은 저는 더 이상 집사께 아뢰지 못하겠나이다. 삼가 답하였습니다.

對: 制科不可以有法, 制科而有法, 吾不知制科之所取者何人也. 以蝸蛭之餌, 垂海而冀吞舟之魚, 唐·賈·至猶以爲諸科之病. 今制科者, 天子所自詔以待非常之才也. 孰謂非常之才, 而可以區區之法制束而取之乎?

---

22) 張柬之(625~706). 字는 孟將이고 襄州 襄陽 사람이다. 689년에 賢良과에 응시하여 監察御史가 되었다. 狄仁傑이 그를 武則天에게 천거했을 대 武則天은 그를 洛州司馬에 임명했는데, 며칠 후 狄仁傑이 거듭 추천하며 "이 사람은 재상이 될 수 있으니, 사마를 할 사람이 아닙니다.(可爲宰相, 非司馬也.)"(『資治通鑒』「唐紀」권23)라고 하여 마침내 秋官侍郎에 봉해졌고, 얼마 후 마침내 姚崇의 추천으로 재상이 되었다.

23) 狄仁傑(630~700). 字는 懷英이다. 당나라 武周 시기에 재상을 지냈으며, 則天武后에게 廢陵王 李顯을 다시 태자로 세울 것을 건의해 당나라 사직을 이어갈 수 있게 해주었다.

24) 二張이라 함은 武則天이 말년에 총애하던 張易之·張昌宗 형제를 가리킨다. 神龍 원년(705) 정월에 武則天은 위중한 상태로 長生殿에 누워 있었는데, 재상 張柬之 등이 이 기회에 太子를 복위시키고자 하였으나 태후는 二張만 옆에 있도록 허락할 뿐, 태자는 물론, 재망 및 외부대신들의 접근을 허여하지 않았다. 애초에 대신들은 二張을 모반죄로 처벌하고자 하였으나 태후가 이를 반대했는데, 이때가 되자 張柬之 등은 결단을 내리고 병사를 일으켜 二張을 주벌하였다.

然是科始於漢, 盛於唐. 至於我宋, 其爲法益密, 而其得人之盛視漢·唐有優焉, 何哉? 愚嘗論之, 漢病於經, 唐病於文, 長才異能之士類多淪溺於訓詁·聲律之間, 故漢·唐之制擧, 不可以罪法. 我宋之盛, 莫盛於仁宗. 蓋其承三朝涵養天下之久, 和氣浹洽, 人才衆多, 學術雅正, 經不病漢, 文不病唐, 而天聖復科之詔, 又其圖治之心銳而求才之意切. 天下之士雷動雲合, 欲振聳於天子之庭者, 心洋洋而冠峨峨也. 是以一擧而得富鄭公, 再擧而得張文定, 其餘如何·張·蘇·錢之流, 亦往往可稱數, 號爲得人之盛.

然未幾而范文正公且言曰: "朝廷命試之際, 或將訪以不急之務, 雜以非聖之書, 欲伺其所未知, 誤其所熟習, 適足以誤多士之心, 非勸學育材之意也." 嘉祐之末, 蘇文忠公制策之對, 且曰: "陛下所爲親策賢良之士者, 以應故事而已, 豈以臣言爲眞足有感於陛下耶?" 愚以爲仁宗英特之主, 好賢之誠, 蓋不後於堯·舜·三王, 而乃使當時大臣有誤多士之論, 制科之人有應故事之說者, 是蓋其法之罪也. 故天聖之法不可以不變.

恭惟主上臨御以來, 十年三詔, 銳意方聞之彥, 凡記誦傳註之僻, 諰知侍從之覬, 咸汎掃而新之, 則夫范文正所謂誤多士者蓋革之矣. 乃秋九月, 實試賢良之士, 執事大人, 下敎諸生以試之之時, 有可變而通之之理, 謂今歲列郡不雨者非一, 則成湯之自責, 宣王之憂民, 審莊子之知天意, 臧文仲之知人事, 其所先所宜, 可用可爲者, 宜有得於大廷之對. 誠如是, 則蘇文忠所謂應故事者又革之矣. 雖然, 慶曆六年, 監察御史唐詢嘗請如漢故事, 俟有災異, 然後擧之, 親策當世要務, 罷試秘閣六篇, 參政吳育執以爲不可. 愚嘗交譏其齷齪庸陋. 蓋詢之意, 非知待賢之體, 而能勉君以盡其禮, 顧患應科者之衆, 而欲設術以抑其進. 爲育者, 正當誅其意而取其說, 從而廣之. 若曰: "思未治則擧之, 思遺逸則擧之, 有缺政則擧之, 有災異則擧之, 有大謀議則擧之, 惟人君之所欲擧欲問, 毋拘以法, 毋限以時", 則是科之設, 庶乎其有補, 而是科之名, 庶乎其無愧矣. 不知出此, 而猥曰"法不可變", 嗚呼! 待賢良而有若待胥吏徒隷者存焉, 是尙爲不可變乎? 齷齪庸陋之臣不知待賢者之禮, 適以蕪累明君之政如是哉! 故曰天聖制科之法, 不可不變.

若夫漢·唐之時, 則未始有定法也. 所謂擧之以五者, 惟晁錯爲然. 當時特詔有司·諸侯王及三公·九卿·主郡吏擧賢良, 而擧晁錯者適有五人耳. 若乃公孫弘·董仲舒·谷永·杜欽之流, 而推之選之擧之, 皆不必其五也. 故彼之以五者, 非有定法, 而我之以二, 則法之一定者也. 問之以三者, 惟董仲舒爲然. 當時固以對策者, 條貫靡竟, 統紀未終, 辭不別白, 旨不分明, 故至于再, 至于三耳. 若乃晁錯·谷永·杜欽, 皆止於一篇, 而公孫弘止於復問, 初不必其三也. 故彼之以三者, 初非定法, 而我之以一者, 則法之一定者也. 至於應者之多寡, 尤不可槪論. 漢之應者以百數, 而唐永昌之初, 對策者至千餘. 當時張柬之爲第一, 此狄仁傑之所謂宰相材, 而成誅二張之功者也. 固不可謂其應者之多, 而所得之非才也. 故曰漢·唐之制科, 不可以罪法.

若夫比方之事, 非承學之任, 故愚不復爲執事道. 謹對.

적을 요량하기 해시

料敵 解試

    조조(曹操)는 능히 병법에 주석을 달 정도였으나[25] 아들을 깨우칠 수는 없었고, 조괄(趙括)[26]은 능히 아비가 물려준 책을 읽을 수 있었으나 아비에게 인정을 받지 못하였다. 병가의 변화가 어찌 말로 전할 수 있고 형적으로 엿볼 수 있는 것이겠는가?

    이정(李靖)[27]은 이효공(李孝恭)[28]을 보좌하여 소선(蕭銑)[29]을 평정할 때, "비가 내리는 틈을 타 보루를 덮치면[30] 반드시 사로잡을 수

---

25) 曹操(155~220)는 『孫子兵法』에 주석을 붙여 자신만의 병법인 『孫子略解』를 편찬할 정도로 병서에 조예가 깊었고, 『兵書接要』를 짓기도 하였다.

26) 趙括(?~기원전 260)은 趙나라의 명장 馬服君 趙奢의 아들이다. 『史記』권81 「廉頗藺相如列傳」에서 비롯된 紙上談兵이라는 성어가 있는데, 趙奢는 아들 趙括이 병서만 읽었을 뿐, 실전 경험이 부족한 것을 염려하면서 "전쟁이란 사지이거늘, 괄은 쉽게 말한다. 조나라가 괄을 장수로 삼지 않으면 그만이지만 기어이 그를 장수로 삼는다면, 조나라를 망하게 할 자는 바로 괄일 것이다.(兵,死地也, 而括易言之, 使趙不將括, 卽已, 若必將之, 破趙軍者必括也.)"라고 말하였다.

27) 李靖(571~649)은 字가 藥師이고 雍州 三原 사람이다. 隋末唐初의 文武를 겸비한 군사가이다. 후에 衛國公에 봉해졌다. 원래는 수나라 장수였으나 후에 당이 건국하는 데 혁혁한 공을 세웠다.

28) 李孝恭(591~640). 唐 高祖 李淵의 堂姪이자 당나라 초기의 名將으로 凌煙閣 24 공신 중 두 번째 인물이다.

29) 蕭銑(583~621). 西梁 宣帝의 증손으로, 隋나라 말 唐나라 초기에 지방 할거 세력의 우두머리가 되었다. 수나라 大業 13년(617)에 羅縣令으로 있다가 반란을 일으키고 스스로 梁王이라 칭했다. 당나라 武德 원년(618)에는 岳陽에서 稱帝하고 국호를 梁, 建元을 鳴鳳이라 정했다. 40만 정예병을 이끌고 남방에 웅거하였으나, 武德 4년(621)에 당나라 병사에게 패하여 참수되었다.

있을 것"31)이라고 하였다. 그러나 군사들이 이릉(夷陵)에 도착했을 때, 소선은 벌써 놀라 당황해 있었고, 패군을 거느린 장군은 청계(清溪)로 가 주둔해 있었다. 이때 이정이 공격할 수 없다고 하였음에도32) 이효공이 그들을 공격한 결과 과연 패하여 돌아오고 말았다. 그러나 적들이 배를 버리고 흩어지자 이정은 그 혼란을 틈 타 저들을 격파했고, 이효공마저 계속 진군하자 소선은 마침내 투항하였다. 소선을 치려고 한 것은 한 가지 사건이다. 그런데 처음에는 반드시 사로잡는다고 했다가 중간에는 공격할 수 없다고 하고 마지막에는 공격하였으니, 말이 세 번 바뀐 셈인데 한 번도 맞지 않은 적이 없었다. 이를 안다면 한안국(漢安國)33)과 회남왕(淮南王)34)이 한 말을 판단할 수 있을 것

---

30) 『육구연집』 원문에는 '傳'이라고 되어 있으나 『신당서』 원문에 의거하여 '傅'로 고쳐 번역한다.

31) 『新唐書』 권18 「李靖傳」에서 인용한 내용이다.

32) 『新唐書』 기록에 따르면 이정이 공격을 반대한 이유는 다음과 같다. "문사홍은 건장한 장수이며 아래 병사들은 모두 용감하다. 지금 막 형문을 잃고서 온 힘을 다해 우리를 막고 있으니, 이들은 패전을 구해낼 병사인지라 당해낼 수 없다. 마땅히 남쪽 하안에 주둔하며 저들의 기세가 꺾일 때를 기다렸다가 취해야 한다.(士弘健將, 下皆勇士, 今新失荊門, 悉銳拒我, 此救敗之師, 不可當. 宜駐南岸, 待其氣衰乃取之.)"

33) 西漢 때 梁國 成安 사람이다. 字는 長孺이며 梁孝王을 섬겨 中大夫가 되었다. 吳楚가 반란을 일으키자 군사를 이끌고 吳兵을 격파해 명성을 얻었다. 한나라 무제 때 흉노가 사자를 보내 화친을 청해오자 황제가 신하들에게 의론토록 했는데, 大行 王恢가 회친 대신 공격할 것을 제의하자 한안국은 현재의 군력을 보아 흉노를 제압하기에 부족하고, 게다가 한나라는 遠征을 해야 하는 터라 상대적으로 불리하며, 그들의 영토와 백성을 차지한다 해도 나라를 부강하게 하기에 부족하다면서 화친할 것을 청하였다.

34) 淮南王 劉安은 劉邦의 손자이다. 『前漢紀』 「孝武皇帝紀一」 및 『資治通鑑』 권75 「武帝 建元 6년」에 보면 閩越과 東越이 전쟁을 일으키자 한안국과 大行令 王恢가 장군이 되어 출전한 사건이 기록되어 있다. 그들은 월 땅의 분란을

이다. 이덕유(李德裕)는 검남(劍南)을 진수할 때 위고(韋皐)가 애초에 오랑캐들을 불러들인 책임을 추궁하면서 이것이 곧 적을 끌어들인 단서가 되었다고 여겼다.[35] 그리고는 유주(維州)를 바치며 항복해온 번장(蕃將) 실달모(悉怛謀)를 거두어들음으로써 적을 제압하는 요령으로 삼았다. 검남은 한 지방이며 [위고 때] 오랑캐들이 온 것이나 [이덕유 때] 실달모가 찾아온 것이나 대략 상황은 비슷하다. 그런데 하나는 적을 불러들였고, 하나는 적을 제압하였음에도 군자들은 이 둘 모두를 옳다고 여긴다. 이 이치를 살필 수 있다면 경국(耿國)[36]과 유혼(柳

잠재우러 출격하였으나 현지에 당도하기 전에 월인들이 그들의 왕을 죽이고 항복해왔기에 군사들은 되돌려왔다. 韓安國이 會稽로 출정했을 때, 淮南王 劉安이 장편의 상소문을 올렸는데, 본디 중원에 속하지 않은 곳에서 일어난 분쟁에 한 황실의 군사가 출정하는 것은 대의와 명분이 서지 않을뿐더러 지형이 험난하여 얻을 수 있는 실리 또한 많지 않다며 극구 저지하였다.

35) 『舊唐書』 권174 「李德裕傳」에 이와 관련된 이야기가 소개되어 있다. "서천은 오랑캐들의 침략을 겪은 뒤였으나, 곽검의 治術이 부족해 백성들이 살기 힘들었다. 이덕유는 이에 그곳의 關防을 정비하고 수비병을 보완했다. 또 남조로 사람을 보내 포로로 잡혀간 장인들을 돌려달라고 하여 승려 및 장인 4000여명을 다시 성도로 데려왔다. 5년 5월에 토번 維州 守將인 悉怛謀가 성을 바치며 항복해왔다.……정원연간에 韋皐가 蜀 땅을 진수할 때 서산 팔국을 경영했으나 도저히 쟁취하지 못하였다. 그러다 지금에 이르러 실달모가 재물을 바쳐오자 이덕유는 처음에 거짓인가 여겨 사람 편에 금포와 금대를 보내며 상황을 기다려보았는데, 실달모는 과연 군 사람들을 모두 데리고 성도로 왔다. 이덕유는 병사를 그리로 보내 진수하면서 공격의 요지로 삼았다.(西川承蠻寇剽虜之後, 郭劍撫理無術, 人不聊生. 德裕乃復葺關防, 繕完兵守. 又遣人入南詔, 求其所俘工匠, 得僧道工巧四千餘人, 復成都. 五年九月, 吐蕃維州守將悉怛謀請以城降. ……貞元中, 韋皐鎭蜀, 經略西山八國, 萬計取之不獲, 至是悉怛謀遣人送款, 德裕疑其詐, 遣人送錦袍金帶與之, 托云候取進止, 悉怛謨乃盡率郡人歸成都. 德裕乃發兵鎭守, 因陳出攻之利害.)"

36) 耿國(?~58), 字 叔慮이며, 扶風 茂陵(지금의 陝西 興平 부근)이다. 당시 烏桓과 鮮卑가 동한의 경계를 자주 침범하였는데, 耿國은 光武帝와 더불어 변방의

渾)37)이 한 말의 뜻을 가히 알 수 있을 것이다. 이러한 까닭에 손무(孫武)는 병서를 저술하면서 "병법의 승리 비결이란 말로 먼저 전하기 어렵다."38)라고 하였고, 곽거병(霍去病)은 전쟁을 논하면서 "무엇 하러 옛날의 병법을 배우냐?"39)라고 하였으니, 실로 병가의 변화란 실제에 있어서의 관건과 지략이 상부하느냐 여부에 달려 있지, 말로써 전할 수 있는 것도, 형적으로 엿볼 수 있는 것도 아니다.

그런즉 고조가 미리 요량했던 것이나 장자방(張子房)이 승리를 결정지은 것이 어찌 우연뿐이었겠는가? 일찍이 보았너니 석륵(石勒)은 전혀 글을 몰랐는데『한서(漢書)』읽어주는 것을 듣다가 역이기(酈食其)가 육국의 후예를 세우라 말하는 대목에 이르자 책상을 치며 놀라서 "이 방법으로는 실패할 텐데, 어찌 천하를 얻는단 말인가?"라고 소리쳤다고 한다. 후에 장량(張良)이 젓가락을 빌려가며 유세하자 "다행히 이 사람이 있었군!"이라고 말하였다.40) 이로써 알 수 있으니, 고조가 먹던 밥도 뱉어가며 인재를 맞이하던 시절에 어찌 사태의 관건

일을 논의하여 높은 신임을 얻었다. 建武 24년(48)에 흉노가 사신을 보내 화약을 청하면서 북방의 적을 막아주겠노라고 약조했다. 광무제가 대신들에게 의론을 맡기니 대부분이 이적의 속내를 예측하기 어렵다며 반대했지만 耿國만은 화약에 찬성했다. 광무제는 마침내 耿國의 뜻을 채택하였는데, 그 덕분에 중원에 전쟁이 줄어들었다.

37) 柳渾(714~789). 字는 夷曠 혹은 惟深이며 河東 解縣(지금의 山西 運城) 사람이다. 平涼에서 吐蕃과 맹약을 체결했을 때, 많은 사람들이 백년 이상 갈 맹약이라고 여겼으나 유혼은 토번은 인면수심이라 믿을 수 없다고 반대하였다. 과연 柳渾의 말대로 한밤중에 토번이 반란을 일으켰다는 급보가 날아왔다.

38) 『孫子兵法』「始計」에 나오는 말이다.

39) 『漢書』권55 「韋青霍去病傳」에 보면 漢 武帝가 곽거병에게 吳起와 孫武의 兵法에 관해 묻자 그는 "책략이 어떠한가에 달려 있을 뿐, 옛날의 병법까지 배울 필요 없다.(顧方略何如耳, 不至學古兵法.)"고 대답한다.

40) 『史記』권55 「留侯世家」에 나오는 이야기이다.

을 보지 못하고서 오직 장량만을 믿었겠는가? 옛 자취를 가지고 억측하면서 천하의 성패를 논하는 후세 서생들이 어찌 비웃음을 남기지 않을 수 있겠는가?

[한] 선제(宣帝)가 [흉노] 선우(單于)로 하여금 의를 흠모하게 만든 것이나 곽자의(郭子儀)가 회흘(回紇)로 하여금 무릎 꿇게 만든 것은 모두 진심으로써 감동시킨 것이니, 전쟁보다 한층 더 훌륭하다.

曹操能註兵法, 而不能諭於其子, 趙括能讀父書, 而不見許於其父, 兵家之變, 又豈可以言傳而迹窺也哉?

李靖佐李孝恭平蕭銑, 靖請乘水傅壘, 以爲必擒. 及叩夷陵, 銑已惶駭. 而其敗軍之將, 適屯淸溪, 靖乃以爲不可擊, 孝恭擊之, 果以敗還. 賊委舟散掠, 靖視其亂, 擊而破之, 孝恭繼進, 銑遂以降. 夫圖銑一事也, 始而曰必擒, 中而曰不可擊, 終而擊, 其說三變, 而無一不酬. 知此, 則韓安國·淮南王之說可得而判矣. 李德裕之在劍南也, 追咎韋皐招徠群蠻之策, 以爲召寇之端. 撫納蕃將悉怛維州之降, 以爲制敵之要. 夫劍南一方也, 群蠻之來, 悉怛之至, 大略相類, 一以爲召寇, 一以爲制敵, 而君子兩是其說. 審乎此, 則耿國柳渾之說可得而知矣. 故孫武以兵爲書, 而曰: "兵家之勝, 不可先傳." 霍去病以兵爲事, 而曰: "何至學古兵法." 誠以兵家之變, 在於機緘識略之相符, 非可以言傳而迹窺也.

然則高祖之前料, 子房之決勝, 夫豈偶然而已哉? 嘗觀石勒素不知書, 聽讀『漢書』, 至食其立六國事, 搏手驚曰: "此法當失, 何以得天下?" 及至張良借箸之說, 則曰: "賴有此人耳." 以是知高祖輟飯吐哺之時, 豈無見乎其事之機, 而惟良之爲信者. 後世書生, 以陳迹臆見, 斷天下之成敗者, 豈不貽笑矣哉?

若夫宣帝之使單于慕義, 郭子儀之使回紇下拜, 此其誠之所感, 則又進乎兵矣.

진휼에 관해 묻다 해시

問賑濟 解試

대(對): 진휼책에 관한 전대인들의 행적을 가히 찾아볼 수 있습니다. 그러나 근본을 얻지 못하고서 말단만 궁구한다면, 그 대책은 언젠가 막히고 맙니다.

문로공(文潞公)[41]은 성도(成都)에 있을 때 쌀값이 폭등하자 성문 가까이에 있는 원(院) 18곳을 찾아가서 값을 깎아서 쌀을 팔았는데, 양을 제한하지 않았습니다. 또 [이런 사실을 알리려] 통하는 길에 방을 내거니, 얼마 있다가 쌀값이 떨어졌습니다. 이는 유안(劉晏)[42]이 남긴 뜻이기도 하지만 공가의 창고에 저축해 놓은 식량이 없고, 개인 곳집도 비어있을 경우 이 대책은 막히고 맙니다. 조청헌(趙淸獻)[43]이

41) 文彦博(1006~1097). 字는 寬夫이고 號는 伊叟이며, 汾州 介休 사람이다, 北宋의 저명한 정치가이자 서법가이다. 天聖 5년(1027)에 進士及第하여 殿中侍御史가 되었다가 慶歷 7년(1047)에 樞密副使, 參知政事가 되었고, 얼마 후에 同平章事에 제수되었다. 皇祐 3년(1051)에 탄핵되어 재상에서 물러나 知許州, 靑州로 나갔으나, 至和 2년(1055)에 다시 재상에 제수되었다. 嘉祐 3년(1058)에 潞國公에 봉해졌다.

42) 劉晏(716~780). 字는 士安이며 曹州 南華(지금의 山東省 菏澤市) 사람이다. 그는 경제를 개혁하기 위해 常平法을 추진하였고, 쌀값을 조절하는 대책을 세웠다. 즉 반년 동안 거둔 쌀을 平倉에 보관하여 쌀값이 지나치게 싸서 농민들이 손해보는 일이 없도록 하고, 가뭄이 들어 쌀값이 오를 때면 平倉을 엶으로써 쌀값을 조절하는 것이다.

43) 趙抃(1008~1084). 字는 閱道, 號는 知非子이며 衢州 사람이다. 景祐 원년(1034)에 進士가 되어 武安軍節度推官에 임명되었으며, 崇安·海陵·江原

월(越) 땅을 진수할 때 쌀값이 갑자기 뛰었습니다. 인근의 주(州)에서는 모두 네거리에 방을 내붙여 쌀값 올리는 것을 금하였는데, 청헌만은 방을 내붙여 쌀 가진 자는 마음대로 값을 올려 팔라고 하였습니다. 그러자 각 로(路)[44]의 쌀장수들이 월 땅으로 몰려들어 쌀값이 다시 싸졌으며, 이에 백성들 중에 굶어죽는 자가 없었습니다. 이는 대략 노탄(盧坦)[45]이 예전에 썼던 방책입니다. 그러나 상인들의 통로가 뚫려있지 않고 이웃 경내에 곡식이 없을 경우, 이 대책은 막히고 맙니다. 이 두 가지 방책을 제하고는 오직 부유한 백성에게서 취하는 것뿐입니다. 그러나 부유한 백성의 곳간이 그득 찼는지 비었는지, 곡식이 있는지 없는지, 알 길이 없습니다. 설령 안다고 해도 예전 그대로 창고를 봉쇄한 채로 있다면, 실로 질문에서 우려하셨던 것처럼 되는 것입니다. 공가의 위세로 백성들이 개인적으로 저장해둔 것을 꺼내 구휼 식량으로 삼는다면 의롭지 못한 일이라고는 할 수 없으나,

---

세 현의 知縣 및 泗州通判을 역임했다. 英宗이 즉위한 후에 天章閣待制, 河北都轉運使에 제수되었다. 元豊2년(1079)에 太子少保로 은퇴하였다. 사후 '淸獻'이라는 시호를 하사받았다.

44) 路는 송나라 때 행정단위로, 당나라 때 道에 버금간다.

45) 盧坦(748~817). 字는 保衡이며 洛陽 사람이다. 庫部員外郞 兼 侍御史知雜事를 역임했으며, 宣歙池觀察使로 나갔다가 다시 刑部侍郞, 鹽鐵轉運使, 戶部侍郞, 判度支를 지냈다. 『資治通鑑』 권237 「憲宗元和3年, 7月條」에 보면 다음과 같은 일화가 소개되어 있다. 이 해에 盧坦은 宣歙觀察使로 나가게 되었는데, 당시 가뭄이 들어 쌀값이 폭등하였다. 부하들은 쌀값을 내려 기근을 막아야 한다고 주장했지만 盧坦은 이에 반대하며 "선흡은 땅이 좁고 곡식이 적게 나 사방에서 들어오는 곡식을 바라야 살 수 있다. 만약 쌀값이 싸지면 상선이 더 이상 오지 않을 터라 더욱 곤궁해진다.(宣歙土狹穀少, 所仰四方之來者. 若價賤, 則商船不復來, 益困矣.)"라고 말했다. 그러고는 쌀값을 개방하여 올리자 상선이 줄지어 찾아왔다.

그 사이에 허다한 이해관계가 생겨날 것입니다. 따라서 저는 말단을
버리고 근본만을 논하고자 하는데, 괜찮겠습니까?

한나라 예관(倪寬)46)은 조세를 마련하지 못한 탓에 고과(考課)에
서 최하위를 기록해 관직에서 쫓겨날 판이었는데, 백성들이 그를 그
리워하여 규모가 큰 집에서는 소 수레로, 작은 집에서는 보따리를 짊
어지고 와 [조세를 바친 덕에] 다시 일등을 할 수 있었습니다. 과세를
거두는 데 있어서의 예관의 방책은 허술했습니다. 그러나 하루 만에
꼴찌에서 일등이 되었으니, 이는 백성 사랑하는 마음이 아랫사람들
을 미쁘게 한 까닭이었습니다. 오늘날 현령들이 예관처럼 백성 사랑
하는 마음을 가지고 아랫사람들을 감동시킨다면, 부유한 백성의 곡
식을 나오게 하여 근신들이 이를 배급하는 방책도 가히 펼쳐볼 만

---

46) 倪寬(?~기원전 103), 字는 仲文이며 千乘(지금의 山東省 廣饒縣) 사람이다.
본문에서 인용한 내용은 『漢書』 권58 「倪寬」에 보인다. "예관은 백성을 다스리
게 되지 농업을 권장하고 형벌을 느슨하게 해주었다. 옥송을 다스릴 때도 낮은
사인들의 입장을 이해해주며 민심을 얻기 위해 힘썼다. 어질고 후덕한 사인을
채용하고, 아래 사람들을 긍휼히 여기며 명예를 추구하지 않았다. 이에 서리와
백성 모두 그를 사랑했다. 예관은 표를 올려 수로를 뚫고 저수지를 만들어 논을
넓혔다. 조세를 거둘 때는 기한을 조절해주기도 하였고, 백성들에게 빌려주기도
하였다. 때문에 조세가 많이 들어오지 못했다. 후에 군사 징벌이 있을 때 좌내
사에서 조세를 못 바쳤다는 이유로 고과에서 최하 점수를 주어 파면될 상황이었
다. 백성들은 그가 파면될 것이라는 이야기를 듣고 그를 잃을까 두려워하여,
규모가 큰 집에서는 소 수레로, 작은 집에서는 보따리를 지고 쉼 없이 찾아와
조세를 바쳤다. 이에 고과에서 다시 일등을 차지했다. 황제는 이로 인해 예관을
훌륭하다 여기게 되었다.(寬旣治民, 勸農業, 緩刑罰, 理獄訟, 卑體下士, 務在
于得人心. 擇用仁厚士, 推情與下, 不求名聲, 吏民大信愛之. 寬表奏開六輔
渠, 定水令以廣漑田. 收租稅, 時裁闊狹, 與民相假貸, 以故租多不入. 後有
軍發, 左內史以負租課殿, 當免, 民聞當免, 皆恐失之, 大家牛車, 小家擔負,
輸租繈屬不絶, 課更以最. 上由此愈奇寬.)"

할 것입니다.

아직 방책이 결정되지 않았고, 이해관계도 아직 다 알 수 없지만 차차 강구해보면 될 것입니다. 하지만 만약 감사(監司)와 군수(郡守)가 이러한 마음을 가지고 현명하신 군주를 위해 삼가 현령을 가려 뽑지 못하고서, 혹 적발되는 게 있을까 저어되어 전례를 답습하며 봐주기에만 힘쓴다면, 어찌해야 좋을지 저로서도 알 수 없습니다.

對: 賑濟之策, 前人之迹可求也. 然無得乎其本, 而惟末之求, 則其策有時而窮.

文潞公之在成都也, 米價騰貴, 因就諸城門相近院凡十八處, 減價而糶, 仍不限其數, 張榜通衢, 異日米價遂減. 此蓋劉晏之遺意. 然公廩無儲, 私困且竭, 則其策窮矣. 趙淸獻之守越, 米價踊貴. 傍州皆榜衢路, 禁增米價, 淸獻獨榜衢路, 令有米者任增價糶之. 於是諸路米商, 輻輳詣越, 米價更賤, 民無餓莩. 此蓋盧坦之舊策. 然商路不通, 隣境無粟, 則其策窮矣. 舍是二策, 獨可取之富民, 而富民之困廩盈虛, 谷粟有無, 不得而知. 就令知之, 而閉糶如初, 又誠如明問所慮. 以公家之勢, 發民之私藏, 以濟賑食, 不爲無義, 顧其間尙多他利害. 故愚請舍其末而論其本可乎?

漢倪寬以租不辦居殿, 當去官, 百姓思之, 大家牛車, 小家負擔, 乃更居最. 夫寬於科斂其方略亦疏矣, 而能旦暮之間以殿爲最, 則愛民之心孚乎其下故也. 誠使今之縣令, 有倪寬愛民之心, 感動乎其下, 則富民之粟出, 而遹臣散給之策可得而施矣.

方略之未至, 利害之未悉, 皆可次第而講求. 若監司郡守不能以是心爲明主謹擇縣令, 或憚於有所按發, 而務爲因循舍貸, 則吾未如之何也已矣!

당나라에서 백성에게 취하고, 병제를 만들고, 관직을 세운 것에 관해 묻다 성시

問唐取民制兵建官 省試

대(對): 옛날의 시비와 득실은 논하기 쉽지만 오늘날의 실행과 조치는 늘 말하기 어렵습니다. 옛날의 시비와 득실을 논하면서 오늘날의 실행과 조치를 언급하지 않는다면, 이것을 과연 옛날을 안다고 할 수 있는지 모르겠습니다.

그렇지만 옛날이라는 것이 또 어찌 쉽게 말할 수 있는 것이겠습니까? 백성을 취하고, 병사 제도를 마련하고, 관직을 설치하는 법은 대략 삼대(三代) 때보다 훌륭할 수 없습니다. 그러나 진(秦)나라 때 변란을 겪으면서 옛 선왕들의 제도가 모조리 사라져버렸습니다. 한나라 이후로는 구차하고 간소한 법만을 인습하면서, 삼대 때의 법을 다시 시행하기란 불가능하다고 여겼습니다. 한겨울의 추위가 차츰 미루어가 한여름의 더위가 되고, 털끝만큼 작은 것들이 차츰 쌓여 한 아름이 된다는 사실을 알지 못하였으니, [만사란] 마땅히 점차 점차 나아가야지, 갑자기 뒤집힐 수는 없는 것입니다. 당나라는 북위(北魏)와 수(隋)나라의 옛 제도에 기인하여 조조법(租調法)[47]과 부위제(府衛制)[48]를 완성하였고, 육전(六典)[49]으로 관리들을 단속하고 730명까

---

47) 租는 1가구가 1년 동안 일정량의 쌀을 납부하는 조세이고, 調는 1가구가 1년에 해당 지방의 특산물을 일정량 징발하는 貢物이다.
48) 府兵制를 말한다. 府兵들은 교대로 경사의 宿衛를 담당하였기에 府衛라고 칭하였다.

지 정원을 줄였습니다.50) 이로써 삼대의 치세를 점차 회복할 수 있었으니, 이것이 바로 당나라가 칭송 받을만한 이유입니다. 가난하여 장례를 치르지 못하는 자에게는 영업전(永業田)51)을 팔 수 있도록 허가하고, 협향(狹鄕)에서 관향(寬鄕)52)으로 이사 온 자에게는 구분전(口分田)53)까지 팔 수 있게 함으로써 겸병의 단서를 제공하고 타향으로 피해 가는 폐단을 열었지만 이는 실로 법의 잘못일 뿐입니다. 관원을 줄이며 [태종] 스스로 말하기를 "내 이로써 천하의 어진 인재를 대하기에 족하다."라고 해놓고는 얼마 있다가 원외(員外)를 증설하는 등, 설치한 관직을 더욱 넓히면서 더 이상 감원하지 않았으니, 이는 실로

---

49) 고대에 나라를 다스리던 여섯 가지 법이다. 즉 治典, 敎典, 禮典, 政典, 刑典, 事典이 그것이다. 후세에 설치된 六部는 이를 기초로 만들어졌다. 따라서 여기서는 당나라 때의 官制를 통칭하는 말로 사용되었다고 볼 수 있다.

50) 『新唐書』 권46 「百官志」에 보면 다음과 같은 기록이 보인다. "당나라 관제는 명칭과 작록 등이 때에 따라 증감되기는 하였으나 대체적으로 수나라 옛 제도를 인습하였다. 관사에 구분을 두어 성이라 하고, 대라 하고, 시라 하고, 감이라 하고, 위라 하고, 부라 하였으며, 각각 속관들을 거느리며 직분을 나누고 지위를 정하였다. …… 처음에 태종은 내외 관원을 줄여 730명으로 정원을 제한하며, '내 이것으로 천하의 어진 인재를 대하기에 족하다.'라고 하였다.(唐之官制, 其名號祿秩雖因時增損, 而大抵皆沿隋故. 其官司之別, 曰省, 曰臺, 曰寺, 曰監, 曰衛, 曰府, 各統其屬, 以分職定位. …… 初, 太宗省內外官, 定制爲七百三十員, 曰, '吾以此待天下賢材, 足矣.')"

51) 北齊 河淸 3년(564)에 내려진 均田令에 의하면, 職事官 및 백성들이 개간을 신청하여 墾田하게 된 토지를 永業田이라고 부른다. 매 丁에게 영업전 20畝를 지급하여 桑田으로 하고, 여기에 뽕나무 50뿌리, 느릅나무 3뿌리, 대추나무 3뿌리를 심도록 했다. 이들 토지는 口分田과는 달리 환수하지 않아도 되었다.

52) 唐代에 인구는 많은데 불하하는 땅은 적은 곳을 일러 狹鄕이라 하고, 상대적으로 田地가 많아 풍족한 땅을 寬鄕이라고 하였다.

53) 구분전은 北魏에서 비롯해 북조 및 수당대에 시행된 토지제도인 均田制에서 丁男에게 지급된 公田의 명칭이다. 당나라의 경우 정남 외에도 篤疾·廢疾·과부 등에게도 구분전을 차등을 두어 지급하였다.

그 자신의 잘못입니다. 당나라는 병권을 장악하여 정권을 통제함으로 인해 폐단이 없을 수 없었으나, 부병(府兵)이 피폐해진 까닭은 기실 판도가 무너져 고찰할 길조차 없어지고, 군사 훈련이 해이해져 쓸모 없어진 데 있습니다. 그 근원인즉 전지(田地)를 준 것과 서로 표리가 되니, 모두 입법에 있어서 유감스러운 바가 있습니다. 확기(彍騎)⁵⁴⁾ 와 양세(兩稅)⁵⁵⁾는 비록 한때 반가워할 만한 일이었지만, 일정하면서 도 간략하던 법을 무너뜨려 거대한 독을 불러들이는데도 이를 구제하지 못하였습니다. 훌륭한 법에 폐단이 생겼을 시 이를 이어받아 정비하고 회복할 줄을 모르고서, 구차하게 변경함으로써 일시적인 이로움을 꾀하며 뒤를 돌아보지 않았으니, 이는 군자들이 특히나 혐오하는 바요, 이전 사람들의 잘못이라 핑계를 대서 주벌로부터 도망칠 수 없는 바입니다. 사봉(斜封)과 묵칙(墨敕)⁵⁶⁾의 남용과 같은 경우 실로

---

54) 당나라 宿衛兵의 명칭이다. 玄宗 때 京師 宿衛兵들이 대거 도망치자 開元 11 년(723)에 재상 張說의 건의를 받아들여 京兆, 蒲州, 同州, 岐州, 華州 지역의 府兵과 白丁을 모집하고, 매년 2달 동안 숙위를 서면 출정과 진수의 부담을 면제해주었다.

55) 당나라 德宗 때에 토지겸병이 날로 늘어나 토지를 잃고 도망치는 농민들이 점차 많아지자 租庸調 제도의 유지 자체가 어려워졌다. 이에 재상 楊炎의 건의를 받아들여 兩稅法을 시행하였다. 兩稅法은 과거 租庸調와 戶稅 및 地稅 등 여러 항목을 통합하여 징수하는 법으로 戶稅와 地稅를 기초로 하여 여름과 가을에 두 차례 징수하였다.

56) 당나라 中宗 때, 권신들이 정권을 휘두르며 황제를 이용해 직접 칙서를 반포했는데, 비스듬히 봉하여 中書에 전달함으로써 관리를 임용했다고 하여 당시 사람들은 이렇게 제수 받은 관리들을 斜封官이라고 불렀다. 韋皇后와 安樂公主, 그리고 武氏 측근들이 조정을 장악하고 부패 정권을 이루었을 때 매관매직이 성행하였는데, 30만 錢이면 황제의 墨勒을 빙자해 관직에 임명했다. 당시 正員 이외에 員外, 同正, 試, 攝, 檢校, 判, 知 등 여러 가지 직함으로 관원이 된 자가 수천 명에 달했다.

깊이 책망하기에도 부족합니다. 군자들이 당나라에 바랐던 것은 [삼대와 나란해진 다음 더 위로 올라가는 것이었거늘 당나라는 갈수록 아래로 떨어졌고, [삼대로] 미루어 나아가는 것이었거늘 당나라는 갈수록 후퇴하였습니다. 그 시비와 득실을 확연히 볼 수 있지 않겠습니까!

그러나 이를 오늘날에 미루어 적용해볼 때에 또 말하기 어려운 점이 있습니다. 당나라 조조법(租調法)은 본디 10분의 1을 바치던 정전법을 회복할 수 있는 점진적인 방법입니다. 하지만 줄줄이 밭두렁을 가진 부자에게는 삭탈법을 시행하기 어렵고, 조강조차 배불리 먹지 못하는 자에게는 파종할 자본조차 없습니다. 삭탈법을 시행하지 않는다면 전답은 누가 공급합니까? 파종할 자본조차 궁핍한데 세금은 누가 냅니까? 게다가 오늘날 백성으로부터 취할 때 정해진 말[斗]과 휘[斛]가 있는데도 두 배를 거두어가고, 화시(和市)57)라는 명목은 존재하나 값을 치르지 않습니다. 상이한 명목의 서로 다른 예들 또한 이루 다 열거할 수 없을 정도입니다. 그런데도 주현(州縣)에서는 황망해하며 수요를 대지 못하고 과세를 바치지 못할까 근심하고 있고, 대농(大農)들은 급급해하며 버틸 만한 임시방편을 계산하고 있습니다. 이런 상황에서 조조법을 다시 논의한다면, 누가 세무(世務)에 통달한 자라고 여기겠습니까?

당나라 부병제는 본디 군려(軍旅)와 졸오제(卒伍制)를 회복시킬 수 있는 점진적인 방법입니다. 하지만 수전제(授田制)58)가 시행되지 않

---

57) 관부에서 백성에게 값을 흥정해 물품을 사들이던 것을 말한다. 그러나 唐宋時期에는 백성의 물품을 강제로 징수하거나 약탈하는 식으로 변질되었다.
58) 국가가 토지를 백성에게 나누어주는 제도인데, 이때 오직 토지의 사용권만을 주며, 기한도 정해주었다. 따라서 농민은 배급받은 전지를 사유화할 수 없었다.

으면 부위제(府衛制)는 다시 논할 수 없습니다. 더구나 근자에 양회(兩淮) 지역의 유랑민들에게 조정에서 진휼할 곡식을 주고 황무지를 개간하게 함으로써 둔전을 일구고자 하였는데, 논자들이 여전히 비축해 놓은 재물이 궁핍해질까 걱정하는 통에 일을 성사시키지 못하였습니다. 줄지어 설치한 진영에서 생활하며 쌀을 지고 와서 밥 해먹는 자들은 간혹 위무가 그들에게까지 이르지 않을까, 거처가 평안치 않을까, 근면함을 익히지 못할까 걱정하는데, 호미를 버리고 쟁기를 손에서 놓은 사람들에게 갑자기 갑옷을 입히고 굳세게 나아가기를 바란다면, 이는 이미 어려운 일일 것입니다. 이러한 상황에서 부위제에 대해 말한다면, 이는 북해 바다 끝에서 상선(商船)을 찾는 것이나 다름없습니다.

당(唐)·우(虞) 시대에는 관직이 백 개였고, 하(夏)·상(商) 때는 그 배였습니다. 주나라 관직은 360개였습니다. 수나라의 뒤를 이은 당나라는 관직의 수가 이루 다 셀 수 없을 만큼 많았는데, 이를 갑자기 700개 남짓으로 줄였으니, 옛 것을 회복하고 관직을 설치한 것이 당나라처럼 [삼대에] 가까웠던 적이 없습니다. 지금은 안으로 부시(府寺)59)와 장국(場局)에서부터 밖으로 막부의 참관과 부관(副官)에 이르기까지, 없애서 줄일 수 있는 것들이 적지 않습니다. 이를 천하에 모르는 자가 없으나 조정에서 이를 꺼려하는 이유는 사인(士人)들의 삶이 유리되어 살아갈 방도가 없어질까 걱정하기 때문입니다. 지금 비록 줄이지 않는다 하여도 임명을 받은 자들은 혹 수천 리 길을 떠나야 하고, 그 다음 임명받을 사람은 혹 8, 9년을 기다려야 하기도 합니다. 채소 심는 농부와 길쌈하는 여인의 이익을 빼앗았다고60) 사

---

59) 고대 公卿들의 관사. 그급 관원들의 府邸 혹은 官署를 범칭한다.

대부들을 책망해서는 안 되며, 관직을 줄여야 한다는 주장 또한 처리하지 않으시면 안 됩니다. 그렇기 때문에 옛날의 시비와 득실을 논하기는 쉬우나, 오늘날의 시행 조치를 말하기는 어렵다고 한 것입니다.

그렇다면 삼대의 법은 끝내 회복할 수 없겠습니까? 말하노니, 한여름 더위는 한겨울로부터 미루어 온 것이고, 한 아름의 나무는 털끝만한 것이 자라나 이루어진 것입니다. 하물며 자신을 수양하고 백성을 편안케 하며, 독실함과 공경으로 천하를 태평하게 하는 일을 중니께서는 "일 년이면 가능하고 삼년이면 성과가 있을 것"이라고 했습니다.[61] 거친 것을 포용하는 도량, 물을 건너는 용기, 먼 데 있는 사람을 잊지 않는 현명함, 붕당을 버리는 공정심이 있다면,[62] 삼대를 회복하는 데 무슨 문제가 있겠습니까? 어리석고 못난 저는 훗날 집사 대인과 논변할 적에 이에 관한 말씀을 듣기 원합니다.

---

60) 『漢書』권56 「董仲舒傳」에 나오는 이야기이다. "公儀子가 魯나라 재상으로 있을 때 집에 들어가 아내가 비단 짜는 것을 보고 화를 내며 아내를 내쫓았고, 집에서 식사할 때 뜰에 심었던 아욱을 먹게 하자 화를 내며 아욱을 뽑아버렸다. 그리고 말하기를 '내가 이미 녹봉을 받고 있거늘 채소 심는 농부와 길쌈하는 여인의 이익을 빼앗는단 말이냐?'라고 하였다. 옛날 벼슬하던 어진 사람이나 군자들은 모두 이 사람과 같았다. 그래서 아랫사람들은 그들의 행위를 공경하여 그들의 가르침을 따랐고, 그들의 청렴함에 감화를 받아 탐욕스럽거나 비열하지 않았다.(故公儀子相魯, 之其家見織帛, 怒而出其妻, 食於捨而茹葵, 慍而拔其葵, 曰, '吾已食祿, 又奪園夫紅女利乎?' 古之賢人君子在列位者皆如是, 是故下高其行而從其敎, 民化其廉而不貪鄙.)"

61) 『論語』「子路」에 "공자께서 말씀하셨다. '만약 누군가가 내게 정사를 맡긴다면 일년이면 효과를 볼 것이고, 삼 년이면 큰 성과가 있을 것이다.'(子曰, '苟有用我者, 朞月而已, 可也, 三年有成.')"라는 내용이 보인다.

62) 『周易』「泰卦」의 九二 爻辭에 "거친 것을 포용하고, 배 없이 물을 건너는 사람을 쓰며, 먼 곳을 잊지 않고 붕당이 없으면 중도에 이를 수 있다.(包荒, 用憑河, 不遐遺, 朋亡, 得尙于中行)"라는 내용이 보인다.

對: 古之是非得失常易論, 今之施設措置常難言. 論古之是非得失, 而不及今之施設措置, 吾未見其爲果知古也.

然則古亦豈可以易言乎哉? 取民, 制兵, 建官之法蓋莫良於三代. 遭秦變, 古先王之制掃地而盡. 由漢以來, 因循苟簡, 視三代之法, 幾以爲不可復行. 蓋不知大冬之寒, 可以推而爲大夏之暑, 毫末之小, 可以進而爲合抱之大, 顧當爲之以漸, 而不可以驟反之也. 唐因魏·隋之舊, 而成租調, 府衛之制, 官約以六典, 而省之至於七百三十, 此可以爲復三代之漸, 而唐之所以爲可稱者也. 至於貧無以葬者, 許鬻永業, 自狹鄕徙寬鄕者, 倂鬻口分, 啓兼幷之端, 開避地之釁, 此固失在於其法. 省官之初, 自謂吾以此待天下賢才足矣. 旣而增員外, 置寖廣而不復除, 此固失在於其身. 居重御輕之說, 在唐固不能無蔽, 而府兵之廢, 實出於版圖隳而不可考, 閱習弛而不可用, 其源蓋與授田相表裏, 皆其立法之遺恨也. 曠騎, 兩稅, 雖皆一時可喜之事, 而壞經常簡易之法, 馴致鉅創大蠹而不能救. 承良法之弊, 不知修而復之, 苟且變更以偸一時之利, 而不顧其後, 此尤君子之所深惡, 不可諉前人之失而逭其誅. 至於斜封, 墨敕之濫, 則誠無足深責. 大抵君子之望於唐者, 欲其等而上之, 而唐愈下, 欲其推而進之, 而唐愈退, 其是非得失豈不較然甚明哉!

至推之於今日, 則又有難言者. 唐租調之法, 固可以爲復井田什一之漸矣. 然連阡陌者難於行削奪之法, 厭糟糠者無以爲播種之資. 削奪之法不行, 則田畝孰給? 播種之資旣乏, 則租調孰供? 況今之取於民者, 斗斛之數定而輸再倍, 和市之名存而直不給, 殊名異例, 不可殫擧. 而州縣遑遑, 有乏須負課之憂, 大農汲汲, 爲支柱權宜之計. 於此而議復租調之法, 誰曰爲通世務者.

唐府兵之法, 固可爲復軍旅卒伍之漸矣. 然授田之制不行, 則府衛之制不可復論. 況邇者兩淮流徙之民, 朝廷欲因賑救之粟, 使耕荒棄之地, 以成屯田之業, 而議者猶懼資儲之乏, 事弗克究. 列營而居, 負米而爨者, 或者猶懼拊循之未至, 居處之未安, 習勤之未集, 而遽欲望被堅躓勁於田畝捨鋤釋耒之人, 亦已難矣. 於此而言府衛之制, 蓋索商舶於北溟之涯者也.

唐·虞官百, 夏·商官倍, 周官三百六十, 而唐承隋後, 官不勝衆, 驟而約之, 七百有奇, 則復古建官, 亦莫近於唐矣. 今之內而府寺場局, 外而參幕佐貳, 可以罷而省之者, 蓋不爲少. 天下莫不知之, 而朝廷之憚爲此者, 則懼夫衣裳之流離而無以生也. 今雖不省, 而受任者或數千里, 需次者或八九年. 奪園夫紅女之利, 不復可以責士大夫. 爲省官之說, 則又不可無以處此. 故曰, 論古之是非得失者易, 言今之施設措置者難.

然則三代之法, 其終不可復乎? 曰: 大夏之暑, 大冬之推也, 合抱之木, 毫末之進也. 況夫修己以安百姓, 篤恭而天下平, 仲尼謂朞月而可, 三年有成. 有包荒之量, 有馮河之勇, 有不遐遺之明, 有朋亡之公, 於復三代乎何有? 愚不佞, 他日執事人人論思之次, 願與聞焉.

덕과 인, 공과 이利에 관해 묻다
問德仁功利

대(對): 중니께서는 누차 관중(管仲)의 공에 감탄하셨으나 그의 문하에 노닐던 자들은 오 척 동자도 관중을 일컫는 것을 수치로 생각합니다.[63] 증서(曾西)도 하지 않는 바요 맹자께서도 원치 않던 바였습니다.[64] 환공(桓公)은 거(莒) 땅에서 전쟁을 거듭하여 제(齊)로 들어간 다음, 관중을 옥에서 풀어주고 재상으로 삼았는데, 먼저 그에게서 배운 연후에 신하로 삼은 것을 두고 맹자께서는 성탕(成湯)·이윤(伊尹)과 나란히 일컫기까지 하였습니다.[65] 하지만 그 처음 뜻을 보건대 그저 천하에 공명을 세워 자신의 몸을 존귀하고 영화롭게 하고자 한

---

63) 『漢書』권56「董仲舒傳」에 "공자의 문하는 오척 동자라 할지라도 오패의 공로를 입에 올리길 부끄러워한다.(是以仲尼之門, 五尺之童, 羞稱五伯.)"라는 내용이 보인다.

64) 『孟子』「公孫丑上」에 보이는 내용이다. 혹자가 曾西에게 管仲과 더불어 누가 더 어지냐고 묻자 曾西가 낯빛을 바꾸며 말했다. "'네가 어찌 곧 나를 管仲에 비교하는가? 管仲이 군주의 신임을 얻어 저처럼 전단하였고, 국정을 행하기를 저처럼 오래하였으나 功烈이 저처럼 낮은데, 너는 어찌 나를 이에 비교하는가?' 맹자께서 말씀하셨다. '管仲은 曾西도 하지 않는 바인데, 네가 내게 그것을 원하는가?'(爾何曾比予於管仲? 管仲得君, 如彼其專也, 行乎國政, 如彼其久也, 功烈, 如彼其卑也. 爾何曾比予於是?' 曰, '管仲. 曾西之所不爲也, 而子爲我願之乎?')"

65) 『孟子』「公孫丑下」에 "탕임금은 이윤에게서 먼저 배운 연후에 신하로 삼았기에 힘들이지 않고 왕자가 되었으며, 환공은 관중에게서 먼저 배운 연후에 신하로 삼았기에 힘들이지 않고 패자가 되었다.(湯之於伊尹, 學焉而後臣之, 故不勞而王, 桓公之於管仲, 學焉而後臣之 故不勞而霸.)"는 내용이 보인다.

것에 지나지 않습니다. 그러니 어찌 "필부필부 중에 요순의 은택을 입지 못한 자가 있으면 마치 자신이 그들을 구렁텅이에 밀어 빠트린 듯 여기는"[66] 마음이 있었겠습니까? 소릉(召陵)에서의 전쟁[67]은 도리어 나라에 도움이 되지 못하였고, 진(陳)나라 원도도(轅濤塗)를 사로잡은 데서[68] 교만과 방자함이 드러났으니, 성탕과 비교해볼 때 그 덕이 얼마나 부끄럽습니까? 오호라! 바로 여기서 공리(功利)와 덕인(德仁)이 나뉘게 된 것입니다.

당 태종이 배적(裴寂)・유문정(劉文靜)과 더불어 고조(高祖)를 위해 일을 도모하던 시절에 그가 품었던 뜻은 환공이나 관중과 다르지 않았습니다. 후에 천하를 손에 넣고 정관(貞觀)의 치세를 이룩하자 논자들은 삼대(三代) 때의 왕과 거의 버금간다고 여겼습니다. 그러나 저는 태종이 위징(魏徵)의 말을 따른 것에서 그러한 점을 발견하였습니다. 우문사급(宇文士及)[69]이 말했습니다. "조정의 군신(群臣)들이

---

66) 『孟子』「萬章下」.

67) 齊나라가 楚를 정벌하고 召陵에서 맹약한 사건을 말한다. 齊 桓公이 중원을 제패하고 있을 때 남쪽에 있던 楚가 날로 강성해져 鄭나라를 치고 중원을 엿보았다. 이를 제제하기 위해 桓公은 직접 齊, 魯, 宋, 陳, 衛, 鄭鄭, 許, 曹 등 8국 연합군을 거느리고 楚를 정벌하고 소릉에서 맹약을 맺었다.

68) 『春秋』「僖公 4년」에 보이는 내용이다. 초나라와 맹약한 후에 陳나라의 轅濤塗가 鄭나라의 申侯에게 말하기를, "군대가 진나라와 정나라 사이를 통과하게 된다면 두 나라는 반드시 크게 피폐해 질 것이다. 동쪽으로 나아가서 東夷들에게 兵威를 보여 주면서 바다를 따라서 돌아오는 것이 좋을 것이다."라고 하니, 신후가 좋다고 했다. 원도도가 이 사실을 齊侯에게 알리자, 제후는 이를 허락하였다. 그러자 申侯가 齊侯를 뵙고 말하기를, "군대가 나온 지 이미 오래 되었습니다, 만약 동쪽으로 돌아가서 적을 만난다면 쓸모가 없게 될지도 모릅니다. 만약 진나라와 정나라 사이로 나간다면 물자와 양식과 짚신 등을 공급받을 수 있어서 좋을 것입니다."라고 하니, 齊侯가 기뻐하여 申侯에게 虎牢의 정나라 땅을 주었고, 轅濤塗는 체포해버렸다.

면전에서 간쟁을 해대니, 폐하께서 어찌할 줄 몰라 하셨습니다."⁷⁰⁾
당시 강직한 보좌대신이 위징 한 사람 뿐은 아니었으되, 위징의 말이
유독 상세하고 적실했던 것입니다. 위징이 한 말을 찾아 읽어보니,
부옹(富翁)이나 귀한 벼슬아치로서는 하지 못할 말들이었습니다. 태
종의 경우도 부(富)로는 천하를 차지하고, 귀하기로는 천자가 되었으
며, 공업 또한 스스로 일궈낸 것인데도 지난 날 미워하던 신하에게
머리를 숙이고 뜻을 억누르며 귀에 거슬리는 언사를 들을 수 있었으
니, 아아! 이것이 바로 정관의 치세를 가져오고 능히 삼대의 왕과 나
란히 할 수 있었던 까닭이 아니겠습니까?

　　삼가 생각해보건대 주상께서는 덕이 성대하고 인자함이 지극하며,
그 가르침이 대략 오제(五帝)와 삼왕(三王)에게서 나왔기에 당 태종
이 덕인과 공리의 문제를 굽어 취한 것과 위징이 그에 대해 답한 내
용을⁷¹⁾ 규서(奎書)⁷²⁾에 적고 어지에 드러냈던 것입니다. 시신(侍臣)

---

69) 宇文士及(?~642). 字는 仁人이며 京兆 長安 사람이다. 隋나라의 부마 출신이
　　었으나 후에 唐 高祖 李淵에게 귀순하여 上儀同에 제수되었고, 唐 太宗을 따
　　라 정벌에 임하였다. 中書侍郎에 제수되고 郢國公에 봉해졌다.

70) 『新唐書』 권100 「宇文士及傳」에 나오는 내용이다. "태종이 궁중에서 나무를
　　감상하며 '참으로 훌륭한 나무로군.'이라고 말하자 우문사급이 따라서 나무를
　　찬미했다. 태종이 정색하며 말하기를, '위징이 늘 내게 아첨하는 자를 멀리하라
　　고 했는데, 내 누가 아첨하는 자인지 몰랐으나 오늘에야 알겠다.'라고 하였다.
　　우문사급은 사과하며 말했다. '조정의 군신들이 면전에서 간쟁을 하는데, 폐하
　　의 안색이 썩 좋지 않았습니다. 지금 다행히 신이 옆에서 모시게 되었는데, 조금
　　이라도 폐하의 뜻에 순종하지 않는다면, 귀한 천자가 되어 무슨 즐거움이 있겠
　　습니까?' 태종은 마음이 다시 풀렸다.(帝嘗玩禁中樹曰, '此嘉木也!' 士及從旁
　　美嘆. 帝正色曰, '魏徵常勸我遠佞人, 不識佞人爲誰, 乃今信然.' 謝曰, '南衙
　　群臣面折廷爭, 陛下不得擧手, 今臣幸在左右, 不少有將順, 雖貴爲天子亦何
　　聊?' 帝意解.)"

71) 이와 관련하여 『貞觀政要』에 다음과 같은 내용이 보인다. "정관 16년에 태종이

에게 자문을 구하였으니, 그 덕이 얼마나 성대하고 그 인이 얼마나 성숙하며, 쉬지 않고 힘씀에 그칠 날이 있겠습니까? 이는 실로 천하 만세의 행운입니다! 집사대인께서 이 일을 우러러 취하고 굽어 쓰시며 시험장에서 제생들에게 책문을 내시다니, 그 은혜가 실로 큽니다. 위징에게 물었던 공리와 덕인에 관한 이야기는 이미 제 환공과 관중의 예를 가지고 앞에서 판단하였습니다. 그러나 "제왕의 덕과 인이 수신제가(修身齊家)를 통해 내보이는 필부의 것과 같기만 해서 되겠는가?"라는 말에 대해서는 동의할 수 없습니다. 이른바 수신제가라는 것은 작은 청렴을 문식하고 작은 행실을 자랑함으로써 스스로를 향당(鄕黨)에 드러내는 것이 아닙니다.[73] 안자(顏子)가 보고 듣고 말하고 움직이는 매 순간에, 증자(曾子)의 용모와 안색과 말투 사이에 오제

득진 위징에게 물었다. '나는 극기해가며 성사를 돌보면서 선열들처럼 되기를 바라왔다. 덕을 모으고 인을 쌓고 공을 크게 하고 이로움을 두텁게 하는 이 네 가지를 나는 언제나 첫손가락에 꼽아왔으며, 스스로 힘써왔다고 말할 만하다. 그러나 사람이란 스스로를 보기 어려운 법, 짐이 행한 바를 놓고 볼 때 그 우열이 어떠한가?' 위징이 대답했다. '덕과 인과 공과 리를 폐하께서는 겸하여 행하셨습니다. 안으로는 화란을 잠재우고 밖으로는 이적을 제거하였으니, 이는 폐하의 공입니다. 백성들을 편안케 하시고 각기 생업에 종사하게 해주셨으니, 이는 폐하의 利입니다. 이로써 말해볼 대, 공과 리가 많은 편입니다. 그러나 덕과 인도 원컨대 폐하께서 자강불식하시면 반드시 이룰 수 있을 것입니다.'(貞觀十六年, 太宗問特進魏徵曰, '朕克己爲政, 仰企前烈. 至于積德, 累仁, 豊功, 厚利四者, 常以爲稱首, 朕皆庶幾自勉. 人苦不能自見, 不知朕之所行, 何等優劣?' 徵對曰, '德仁功利, 陛下兼而行之. 然則內平禍亂, 外除戎狄, 是陛下之功. 安諸黎元, 各有生業, 是陛下之利. 由此言之, 功利居多, 惟德與仁, 願陛下自强不息, 必可致也.')

72) 황제가 직접 쓴 글을 규서라 한다.

73) 賈誼의 『新書』 「益壤」에 "포의란 작은 행실을 꾸미고 작은 청렴을 다툼으로써 스스로를 향당과 읍리에 드러내는 자이다.(布衣者, 飾小行, 競小廉, 以自託于鄕黨邑里.)"라는 말이 나온다.

와 삼왕과 고요(皐陶)·기(夔)·직(稷)·설(契)·이윤(伊尹)·태공망(太公望)·주공(周公)·소공(召公)의 공훈과 덕업이 들어 있었습니다. 이 때문에 『대학』에서 천하에 밝은 덕을 밝힌다고 말할 때 반드시 격물치지(格物致知)과 정심성의(正心誠意) 사이에서 그 뜻을 취했던 것입니다. 불민한 제가 들은 바를 아무렇게나 읊어보았으니, 집사대인께서 저의 광망함을 용서해주시기 바랍니다.

對: 仲尼屢歎管仲之功, 而遊於其門者, 五尺童子羞稱焉, 曾西有所不爲, 孟子有所不願. 桓公由莒轉戰而入齊, 管仲釋囚拘而相之, 其學焉而後臣之也, 孟子至與成湯·伊尹同稱. 然觀其始志, 不過欲立功名於天下, 以自尊榮其身而已, 豈有"匹夫匹婦有不與被堯舜之澤者, 若己推而納之溝中"之心哉? 召陵之役, 反未及國, 而陳轅濤塗之執, 驕恣之迹已形, 其視成湯之慚德爲如何? 嗚呼! 此功利德仁之所從分歟.

唐太宗與裴寂·劉文靜謀動高祖時, 其志無異於桓公·管仲之事, 及其有天下之後, 致貞觀之治, 而論者以爲庶幾三代之王. 吾獨於其聽魏徵之言而見之. 宇文士及稱: "南衙群臣, 面折庭爭, 陛下不得擧手." 蓋當時輔拂鯁挺之臣不獨徵而已, 顧獨徵之言爲尤詳且切. 取徵之言而讀之, 蓋有富翁貴仕之所不能堪者, 而太宗富有天下, 貴爲天子, 功業皆其所自致, 而能俯首抑意, 聽拂逆之辭於疇昔所惡之臣. 嗚呼! 此其所以致貞觀之治, 庶幾於三代之王者乎?

恭惟主上盛德至仁, 其學蓋出於五帝三王, 而俯取唐太宗德仁功利之問, 與魏徵之所以對者, 發於奎書, 形於詔旨, 詢及侍臣, 一何其德之盛, 仁之熟, 勉勉亹亹, 而無有窮已也? 實天下萬世之幸! 執事大人仰取而俯用之, 策諸生於旅試之場, 甚大惠也. 設功利德仁之疑於魏徵之辭, 愚旣以齊桓·管仲之事決之於前矣. 至於"帝王之德之仁, 豈但如匹夫見於修身齊家而已"之說, 愚竊以爲不然. 夫所謂修身齊家者, 非夫飾小廉, 矜小行, 以自託於鄕黨者然也. 顏子視聽言動之間, 曾子容貌顏色辭氣之際, 而五帝·三王·皋·夔·稷·契·伊·呂·周·召之功勳德業在焉. 故『大學』言明明德於天下者, 取必於格物致知正心誠意之間. 愚不敏, 姑誦所聞, 執事大人幸恕其狂斐.

한나라 문제와 무제의 다스림에 대해 묻다

問漢文·武之治

대(對): 일찍이 「홍범(洪範)」을 읽다가 "깊이 빠져 헤어나지 못하는 자는 강함으로 다스리고, 높고 현명한 자는 부드러움으로 다스린다." 는 내용에 이를 때면 언제나 반복해가며 심사숙고하고, 공경히 생각에 잠겼습니다. 옛날 선왕들이 언제나 배움에 임하고자 했던 마음과 경계하는 마음과 갈고 닦을 기회를 얻고자 하던 마음은 절실하지 않은 적이 없습니다. 집사께서 제생들에게 한나라 문제와 무제의 일에 관해 가르침을 주셨으나, 저는 '배움'을 가지고 두 임금의 과오를 논단해볼까 합니다.

문제는 군주로서 관대하고 어진 군주였습니다. 그러나 그 자질이 부드러운 쪽에 치우친 면이 없지 않았습니다. 그렇기 때문에 천하 태평했던 고조(高祖)와 혜제(惠帝) 뒤를 이어 받고도, 상고시대 성인들이 활시위를 만들고, 화살을 깎고, 겹문을 만들고, 딱딱이를 쳤던 뜻을 알지 못하고서 오랑캐에게 [궁궐 여인을] 시집보내는 치욕조차도 편히 여겼습니다. 변방의 경계를 정비하고 무(武)에 힘써 병사를 훈련시킴으로써 만일의 사태에 대비하지 못하였습니다. 이에 흉노가 변방을 크게 함락시킨 것이 모두 네 차례였고, 심지어 기마 정찰병이 옹감천(雍甘泉)에까지 이르렀는데도[74] 오직 세류(細柳)와 파상(灞上)

---

74) 『史記』 권110 「匈奴傳」에 보면 효문제 때에 흉노가 14만 기병을 몰고 와 변방의 백성과 가축을 약탈하고, 기병으로 하여금 回中宮을 불사르게 하고 候騎,

과 극문(棘門)의 주둔지만 방비했을 뿐입니다. 비록 안무하며 장수를 구하고, 안장을 씌우고 무예를 강구하였으나 그 뜻을 끝내 이루지 못하였습니다. 문제가 만약 학문으로써 이를 보좌했다면, 높고 현명한 사람은 부드러움으로 대한다는 뜻이 분명 이 지경에 이르지는 않았을 것입니다.

무제는 군주로서 영명한 군주였습니다. 그러나 그 자질이 완강한 쪽에 치우친 경향이 없지 않았습니다. 그렇기 때문에 풍요로웠던 문제의 뒤를 이어받아 돈이 썩고 곡식이 부패할 정도로 물자가 넘쳐났음에도 분연히 흉노를 제거함으로써 전대의 치욕을 갚고자 하였습니다. 그러나 방패를 들고 춤을 추자 묘인(苗人)이 항복해온 것과[75] 주나라가 보루를 지키자 숭인(崇人)이 투항해왔다[76]는 이야기의 뜻을 알지 못하고서 위청(衛靑)과 곽거병(霍去病)의 군사들을 멈추게 하지 않았고, 이사(貳師)[77]의 군대를 진멸시켰습니다. 그리하여 나라 안 재물이 텅 비고 호구가 반으로 줄었고, 비록 윤대(輪臺)에서 애통한

___

즉 기마 정찰병으로 하여금 雍甘泉에 이르게 했다는 기록이 나온다.

75) 『尙書』「大禹謨」에 "[순 임금이] 방패와 깃을 들고 두 섬돌 사이에서 춤을 추었는데, 그런지 70일 만에 완악한 묘인이 감복하였다.(舞干羽于兩階, 七旬有苗格.)"라는 내용이 보인다. 干羽는 옛날에 방패를 들고 추던 武舞와 깃을 들고 추던 文舞의 합칭이다.

76) 『左傳』「僖公 19년」에 다음과 같은 내용이 보인다. "문왕은 숭나라의 덕이 어지럽다는 말을 듣고 토벌에 나섰으나 한 달이 지나도록 항복하지 않았다. 이에 물러나 가르침을 닦고서 다시 치니, 성루 그 자리에서 항복해왔다.(文王聞崇德亂而伐之, 軍三旬而不降. 退修敎而復伐之, 因壘而降.)"

77) 貳師將軍으로 일컬어지던 李廣利(?~기원전 88)를 가리킨다. 대완 정벌을 마친 이광리는 이후 흉노와의 전쟁에 동원되어 몇 차례 공적을 세웠지만 결국 호록고 선우의 군대에 패하자 투항했고 한나라 10만 대군은 전멸했다. 본국에 남은 이광리의 일족은 하옥됐다. 호록고는 이광리를 사위로 삼는 등 크게 예우하였으나 끝내 제물로 삼아 처형하였다.

조서[78]를 내렸으나, 이미 때는 늦었습니다. 회오리바람도 한나절이면 그치고 소나기도 하루면 그친다 했습니다. 집사께서 처음 시작한 사람에게는 기초로 삼은 것이 있다고 하였는데, 정말로 그러합니다. 만약 무제가 학문으로써 사업을 보좌했다면, 깊이 빠져 헤어나지 못하는 자는 강함으로 다스린다는 뜻이 이 지경에 이르지는 않았을 것입니다.

오호라! 문제가 일군 부유함이 비록 국력을 소비한 것에 비해 낫긴 하지만 넓적다리를 치며 했던 감탄[79]은 윤대의 슬픔만 못하였으니, 요·순·삼왕의 마음을 저는 한 무제가 말년에 내린 조서에서 보았습니다. 이것이 바로 제가 학문으로써 보좌하지 못한 것을 거듭 안타까워하는 이유입니다. 만약 성스러운 천자께서 다스림의 극치를 구하시면서 다스림의 도를 다 채택하지 못하신다면, 이는 집사대인의 책임인지라 제가 감히 참월할 수 있는 바가 아닙니다.

對: 嘗讀「洪範」至於"沈潛剛克, 高明柔克"之辭, 未嘗不反覆深考而敬思之, 以爲古先帝王之所以未嘗不學, 而求警戒磨勵之心未嘗不切也. 執事敎諸生以漢文帝·武帝之事, 愚獨以學而斷二君之失.

---

78) 무제가 죽기 2년 전에 내린 조서이다. 무제는 평생 서역 개척에 힘써 국력을 크게 소모했는데, 만년에 이를 크게 후회하며 서역에 있는 輪臺 땅을 포기하고 조서를 내려 스스로의 죄를 탓했다. 이 조서에서 당시 위기 국면을 타개하기 위해 앞으로 민생 안정과 생산력 증대를 위해 힘쓸 것을 천명하였다.

79) 『史記』권102「張釋之·馮唐列傳」에 "문제는 염파와 이목의 사람됨이 훌륭하다는 말을 듣자 매우 기뻐하며 허벅지를 치며 말했다. 아! 나는 어째서 염파와 이목 같은 사람을 얻지 못했는가. [그들을 얻었더라면] 내 어찌 흉노를 근심하리오!(上旣聞廉頗·李牧爲人, 良說, 而搏髀曰, '吾獨不得廉頗·李牧爲將, 吾豈憂匈奴哉!')"라는 내용이 보인다.

夫文帝之爲君, 固寬仁之君也, 然其質不能不偏於柔. 故其承高·惠之後, 天下無事, 不知上古聖人弦弧剡矢, 重門擊柝之義, 安於嫁胡之恥, 不能飭邊備, 講武練兵, 以戒不虞. 而匈奴大擧入邊者數四, 甚至候騎達於雍甘泉, 僅嚴細柳灞上棘門之屯. 雖拊髀求將, 御鞍講武, 而志終不遂. 使其有學以輔之, 而知高明之義, 必不至於此矣.

武帝之爲君, 固英明之君也, 然其質不能不偏於剛. 故其承文帝富庶之後, 貫朽粟腐, 憤然欲犂凶奴之庭, 以刷前世之恥. 然不知舞干格苗, 因壘降崇之事. 不止衛靑·霍去病之師, 而窮貳師之兵, 至於海內虛耗, 戶口減半, 雖下輪臺哀痛之詔, 亦無及矣. 飄風不終朝, 驟雨不終日, 執事謂始作者有以基之, 信其然乎. 使其有學以輔之, 而知沈潛之義, 不至於此矣.

嗚呼! 富庶之效, 雖遼於虛耗之報, 而拊髀之歎, 有不如輪臺之哀. 堯·舜·三王之心, 吾於漢武帝末年之詔而知之, 此吾所以重惜其無學以輔之也. 若聖天子求治之至, 而治道未盡擧, 此則執事大人之任, 愚未敢僭.

권 32

습유拾遺

배우기를 좋아함은 앎에 가깝다

학문이란 놓친 마음을 구하는 것

충신을 위주로 하다

자기보다 못한 자를 벗하지 말라

사람에게 수치심이 없어서는 안 된다

두 번째

생각하면 얻는다

군자는 의에 밝다

구하면 얻는다

이인里仁이 아름답다

즉 글을 배우라

인심은 위태롭고 도심은 은미하니 오직 정일함으로 그 가운데를 잡으라

옛 것을 배우고 관계官界로 들어가 제도로써

일을 의논하면 다스림이 미혹되지 않는다

그대들은 함께 꾀하고 생각하며 서로 순종하여 각기 가운데의 올바름을
그대들 마음 속에 세우도록 하라

마음을 기르는 데 과욕보다 좋은 것이 없다

두 세 편만 취할 따름이다

백성을 보호하여 왕이 되다

『속서』는 어찌하여 한나라에서 시작하는가?

책

배우기를 좋아함은 지知에 가깝다

好學近乎知

성인의 말씀은 변론하지 않고서도 분명히 알 수 있지만 후세 사람을 놓고 논할 때는 변론하지 않을 수 없는 것이 있다.

이른바 지(知)란 아는 것이 매우 밝은 것이요 알지 못하는 것이 없는 것이다. 대저 아는 것이 매우 밝고 알지 못하는 것이 없는 사람은 많지 않다. 그러나 아는 것이 밝지 못하다고 해서 어찌 밝음에 이르게 할 방도가 없겠는가? 알지 못하는 것이 있다고 해서 어찌 앎에 이르게 할 방도가 없겠는가? 배움이란 곧 밝음에 이르고 앎에 이르는 방도이다. 이전에 밝지 못한 바가 있다 하더라도 그것을 따라 배우고 또 쉬지 않고 배운다면 어찌 밝아지지 못할 것이 있겠는가? 이전에 알지 못하는 바가 있다 하더라도 그것을 따라 배우고 또 쉬지 않고 배운다면 어찌 알지 못할 것이 있겠는가? 배움이 밝음에 이르게 하고 앎에 이르게 할 수 있다면, 배우기 좋아하는 것을 일러 지에 가깝다고 해도 되지 않겠는가? 이것이 이른바 변론하지 않고서도 분명히 알 수 있다는 것이다.

그러나 대도(大道)가 어두워지고 사람들이 빠져 헤어나지 못하게 되자 옛날에 이른바 '배움'이라는 것을 후세 사람들은 알지 못하게 되었다. 지금 어려서부터 한 권의 책을 전수받았다면, 그것 또한 배움이라고 할 수 있다. 비록 농사나 기술을 배운다 하여도 이를 배움이 아니라고는 할 수 없다. 사람이 각기 능해지고자 하는 바를 따라 배우고, 민간인이 각기 점차 마음이 쏠리는 바를 좇아 배우면 모두가 배움인 것이다. 비록 배움을 좋아하는 자가 있고 좋아하지 않는 자가 있으며, 좋아하는 자 중에서도 독실한 자가 있고 독실하지 못한 자가 있기는 하지만, 독실히 좋아하게 되면 모두가 배우기를 좋아하는 사람인 것이다. 지금 농사나 기술을 배우는 것은 일단 논외로 치고, 또 어린아이가 책을 배우는 것, 예컨대 활쏘기나 말 타기, 서예나 수학 등 한 가지 기예만을 오로지 배우는 것 역시 논외로 치고, 또 괴이하고 요망한 자들이 배워 세상 사람을 기만하는 일도 일단 논외로 치더라도, 세상에는 이런 부류의 사람이 있다. 기질이 용속하고 자질이 못난 자로서 비루한 세속에 빠지고, 못나고 외설스런 이야기에 젖어든다. 천하고 자질구레한 견해에 집착한 채 부지런히 배우고, 열심히 묻고, 아득하게 생각하고, 다급하게 행동한 결과 견문은 갈수록 잡다해지고, 지식은 갈수록 방향을 잃고 헤맨다. 동쪽으로 수레를 몰면 서쪽과 등질까 두려워하고, 남쪽으로 수레를 몰면 북쪽과 틀어질까 두려워한다. 하나에 전념하면 두루 통하는 자들에게 비웃음을 당할까 두려워하고, 널리 따르면 한 가지만 오로지 하는 자가 그릇되다 여길까 두려워한다. 나아가고 물러남에 지키는 바가 없고, 근거지를 잃은 채 방황한다. 이런 자는 좋아함이 더욱 독실할수록 스스로를 병들게 함이 더욱 깊어진다. 이런 식으로 배우고 이런 식으로 좋아하는 자를 과연 지에 가깝다고 말할 수 있는가? 이것이 바로 내가 후세 사람을 논할 때 변론하지 않을 수 없다고 했던 이유이다.

聖人之言, 有若不待辯而明, 自後世言之, 則有不可不辯者.

夫所謂智者, 是其識之甚明, 而無所不知者也. 夫其識之甚明, 而無所不知者, 不可以多得也. 然識之不明, 豈無可以致明之道乎? 有所不知, 豈無可以致知之道乎? 學也者, 是所以致明致知之道也. 向也不明, 吾從而學之, 學之不已, 豈有不明者哉? 向也不知, 吾從而學之, 學之不已, 豈有不知者哉? 學果可以致明而致知, 則好學者可不謂之近智乎? 是所謂不待辯而明者也.

然大道之不明, 斯人之陷溺, 古之所謂學者, 後世莫之或知矣. 今自童子受一卷之書, 亦可謂之學. 雖學農圃技巧之業, 亦不可不謂之學. 人各隨其所欲能者而學之, 俗各隨其所漸誘者而學之, 均之爲學也. 雖其學之也, 有好有不好, 其好之也, 有篤有不篤, 而當其篤好之也, 均之爲好學也. 今學農圃技巧之業者姑不論, 而如童子受書, 如射御書數專爲一藝者亦姑不論, 又如詭怪妖妄之人學爲欺世誣人之事者亦姑不論, 而世蓋有人焉, 氣庸質腐, 溺於鄙陋之俗, 習於庸猥之說, 膠於卑淺零亂之見, 而乃勉勉而學, 孜孜而問, 茫茫而思, 汲汲而行, 聞見愈雜, 智識愈迷, 東轅則恐背於西, 南轅則恐違於北, 執一則懼爲通者所笑, 泛從則懼爲專者所非, 進退無守, 彷徨失據, 是其好之愈篤, 而自病愈深. 若是而學, 若是而好者, 果可謂之近於智乎? 此所謂自後世言之, 則有不可不辯焉者也.

학문이란 놓친 마음을 구하는 것
學問求放心

온 천하 사람이 어떤 일을 하면서 그 내용을 알지 못한다는 것은 이치상 있을 수 없는 일이다. 그러나 만약 그렇다면 그리된 까닭을 어찌 논하지 않을 수 있겠는가? 학문이란 온 천하 사람이 일삼는 바이다. 그러나 학문하는 까닭을 놓고 보면, 잡다하고 모호하며 어지러이 뒤섞여 있어 무어라 논의할 수도 없다. 이에 옛날의 학문의 도가 무엇인지, 그 내용을 아는 자가 없어졌다.

인(仁)이란 사람의 마음이다. 마음이 사람에게 있는 것, 이것이 곧 사람이 사람이 될 수 있고 금수나 초목과 다를 수 있는 까닭이다. 그러니 이를 놓치고서 구하지 않을 수 있겠는가? 옛 사람들은 놓친 마음 구하기를 배고플 때 음식을 찾거나 목마를 때 물을 찾거나, 불이나 구원을 기다리거나 물에 빠져 건져주기를 기다리는 것보다 더 다급히 하였으니, 이는 본디 당연한 것이기 때문이다. 학문의 도란 바로 여기에 있는 것이다. 어리석은 자들은 보고 듣는 것을 소홀히 여기며 마음 쓰지 않는다. 이에 이른바 학문이란 것은 도리어 꾸미고 문식하는 도구로 전락하였다. 심지어 이를 빌미 삼아 사사로움과 욕망을 마음껏 추구하려는 뜻을 채우고, 선(善)을 다치게 하고 부류를 망가트리는 화염을 부채질한다. 깊이 탄식하지 않을 수 있겠는가!

"학문의 도는 다른 것이 아니라 놓친 마음을 구하는 것일 따름이다."[1] 맹자의 이 말씀은 누구든 듣고 소홀히 여겨서는 안 된다.

舉天下從事於其間而莫知其說, 理無是也, 而至於有是, 是豈可以不論其故哉? 學問也者, 是舉天下之所從事於其間者也. 然于其所以學問者而觀之, 則汚雜茫昧, 駁乎無以議爲也. 古者學問之道, 於是而有莫知其說者矣.

　仁, 人心也, 心之在人, 是人之所以爲人, 而與禽獸草木異焉者也, 可放而不求哉? 古人之求放心, 不啻如饑之於食, 渴之於飲, 焦之待救, 溺之待援, 固其宜也. 學問之道, 蓋於是乎在. 下愚之人忽視玩聽, 不爲動心. 而其所謂學問者, 乃轉爲浮文緣飾之具, 甚至於假之以快其逞私縱欲之心, 扇之以熾其傷善敗類之燄, 豈不甚可嘆哉!

　"學問之道無他, 求其放心而已矣." 孟子斯言, 誰爲聽之不藐者.

---

1) 『孟子』「告子上」.

충신을 위주로 하다
主忠信

사람에게 주인으로 삼는 바가 없어서는 안 되며 더욱이 주인으로 삼아서는 안 될 것을 주인으로 삼아서는 안 된다. 사람이면서 주인으로 삼는 바가 없으면 아득한 채 어디로 돌아가야 할지를 몰라 하다가, 하지 않은 것이 없는 지경에 이르고 마니, 이래서는 안 될 것이다. 그러나 주인으로 삼아서는 안 될 것을 주인으로 삼을 경우, 생각과 말과 행동 모두 마음이 주인으로 삼는 것에서 비롯되는 바, 한창 그 가운데 빠져있으면서 스스로 득의하다 여기게 되면 지극한 말씀이나 훌륭한 도(道)로도, 어진 스승과 좋은 벗으로도 어찌 해볼 도리가 없다. 그러니 차라리 주인으로 삼는 바가 없어 어쩌다 선한 경지에 들어갈 수도 있느니만도 못하다. 이것이 바로 부자께서 누차 말씀하신 까닭이다.

충(忠)이란 무엇인가? 속이지 않는 것을 말한다. 신(信)이란 무엇인가? 망령되지 않은 것을 말한다. 사람에게 속임수가 없다면 어디를 가건 충성스럽지 않겠는가? 사람이 망령되지 않다면 어디를 가건 신실하지 않겠는가? 충과 신은 본디 다른 것이 아니다. 다만 마음에 속임이 없는 것을 두고 말할 때 충이라 명명하고, 바깥으로 드러난 것에 망령됨이 없는 것을 말할 때 신이라 명명할 뿐이다. 충이 있으면서 신이 없는 자가 과연 있겠는가? 신이 있으면서 충이 없는 자가 과연 있겠는가? 명칭은 비록 다르지만 그 실제를 종합해서 말하자면 양심이 남아 있고 성실하며 거짓이 없으면 충신이라고 말할 수 있다.

이로써 말해보건대, 충신이라는 명칭은 외부에 그 덕목을 세움으로써 천하 사람들을 가르치고자 만든 것이 아니라 사람마다 본디 지니고 있는 것, 마음속에 똑같이 가지고 있는 것을 가리킬 뿐이다.

그러나 사람이 태어남에 모두가 높은 지혜를 지녀 미혹됨이 없을 수는 없다. 기질이 편협하고 나약하면 눈과 귀 같은 기관은 생각할 줄을 몰라 외물에 가려지게 되고, 외물과 외물이 교차하면 그것들을 끌어들이게 될 뿐이다. 이로 말미암아 아까 말했던 충신이라는 것이 방탕과 치우침과 삿됨과 거만함으로 흘러가버려 스스로 돌이킬 줄 모르게 된다. 이때 이 마음이 주인으로 삼는 것은 오직 물욕뿐이다. 그러니 성인이 사람마다 본디 지니고 있는 것을 이끌어 찾아오고자 할 적에 '충신을 주인으로 삼는 것'이 아니고서 다른 그 무엇으로써 하겠는가? 이러한 까닭에 자식으로서 충신을 주인으로 삼지 않으면 어버이를 섬길 수 없고, 신하로서 충신을 주인으로 삼지 않으면 임금을 섬길 수 없다. 형제로서 충신을 주인으로 삼지 않으면 서로를 다치게 하고, 부부로서 충신을 주인으로 삼지 않으면 도리를 어그러뜨리게 되며, 친구로서 충신을 주인으로 삼지 않으면 배신하게 된다. 보고 듣고 말하고 움직일 때, 충신이 아니면 이치에 맞을 수 없고, 나가거나 처하거나 말하거나 침묵할 때, 충신이 아니면 합당함을 잃는다. 문사(文辭)를 배우고 예·악·활쏘기·말 타기·서예·수학과 같은 기예를 익혔기에 옛날의 성현들은 거경(居敬)2)과 양화(養和)3)를 이루었고, 일을 처리하고 치용(致用)에 이름으로써 도를 갖추고 아름다

---

2) 늘 한 가지를 주로 하고 다른 것으로 옮김이 없이, 삼가고 조심하는 태도를 가지고 德性을 함양하는 것을 말한다.
3) 身心을 보양하는 것을 말한다.

움을 온전히 할 수 있었다. 하나라도 충신에서 우러나지 않으면, 비록
능히 어떤 일을 해낼 수 있다 하더라도 간악함을 높이고 거짓만 키우
기에 족할 뿐이니, 하물며 그 나머지 것들이야 말해 무엇 하겠는가?

오호라! 사람에게 있어 충신이란 중대한 것이다. 무언가를 주인으
로 삼고자 할 때, 이것을 버리고서 가능하겠는가? 그렇기 때문에 부
자께서는 두 차례나 문인들에게 충신으로써 고했으며,4) 자장(子張)이
덕을 높이는 것에 관해 물어오자 역시 충신으로써 답했다.5) 『주역』
을 찬술할 때에도, "충신이 곧 덕에 나아가는 방도"6)라고 여기셨다.
사람에 있어 충신이란 나무에 있어 뿌리와 같아서 뿌리가 없으면 나
무가 될 수 없고, 물에 있어서 근원과 같아서 근원이 없으면 물이 될
수 없다. 그러니 사람이면서 충신이 없다면 과연 무엇으로써 사람이
되겠는가? 앵무새와 구관조는 사람의 말을 할 줄 알고, 성성이와 원
숭이는 사람이 하는 기술을 따라할 줄 안다. 그러니 사람이면서 충신
이 없다면 금수와 어찌 달라지겠는가? 오호라! 학자가 주인으로 삼아

---

4) 『論語』「子罕」과 「學而」에 "공자께서 말씀하시기를, 충신을 위주로 하고 자기
   보다 못한 자를 벗하지 말며, 허물이 있거든 고치기를 꺼려하지 말라고 하셨다.
   (子曰, 主忠信, 毋友不如己者, 過則勿憚改.)"는 말이 보인다. 『論語』「衛靈
   公」에 "子張이 행실에 대해 묻자 공자께서 말씀하셨다. '말을 충성스럽고 믿음
   직하게 하며, 행실은 도탑고 공손하게 하면 비록 오랑캐의 나라에서도 뜻이 통
   할 것이다. 말이 충성스럽지 않으면 신뢰가 없고, 행실이 돈후하지 않고 경건하
   지 않다면 비록 고향이라도 뜻을 이루겠는가(子張問行, 子曰, '言忠信, 行篤
   敬, 雖蠻貊之邦行矣. 言不忠信, 行不篤敬, 雖州里行乎哉?')"라는 내용이 보
   인다.
5) 『論語』「顏淵」에 "子張이 덕을 높이고 미혹을 분별함에 대해 묻자, 孔子께서
   말씀하셨다. '忠과 信을 위주로 하고, 의에로 옮김을 덕을 높이는 것이다.'(子張
   問崇德辨惑, 子曰, '主忠信, 徙義, 崇德也.')"라는 말이 나온다.
6) 『周易』「乾卦」의 「文言」에 나오는 말이다.

야 할 바를 잘 살필 수 있다면 가히 훌륭해질 수 있을 것이다.

나라는 임금을 주인으로 삼기 때문에 한 나라 안의 일은 모두 임금
으로부터 비롯된다. 군대는 장수를 주인으로 삼기 때문에 한 군대 내
의 일은 모두 장수로부터 비롯된다. 집안은 가장을 주인으로 삼기 때
문에 한 집안의 일은 모두 가장으로부터 비롯된다. 사람이 능히 충신
을 주인으로 삼을 수 있다면 생각과 말과 행동 등 일신의 모든 일이
충신으로부터 비롯된다. 그러고도 성현의 경지로 나아가지 못한 자가
있다면, 나는 그런 말을 믿지 못하겠다.

人不可以無所主, 尤不可以主非其所主. 蓋人而無所主, 則倀倀然無
所依歸, 將至於無所不爲, 斯固有所不可也. 然至於主非其所主, 則念
慮云爲擧出於其心之所主, 方且陷溺於其中而自以爲得, 雖有至言善
道, 賢師良友, 亦無如之何. 則又不若無所主者之或能入於善也. 此夫
子所以屢言之.

忠者何? 不欺之謂也. 信者何? 不妄之謂也. 人而不欺, 何往而非忠?
人而不妄, 何往而非信? 忠與信初非有二也. 特由其不欺於中而言之,
則名之以忠, 由其不妄於外而言之, 則名之以信. 果且有忠而不信者
乎? 果且有信而不忠者乎? 名雖不同, 總其實而言之, 不過良心之存,
誠實無僞, 斯可謂之忠信矣. 由是言之, 忠信之名, 聖人初非外立其德
以敎天下, 蓋皆人之所固有, 心之所同然者也.

然人之生也, 不能皆上智不惑. 氣質偏弱, 則耳目之官, 不思而蔽於
物, 物交物, 則引之而已. 由是向之所謂忠信者, 流而放僻邪侈, 而不
能以自反矣. 當是時, 其心之所主, 無非物欲而已矣. 然則聖人所欲導
還其固有, 舍曰'主忠信', 其何以哉? 是故爲人子而不主於忠信, 則無以
事其親, 爲人臣而不主於忠信, 則無以事其君. 兄弟而不主於忠信則
傷, 夫婦而不主於忠信則乖, 朋友而不主於忠信則離. 視聽言動, 非忠

信則不能以中理, 出處語默, 非忠信則不能以合宜. 凡文辭之學, 與夫禮樂射御書數之藝, 此皆古之聖賢所以居敬養和, 周事致用, 備其道全其美者. 一不出於忠信, 則雖或能之, 亦適所以崇姦而長僞, 況其餘乎?

嗚呼! 忠信之於人亦大矣. 欲有所主, 捨是其可乎? 故夫子兩以告門人弟子, 而子張之問崇德, 亦以是告之. 至於贊『易』, 則又以爲"忠信所以進德也." 誠以忠信之於人, 如木之有本, 非是則無以爲木也, 如水之有源, 非是則無以爲水也. 人而不忠信, 果何以爲人乎哉? 鸚鵡鸜鵒, 能人之言, 猩猩猿狙, 能人之技, 人而不忠信, 何以異於禽獸者乎? 嗚呼! 學者能審其所主, 則亦庶幾乎其可矣.

國以君爲主, 則一國之事, 莫不由君而出, 軍以將爲主, 則一軍之事, 莫不由將而出, 家以長爲主, 則一家之事, 莫不由長而出. 人能以忠信爲主, 則念慮云爲, 擧一身之事, 莫不由忠信而出. 然而不能進於聖賢者, 吾未之信也.

자기보다 못한 자를 벗하지 말라

毋友不如己者

　사람의 재능에는 우열이 있고, 덕의 그릇에는 크고 작음이 있으므로 다 똑같을 필요는 없다. 그러나 지향하는 바의 큰 단서인즉 둘이 있어서는 안 된다. 이를 같이하면 옳아지고 이와 달리하면 그릇되어진다. 향하고 등지는 사이, 선악의 구분과 군자와 소인의 차이가 바로 여기에서 결판난다. 벗이란 함께 절차탁마하며 선에 나아가도록 도와주는 존재이며 군자가 귀의처로 삼는 바이다. 그런데 벗이 지향하는 바가 이와 같지 않으면 어찌 그와 더불어 벗할 수 있겠는가? '자기보다 못한 자를 벗하지 말라'는 말의 뜻이 참으로 깊도다! 지향하는 바는 조심스럽게 정하지 않을 수 없고, 벗은 가려 사귀지 않을 수 없다.

　이목이 닿는 곳, 생각이 미치는 곳은 그 변화가 무궁무진하지만 경영하는 모습을 보고 귀결처를 요약해보면 모두 맨 처음 지향하던 바와 관계되어 있다. 사지로 행하고, 행동으로 드러내고, 언어로 펼치고, 시행으로 보이는 모든 것, 가슴에 쌓아두어 익히고 도야하며 깊이 침잠하여 길러냄으로써 날마다 진보하는데도 스스로 알지 못하는 모든 것은 다 지향점이 정해지고난 후 자연스럽게 이루어진 필연적 결과에 불과하다. 지향이 차이나는 자와 벗할 경우, 아침저녁으로 어울려 노니는 사이에 목소리와 기운이 그에 물들어 흔들리고 그에게 쏠리게 될 터이니, 어찌 크게 두려워하지 않을 수 있겠는가? 자장(子張)이 말한 "사람에게 용납하지 못할 것이 어디 있겠는가? 어떻게 그 사

람을 막겠는가?"7)라는 말은 "충신을 주인으로 삼으며, 자기보다 못한
자를 벗하지 말라."의 뜻을 알지 못하고서 한 소리이다.

　人之技能有優劣, 德器有小大, 不必齊也. 至於趨向之大端, 則不可
以有二. 同此則是, 異此則非. 向背之間, 善惡之分, 君子小人之別, 於
是決矣. 友者, 所以相與切磋琢磨以進乎善, 而爲君子之歸者也. 其所
向苟不如是, 惡可與之爲友哉? 此'毋友不如己者'之意. 甚矣! 趨向之不
可不謹, 而友之不可不擇也.
　耳目之所接, 念慮之所及, 雖萬變不窮, 然觀其經營, 要其歸宿, 則擧
係於其初之所向. 布乎四體, 形乎動靜, 宣之於言語, 見之於施爲, 醞
釀陶冶, 涵浸長養, 日益日進而不自知者, 蓋其所向一定, 而勢有所必
然耳. 彼其趨向之差, 而吾與之友, 則其朝夕遊處之間, 聲薰氣染, 波
蕩風靡者, 豈不大可畏哉? 子張氏有"於人何所不容, 如之何其拒人"之
說, 殆未知夫"主忠信, 毋友不如己者"之義也.

7) 『論語』 「子張」에 나오는 구절이다. "子張의 문인이 사귐에 대해 묻자 子張이
　말했다. '자하는 어떻게 말하던가?' 대답하기를, '자하께서 말씀하시기를 가능한
　사람은 그와 함께 하고, 그 불가능한 사람은 그를 거절하라 했습니다.'라고 하자
　자장이 말했다. '내가 들은 것과 다르다. 군자는 현명한 사람을 존중하고 군중을
　용납하며, 선함을 기리고 능력 없는 사람도 긍휼히 여긴다고 하였다. 내가 크게
　현명하다면 사람들에게서 용납하지 못할 것이 무엇이 있겠는가? 내가 현명하지
　못하다면 사람들이 장차 나를 거절할 것인데 어찌 그 사람을 막겠는가?(子夏之
　門人, 問交於子張. 子張曰, '子夏云何?' 對曰, '子夏曰, 可者與之, 其不可者
　拒之.' 子張曰, '異乎吾所聞. 君子尊賢而容衆, 嘉善而矜不能. 我之大賢與,
　於人何所不容. 我之不賢與, 人將拒我, 如之何其拒人也?')"

사람에게 수치심이 없어서는 안 된다
人不可以無恥

　　사람이란 오직 귀히 여길 바가 무엇인지 알아야만 수치스러워할 바가 무엇인지 안다. 내가 마땅히 귀히 여겨야 할 바를 모르고서 그 것을 일러 수치스럽다고 말한다면, 아마도 그가 말한 수치란 마땅히 수치스러워해야 할 바가 아닐 것이다. 사람이 마땅히 귀히 여겨야 할 바는 하늘이 내게 부여한 것이다. 그런데 간혹 [酒色으로 인해] 몸을 해치기도 하고 [나쁜 일에] 빠지기도 하며, 물욕에 미혹되어서 스스로 돌아올 줄을 모른다면, 이른바 수치심 중에 이보다 더한 것이 어디 있겠는가? 이를 알지 못한다면 그 사람의 수치심은 장차 물욕의 득실 사이로 옮겨가게 될 터, 그렇게 된다면 그가 수치스러워하는 바인즉 또한 도리에 어긋난 것 아니겠는가? 군자의 입장에서 볼 때, 그는 수 치심이 없는 것이나 마찬가지이다. 맹자께서 "사람에게 수치심이 없 어서는 안 된다."[8]고 하신 까닭은 바로 이 때문이다.

　　人惟知所貴, 然後知所恥. 不知吾之所當貴, 而謂之有恥焉者, 吾恐 其所謂恥者非所當恥矣. 夫人之所當貴者, 固天之所以與我者也. 而或 至於戕賊陷溺, 顚迷於物欲, 而不能以自反, 則所可恥者亦孰甚於此 哉? 不知乎此, 則其愧恥之心將有移於物欲得喪之間者矣. 然則其所以 用其恥者, 不亦悖乎? 由君子觀之, 乃所謂無恥者也. 孟子曰"人不可以 無恥", 以此.

---

8) 『孟子』「盡心上」.

두 번째

又

선하지 못한 짓을 해서 안 된다는 도리는 그다지 알기 어렵지 않다. 사람이 이를 반드시 모르지는 않았을 터인데, 기꺼이 선하지 않은 행동을 하면서 고치지 않는다면 그는 수치심이 없는 자이다. 사람의 우환 중에 수치심이 없는 것보다 더 큰 것은 없다. 사람이면서 수치심이 없다면 과연 어떻게 사람이 될 수 있겠는가? 상도에 어긋나는 말을 하고, 옳지 못한 행동을 하여 이미 [그 죄가] 환히 드러났는데도 도리어 거들먹거리며 의기양양하여 자득하니 배불리 먹고 따뜻하게 입고 편히 지내면서 전혀 부끄러워하는 마음이 없다면, 그런 자가 물고기나 벌레나 깃털 달린 새나 갈기 달린 짐승, 산에 서식하고 물속에서 자라는 동물이나 우리에 갇혀 살고 들에 방목되는 가축과 무엇이 다른지 모르겠다. 사람이 이 지경에 이르렀다면, 과연 사람이 될 수 있는가? 똑같은 사람인데 성현이 될 수 있는 자는 유독 무엇을 했기에 그리 될 수 있었던가? 사람이면서 수치심이 없는 자라면, 이에 관해 조금이나마 생각해보는 것이 어떨까? "사람에게 수치심이 없어서는 안 된다."고 한 까닭은 바로 이것 때문이다.

不善之不可爲, 非有所甚難知也. 人亦未必不知, 而至於甘爲不善而不之改者, 是無恥也. 夫人之患莫大乎無恥. 人而無恥, 果何以爲人哉? 今夫言之無常, 行之不軌, 旣已昭著, 乃反睢睢揚揚, 飽食暖衣安行而自得, 略無愧怍之意, 吾不知其與鱗毛羽鬣, 山棲水育, 牢居野牧者, 何

以異也. 人而至此, 果可以爲人乎哉? 釣是人也, 而至於有爲聖爲賢者,
獨何爲而能然哉? 人之無恥者, 盍亦於是而少致其思乎? "人不可以無
恥", 以此.

생각하면 얻는다
思則得之

　사람 마음에 있는 의리(義理)는 실로 하늘이 부여한 것이라 민멸시
켜서는 안 된다. 외물에 눈이 가려 이치[理]를 거스르고 의(義)를 위
배하는 지경에 이르는 것 또한 생각하지 않음으로 인한 결과일 따름
이다. 실로 능히 돌이켜 생각해볼 수 있다면, 옳은 것과 그른 것, 취
해야 할 것과 버려야 할 것이 은연중에 움직여, 분명하게 밝아지고
환히 트여 모든 의심도 사라질 것이다.

　義理之在人心, 實天之所與, 而不可泯滅焉者也. 彼其受蔽於物而至
於悖理違義, 蓋亦弗思焉耳. 誠能反而思之, 則是非取舍蓋有隱然而
動, 判然而明, 決然而無疑者矣.

군자는 의에 밝다

君子喩於義

뜻한 바가 다른데 몸에 익숙한 것을 두고 비난해서는 안 된다. 익힌 바가 다른데 밝히 아는 바를 두고 비난해서도 안 된다. 의(義)란 사람이 본디 지니고 있는 것이다. 정말로 사람이 본디 지니고 있는 것이라면 사람이 그것을 밝히 알아야 옳다. 그런데 의에 밝은 자가 적은 것은 무엇인가가 그것을 빼앗아갔고 또한 뜻한 바와 익힌 바가 그곳에 있지 않았기 때문이다. 내 몸을 이롭게 해줄 수 있는 것이라면, 내 집안을 이롭게 해줄 수 있는 것이라면, 성색(聲色)과 재물의 이로움에서부터 명위(名位)와 작록에 이르기까지, 손에 넣을 수 있는 한 누구나 애써가며 그것을 도모하고 급급해하며 그것을 취한다. 이와 같은 자들에게 의에 밝기를 바란다면 가능하겠는가? 군자는 그렇지 않아서 보통 사람들이 마음에 두고 있는 것이 추호도 그 마음에 들어있지 않다. 생각으로 간직하고 있는 것이건 강습하고 절차탁마하는 것이건 모두 오로지 의뿐이다. 이와 같을진대 어떻게 의에 밝지 않을 수 있겠는가? 그러므로 군자가 의에 밝은 것은 뜻한 바와 익힌 바가 그것에 있기 때문일 따름이다.

非其所志而責其習, 不可也, 非其所習而責其喩, 不可也. 義也者, 人之所固有也. 果人之所固有, 則夫人而喩焉可也. 然而喩之者少, 則是必有以奪之, 而所志習之不在乎此也. 孰利於吾身, 孰利於吾家, 自聲色貨利至於名位祿秩, 苟有可致者, 莫不營營而圖之, 汲汲而取之,夫如是, 求其喩於義得乎? 君子則不然, 彼常人之所志, 一毫不入於其心, 念慮之所存, 講切之所及, 唯其義而已. 夫如是, 則亦安得而不喩乎此哉? 然則君子之所以喩於義者, 亦其所志所習之在是焉而已耳.

구하면 얻는다
求則得之

    사람에게 있는 양심은 어쩌다 [나쁜 것에] 빠져 헤어나지 못할 수는 있어도 한 번도 완전히 사라진 적은 없다. 어리석고 못난 사람이 어진 사람이나 군자의 영역에 스스로 발을 들여놓지 못하는 것 역시 그저 스스로 포기한 채 구하지 않기 때문이다. 정말로 돌이켜 구할 수만 있다면, 옳고 그른 것과 아름답고 추한 것을 분명히 알 수 있어서, 좋아하는 것과 싫어하는 것, 취할 것과 버릴 것을 억지로 노력하지 않고도 스스로 판단할 수 있게 된다. 어리석고 못났을 때의 행동을 버리고 어진 이나 군자가 하는 일을 할 수 있다면, 물길이 터지고 강물이 흘러내려 바다로 가는 것과 같을지니, 그 기세를 누가 막을 수 있겠는가? 이는 다름 아니라 내게 있는 것을 구하는 것이므로 구하는 데 얻지 못할 것은 없기 때문이다. 이것이 바로 맹자께서 "구하면 얻을 것이다."[9]라고 말씀하신 까닭이다.

    良心之在人, 雖或有所陷溺, 亦未始泯然而盡亡也. 下愚不肖之人所以自絶於仁人君子之域者, 亦特其自棄而不之求耳. 誠能反而求之, 則

---

9) 『孟子』「盡心上」에 "구하면 얻게 되고 버리면 잃게 된다. 이런 구함이 얻는 데 유익한 것은 자신에게 있는 것을 구하기 때문이다. 구하는 데는 도가 있고, 얻는 데는 명이 있다. 이런 구함이 얻는 데 무익한 것은 내 밖에 있는 것을 구하기 때문이다.(孟子曰, 求則得之, 舍則失之. 是求有益於得也. 求在我者也. 求之有道, 得之有命. 是求無益於得也. 求在外者也.)"라는 말이 나온다.

是非美惡將有所甚明, 而好惡趨舍將有不待强而自決者矣. 移其愚不
肖之所爲, 而爲仁人君子之事, 殆若決江疏河而赴諸海, 夫孰得而禦
之? 此無他, 所求者在我, 則未有求而不得者也. "求則得之", 孟子所以
言也.

이인里仁이 아름답다
里仁爲美

홀로 행하는 것은 남과 함께 행하느니만 못하고, 소수와 함께 행하는 것은 많은 사람과 함께 행하느니만 못하다. 이는 바꿀 수 없는 이치이다. 인(仁)이란 사람의 마음이다. "인을 행하는 것은 나에게 달려있지 남에게 달려있겠는가?"[10] "내가 인해지고자 하면 인이 이른다."[11] 인이란 본디 사람 스스로 하는 것이다. 그러나 나 홀로 인을 행하는 것은 남들과 함께 인에 나아가느니만 못하다. 한 두 사람과 함께 인에 나아가는 것이 많은 사람과 함께 인에 나아가는 것만 하겠는가? 많은 사람과 함께 인에 나아간다면, 물주고 훈도하는 두터움과 규간하고 연마하는 이로움이 혼자 하는 것과는 비교할 수도 없을 것이다. 따라서 한 사람의 인은 한 집안의 인보다 아름답지 못하고, 한 집안의 인은 이웃과 함께 인해지는 것보다 아름답지 못하며, 이웃이 인해지는 것은 한 고을이 모두 인해지는 것보다 아름답지 못하다. "고을의 인이 아름답다."[12]고 했으니, 부자의 말씀이 어찌 한 사람을 두고 한 것이겠는가?

自爲之, 不若與人爲之, 與少爲之, 不若與衆爲之. 此不易之理也. 仁, 人心也. 爲仁由己, 而由人乎哉? 我欲仁, 斯仁至矣. 仁也者, 固人

---

10) 『論語』「顏淵」.
11) 『論語』「述而」.
12) 『論語』「里仁」.

之所自爲者也. 然吾之獨仁, 不若與人焉而共進乎仁. 與一二人焉而共
進乎仁, 孰若與衆人而共乎仁. 與衆人焉共進乎仁, 則其浸灌薰陶之
厚, 規切磨礪之益, 吾知其與獨爲之者大不侔矣. 故一人之仁, 不若一
家之仁之爲美, 一家之仁, 不若隣焉皆仁之爲美, 其隣之仁, 不若里焉
皆仁之爲美也. "里仁爲美", 夫子之言, 豈一人之言哉?

즉 글을 배우라
則以學文

　이치[理]를 밝히고자 하는 자라면 근본이 없어서는 안 된다. 근본이 서지 않고서 이를 밝힐 수 있는 사람을 나는 아직 보지 못했다. 우주 사이에 불변의 도리가 밝게 빛나고 인륜 도덕이 찬란한데, 어니를 가건 이 이치가 없겠는가? 학자들이 학문을 하는 이유도 본디 이 이치를 밝히기 위함이다. 그러나 지난 날 규문 안에서 앙모하고 지향하며 익히고 실천하던 자들은 천리의 싹을 없애버렸고, 사람의 눈을 어둡게 만든 물욕이 그 사이를 차지하고서 주인 노릇을 하고 있으니, 이른바 학문의 근본이란 것은 이미 쓰러지고 말았다. 그러면서 이치를 밝히기 위해 급급해 하다니, 이른바 이치라는 것이 과연 이런 식으로 해서 밝힐 수 있는 것인지 나는 모르겠다. 만약 하늘로부터 부여받은 것이 사라지지 않았고, 학문하는 근본이 일용 중에 드러나 사람에게 믿음을 얻을 수 있다면, 기강과 조목이 아직 상세해지지 못했다 하더라도 스스로 절차탁마하고 궁구할 수 있으며, 차례 차례 강학하여 밝힐 수 있을 것이다. 그렇게 되면 이치가 나와 서로 부합하게 되어 시원스레 풀리고 기꺼이 순응하게 되는 바가 이루 말할 수 없을 정도로 많아질 것이다. "즉 글을 배우라"[13]고 부자께서 말씀하신 뜻이 바로 여기에 있다.

---

13) 『論語』「學而」에 나오는 "행하고 남음이 있으면 글을 배우라.(行有餘力, 則以 學文)." 구절을 인용하였다.

欲明夫理者, 不可以無其本. 本之不立, 而能以明夫理者, 吾未之見也. 宇宙之間, 典常之昭然, 倫類之燦然, 果何適而無其理也? 學者之爲學, 固所以明是理也. 然其疇昔之日, 閨門之內, 所以慕望期嚮, 服習踐行者, 蓋泯然乎天理之萌蘗, 而物欲之蔽, 實豪據乎其中而爲之主, 則其所以爲學之本者固以蹙矣. 然而方且汲汲於明理, 吾不知所謂理者果可以如是而明之乎. 苟惟得之於天者未始泯滅, 而所以爲學之本者見諸日用, 而足以怗乎人, 則雖其統紀條目之未詳, 自可以切磋窮究, 次第而講明之, 而是理亦且與吾相契, 而渙然釋, 怡然順者, 將不勝其衆矣. "則以學文", 夫子所以言也.

인심은 위태롭고 도심은 은미하니
오직 정일함으로 그 가운데를 잡으라
人心惟危, 道心惟微, 惟精惟一, 允執厥中

　　두려워해야할 바를 안 연후라야 중(中)에 힘을 쏟을 수 있고, 반드시 이루어야 할 것이 무엇인지 안 연후라야 중에서 효과를 거둘 수 있다. 대중(大中)의 도는 본디 임금이 마땅히 집착해야 하는 바이다. 그러나 인심이란 위태로워서, 생각하지 않고 생각하고에 따라 광인이 되기도 하고 성인이 되기도 한다.[14] 도심(道心)은 은미하여 소리도 냄새도 없으며, 그것을 얻고 잃는 것은 모두 나로부터 시작된다. 위태롭다 하고 은미하다고 하였으니, 능히 그 가운데를 집는 것 또한 어렵다. 이것이 이른바 두려워해야 하는 까닭이다. 진실로 위태롭고 은미함이 이처럼 가히 두려워해야 하는 것임을 안다면, 어찌 중(中)에 힘쓰지 않을 수 있겠는가? 털끝만큼의 차이로도 중이 될 수 없으니, 오직 앎이 정밀[精]해야만 차이가 생기지 않게 된다. 잠시만 떨어져 있어도 중이 될 수 없으니, 오직 하나[一]만 지켜야 떨어지지 않게 된다. 오직 정일(精一)함으로만 그 가운데를 집을 수 있다. 이것이 이른바 반드시 이루어야 한다는 것이다. 정일함이 이처럼 반드시 이루어야 하는 것임을 안다면, 어찌 중에서 효과를 거두지 못하겠는가? 두려워해야 할 바를 알아서 중에 힘을 쓰고, 반드시 이루어야 할 바

---

14) 『尙書』「多方」에 "성인이라도 생각하지 않으면 광인이 되고 광인이라도 능히 생각하면 성인이 된다.(惟聖, 罔念作狂, 惟狂, 克念作聖.)"라는 말이 나온다.

를 알아서 중에서 효과를 거둔다면, 순임금과 우임금이 서로 전수한
것이 어찌 구차한 것이겠는가?[15]

知所可畏而後能致力於中, 知所可必而後能收效於中. 夫大中之道,
固人君之所當執也. 然人心之危, 罔念克念, 爲狂爲聖, 由是而分. 道
心之微, 無聲無臭, 其得其失, 莫不自我. 曰危, 曰微, 此亦難乎其能執
厥中矣, 是所謂可畏者也. 苟知夫危微之可畏也如此, 則亦安得而不致
力於中乎? 毫釐之差, 非所以爲中也, 知之苟精, 斯不差矣. 須臾之離,
非所以爲中也, 守之苟一, 斯不離矣. 惟精惟一, 亦信乎其能執厥中矣,
是所謂可必者也. 苟知夫精一之可必也如此, 則亦安得而不收效於中
乎? 知所可畏而致力於中, 知所可必而收效於中, 則舜禹之所以相授受
者豈苟而已哉?

---

15) 『尙書』「大禹謨」에 나오는 "人心惟危, 道心惟微, 惟精惟一, 允執厥中"은 '十
六字心傳'이라 일컬어지는데, 堯·舜·禹임금이 선위할 때 천하 백성을 부탁
하며 전한 말이라고 한다. 王陽明은 「重修山陰縣學記」에서 "성인의 학문은
심학이다. 학문을 통해 그 마음을 다하기를 구했을 따름이다. 요임금, 순임금,
우임금이 서로에게 전수할 때, '인심은 위태롭고, 도심은 은미하니, 오직 정일함
으로, 그 가운데를 집으라'고 말하였다.(夫聖人之學, 心學也. 學以求盡其心而
已. 堯·舜·禹之相授受曰, '人心惟危, 道心惟微, 惟精惟一, 允執厥中.')"고
썼다.

옛 것을 배우고 관계_{官界}로 들어가 제도로써 일을 의논하면 다스림이 미혹되지 않는다

學古入官議事以制政乃不迷

천하에는 바뀌지 않는 이치[理]가 있으니, 이 이치의 변화는 무궁하다. 이 이치를 얻을 수만 있다면, 무궁히 변화하는 모든 것들이 다 바뀌지 않는 이치일 것이다. 이 이치는 사람 바깥에 있지 않다. 그러나 사람이 태어나서 어찌 갑자기 이 이치를 밝히고 이 이치를 다할 수 있겠는가? 천지개벽 이래로 신성(神聖)께서 번갈아 일어나 군신지간에 서로 주고받으며 어려움을 구제하고, 전대와 후대가 뒤를 이어 일을 처리하였는데, 그 규획과 건설의 광대함과 심오함, 자문과 계산의 곡진함과 상세함은 그 징험이 밝히 드러나 있어 의심을 꺾기에 족하고, 경험한 바가 풍부하여 비루함을 깨뜨리기에 족했다. 그 내용들이 서적에 남아 있고 훈시에 드러나 있으니, 후세에 남아 있는 옛 제도가 어찌 전고(典故)와 조문(條文) 뿐이겠는가? 변치 않는 이치로써 무궁한 변화를 통어하는 것을 여기서 볼 수 있다. 옛 것을 배워 관계(官界)에 들어가고, 옛 것을 손에 쥐고 일을 논의하면 다스림이 미혹되지 않을 것[16]이라는 말은 바로 이를 두고 한 말이다.

天下有不易之理, 是理有不窮之變. 誠得其理, 則變之不窮者, 皆理之不易者也. 理之所在, 固不外乎人也. 而人之生, 亦豈能遽明此理而

---

16) 『尙書』「周官」에 "옛 것을 배우고 관계로 들어가 제도로 일을 의논하면 다스림이 미혹되지 않을 것이다.(學古入官, 議事以制, 政乃不迷.)"라는 말이 나온다.

盡之哉? 開闢以來, 聖神代作, 君臣之相與倡和彌縫, 前後之相與緝理更續, 其規恢締建之廣大深密, 咨詢計慮之委曲詳備, 證驗之著, 有足以折疑, 更嘗之多, 有足以破陋, 被之載籍, 著爲典訓, 則古制之所以存於後世者, 豈徒爲故實文具而已哉? 以不易之理, 禦不窮之變, 於是乎在矣. 學之以入官, 操之以議事, 政之不迷, 固其所也.

그대들은 함께 꾀하고 생각하며 서로 순종하여 각기 가운데의 올바름을 그대들 마음 속에 세우도록 하라[17]

汝分猷念以相從, 各設中于乃心

분별하는 바가 반드시 있어야 사설을 깨뜨릴 수 있고, 주인으로 삼는 비가 반드시 있어야 시시로운 뜻을 끊을 수 있다. 도(道)가 있는 곳에는 사설이 다가갈 수 없고, 중(中)이 있는 곳에 사사로운 뜻이 끼어들 수 없다. 도가 있는 군주라면 모두 이 중을 좇아 일을 도모하고 계획을 세우기 때문에 백성을 위하는 뜻이 밝고도 밝다. 그러나 사사로움을 부리기에 불편해진 자들은 사사로운 뜻을 가지고 이설(異說)을 제창하며 우리 백성들을 선동한다. 저 어리석은 백성들은 사설에 유혹되고 사사로운 뜻에 동조하며 서로 끌어들여 위의 명령을 어긴다. 어쩌면 이치의 시비가 이에 이르러 이토록 어두워지고, 마음의 척도가 이에 이르러 이토록 준칙을 잃었단 말인가? 아마도 밖으로 분별하는 바가 없어서 이설을 듣고서 미혹되지 않을 수 없고, 안으로 주인 삼는 바가 없고 본디 마음이 중(中)에 머물고 있지 않아서 외물에 의해 빼앗긴 것이리라.

必有所辨, 然後私說可得而破, 必有所主, 然後私意可得而絶. 道之所在, 固非私說之可擬, 中之所存, 固非私意之可間. 有道之君率由是

---

17) 『尚書』「盤庚」에 "그대들은 함께 꾀하고 생각하며 서로 순종하여 각기 가운데의 올바름을 그대들 마음 속에 세우도록 하라.(汝分猷念以相從, 各設中於乃心.)"는 말이 나온다.

中以圖事揆策, 其爲民之意至炳炳也. 而不便于其私者, 輒持其私意,
倡爲異說, 以鼓動吾民. 彼民之愚, 至怵於其私說, 黨於其私意, 相率
而違上之令. 何理之是非, 至是而難見, 而心之權度, 至是而無所準如
此哉? 是殆其外之無所辨, 而異說之來, 不能無惑, 內之無所主, 而宅
心之素, 不于其中, 而物得以奪.

마음을 기르는 데 과욕보다 좋은 것이 없다
養心莫善於寡欲

내 마음의 양심을 보존하고자 한다면 반드시 내 마음 속의 해악을 제거해야 한다. 어째서인가? 내 마음의 양심은 내가 본디 지니고 있는 것이다. 내가 본디 지니고 있는 것인데 스스로 이를 보존하지 못하는 까닭은 무엇인가가 그것을 해쳤기 때문이다. 무엇인가가 양지(良知)를 해쳤는데도 그 해악을 제거할 방법을 모른다면, 양심이 어떻게 보존될 수 있겠는가? 따라서 양심을 보존하기 위해서는 내 마음의 해악을 제거하는 편이 가장 낫다. 내 마음의 해악이 사라지면 마음은 보존하고자 하지 않아도 저절로 보존될 것이다.

내 마음을 해치는 것은 무엇인가? 욕심이다. 욕심이 많으면 마음에 남는 것이 반드시 적어진다. 그렇기 때문에 군자는 마음이 보존되지 않을까 걱정하는 대신 욕심이 적지 않은 것을 걱정한다. 욕심이 제거되면 마음은 절로 보존된다. 그런즉 나의 양심을 보존하는 길이 어찌 내 마음의 해악을 제거하는 데 있지 않겠는가?

將以保吾心之良, 必有以去吾心之害. 何者? 吾心之良, 吾所固有也. 吾所固有而不能以自保者, 以其有以害之也. 有以害之而不知所以去其害, 則良心何自而存哉? 故欲良心之存者, 莫若去吾心之害. 吾心之害旣去, 則心有不期存而自存者矣.

夫所以害吾心者何也? 欲也. 欲之多, 則心之存者必寡, 欲之寡, 則心之存者必多. 故君子不患夫心之不存, 而患夫欲之不寡. 欲去則心自存矣. 然則所以保吾心之良者, 豈不在於去吾心之害乎?

두 세 편만 취할 따름이다
取二三策而已矣

옛 사람의 책은 믿지 않아서는 안 되지만 또한 반드시 믿어서도 안 된다. 그저 이치[理]에 있어 어떠한지만 보면 된다. 책이란 능히 위조할 수 있지만 이치는 위조할 수 없다. 가령 책에서 말하고 있는 것이 이치라면 나는 이치로써 이를 헤아릴 수 있고, 가령 책에서 말하고 있는 것이 어떤 일이라 해도 그 일에 이치가 없으라는 법은 없다. 옛 사람의 책을 읽을 때 이치로써 판단한다면, 진위(眞僞)가 장차 어디로 도망갈 수 있겠는가? 만약 이치에 어두운 채 오직 책만을 믿을 경우, 진실된 것을 취한다면 다행이겠지만 만약 거짓된 것을 취한다면 그 폐단은 장차 이루 말할 수 없을 만큼 많을 것이다. 맹자께서 "나는 「무성(武成)」에서 두세 편만 취할 따름이다."[18]라고 하셨으니, 이치에 밝은 자가 아니고서 누가 이렇게 할 수 있겠는가?

내 일찍이 말하기를, 말이 황당무계하면 예전의 철인들은 들을 만하지 못하다고 여겼고, 어떤 일을 함에 있어 옛날을 본받지 않으면 옛날의 현인들은 들을 바가 아니라고 여겼다고 하였다. 요순과 같은 성인도 『상서』에서는 '옛 것을 상고한다[稽古]'[19]고 칭했고, 부자와 같은 성인께서도 "옛것을 좋게 여기어 민첩하게 구하는 사람이다."[20]라

---

18) 『孟子』「盡心下」.
19) 『尙書』「堯典」에 "요임금을 상고하니 방훈이시다.(若稽古帝堯, 曰放勳.)"라는 말이 나오고, 「舜典」에도 "순임금을 상고하니 중화이시다.(曰若稽古帝舜, 曰重華.)"라는 말이 보인다.

고 스스로 말씀하셨다. "옛 가르침을 법식으로 삼는다."[21] 이는『시
경』에서 중산보(仲山甫)의 어짊을 칭송한 말이고, "반드시 옛것을 모
범으로 삼고, 선왕의 가르침을 본받아라."[22] 이는『예기』에서 학자의
모범을 세우기 위해 한 말이다. 그러니 옛날의 성현들은 언제나 책에
서 말씀을 취하였던 것이다. 옛날을 상고함으로써 가르침과 법식으로
삼고자 한다면, 책이 아니고서 어디서 취한단 말인가? 그러나 옛날의
책이라고 해서 모두 순정한 것은 아니어서 하자도 들어 있고, 모두가
가한 깃일 수는 없어서 부정적인 것도 들어 있다. 진위도 뒤섞여 있
고, 시비도 여전히 남아있다. 가령 이치에 통달하여 균형 있게 취할
수 없다면, 책으로부터 취할 이점이 대체 어디 있단 말인가? 옛날의
성현들이 어찌 그렇게 했겠는가?

　희황(羲皇) 이래 부자에 이르기까지가 이른바 '도가 있는 세상'이었
다. 비록 중간에 쇠란의 시대를 겪기도 하였지만 성명한 인물이 대대
로 등장하였고, 주나라는 또한 전장제도가 잘 갖추어지고 직분을 지
킴에 있어 상세하고도 엄밀했던 나라로 일컬어진다. 그러니 당시 전
해졌던 서적에는 이른바 하자, 부정적인 것, 거짓된 것, 그릇된 것이
없었어야 마땅할 것이다. 하지만 부자께서는 서책에 대해『주역』의
경우「팔삭(八索)」을 덜어냈고,『직방(職方)』의 경우「구구(九丘)」를
없앴으며,『상서』의 경우 반드시 정리를 가하셨고,『시경』의 경우 반
드시 산삭을 가하셨다.[23] 하(夏)나라와 상(商)나라의 예를 말씀하실

---

20)『論語』「述而」.
21)『詩經』「大雅 · 烝民」에 나오는 구절이다.
22)『禮記』「曲禮」.
23) 孔安國의「尙書序」에 보면 "선군 공자께서는 주나라 말기에 태어나, 史籍이
　　紊亂한지라 열람자가 동일하게 보지 않을까 염려하여,『禮』·『樂』을 考定하고

때는 기(杞)나라와 송(宋)나라에서는 증명하기에 부족하다고 하셨고,[24] 무(武)의 음악은 오래되지 않았고 성률이 음하여 상(商)에 미친다고 하였다.[25] 노담(老聃)에게 묻고 장홍(萇弘)에게 묻고 담자(剡子)를 찾아간 것은[26] 그들이 순정한지 하자가 있는지, 진짜인지 가짜인지, 옳은지 그른지, 가한 것인지 부정적인 것인지를 살펴봄으로써 이치로써 판단하기 위함이었다. 그러니 책을 일괄적으로 취할 수 없는 것은 이미 오래 전부터 그러하였던 것이다.

비록 그러하나 부자는 천하 후세가 마땅히 믿고 따라야 할 존재이다. 맹자의 시대는 부자의 시대와 멀지 않았기에 경서(經書)들이 모두 부자의 필삭에서 나왔다. 그렇다면 일괄적으로 취한다 해도 안 될

옛 구절을 밝혀내고 잘라내『詩』300편을 이루어 냈고, 사관의 기록을 요약해서『春秋』를 纂修하고, 八索을 덜어내서 易道를 贊하고, 九丘를 빼내서『職方』을 述하였다.(先君孔子, 生於周末, 史籍之煩文, 懼覽之者不一, 遂乃定『禮』·『樂』, 明舊章, 刪『詩』爲三百篇, 約史記而修『春秋』, 贊易道以黜八索, 述『職方』以除九丘.)"라는 기록이 보인다.

24)『論語』「八佾」에 "공자께서 말씀하셨다. '하나라의 예는 내가 말할 수 있지만 [그 후손인] 기나라에서는 증명할 만하지 못하고, 은나라의 예는 내가 말할 수 있지만, 송나라에서는 증명하기에 부족하니, 문헌이 부족한 까닭이다. 문헌히 충분하다면 내가 능히 증명할 수 있다.(子曰, '夏禮, 吾能言之, 杞不足徵也. 殷禮, 吾能言之, 宋不足徵也. 文獻不足故也, 足則吾能徵之矣.)"는 말이 나온다.

25)『禮記』「樂記」에 "묻기를, '대저 무악이 갖추어진지 이미 오래인 것은 무엇 때문인가?'라고 하니, 대답하기를, '그 무리는 얻지 못함을 근심하기 때문입니다.' …… 묻기를, '소리가 음해서 상에 미치는 것은 무엇 때문인가?' 하니, 답하기를, '무악의 음률이 아닙니다.(曰, '夫武之備戒之已久, 何也?' 對曰, '病不得其衆也.' …… '聲淫及商, 何也?' 對曰, '非武音也.')"라는 대화가 나온다.

26) 당나라 韓愈가 지은 「師說」에 "공자는 담자와 장홍에게 배우고 양과 노담에게 배웠다(孔子師郯子, 萇弘, 師襄, 老聃.)"는 내용이 나온다. 剡子에게는 官에 대해 배우고, 老子에게는 周禮를 배웠으며 萇弘에게는 음악을 배웠다.

것이 없다. 하지만 「무성」에서만은 취한 것이 두 세 편뿐이니, 혹 고아한 것을 좋아하고 기이한 것을 좋아한 탓이 아니겠는가? 아아! 그렇지 않다. 부자께서 후세에 믿음을 얻을 수 있었던 것이 어찌 이유 없이 그렇게 된 것이겠는가? 이치가 존재하고, 일이관지(一以貫之)로써 천지에 세워도 어그러짐이 없고, 귀신에게 질정해보아도 의심할 바 없고, 백 세(世) 후에 성인을 기다려 판결 받는다 해도 미혹됨이 없기 때문이다.[27] 책이 이치에 부합하지 않는데 그저 부자의 손을 거쳤다는 이유만으로 마침내 믿어버린다면, 부자를 믿고 따르는 까닭이 어디에 있단 말인가? 하물며 맹자의 시대가 비록 성인의 세상으로부터 멀리 떨어져 있지 않다고는 하지만 또한 백 년이 넘는 세월이 흘렀다. 작록의 반열을 말할 때는 "제후들이 자신들에게 해가 됨을 싫어하여 그 전적을 모두 없애버렸다."[28]고 하였고, 요순의 일을 논할 때는 "제나라 동녘 야인들의 말이지, 군자의 말이 아니다"[29]라고 하

---

27) 『中庸』 29장에 보이는 내용이다.

28) 『孟子』 「萬章下」에 "북궁의가 물었다. '나라 왕실이 爵祿을 반열함은 어떻게 했습니까?' 맹자께서 말씀하였다. '그 상세한 내용은 내 얻어듣지 못하였다. 제후들이 자신들에게 해가 됨을 싫어하여 모두 그 전적을 없애버렸다. 그러나 나는 일찍이 그 대략을 들었노라.'(北宮錡問曰, '周室班爵祿也, 如之何?' 孟子曰, '其詳不可得而聞也. 諸侯惡其害己也, 而皆去其籍, 然而軻也嘗聞其略.')"는 내용이 보인다.

29) 『孟子』 「萬章上」에 "함구몽이 물었다. '옛말에 이르기를, 덕이 높은 士는 임금이 그를 신하로 삼지 못하고, 아비가 그를 아들로 삼지 못한다고 하였습니다. 舜이 南面하여 왕이 되자 堯가 제후들을 거느리고 北面하여 조회하시며, 고수도 北面하여 조회했습니다. 순이 고수를 보자 얼굴에 위축된 기색이 있었다 합니다. 공자께서도 그때에 天下가 몹시 위태로웠다고 하셨는데, 알지 못하겠습니다만 이 말이 정말입니까?' 맹자께서 말씀하셨다. '아니다. 그것은 君子의 말이 아니라, 齊나라 동녘 野人들의 말이다.'(咸丘蒙問曰, 語云, 盛德之士, 君不得而臣, 父不得而子. 舜南面而立, 堯帥諸侯北面而朝之, 瞽瞍亦北面而朝

였으니, 「무성」편에 대해서 그것의 신빙성 여부 이외에도 다른 모든 것들을 일괄 이치로써 판결하였음에 의심할 나위 있겠는가?

그래서 말하기를 책이란 안 믿어서도 안 되고, 또한 반드시 믿어서도 안 된다고 했던 것이다. 만약 그 책이 모두 이치에 맞는다면, 비록 성인의 경전이 아닐지라도 모두 취해도 가하다. 하물며 성인의 경전을 어떻게 믿지 않을 수 있겠는가? 그러나 만약 모두 이치에 맞지 않는다면, 비록 두세 편처럼 적은 것이라 해도 어떻게 취할 수 있겠는가? 또 어떻게 반드시 믿을 수 있겠는가? 믿지 않을 수 없는 것은 이치가 있기 때문에 어쩔 수 없이 반드시 믿게 될 뿐이다. 옛 사람들은 책을 읽으면서 옛 것을 상고하고 본받아 법식으로 삼음으로써 성인이 되고 현자가 되었다. 그런데 후세에는 정신이 피폐해지도록 온갖 사려를 다 쏟아가며 머리가 허옇게 쇠어 세월이 다 가도록 경서에 정통하고 옛 것을 배우기를 바란다. 그러나 안으로는 일신에 도움 되는 바 없고, 밖으로는 남에게 도움이 되지 못한다. 일을 그르쳤다는 책망과 빈 말이나 앉아 떠벌린다는 비웃음을 받는 까닭인즉 이치에 정통하지 못한 채 오직 책만을 믿은 탓에 취한 바가 정밀하지 못한 때문 아니겠는가?

쌓아 놓은 약석(藥石)이 모두 순한 것일 수는 없어서 매서운 독이 든 것도 있다. 모두가 진실로 좋은 약일 수는 없어서 가짜 좀도 들어 있을 수 있다. 양의(良醫)는 이런 것들 사이를 오가면서 환자의 맥을 살피고 약석의 성질을 파악한 다음 정확한 것을 택해 적절한 약방을 쓴다. 그렇기 때문에 백발백중할 수 있는 것이다. 그러나 능력 없는

之. 舜見瞽瞍, 其容有蹙. 孔子曰, 於斯時也, 天下殆哉, 岌岌乎! 不識此語誠然乎哉?' 孟子曰, '否, 此非君子之言, 齊東野人之語也.')"라는 내용이 보인다.

의원은 환자들 사이를 오가면서 개괄적으로 취하여 시험해본다. 그러다 혹여 병세를 맞추지 못한다면, 독을 넣어 병만 더 키우고 끝내 그 몸을 망쳐놓지 않겠는가? 이치에 밝지 못한 채 오직 책만 믿어 온당치 않은 것을 취함으로써 이치를 거스르고 도를 위배하는 자야 말로 이와 비슷한 부류 아니겠는가? 그래서 "책을 다 믿느니, 차라리 책이 없느니만 못하다."[30]라고 말한 것이다.

　昔人之書不可以不信, 亦不可以必信, 顧於理如何耳. 蓋書可得而僞爲也, 理不可得而僞爲也. 使書之所言者理耶, 吾固可以理揆之, 使書之所言者事耶, 則事未始無其理也. 觀昔人之書而斷於理, 則眞僞將焉逃哉? 苟不明於理而惟書之信, 幸而取其眞者也, 如其僞而取之, 則其弊將有不可勝者矣. 孟子曰: "吾於「武成」, 取二三策而已矣." 非明於理者, 孰能與於此?

　嘗謂言而無稽, 往哲以爲不足聽, 事不師古, 昔賢以爲非所聞. 堯舜之聖, 『書』以稽古稱之. 夫子之聖, 自謂"好古敏而求之." "古訓是式", 『詩』所以稱仲山甫之賢. "必則古昔, 稱先王", 『禮』所以爲學者之軌範也. 然則昔之聖賢, 蓋未嘗有不取於書者也. 欲求稽古昔以爲師法訓式, 而非書之取, 將孰取之哉? 然而古者之書不能皆醇也, 而疵者有之. 不能皆然也, 而否者有之. 眞僞之相錯, 是非之相仍, 使不通乎理而槪取之, 則安在其爲取於書也? 昔之聖賢, 豈其然乎?

　自羲皇以來至於夫子, 蓋所謂有道之世, 雖中更衰亂, 而聖明代興. 而周家又號爲典章之備, 而職守之詳且嚴者. 當時載籍之傳, 宜其無所謂疵者, 否者, 僞者, 非者, 然而夫子之於書也, 於『易』則有「八索」之

---

30) 『孟子』「盡心下」에 나오는 말이다. 혹자는 書를 『尙書』로 풀기도 하고, 모든 책을 지칭한다고 풀이하기도 한다.

黜, 於『職方』則有「九丘」之除, 『書』必定, 『詩』必刪, 言夏・商之禮, 則
以爲杞・宋不足徵, 武之樂未久也, 而聲淫及商. 至於老聃之問, 萇弘
之問, 剡子之訪, 無非所以考覈其醇疵, 眞僞, 是非, 可否, 而一斷之以
理者也. 然則書之不可一槪而取也久矣.

　雖然, 夫子, 天下後世固宜取信焉者也. 孟子之時, 去夫子爲未遠,
而經籍皆出於夫子之筆削, 則雖槪而取之可也. 而於「武成」一篇, 所取
者纔二三策而已, 無亦好高求異之過耶? 嗚呼! 非也. 夫子所以取信於
後世者, 豈徒爾哉? 抑以其理之所在, 而其一以貫之者, 建諸天地而不
悖, 質諸鬼神而無疑, 百世以俟聖人而不惑而已. 使書不合於理, 而徒
以其經夫子之手而遂信之, 則亦安在其取信於夫子也? 況夫孟子雖曰
去聖人之世未遠, 而亦百有餘歲矣. 言爵祿之班, 則曰: "諸侯惡其害己
也, 而皆去其籍." 論堯舜之事, 則曰: "齊東野人之語, 而非君子之言."
然則於「武成」之篇, 不惟其書之信, 而一斷之以理, 又何疑焉?

　故曰書不可以不信, 亦不可以必信. 使書而皆合於理, 雖非聖人之
經, 盡取之可也. 況夫聖人之經, 又安得而不信哉? 如皆不合於理, 則
雖二三策之寡, 亦不可得而取之也, 又可必信之乎? 蓋非不信之也, 理
之所在, 不得而必信之也. 古人之於書, 稽求師式, 至於爲聖爲賢. 而
後世乃有疲精神, 勞思慮, 皓首窮年, 以求通經學古, 而內無益於身, 外
無益於人, 敗事之誚, 空言坐談之譏, 皆歸之者, 庸非不通於理, 而惟書
之信, 其取之者不精而致然耶?

　今夫藥石之儲, 不能皆和平也, 而悍毒者有之. 不能皆眞良也, 而僞
蠹者有之. 彼良醫之遊於其間也, 審病者之脉理, 知藥石之性味, 擇之
精而用之適其宜, 是以百發而百中. 至非能醫者, 而以其病遊焉, 槪取
而試之, 苟其不中, 得無遇毒以益病而戕其身也哉? 不明乎理, 而惟書
之信, 取之不當, 以至於悖理違道者, 得無類是乎? 故曰: "盡信書, 不如
無書."

백성을 보호하여 왕이 되다

保民而王

백성이 살다보면 무리 짓지 않을 수 없고, 무리를 짓다 보면 다툼이 없을 수 없다. 다툼이 일어나면 어지러워지고, 어지러움이 생기면 [백성을] 보호하지 못한다. 왕(王)을 세운 것은 천부적으로 총명하기 때문에 그로 하여금 백성의 무리를 정돈시키고, 다툼을 그치게 하고, 어지러움을 다스림으로써 저들의 삶을 보존케 하기 위함일 것이다. 다툼과 어지러움으로 인해 목숨을 해치는 것이 어찌 인정상 바라는 바이겠는가? 저들도 그저 감정이 치닫고 상황에 자극 받아 그 지경에 이르렀을 뿐인지라 이 행동을 바꿀 방법을 생각해보지 않은 것은 아니다. 이런 때에 다툼을 그치게 하고 어지러움을 다스릴 방도가 있어 이 백성들을 물불 속에서 구해내 줄 사람이 있다면, 어찌 모두가 그에게 쏠리듯 귀의하지 않겠는가? 백성을 보호하여 왕이 된다면, 진실로 막을 자가 없을 것이다.

民生不能無群, 群不能無爭, 爭則亂, 亂則生不可以保. 王者之作, 蓋天生聰明, 使之統理人群, 息其爭, 治其亂, 而以保其生者也. 夫爭亂以戕其生, 豈人情之所欲哉? 彼其情驅勢激而至於此, 未有不思所以易之者也. 當此之時, 有能以息爭治亂之道, 拯斯民於水火之中, 豈有不翕然而歸往之者? 保民而王, 信乎其莫之能禦也.

『속서』는 어찌하여 한나라에서 시작하는가?
『續書』何始於漢

몸에 젖는 바에 안주하며 옛날을 배우고자 하는 생각을 끊는 것은 군자들은 본디 우려하는 바이다. 그러나 자기가 아는 것을 가지고 옛날을 재단하는 것은 군자들이 특히나 크게 우려하는 바이다.

군신과 상하의 큰 구분과 선악과 의리(義利)의 큰 차이는 본디 바뀔 수 없는 천하의 이치여서, 전혀 심오하거나 알기 어려운 것이 아니다. 하지만 세상이 쇠락하고 도가 망실되자 이욕(利欲)으로 치닫는 길이 열려 누구도 제어할 수 없는 지경에 이르렀다. 서로 각축하고 경쟁하며 서로 모방하는 풍습이 생겨나, 큰 제방이 한번 무너지면 물이 질펀히 넘쳐나듯이, 더 이상 걷잡을 수 없는 추세가 되어버렸다. 이러한 때를 맞이하여 이른바 큰 구분과 큰 차이라는 것은 전혀 심오하거나 알기 어려운 것이 아님에도 불구하고 종종 전도되거나 뒤섞인 채 없어지고 땅으로 추락하고 말아, 누구도 돌아보지 않는 지경에 이르렀다. 이것은 후세의 공통된 우환이다. 인성(人性)의 영명함으로 어찌 그것이 잘못된 것임을 모를 수 있겠는가? 하지만 뜻은 사라지고 기운은 썩어문드러져 호걸의 우뚝한 지조라곤 볼 수 없게 되고, 마침내는 서로를 물속으로 끌어들여 물에 빠져 허덕이며 스스로 떨치고 일어날 줄을 모르니, 그들이 사람들 사이에서 능히 우열을 다투기를 어찌 바랄 수나 있겠는가? 그러니 몸에 젖은 바에 안주하며 옛날을 배우고자 하는 생각을 끊는다는 것은 실로 사람들이 크게 우려해야 할 바인 것이다.

여기 어떤 사람이 있는데, 우아한 옷을 입고서 성현을 본받아 우러르며, 커다란 구분과 커다란 차이는 바뀔 수 없는 것임을 알고서 은연중에 이 세상을 바꾸려는 생각을 지니고 있다. 그러나 뜻을 얻지 못하여 자신이 품은 생각을 펼쳐 간책에 드러냄으로써 스스로를 옛사람에 견준다. 이러한 사람이라면, 나라를 떠난 처지에서 비슷한 사람만 보아도 기쁘고, 텅 빈 계곡에서 발자국 소리만 들어도 기쁜 것[31] 그 이상일 것이어서, 식자라면 깊이 가상히 여기고 누차 감탄하여 칭송하고 흠모하기를 그칠 수 없어야 마땅할 것이다. 그런데 이런 자를 두고 군자들이 크게 우려하는 바라고 여기는 까닭은 무엇인가? 이치상으론 당연하지만 때가 그렇지 못하기 때문이다. 여기 능히 저것을 버리고 이것을 취하는 자가 있다. 그는 스스로 유속(流俗)에서 벗어나, 한 마디 말이나 한 가지 행동 모두 유익하고 귀감이 될 만하다. 그러나 그 사람이 지키는 높고 낮음과 얕고 깊음, 크고 작음과

---

31) 『莊子』 「徐無鬼」에 나오는 내용이다. "서무귀가 말했다. '월나라의 유배당한 사람 얘기를 들어 보지 못했습니까? 나라를 떠난 지 며칠 되지 않아서는 그가 전에 알고 있던 사람을 보기만 해도 기뻐했습니다. 나라를 떠난 지 수십 일이 되자 전에 자기 나라에서 스친 일밖에 없는 사람을 보고도 기뻐했습니다. 일년이 넘자 자기가 아는 사람과 비슷하게 생긴 사람만 보아도 기뻐했다고 합니다. 사람을 떠나 오랜 세월이 흐를수록 사람을 그리워하는 마음이 깊어지기 때문이 아니겠습니까? 인적이 드문 황량한 고장의 잡초 우거져 족제비 다니던 길까지 가리는 곳에서 오랫동안 홀로 있게 되면 사람 발자국 소리만 들려도 기뻐하는 법입니다. 그런데 하물며 형제나 친척의 웃음소리가 곁에서 들린다면 어떻겠습니까? 오래되었습니다. 임금께서 진인의 말이나 웃음소리를 가까이서 들어 본 지가!'(曰, '子不聞夫越之流人乎? 去國數日, 見其所知而喜, 去國旬月, 見所嘗見于國中者喜, 及期年也, 見似人者而喜矣. 不亦去人滋久, 思人滋深乎? 夫逃虛空者, 藜藋柱乎鼪鼬之逕, 踉位其空, 聞人足音跫然而喜矣, 又況乎昆弟親戚之聲欬其側者乎? 久矣夫, 莫以眞人之言聲欬吾君之側乎!')" 후에 '空谷足音'은 쉽게 만날 수 없는 인물, 말, 혹은 사물을 비유하는 말로 사용되었다.

많고 적음은 비록 털끝만큼의 차이라 하더라도 절대 서로 넘어설 수 없다. 사람들이 자신과 다르게 행동할 때를 틈 타 남과 다른 면모를 드러내며 스스로를 옛날 성현에 비유한다. 옛 성현의 거친 흔적만 답습하고 대체적인 모습만 맞추려 들면서 번지레한 말로써 세상을 속이고 명예를 훔친다. 이러한 자라면 또한 크게 옳지 않다고 할 수 있다. 저들은 식견과 도량이 낮고 견문이 비루한데, 세상이 쇠락하고 도가 쇠미해지자 스스로 두각을 드러내고자 하였다. 그러나 호걸스런 사인이 나타나 저들의 몽매함을 벗겨주고 눈을 뜨게 해주지 않은 바람에 이 지경에 이르렀을 뿐, 마음속에 거짓과 사기 치려는 마음을 품고서 대놓고 세상을 속이고 명예를 훔치고자 하는 마음을 가지고 그리 행동한 것은 아니다. 하지만 본분을 알지 못하고서 거드름피우고 참월을 일삼으면서 스스로 옳다고 여겼고, 사람들 또한 그들을 좋아했다. 저들이 요순의 도로 들어가지 못한 까닭은 덕을 해치는 향원(鄕原)[32]

---

32) 『孟子』「盡心下」에 鄕原에 관한 보다 상세한 설명이 나온다. 萬章이 어떻게 하면 향원이라 할 수 있냐고 질문하자 맹자가 다음과 같이 답했다. "무엇으로써 이리도 크고 커서, 말이 행함을 돌아보지 아니하며, 행함이 말을 돌아보지 아니하고 곧 '옛 사람이여 옛 사람이여' 하며, '행함을 어찌 외롭고 쓸쓸하게 하리오. 이 세상에 태어난 지라 이 세상을 위하여 착하게 함이 이렇듯 가하다.' 하여 슬그머니 세상에 아첨하는 자가 이 향원이니라.(曰, '何以是嘐嘐也, 言不顧行, 行不顧言, 則曰古之人, 古之人?' '行何爲踽踽涼涼. 生斯世也, 爲斯世也, 善斯可矣, 閹然媚於世也者, 是鄕原也.)" 萬章이 다시 묻기를 온 마을사람이 모두 향원이라면 어디를 가거나 모두 향원이거늘, 공자께서 덕을 해치는 자라 한 까닭이 무엇이냐고 묻자 맹자는 이렇게 답했다. "비난하려도 내세울 것이 없고 풍자하려도 풍자할 것이 없어 유속에 휩쓸리고 더러운 세상에 영합한다. 처신함에 충신과 비슷하게 하며, 행함에 청렴결백한 듯이 하여 많은 이들이 다 좋아하거든 스스로 옳다 여긴다. 그러나 더불어 요순의 道에 들어가지 못하니, 이에 공자께서 덕을 해치는 적이라 하신 것이다.(曰, 非之無擧也, 刺之無刺也, 同乎流俗, 合乎汙世, 居之似忠信, 行之似廉潔, 衆皆悅之, 自以爲是, 而不可與

의 폐단과 다르다 할 수 있지만 바름을 해치기는 마찬가지이다. 세상을 속이고 명예를 훔쳤다는 이름을 어찌 피할 수 있으리오?

『속서(續書)』33)는 어찌하여 한나라에서 시작하는가? 나는 왕통(王通)의 죄를 다스리지 않으면 왕도는 끝내 밝아지지 못할 것이라고 생각한다.

安於所習而絶意於古, 固君子之所患也. 以其所知而妄意於古, 尤君子之所人患也.

君臣上下之大分, 善惡義利之大較, 固天下不易之理, 非有隱奧而難知者也. 然而世衰道喪, 利欲之途一開, 而莫之或止, 角奔競逐, 相師成風, 如大防之一潰, 滮漫衍溢, 有不可復收之勢. 當是時, 所謂大分大較, 非隱奧而難知者, 往往顚倒錯亂, 廢墜湮沒, 而莫之或顧, 此後世之公患也. 人性之靈, 豈得不知其非? 然志銷氣腐, 無豪傑特立之操, 波流之所蕩激, 終淪胥而不能以自振, 尙何望其能軒輊於人哉? 然則安於所習而絶意於古者, 誠亦人之所深患也.

有人於此, 被服儒雅, 師尊聖賢, 知大分大較之不可易, 隱然思以易當世, 志不得而擄其所有, 著之簡編, 以自附於古人, 此何啻去國之似人虛空之足音, 有識者之所宜深嘉屢嘆, 稱揚頌羡之不能自已者也, 而曰君子之所大患者何耶? 理之所當然而時不然. 有能去彼取此, 自拔於流俗, 自一言一行以往, 莫不有益, 莫不可貴, 然其高下淺深, 大小多少, 雖毫釐之間, 不可以相踰越. 乘人之不然, 而張其殊於人者, 以自比於古之聖賢, 襲其粗迹, 偶其大形, 而侈其說以欺世而盜名, 則又有

入堯舜之道, 故曰德之賊也.)"

33) 隋나라 때 사상가인 王通(584~617)의 저술이다. 王通은 字가 仲淹이고 號는 文中子이다. 王通의 六部著作 중 하나인 『續書』의 기록은 漢·魏에서 시작에 晉에서 끝난다.

大不然者矣. 彼固出於識量之卑, 聞見之陋, 而世衰道微, 自爲魁楚,
莫有豪傑之士剖其蒙, 開其蔽, 而遂至於此, 非固中懷譎詐, 而昭然有
欺世盜名之心而爲之也. 然其不知涯分, 偃蹇僭越, 自以爲是, 人皆悅
之, 而不可以入堯舜之道者, 蓋與賊德之鄉原所蔽不同, 而同歸於害正
矣. 欺世盜名之號, 夫又焉得而避之?

續書何始於漢? 吾以爲不有以治王通之罪, 則王道終不可得而明矣.

책

策

   문(問): "옛날 사람들이 말을 내뱉지 않는 것은 몸소 실행함이 말을 따라잡지 못하는 것을 부끄러워해서이다."[34] 그래서 군자는 행동이 말보다 크기를 바랐지 말이 행동보다 크기를 바라지 않았다. 부열(傅說)은 고종(高宗)에게 뜻을 겸손하게 할 것을 고하였고,[35] 시인은 문왕(文王)의 조심스러움을 칭송했다.[36] 『예기(禮記)』에서는 후직(后稷)의 복록이 자손에게까지 미친 것을 찬미하며 그 덕을 축사가 공손하고 욕망이 크지 않은 것에 돌렸다.[37] 큰 소리와 사치스러운 뜻은 본디 군자가 취하지 않는 바이다. 부자께서 수수(洙水)와 사수(泗水)에서 도를 강론하실 때, 그 사이에서 유학하던 자라면 오 척 동자도 오백(五伯)을 칭하는 것을 수치로 여겼다.[38] 오 척 동자를 관중(管

---

34) 『論語』「里仁」.

35) 『尙書』「說命下」에 나오는 말이다. "배움은 뜻을 겸손하게 해야 하니, 힘써서 때로 민첩하게 하면 그 닦여짐이 올 것이요, 독실히 믿어 이것을 생각하면 도가 그 몸에 쌓일 것입니다.(惟學, 遜志, 務時敏, 厥修乃來, 允懷于兹, 道積于厥躬.)"

36) 『詩經』「大雅·大明」에 나오는 말이다.

37) 『禮記』「表記」에 나오는 말이다. "공자께서 말씀하셨다. 후직의 행하는 제사는 물품을 많이 쓰지 않으므로 준비하기가 쉽고, 그 축사는 공손하며 그 욕망이 크지 않아 복록이 자손에게까지 미쳤다.(子曰, 后稷之祀易富也. 其辭恭, 其欲儉, 其祿及子孫.)"

38) 『漢書』권56「董仲舒傳」에 "공자의 문하는 오척 동자라 할지라도 오패의 공로를 입에 올리길 부끄러워한다.(是以仲尼之門, 五尺之童, 羞稱五伯)."라는 내용이 보인다.

仲)이나 구범(舅犯)³⁹⁾ 등과 나란히 놓고 우열을 재본다면, 어찌 모두
부끄러움이 없을 수 있겠는가? 촉(蜀)의 제갈공명(諸葛孔明)은 지금
으로부터 천 년 전 사람이며, 경력이며 지혜며 뛰어난 자이다. 그런
데도 조금도 남을 헐뜯지 않으며 당시 스스로를 관중(管仲)과 악의
(樂毅)에 견주었을 뿐이다.⁴⁰⁾ 공자 문하의 동자들이 어찌 모두 제갈
공명을 뛰어넘을 만했겠는가? 그렇지 못하다면 어찌 그리 말을 크게
하고 뜻을 사치스럽게 세웠단 말인가? "예에 있어서는 구차하게 헐뜯
지 아니하고, 배움에 있어서는 차례를 넘어서지 않는다."⁴¹⁾고 하였으
니, 부자의 가르침이 분명 이와 같지는 않았을 것이다. 오백을 말하
면서 옳지 않다고 여긴 사람을 말해보자면 맹자께서 "중니의 문도들
가운데서는 환공이나 문공의 일에 대해서 말을 한 사람이 없었다."⁴²⁾
고 하였고, 혹자가 증서(曾西)에게 관중과 비교해 누가 더 현명하냐
고 묻자 증서는 "네가 어찌 나를 곧 관중에 비교하는가?"라고 말하였
다.⁴³⁾ 그러니 일컫기를 수치스러워했다는 말은 믿을 만한 것이다. 맹

39) 『墨子』「所染」에 보면 "제 환공은 관중과 포숙에게 물들었고, 진 문공은 구범과
고언에게 물들었다.(齊桓染于管仲·鮑叔, 晉文染于舅犯·高偃.)"는 말이 나
온다.
40) 『三國志』권35 「諸葛亮傳」에 보면, "밭에서 직접 농사를 짓고 양보음을 즐겨
불렀다. 키는 8척에 늘 스스로를 관중과 악의에 견주곤 했으나, 당시 사람들은
그것을 인정해 주지 않았다.(亮躬耕隴畝, 好爲梁父吟, 身長八尺, 每自比于管
仲, 樂毅, 時人莫之許也.)"라는 말이 나온다.
41) 『禮記』「曲禮上」에 "높은 곳에 오르지 않으며, 깊은 곳에 임하지 않으며, 구차
하게 남을 헐뜯지 않으며, 구차하게 웃지 않는다(不登高, 不臨深, 不苟訾, 不
苟笑.)"라는 말이 나오고, 「學記」에 "때를 살펴 관찰하면서도 말하지 않음은
마음을 보존케 하기 위함이고, 어린 아이에게 가르침을 듣게만 하고 질문하지
않음은 배우는 것이 차례를 넘어서지 않게 하려 함이다.(時觀而弗語, 存其心
也, 幼者聽而弗問, 學不躐等也.)"라는 말이 나온다.
42) 『孟子』「梁惠王上」.

자께서는 말씀마다 요순을 일컬으며, "양주(楊朱)와 묵적(墨翟)으로부터 떨어질 것을 말할 수 있는 사람은 성인의 무리이다."[44]라고 말씀하셨다. 양주와 묵적은 당시 사람들이 추앙하는 존재였다. 당시의 후생과 소자들이 스스로를 헤아리지 못하고서 쏠리듯 비난한 것이 어찌 뜻을 겸손하게 하고, 조심스럽게 행동하고, 말을 공손히 하고, 욕망을 크지 않게 하고, 구차히 헐뜯지 아니하고, 차례를 뛰어넘지 않게 하는 도였겠는가? 제군들은 공자와 맹자를 스승으로 삼은 자들이니, 이 의심쩍은 바를 분석해보기 바란다.

대(對): 동명(東明)이 솟아오를 때, 뭇 음기들은 모두 잠복한다. 「함지(咸池)」가 나오자 [음란한 음악인] 정성(鄭聲)은 더 이상 유행하지 않았다. 강구요(康衢謠)와 격양가(擊壤歌)[45]에 비해 후세의 고아

---

43) 『孟子』「公孫丑上」에 보이는 내용이다. 혹자가 曾西에게 管仲과 더불어 누가 더 어지냐고 묻자 曾西가 낯빛을 바꾸며 말했다. "'네가 어찌 곧 나를 管仲에 비교하는가? 管仲이 군주의 신임을 얻어 저처럼 전단하였고, 국정을 행하기를 저처럼 오래하였으나 功烈이 저처럼 낮은데, 너는 어찌 나를 이에 비교하는가?' 맹자께서 말씀하셨다. '管仲은 曾西도 하지 않는 바인데, 네가 내게 그것을 원하는가?'('爾何曾比予於管仲? 管仲得君, 如彼其專也, 行乎國政, 如彼其久也, 功烈, 如彼其卑也. 爾何曾比予於是?' 曰, '管仲. 曾西之所不爲也, 而子爲我願之乎?')"

44) 『孟子』「滕文公下」.

45) 康衢謠는 사통팔달한 길에서 아이들이 읊은 동요로 "우리 백성이 사는 것은 임금의 법 아닌 게 없네. 알지도 깨닫지도 못하는 사이, 임금의 법을 따르네.(立我蒸民, 莫匪爾極, 不識不知, 順帝之則.)"라는 내용을 담고 있다. 擊壤歌는 땅을 두드리며 부르는 노래로, "해가 뜨면 일하고, 해가 지면 쉬고, 우물 파서 물마시고, 밭 갈아 밥먹으니, 임금의 힘이 내게 무슨 소용 있으리오?(日出而作, 日入而息, 鑿井而飲, 耕田而食, 帝力於我何有哉?)"라는 내용으로 되어 있다. 둘 다 태성성세를 구가하는 내용이라 볼 수 있다.

한 문장 위대한 책들은 욕됨이 없을 수 없으며, 중림(中林)의 사내46)
나 한수 가의 아가씨47)에 비해 후세 석유(碩儒)와 종사(宗師)들은 부
끄러움이 없을 수 없다. 어찌 지력이 부족하고 능력이 미치지 못해서
였겠는가? 도에 밝지 못하고 도를 행하지 못하는 것, 이것은 지력을
쓰는 자의 병폐이다. 도성의 화려함을 말하자면 오랑캐 땅의 군장은
왕조의 졸개만 못하고, 창해의 드넓음을 논하자면 옹주(雍州)와 양주
(梁州)의 빼어난 백성이 발해의 용렬한 사내만 못하다. 이는 이치상
당연한 것이다. 도가 행해지고 행해지지 않고, 도가 밝고 밝지 못하
고의 차이는 멀다. 부열이 뜻을 겸손하게 한 것은 "때로 민첩하게 하
여 수양하기" 위함이었고, 문왕이 조심스레 행동한 것은 "상제를 밝게
섬기기 위함이었다." "말을 공손히 하고, 욕심을 적게 한 것", 후직의
덕이 바로 여기에 있다. 구차히 헐뜯지 않는 자라야 더불어 이를 이
야기할 수 있고, 차례를 뛰어넘지 않는 자라야 이에 나아갈 수 있다.
오백 일컫는 것을 수치스럽게 여기고, 양주와 묵적으로부터 떨어지라
는 말을 할 수 있는 자라야 구차히 헐뜯고 차례를 뛰어넘는 과오를
면할 수 있어서 뜻을 겸손히 하고, 조심스레 행동하고 말을 공손히
하고 욕심을 적게 하는 경지에 나아갈 수 있다.

---

46) 『詩經』의 「周南·兎罝」에 나오는 구절이다. "가지런한 토끼 그물, 숲 속에 쳐
    있네. 씩씩한 무사는, 공후의 심복(肅肅兎罝, 施于中林. 赳赳武夫, 公侯腹
    心.)" 즉 中林의 사내란 문왕의 德化 아래 모여 있는 수많은 어진 인재들을
    가리킨다.
47) 『詩經』의 「周南·漢廣」에 나오는 구절이다. "남쪽 지방 우뚝한 나무, 그늘이
    없어 쉴 수가 없네. 한수 가에 노니는 아가씨, 예전처럼 가볍게 사귈 수 없네.
    (南有喬木, 不可休思, 漢有游女, 不可求思.)" 즉 문왕의 다스림의 교화가 풍
    속을 바꾸어 여자들이 몸가짐을 바로 하여 함부로 접근하기 어려웠다는 내용을
    담고 있다.

問: 古者言之不出, 恥躬之不逮也. 故君子欲行之浮於言, 不欲言之浮於行. 傳說告高宗以遜志, 詩人稱文王小心翼翼.『記』美后稷祿及子孫, 歸之於其辭恭, 其欲儉. 大言侈志, 固君子之所不取. 夫子講道洙泗之間, 而遊於其間者, 五尺童子羞稱五伯. 豈其五尺童子與管仲·舅犯輩度長絜大, 舉能無所愧耶? 蜀諸葛孔明距今且千載, 更閱賢智多矣, 莫敢少訾, 而當時不過自比管·樂, 孔門之童子, 豈皆度越孔明者乎? 不然, 何其言之大而志之侈也? "禮不苟訾, 學不躐等", 夫子之敎, 必不其然. 苟以稱五伯之說爲非是, 則孟子亦曰: "仲尼之徒無道桓·文之事者." 或問曾西與管仲孰賢, 則曰: "爾何曾比予於是." 然則羞稱之說信矣. 孟子言必稱堯舜, 且曰: "能言距楊·墨者, 聖人之徒也." 楊·墨亦當世所推, 使當時後生小子不自揆度, 靡然而非之, 豈遜志, 小心, 辭恭, 欲儉, 不苟訾, 不躐等之道乎? 諸君以孔·孟爲師者也, 願有所析其疑.

對: 東明之升, 群陰畢伏, 「咸池」旣作, 窪鄭不可復陳矣. 康衢之謠, 「擊壤」之歌, 後世高文大冊, 不能無忝. 中林之夫, 漢上之女, 後世碩儒宗工, 不能無愧. 豈其智有所不足, 而力有所不逮哉? 道之不明不行, 而所以用其智力者病矣. 談京華之壯麗, 則夷裔之君長不如王朝之下士, 論滄海之汪洋, 則雍·梁之秀民不如渤澥之庸夫, 理固然也. 道之行與不行, 明與不明, 相去遠矣. 傳說之遜志, 將以"時敏厥修", 文王之小心, 所以"昭事上帝", "其辭恭, 其欲儉", 后稷之德於是乎在矣. 必不苟訾而後可與言此, 必不躐等而後可以進此. 羞稱五伯, 能言距楊·墨, 然後可以免於苟訾躐等之過, 而進乎遜志, 小心, 辭恭, 欲儉之地矣.

권 33

시의諡議

문안시의

가정 10년 3월 28일 시호를 내리라는 성지가 내려오다

文安諡議 嘉定十年三月二十八日聖旨時賜諡

선교랑 태상박사 공위 지음

宣敎郞大常博士 孔煒 撰

의(議): 도를 배워 성현을 스승으로 삼나니, 성현들이 남긴 책은 만세의 표준이 된다. 맹자가 말했다. "군자가 도로써 깊이 연구함은 스스로 깨달음을 얻기 위함이다. 스스로 깨달으면 거함에 있어 편안하고, 거함에 있어 편안하면 자질이 깊어진다. 자질이 깊어지면 좌우[어디에서건] 근본과 만나게 된다. 그러므로 군자는 스스로 깨닫고자 하는 것이다."[1] 깊도다! 성인이 학문을 강론할 때는 그 단서와 시말을 실로 쉬이 말하지 않았다. 배우되 편안함에 이를 수 없다면 성현의 영역을 더불어 논의할 수 없다. 옛 기록에 적혀 있는 말, 이를 테면 "편안히 여기며 행동하고"[2], "편안하면 오래가고"[3], "공손하면서

---

1) 『孟子』「離婁下」.
2) 『中庸』 20장에 "혹 나면서부터 아는 자가 있고, 혹 배워야 아는 자가 있고, 혹 고생해야 아는 사람이 있으나, 알게 됨에 이르러서는 한 가지이다. 혹 편안히

편안했다."[4]는 말은 모두 이 뜻을 취한 것이다. 맹자가 죽은 이후 지금까지 천 5백여 년이 지났다. 학자들은 입과 귀의 말단을 좇으며 하늘로부터 부여받은 성(性)의 참됨을 알지 못한다. 이에 맹자가 후세에 고한 말은 끝내 공언(空言)이 되어버렸다. 그의 책을 우러러 신봉하고, 그의 학문을 닦아 밝히며, 스스로를 돌아보아 구하고, 다른 사람을 바르게 가르친 감승(監丞) 육 공(陸公) 같은 자라면, 능히 유속에서 스스로 벗어나 명교(名敎)에 공을 세운 자라 할 수 있다.

공은 나면서부터 영민하고, 기량과 식견이 누구보다 빼어났다. 넷째 형님이신 복재(復齋)와 더불어 이학을 강독하여 익힘으로써 강서(江西) 이륙(二陸)이라 일컬어졌다. 그의 학문은 본원(本原)을 궁구함에 힘쓰는 것이었으며, 장구(章句)나 훈고(訓詁) 따위는 일삼지 않았다. 그가 견지한 논점은 웅걸하고도 우뚝하여, 구차히 남의 말을 따라 영합하고 부화뇌동하지 않으면서 오직 맹자의 책만을 우러러 신봉하였다. 그의 주장을 보면 대략 이러하다. 이 마음은 모든 사람이 똑같이 지니고 있는 하늘이 우리에게 부여한 것이지 밖에서 스며들어

여기며 행하고, 혹 이롭게 여겨 행하고, 혹 애써가며 행하지만, 성공에 이르러서는 한 가지이다.(或生而知之, 或學而知之, 或困而知之, 及其知之一也. 或安而行之, 或利而行之, 或勉强而行之, 及其成功一也.)"라는 말이 나온다.

3) 『禮記』「樂記」에 "예악은 잠시도 내 몸에서 떠날 수 없으니, 악으로 마음을 다스리면 평이하고 정직하고 자애롭고 착한 마음이 구름 일 듯 생겨난다. 평이하고 정직하고 자애롭고 착한 마음이 생겨나면 즐겁고, 즐거우면 편안하며, 편안하면 오래가고 오래가면 하늘의 경지에 이르고, 하늘의 경지에 오르면 곧 신이 된다.(禮樂不可斯須去身, 致樂以治心, 則易直子諒之心油然生矣, 易直子諒之心生則樂, 樂則安, 安則久, 久則天, 天則神.)"는 말이 나온다.

4) 『論語』「述而」에 "공자께서는 온화하면서도 절도가 있으시고, 위엄이 있으면서도 사납지 않으시며, 공손하면서도 편안하셨다.(子溫而厲, 威而不猛, 恭而安)는 말이 나온다.

간 것이 아니다. 먼저 그 큰 것을 세우면 작은 것들이 이를 빼앗을 수 없다. 진실로 이와 같음을 안다면 우주 전체는 지극한 이치[理]가 아님이 없고, 성현도 나와 같은 부류임을 알게 될 것이다. 커다란 단서가 이미 서고 나아갈 방향이 이미 정해진 후, 선(善)을 밝히고 옆으로 유추해가며 구하고, 힘써 용감히 이를 행한다면, 나무에 뿌리가 있는 것처럼, 물에 근원이 있는 것처럼 될 것이다. [그렇게 해서] 오랜 시간이 지나면 이 마음의 영명함, 이 이치[理]의 밝음이 환히 드러나 편안히 따르게 될 것이니, "넓은 집에 거하고, 바른 자리에 서고, 큰 길을 걷는 것이"5) 모두 내 안에 일임을 진정 보게 될 것이다. 이른바 잡은즉 보존되고6) 구한즉 얻으며7) 위대한 행동도 보태지 못하고, 곤궁한 상황도 덜어내지 못한다는 말8)이 결단코 나를 속이지 않을 것이다.

　공은 오직 밝고도 통철하게 이치를 보았고 거기에 함양과 실천의 공부를 더하였기에, 마음으로는 스스로 터득하였고 몸에는 넘치는 여유가 있었다. 이로써 스스로를 완성한 후 만물을 완성시켰다. 사방의 준걸재사들이 바람에 쏠리듯 운집하여 이들을 수용할 관사가 없을 정도에 이르렀다. 공은 법도가 단정하고 엄정하여서 공과 마주한 사람

---

5) 『孟子』「滕文公下」.
6) 『孟子』「告子上」에 나오는 말로, 원래 문장은 "[사람의 마음은] 잡은즉 보존되고 놓은즉 잃어버린다. 때 없이 들고 나기 때문에 그 방향도 알 수 없다.(操則存, 舍則亡, 出入無時, 莫知其鄉.)"이다.
7) 『孟子』「告子上」에 나오는 말이다. "구한즉 얻을 것이요, 놓은즉 잃을 것이다. (求則得之, 舍則失之.)"
8) 이 역시 『孟子』「告子上」에 나온다. "군자가 지니는 본성은 아무리 큰 행위라도 보탬을 주지 못하며, 아무리 곤궁한 생활이라도 덜어내지 못하니, 이는 분수가 정해져있기 때문이다.(君子所性, 雖大行不加焉, 雖窮居不損焉, 分定故也.)"

들은 옳지 못한 마음과 삿된 생각이 절로 사라졌다. 논설은 명백하고 준엄하여서, 그 말을 듣는 사람은 마치 잃었던 길을 가리켜준 듯, 가시덤불에서 빠져나온 듯 느꼈다. 남기신 문집을 확인해보니, 의리(義利)의 구분과 왕패(王霸)의 분별, 천리(天理)와 인욕(人欲) 등에 털끝만큼이라도 의심스러운 바가 있거든 그냥 두지 않고서 변론하고, 쉬지 않고 자문하였다. 학문의 근본이 바르고 크며, 자연으로 충만한 자가 아니라면 어찌 이처럼 사방으로 흘러 관통하며, 무엇을 하건 이치와 합치할 수 있겠는가? 또 이를 미루어 배움으로써 문장을 지으니, 문사는 뜻을 전하기에 충분하되 조탁을 다투지 않았고, 문리는 뛰어나되 이리저리 에둘러 말하지 않았다. 그래서 문장에 뜻을 두지 않아도 문장이 절로 정교해졌다. 이 학문을 정사에 펼치니, 우리 백성 보기를 자제와 같이 하였고, 동료와 관속(官屬) 대해주기를 마치 벗인 양 하였다. 이에 [백성과 관속들이] 진심으로 기뻐하여, 말하지 않아도 이루어지는 가르침을 실현할 수 있었다. 당시 조정 대신과 큰 재상들 중에 혹자는 공의 '마음의 깨우침[心悟]'과 '이치와의 융회(融會)'는 스스로 터득한 것이라며 천거하기도 하였고, 혹자는 공이 군(郡)을 다스릴 때의 선정에서 가히 '몸소 행하는 뜻'을 확인할 수 있다며 칭찬하기도 하였다. 이치를 스스로 터득하는 경지에 나아가고, 정사를 몸소 행하는 데 근본을 두고 있으니, 군자의 소양을 가히 알 만하다. 하늘이 그에게 더 많은 시간을 주었다면, 위로는 임금의 신임을 얻어 도(道)를 실천하고, 그 다음으로는 입언(立言)하여 도를 밝힘으로써 그 쓰임을 모두 펼칠 수 있었을 터, 그리 되었다면 생민을 이롭게 하고 후학에게 은혜를 끼침이 어찌 한량이 있었으리요.

삼가 시법(諡法)을 살펴보니, "영민하여 옛 것을 좋아하는 것을 일러 문(文)이라 하고, 모습은 단정하고 언사는 안정된 것을 일러 안

(安)이라 한다."고 되어 있다. 공은 천성이 순수하고 밝으며 학문에 뒤엉기거나 막힌 바가 없었다. 선철을 본받아 익히고, 예법에 합당한 말씀을 발휘하였으니, '영민하여 옛 것을 좋아한 것' 아니겠는가? 높은 뜻은 드넓고 의연하였으며, 사도(師道)는 존엄하였다. 오래 기억하고 널리 전하여 옛 말씀을 회복하였으니, '모습은 단정하고 언사는 안정된 것' 아니겠는가? 시호를 문안이라 함이 그 뜻에 걸맞다. 삼가 의론하다.

議曰: 學道以聖賢爲師, 聖賢遺書, 萬世標的也. 孟軻氏有言曰: "君子深造之以道, 欲其自得之也. 自得之, 則居之安, 居之安, 則資之深, 資之深, 則取之左右逢其原, 故君子欲其自得之也." 甚矣! 古人之講學, 其端緖源委, 誠未易言. 學而未至於安, 難與議聖賢之閫域矣. 傳記所載, 如曰: "安而行", "安則久", "恭而安", 皆取諸此也. 自軻旣沒, 逮今千有五百餘年. 學者徇口耳之末, 昧性天之眞, 凡軻之所以詔來世者, 卒付於空言. 有能尊信其書, 修明其學, 反求諸己, 私淑諸人, 如監丞陸公者, 其能自拔於流俗, 而有功於名敎者歟!

公生而穎悟, 器識絶人. 與季兄復齋講貫理學, 號江西二陸. 其學務窮本原, 不爲章句訓詁, 其持論雄傑卓立, 不苟隨聲趨和, 唯孟軻氏書是崇是信. 蓋謂此心之良人所均有, 天所予我, 非由外鑠, 先立乎其大者, 則其小者莫能奪. 信能知此, 則宇宙無非至理, 聖賢與我同類. 大端旣立, 趨響旣定, 明善充類以求之, 强力勇敢以行之, 如木有根, 如水有源. 逮其久也, 此心之靈, 此理之明, 將渙然釋, 怡然順, 眞有見夫居廣居, 立正位, 行大道, 皆吾分內事. 所謂操存求得, 盛行不加, 窮居不損者, 端不我誣也.

公惟見理昭徹, 加以涵養踐履之功, 故能自得於心, 有餘於身, 卽其成己, 用以成物. 四方才俊之士, 風動雲集, 至無館舍以容. 公築蘙端嚴, 對之者非心邪念自然消沮. 論說爽厲, 聽之者如指迷塗, 如出荊棘. 質諸遺編, 義利之分, 王霸之別, 天理人欲, 凡介於毫芒疑似之間者, 辨之弗措, 叩之弗竭. 自非學本正大, 充乎自然, 安能如是之周流貫通, 動與理會也哉? 由其推是學以爲文, 則辭達而不爭乎雕鐫, 理勝而無用乎繚繞, 無意於文, 而文自爾工. 施是學於有政, 則視吾民如子弟, 遇僚屬如朋友, 誠心所孚, 自有不言之敎. 當時元臣碩輔, 或薦進其心悟理融, 出於自得, 或稱美其治郡善政, 可驗躬行. 夫理而造於自得, 政而本於躬行, 則君子之所養可知矣. 使天假之年, 上之得君行道, 次之立言明道, 俾獲盡宣其用, 則以利生民以惠後學, 可勝旣哉!

謹按諡法: "敏而好古曰文, 貌肅辭定曰安." 公天稟純明, 學無凝滯, 服膺先哲, 發揮憲言, 非敏而好古乎? 抗志洪毅, 師道尊嚴, 記久傳遠, 言皆可復, 非貌肅辭定乎? 諡曰文安, 於義爲稱. 謹議.

복시

覆諡

조청대부 행상서고공원외랑 정단조 지음

朝請大夫行尙書考功員外郎 丁端祖 撰

의(議): 유학의 성대함은 [夏·殷·周] 삼대(三代) 이래로 본조(本朝)보다 더 했던 적이 없다. 육경이 진(秦)나라에서 화액을 입자 사인들이 권모술수로 서로 경쟁하였다. 한나라는 신불해(申不害)와 한비자(韓非子)를 숭상했고, 진(晉)나라는 노장(老莊)을 숭상했으며, 당나라는 오직 사장(辭章)만 과시하였으니, 이에 선왕의 도는 몹시도 느슨해지고 말았다. 본조에 이르러서도 이(伊)·낙(洛)[9] 제공들이 아직 태어나기 전에 『주역』은 허무한 담론에 의해 잠식당하였고, 『상서』의 황극(皇極), 『시경』의 [周南·召南] 이남(二南), 『기(記)』·『예(禮)』·『중용』·『대학』의 주지, 『춘추』의 존왕(尊王)의 뜻 등도 모두 밝히 드러나 한 곳으로 귀결되지 못하였다. 그러다 주염계(周濂溪)와 정명도(程明道)·정이천(程伊川)이 의리학(義理學)을 제유들 앞에서 제창하였다. 이에 궁리진성(窮理盡性)의 학설, 치지격물(致知格物)의 요지 등, 요·순·우·탕·문왕·무왕·주공·공자가 서로 이어가며 전해온 내용의 커다란 근원이 비로소 천하에 밝히 드러났다. 그 후에

---

9) 程顥와 程頤 형제가 창시한 理學의 학파를 가리킨다. 세부적으로 나누자면 洛는 洛水에서 강학한 程顥를, 伊는 伊川에서 강학한 程頤를 지칭한다.

다시 남헌(南軒) 장씨(張氏: 張栻), 회암(晦庵) 주씨(朱氏: 朱熹), 동래(東萊) 여씨(呂氏: 呂祖謙) 등이 나타나 주염계와 정명도·정이천의 거의 끊어져가는 맥을 다시 이어 진작시키니, 육경의 도는 어두워졌다가 다시 밝아졌다. 이 세 군자에 대해서는 봉상시(奉常寺)에서 이미 시호를 의정했다. 또 상산(象山) 육 씨(陸氏)가 있는데, 젊었을 때 이천이 하는 말을 듣더니 "이천의 말은 어찌해서 공자나 맹자의 말과 다를까?"라고 말했다. 처음『논어』를 읽고서는 유자(有子: 有若)의 말이 지리멸렬하다고 여겼으며, 자라서 벗들과 함께 강학하다가 태극도(太極圖)에 논의가 미치자 태극 위에 무극이란 것이 더 있지 않다고 딱 잘라 말하였다. 이것 외에도 우뚝한 견해나 무리를 뛰어넘는 논의가 한 둘이 아니나 모두 스스로 터득한 것에 근본을 두고 있다. 타고난 재능이 뛰어난데다 배움의 노력까지 더했다. 서너 살 무렵 선친께 질문하던 시절부터 입론이 이미 평범하지 않았으니, 실로 이른바 "어려서 이뤄진 것은 천성과 같고"[10]라는 말과 부합하는 사람이었다. 안타깝게도 보고 배운 사업을 다 펴지 못하고 말았다. 조정에서는 겨우 장작감승(將作監丞)밖엔 하지 못하였고, 얼마 후 봉사(奉祠)[11]로 있다가 돌아갔다. 은혜로운 정치를 펼친 곳도 오직 형문(荊門)이라는 작은 성채뿐이다. 세상에는 본디 말로는 할 수 있으나 행동으로는 하지 못하고, 안으로는 잘 아는 것 같지만 겉은 우활하여 사리에 잘 맞지 않는 사람이 있다. 공은 말과 행동이 상부하여 안팎이 서로 일치했다. 밖으로 내는 의론마다 고금에 우뚝하였으며, 정사에 임해 일을 처리할 때도 평이해 보이되 미숙하지 않고, 깊고 상세

---

10)『漢書』권48「賈誼傳」에서 나온 말이다.
11) 육구연이 台州 崇道觀을 관리하게 된 일을 말한다.

히 헤아리되 조급함이 없었다. 인지상정에도 맞고 지극한 이치도 좇았으되 상례나 옛날을 답습한 흔적은 추호도 없었다. 공과 같은 사람이라면 우리 유자들 가운데 실로 백 명 천 명 가운데 오직 한 사람일 것이다. 봉상에서 문안이라고 시호를 정한 것은 실로 과하지 않다. 박사가 이를 논하여 삼가 의론하다.

議曰: 儒學之盛, 自三代以來, 未有如我本朝者也. 夫六經厄於秦, 而士以權謀相傾. 漢尙申・韓, 晉尙莊・老, 唐惟辭章是誇, 先王之道陵遲甚矣. 至我本朝, 伊・洛諸公未出之時, 『易』之一書猶晦蝕於虛無之談, 『書』之皇極, 『詩』之二南, 『記』・『禮』・『中庸』・『大學』之旨, 『春秋』尊王之義, 皆未有能發明其指歸者也. 自濂溪・明道・伊川義理之學爲諸儒倡, 而窮理盡性之說, 致知格物之要, 凡堯・舜・禹・湯・文・武・周公・孔子相傳之大原, 始暴白於天下. 其後又得南軒張氏, 晦庵朱氏, 東萊呂氏, 續濂溪・明道・伊川幾絶之緒而振起之, 六經之道晦而復明. 是三君子, 奉常旣已命諡矣. 又有象山陸氏者, 自丱角時, 聞誦伊川語, 嘗曰: "伊川之言, 奚爲與孔子・孟子之言不類." 初讀『論語』, 卽疑有子之言支離. 及長而與朋友講學, 因論及太極圖, 斷然以太極之上不復更有無極. 其他特立之見, 超絶之論, 不一而足, 要皆本於自得. 天分旣高, 學力亦到. 蓋自三四歲時請問於親庭, 其立論已不凡, 眞所謂少成若天性者. 惜乎不能盡以所學見之事業. 立朝僅丞・匠・監, 旋卽奉祠以歸. 惠政所加, 止荊門小壘而已. 世固有能言而不能行, 內若明了而外實迂闊不中事情者. 公言行相符, 表裏一致. 其吐辭發論, 旣卓立乎古今之見. 至於臨政處事, 實平易而不迂, 詳深而不躁, 當乎人情而徇乎至理, 而無一毫蹈常襲故之迹. 若公者, 在吾儒中眞千百人一人而已. 奉常諡以文安, 誠未爲過. 博士議是, 謹議.

상산 선생 행장
象山先生行狀

선생은 성이 육(陸)이요 이름이 구연(九淵)이요 자가 자정(子靜)이다. 선조는 성이 규(嬀)였는데, 제 선왕(齊宣王)의 막내아들 원후(元侯) 통(通) 때에 처음으로 평원(平原) 반현(般縣) 육향(陸鄉)에 봉해지면서 이를 성씨로 삼았다. 증손 열(烈)이 오령(吳令)이 되면서 자손들이 마침내 오군(吳郡) 오현(吳縣) 사람이 되었다. 오공(吳公)의 40대손이 당나라 재상 문공(文公) 희성(希聲)이니 이 분이 선생의 8대조이시다. 7대조 숭(崇)과 6대조 덕천(德遷)이 오대(五代) 말에 무주(撫州) 금계(金谿)로 피난 왔다. 고조 유정(有程)과 증조 연(演)은 나란히 학문과 행실로써 향리에서 존중받았다. 조부는 전(戩)이다. 선교랑(宣教郎)에 추증된 부친 하(賀)는 나면서부터 남다른 품성을 지녀서 진중한 성품에 자랑을 하지 않았으며, 서책에 전념하고 [배운 것을] 몸소 실천으로 드러내었다. 선유(先儒)의 관혼상제 예법을 헤아려 집안에 실행하니, 집안의 도가 가지런해져 고을에 소문이 자자했다. 모친 유인(孺人) 요 씨(饒氏)는 여섯 아들을 낳았는데, 선생은 그 중 넷째 아들이다.

선생은 어려서부터 장난치기를 좋아하지 않으셨고, 마치 성인처럼 진중하였다. 서너 살 때에 선교공(宣教公: 부친)을 모시고 길을 가다가 어떤 물건을 보거나 일에 닥치면 반드시 질문을 하였다. 하루는 갑자기 천지가 끝나는 곳이 어디냐고 물었는데, 선교공은 웃으며 답하지 않았다. 선생은 마침내 깊이 생각에 잠겨 먹고 자는 것조차 잊었다. 총각 때는 저녁이 되어도 옷을 벗지 않았다. 신발은 낡았을지 언정 해지지 않았고, 버선은 세 켤레밖에 없었으며, 손톱은 매우 길었 다. 선생은 또 부엌에 들어오는 법이 없었다. 늘 나무 아래서 청소를 하고서 종일 편안히 앉아 있곤 했는데, 선생이 문 앞에 서 있으면 지 나가던 사람들이 걸음을 멈추고 바라보며 칭찬하였으니, 그의 단정하 고 온화한 모습이 보통 아이들과 달랐기 때문이다. 다섯 살에 책을 읽을 때는 종이 귀퉁이를 말거나 접는 법이 없었다. 여섯 살 때 선친 을 모시고 가례(嘉禮)에 가게 되었는데, 화려한 옷을 입히려 하자 물 리치며 받지 않았다. 막내 형님이신 복재(復齋)는 당시 열세 살이었 는데, 『예경(禮經)』을 인용하며 권유하자 선생께서 그제야 받아 입으 셨다. 남들과 있을 때는 순수하고 화락하셨으나 무례한 자를 싫어하 셨다. 책을 읽을 때도 대충 넘어가려 하지 않아서, 겉으로는 비록 한 가한 듯 보였으나 실은 부지런히 고찰하고 탐색하는 중이었다. 맏형 께서 집안일을 총괄하셨는데, 늘 한밤중에 일어나 보면 선생께서는 언제나 촛불을 들고 책을 뒤적이고 있었다. 이천(伊川)은 근세의 대 유(大儒)인지라, 후세에 드리운 말씀을 지금까지도 학자들이 우러르 면서 쉬지 않고 강습하고 있다. 그런데 선생께서만은 내게 이렇게 말 했다. "총각 시절에 누군가가 이천의 말씀을 읊는 것을 들었는데, 나 의 마음이 아파오는 듯 느껴졌습니다. 또 누군가에게 '이천의 말씀은 어찌하여 공자나 맹자의 말씀과 다를까요?'라고 말했었지요. 처음 『논어』를 읽고서는 유자(有子: 有若)의 말이 지리멸렬하다는 의구심 이 들었습니다." 선생의 타고나신 청명함을 발돋움하여 따라잡을 길 없음이 이와 같다. 훗날 옛 서책을 읽다가 '우주' 두 글자에 이르렀는 데, "사방과 상하를 일러 '우'라 하고, 고금을 왕래하는 것을 일러 '주' 라 한다."는 해석을 보더니 갑자기 크게 깨달아 "우주 안의 일은 곧

내 분수 안의 일이고, 내 분수 안의 일은 곧 우주 안의 일이다."라고 말씀하셨다. 또 "동해에 성인이 나타난다 해도 이 마음(心)은 같고, 이 이치(理)는 같다. 서해에 성인이 나타난다 해도 이 마음은 같고, 이 이치는 같다. 남해와 북해에 성인이 나타난다 해도 이 마음은 같고 이 이치는 같다. 백 천 년 전에 성인이 나타났어도 이 마음은 같고 이 이치는 같았으며, 백 천 년 후에 성인이 나타나도 이 마음은 같고 이 이치는 같을 것이다."고 말씀하셨다.

건도(乾道) 8년(1172)에 진사에 급제하였다. 당시 시험관이었던 여조겸(呂祖謙)은 선생의 문장을 수천 명 사이에서 능히 알아보셨는데, 훗날 선생에게 이렇게 말씀하셨다. "일찍이 그대의 가르침을 받아보지 못한 채 겨우 소문을 통해서만 듣고 있었습니다. 그러다 높으신 문장을 한번 보고난 후 마음이 열리고 눈이 떠지는 듯하여, 이분이 곧 강서(江西) 육자정임을 알았습니다."

처음 행도(行都: 臨安府, 지금의 항주)에 왔을 때, 당시 준걸들이 모두 선생을 좇아 교유하였다. 선생은 조석으로 그들과 주거니 받거니 질문하고 대답하였는데, 학자들의 발길이 끊이지 않아 40여 일 동안 잠을 자지 못하였다. 스스로를 봉양함에 인색했으나 정신은 더욱 강건해졌다. 선생의 말씀을 듣고 일어난 자가 매우 많았다. 고향으로 돌아오자 원근에서 소문을 듣고 찾아와 가르침을 구하고 도를 묻는 자가 더욱 많아졌다. 선생은 학도들을 받으신 후 근세의 이른바 학규(學規)라는 것을 모두 없애셨으나, 제생(諸生)들은 선한 마음이 절로 일어나 용모가 장중해지고 화락하고 자득하였다. 후에 이르는 자도 이를 보고서 교화되었으니, 아름답고 성대하구나! 진실로 삼대(三代) 때의 학교로다. 한 학생이 식사 도중에 다리를 꼬았다. 식사를 마친 후 선생이 조용히 물었다. "네가 방금 과오를 범했는데, 알고 있느냐?" 학생이 잠시 생각하다 말했다. "이미 알았습니다." 선생이 말했다. "무슨 과오이더냐?" 대답했다. "식사하는 도중에 다리를 꼰 것을 깨달았습니다. 비록 즉시 고치기는 하였으나, 그래도 방만한 행동이 있습니다." 엄격하기가 이와 같았다. 선생은 학자들의 미묘한 마음속을 깊이 알아서 심중을 잘 맞추었기에 간혹 식은땀을 흘리기도 하였다. 마음에 [어떤 생각을] 품고 있으나 스스로 깨닫지 못하는 자에게는 그 까닭을 조목조목 분석해주었는데, 하나같이 그의 마음속 생각과 일치했다. 또 천 리나 떨어져 있는 전혀 알지 못하는 사람에 대해서도 그 대강만 듣고 그 사람됨을 전부 다 알아맞히곤 했다. 일찍이 이런 말을 한 적이 있다. "바르지 못한 생각이어도 금세 알아차리면 바로잡을 수 있다. 그러나 바른 생각이어도 금세 잃어버리면 옳지 못한 것이 된다. 형적으로써 관찰할 수 있는 것이 있고, 형적으로써 관찰하지 못하는 것이 있다. 그렇기 때문에 기어이 형적으로써 사람을 보려 한다면 사람을 알기에 부족할 것이고, 기어이 형적으로써 사람을 규제하려 한다면 사람을 구하기에 부족할 것이다." 또 말씀하셨다. "지금 세상의 학자에게는 오직 두 가지 길만 있다. 하나는 박실(朴實)이고 하나는 의론(議論)이다." 아아, 지극하구나! 사람 마음의 사정(邪正)을 밝히 드러내고 학자들의 소굴을 깨뜨리기에 족하다. 일찍이 질문한 자의 하자를 공격한 적이 있는데, 질문한 자가 이를 받아들이지 못하더니, 안 좋은 소문이 이내 들려왔다. 옆에서 보고 있는 사람들은 이를 참을 수 없어 했는데, 선생은 도리어 아무렇지도 않은 듯 조용히 계시며 다른 일을 하셨다.

순희 원년(1174)에 적공랑(迪功郞) 및 융흥부(隆興府) 정안현 주부(靖安縣主簿)에 제수되었으나 미처 부임하기도 전에 계모 유인 등씨(鄧氏) 상을 당했다. 상복을 벗은 후에 다시 건녕부(建寧府) 숭안현

(崇安縣) 주부에 임명되었다. 순희 8년(1181), 소사(少師) 사호(史浩)
12) 공이 선생을 추천한 내용은 이러하다. "근원이 깊은 학문과 깊고
순정한 행실은 동기들이 추앙하는 바이고, '마음의 깨우침[心悟]'과
'이치와의 융회(融會)'는 스스로 터득한 데서 비롯되었다." 어지를 얻
어 도당심찰(都堂審察)로 승진했으나 부임하지 않았다. 순희 9년
(1182)에 시종(侍從)이 다시 주상에게 천거하여 국자정(國子正)에 제
수되었다. 제생(諸生)들이 질문해오면 마치 집에 거하며 가르칠 때처
럼 자애롭게 깨우쳐주어 감화시키고 계발함이 실로 많았다. 순희 10
년(1183) 겨울에 칙령소(勅令所) 산정관(刪定官)으로 옮겨갔는데, 뜻
을 함께하는 사인들과 더불어 강학하고 절차탁마하기를 멈추지 않았
다. 동료들 가운데 현자들이 많아 더불어 묻고 논변하곤 하였는데,
[선생에게] 모두 신복(信服)하였다. 선생께서는 젊어서부터 윗사람들
이 정강(靖康) 연간의 일13)에 관해 말해주는 것을 듣고서 비분강개하
며 복수하고자 하는 뜻을 품게 되었는데, 이때에 이르러 마침내 지혜
와 용기를 겸비한 사인을 구하여 더불어 상의하게 되면서 무(武) 방
면의 일의 이해(利害)와 형세의 요해(要害), 그리고 인물의 장단점을
더욱 잘 알게 되었다. 순희 11년(1184) 윤대(輪對) 차례가 되었을 때

---

12) 史浩(1106~1194). 字는 直翁, 號는 眞隱. 明州 鄞縣(지금의 浙江省 寧波) 사
람이다. 紹興 15년(1144)에 진사가 되어 太學正이 되었다가 國子博士로 승진
하였다. 宋 孝宗 즉위 후에는 參知政事에 제수되었고, 隆興 원년(1163)에는
尙書右僕射에 제수되었다. 淳熙 10년(1183)에 太保로 있다가 은퇴하여 魏國
公에 봉해졌다. 죽은 후에는 會稽郡王에 봉해지고 후에 효종의 묘정에 배향되
었다. 昭勛閣 24 功臣 중의 하나이다.
13) 靖康은 北宋 欽宗의 연호(1126~1127)이다. 여기서 말하고 있는 것은 북송이
금에 의해 멸망당하고 황제와 신하들이 모두 포로로 잡혀간 치욕의 역사, 이른
바 靖康之恥이다.

기일이 매우 임박했음에도 아직 생각을 아뢰지 않고 있었다. 친한 벗들이 거듭 청하자 한참 만에 글을 쓰기 시작했는데, 글을 금세 완성해 그 이튿날 바로 윤대에 임하니, 주상께서는 누차 선생이 올린 상주문에 대해 옳다 여기셨다. 관휼 조령(寬恤詔令)을 편수하여 책이 완성되자 승봉랑(承奉郎)에 임명한다는 어지가 내려왔다. 13년(1186)에는 선의랑(宣義郎)이 되었다. 친지와 벗들이 선생께서 오래 지체하였다고 여겨 떠나야 한다고 하자 선생이 말했다. "지난 번 면대 때에 큰 뜻만을 대략 아뢰었을 뿐인데도 어진 군주께서는 그릇되다 여기지 않으셨다. 그러니 조리가 아직 잡히지 않았고 계통도 서지 않았기에 다시 황제의 빛나는 모습을 우러르고자 한다면 조금 더 힘을 다하여 신하로서의 의를 다 바쳐야 할 듯싶다." 윤대를 닷새 앞두고 장작감승(將作監丞)에 제수되었다. 후에 반박당하는 상소를 입어 어지에 의해 태주(台州) 숭도관(崇道觀)을 관리하게 되었다.

선생이 돌아오자 학자들이 더욱 성대히 몰려들었으며, 향리의 장로들이라 하여도 고개 숙여 가르침을 따르면서 선생이라 칭하였다. 선생이 시속의 병통을 가슴아파하며 사람 마음속에 본디 지니고 있는 것을 일깨우시니, 모두 두려워하며 경계하였고, 분연히 떨치고 일어났다. 매번 [선생이 계신] 성읍을 방문해보면 언제나 1, 2백 명이 둥그렇게 앉아있었는데, 더 이상 수용할 길이 없어지자 관사(觀寺)로 이사 갔다. 이에 현 대부가 학궁(學宮)에 강좌를 마련해주니, 귀천과 노소를 막론하고 강의를 들으려는 사람들로 길과 골목이 넘쳐났다. 이와 같은 배움의 성대함은 일찍이 본 적이 없다. 귀계(貴溪)에 산이 있는데, 기실 용호산(龍虎山)의 주산이다. 선생은 산에 올라 마음에 들어 하더니 그곳에 초가를 지었다. 산의 높이는 5리 정도 되는데, 그 모습이 코끼리를 닮았다 하여 마침내 이름을 상산(象山)이라 짓고 자호를 상산옹(象山翁)이라 하였다. 사방의 학도들이 다시금 크게 모여들어 수백 명에 이르렀다. 이들과 조용히 도를 강론하고 즐겁게 시를 읊으며 죽을 때까지 살고자 생각하였다. 이에 사람들은 선생을 상산 선생이라 불렀다.

순희 16년(1189) 관직 기한이 다 찼을 때에 지금 황상께서 등극하시어 지형문군(知荊門軍)에 제수하셨다. 이 해에 선교랑(宣敎郎)이 되었다가 다시 봉의랑(奉議郎)이 되었다. 소희(紹熙) 2년(1191) 2월 9일에 처음으로 군(郡)의 일을 도맡아 보게 되었다. 서리들이 전례를 고하면서 "안에 있는 여러 국(局)의 사무나 밖에 있는 여러 현(縣)의 일을 할 때는 반드시 게시와 단속이 있어야 하며, 손님을 만나고 송사를 접수할 때는 시일을 나누어야 합니다."라고 고했다. 선생이 말했다. "무엇 때문에 그렇게 하는가?" 요속(僚屬)들을 불러와 만날 때는 친구처럼 대했고, 마음을 열고 진심을 보였으며, 일을 논의할 때는 오로지 이치만을 따랐다. 선생은 집에 보낸 편지에 이렇게 적었다. "매일 함께 일하는 관리들이 일을 보고하는데, 각기 본 바에 대해 모두 앞에 나와 그 생각을 펼치고, 이해(利害)를 쟁론한다. 태수는 그저 묵묵히 듣고 있다가 시비가 밝혀지면 그제야 칭찬을 해줌으로써 공(公)을 따르고자 하는 마음을 북돋아주면 그만이다. 태수의 판결에 대해 요속들이 기각해 돌려보내는 경우도 늘 있다." 선생은 백성 가르치기를 자제처럼 하였으며, 비록 천한 노예나 심부름꾼이라 하여도 의리(義理)로써 가르치셨다. 손님을 만나고 송사를 접수하는 일도 아침저녁을 가리지 않았기에 아랫사람들의 사정이 막힘없이 위에 전달될 수 있었다. 그래서 군 경내에서 일어난 모든 일, 관리들의 탐욕스러움과 청렴함, 민간의 습속, 누가 충량(忠良)이고 무재(武材)인지 누가 교활한 서리이고 포악한 무리인지, 선생은 평상시에 다 파악하고 있었다.

옛날 군에서는 추포할 일이 있을 때마다 특별히 사람을 보냈다. 그러나 선생은 고소한 자에게 직접 고소장을 들고 가 데려오게 하면서 거리의 멀고 가까움을 보아 기한을 정해주었는데, 보낸 사람들은 모두 기한 내에 왔으며, 오면 그 즉시 처리하였다. 경범죄는 사정을 많이 고려해주어 법령으로 깨우친 다음 석방하였다. 인륜에 관한 송사의 경우 [죄상이] 이미 드러났다 하더라도 원래 문건을 직접 없애버림으로써 풍속을 도탑게 하셨다. 오직 고집스럽게 버텨 도저히 깨우쳐 교화할 수 없는 경우만 단죄하였고, 그와 관련한 문건을 상세히 기록해 훗날 되풀이되는 일이 없도록 방비하였다. 한참이 지나자 민심이 더욱 진실해졌고, 피고나 원고 모두 고소장을 가지고 오지 않고서 오직 대면하여 변론한 뒤 판결을 청하게 되었다. 또 증인이 있을 경우 부르지 않아도 직접 찾아왔는데, 그 까닭을 물으면 "일이 오래되었는데도 진상 드러나지 않기에 함께 약속하고 이를 밝히기로 했습니다."라고 말했다. 혹 [한 쪽이] 자복하면 각각 소장을 가지고 가게 하면서 더 이상 남겨두지 않았다. 한번은 밤중에 요속들과 앉아있는데, 서리가 한 노인이 몹시 급하게 고소하고자 한다고 아뢰었다. 불러다 물어보니 노인은 몸을 떨고 있었으며, 알아들을 수 없는 말을 했다. 서리에게 상황을 알아보게 했더니, 그 아들이 군졸에게 죽임을 당하였다고 말했다. 선생이 다음 날 판결하겠다고 하자 요속들은 난처해했다. 선생이 말했다. "너희가 어찌 아느냐? 그런 일까지는 생기지 않았을 것이다." 새벽에 조사해보니, 그 아들은 과연 아무 탈 없었다. 이에 사람들은 선생의 현명함에 더욱 탄복했다. 도둑을 맞았다고 고소한 자가 있었는데, 누가 그랬는지는 모른다고 하였다. 그러자 선생은 직접 두 사람의 이름을 대며 가서 잡아오라고 하였는데, 심문하니 이내 자백했다. 이에 훔쳐간 물건들은 모두 고소한 자에게 돌려주고 그의 죄 또한 용서함으로써 새롭게 거듭날 수 있게 해주었다. 선생이 다시 서리에게 말했다. "아무 곳에 사는 아무개가 더 포악하다." 서리는 [누구를 말하는지] 알지 못하였다. 이튿날 약탈당했다고 고소해온 자가 있었는데, [알아보니 도둑이] 바로 그 자였기에 추포하여 죄를 다스렸다. 서리들은 크게 놀랐으며 군의 사람들은 선생을 모두 신처럼 생각했다. 당초 보오제(保伍制)14)가 주현의 급무가 아니라는 이유로 관부에서 제대로 검사하지 않아서 도적들이 그 사이에 몸을 숨길 수 있었는데, 가까운 곳의 우환이 더욱 컸다. 선생이 처음으로 나서 이 제도를 엄정히 바로잡으니, 간악한 자들이 숨을 곳이 없어지자 승려의 암자로 쳐들어갔다. 이에 인오(鄰伍)15)가 갑자기 모여 한 사람도 빠트리지 않고 사로잡으니, 이때에 이르러 뭇 도적들이 자취를 감추었다.

형문에는 본래부터 성벽이 없었다. 선생은 이곳은 옛날 전장(戰場)이자 지금은 두 번째로 중요한 변방이요, 장강(長江)과 한수(漢水) 사이에 있어 사방이 모이는 곳이라, 남으로는 강릉(江陵)을 막고 있고, 북으로는 양양(襄陽)을 쥐고 있으며, 동으로는 수(隨)와 영(郢)으로부터의 위협에서 보호하고, 서로는 광화(光化)와 이릉(夷陵)의 요충지에 닿아 있으니, 실로 사방 이웃이 믿고 의지하는 바요, 형문이 아니고서는 복심이 위협 당할 근심이 있다고 생각했다. 당주(唐州)의 호양(湖陽)을 통해 산으로 가면 한수를 건너는 첩경에 이르러 이미 형문의 옆구리까지 오게 되고, 등주(鄧州)의 등성(鄧城)을 통해

---

14) 다섯 집[家]을 하나의 伍로 편제한 다음 서로 보호하고 통제하게 하는 제도였다.
15) 이웃한 다섯 집이라는 뜻으로 保伍와 같은 뜻으로 쓰였다.

한수를 건너면 산을 넘는 길이 이미 형문의 배까지 오게 된다. 이밖에도 사이 길과 얕은 나루 등, 언덕길로는 말이 오가는 것을 막을 길 없고, 여울로는 수레가 건너는 것을 막을 수 없는 곳이 여전히 많다. 때문에 내가 먼저 기이한 계책을 내어 승세를 잡고, 적병의 배와 옆구리를 제압해야 하는 이유가 여기에 있다. 비록 사방이 산으로 둘려 있지만 이는 방어에 유리하고, 4천 명의 의용군 또한 강건하고 씩씩하여 쓸 만하다. 게다가 창고와 저장고 사이로 사슴들이 찾아올 정도로 [비축해 놓은 식량도] 많다. 이에 자성(子城) 쌓을 것을 누차 논의하였으나, 많은 비용이 걸려 쉽게 일을 시작하지 못하고 있었다. 선생은 깊이 헤아리고 계책을 결정한 다음 의용군을 소집하여 품삯을 넉넉히 지급했다. 매일같이 직접 나와 공사를 감독하니, 용역하는 자들도 기꺼이 나아가 힘을 다해 두 배나 빠르게 공사를 진행한 결과 20일 만에 성이 완공되었다. 처음 계산할 때는 민전 20만이 들어갈 것이라 예상했는데, 이때에 이르러보니 겨우 민전 5천만 들이고 토목공사를 마칠 수 있었다. 후에 다시 논의를 거쳐 삼중으로 계단을 올리고, 각대(角臺)을 세웠으며, 두 개의 작은 문을 증설했다. 그 위에 적루(敵樓)와 충천거(衝天渠), 연화거(荷葉渠)와 보험장(護險墻) 등을 모두 다 갖추는 데 겨우 민전 3만밖엔 들지 않았다. 또 군학(郡學)과 공원(貢院)과 객관(客館)과 관사(官舍) 등을 짓느라 여러 가지 공사를 시작했다. 처음에 형문 백성들은 나태함이 몸에 배어서, 사람들은 용역에 나가는 것을 수치스럽게 여기고 서리들은 오직 좋은 옷을 입고서 한가로이 구경만 할 뿐이었는데, 이때에 이르러 이러한 풍속이 일변하여 역사를 감독하는 관리도 포의 입은 잡역부를 위해 힘을 보탰으며, 의로써 권면하면서 위세만 부리려 하지 않았다. 공사를 이처럼 많이 벌였는데도 백성들은 마음 편히 여겼으며 군도 무사태평하였다.

형문에는 두 개 현에 보루가 설치되어 있는데, 일손이 부족해 매년 [오가는 사람들을] 보내고 맞이하느라 곤혹을 치렀고, 창고 또한 고갈되어 상세(商稅)에 의지해 자금을 마련했다. 이전에는 파견한 심부름꾼과 하급 서리배가 문에서 상인을 기다리고 있다가 물품을 검사하여 증명서16)를 교부한 연후에 각화무(権貨務)에 넘겼는데, 각화무에서는 오직 증명서에 의거하여 세금만 거두었다. 문을 나갈 때도 다시 한 번 검사하였다. 관부의 수입은 얼마 되지 않는 반면 출입 시 들어가는 비용이 너무 많았다. 처음에는 금각(禁権)17)을 엄히 하여 간교한 자들로 인한 폐단을 두절하기 위함이려니 생각했는데, 문을 지키는 서리들이 뇌물을 취하고 여러 곳에 감추어두었으며, 금지 물품이 간혹 통행되는 일도 있었다. 상인들이 이중으로 세금을 내는 것이 고통스러워 대부분 편벽한 길로 다니자 각화무의 수입은 날로 줄어들었다. 선생이 이 제도를 없애버리자 혹자가 말했다. "문에서 조사하는 것은 간교한 자들을 막기 위함이며, 여러 군에서 통상 적용하고 있는 관례이거늘, 하루아침에 없애버린다면 상인들이 이익을 탐하느라 각화무에 오지 않는 자가 분명 생겨날 것입니다." 선생이 말했다. "이는 그대들이 알 수 있는 바가 아니다." 즉시 게시하고 곧장 각화무로 오게 하여 전례를 적용해 정세(正稅)를 감면해주었더니, 그날로 세금

---

16) 여기서 말하는 증명서는 交引을 가리킨다. 北宋 때부터 소금·차·술·철·향약 등의 사적인 생산과 유통을 막고 나라에서 전매하기 위해(이것이 곧 権禁制度이다.) 발급하던 증명서였다. 상인들은 도성이나 강 주변에 위치한 権貨務에서 물품에 대한 세금을 납부한 交引을 영수한 뒤 交引에서 지정한 장소로 가서 물품을 받아가야 했다.

17) 위의 각주 참고.

수입이 즉각 늘어났다. 한 거상이 있었는데, 이미 외진 길을 따라가고 있다가 갑자기 새로운 명령을 듣고 다시 대로로 나왔다가 순시하던 군사들에게 갈림길에서 붙잡혔다. 선생이 사정을 알아낸 후 위로하며 그를 풀어주니, 거상은 감격하여 눈물을 흘렸다. 길을 가다가 이 말을 들은 사람들은 모두 손을 이마 위에 올리며, 결코 속이지 않겠노라 맹세하였고, 서로에게 전하여 고하며 반드시 형문을 통해 가라고들 말했다. 옆에서 보던 사람이 그 까닭을 묻자, 상인들은 "세 문에서 발부하던 교인이 사라졌고, 전례보다 감면하여 세를 거둬들여 우리들의 크나 큰 해악을 없애주셨다네."라고 말했다. 그러나 세수는 배로 늘었다. 주세(酒稅)도 마찬가지였다.

형문은 전에 동전을 사용했는데, 후에 변방에서 가깝다는 이유로 철전으로 바꾸었다. 동전 사용 금지령이 내렸으나, 관가에 백성들이 첩납(貼納)[18]을 바칠 때는 여전히 동전으로 받았다. 선생이 말했다. "이미 금지했다면, 다시 동전을 내게 해서는 안 된다." 그리고는 즉시 이러한 관례를 없앴다. 초전(鈔錢)도 감소시키고 비교(比較)[19]도 없앴으며, 현으로 사람을 보내지 않고 서리에게 서찰을 보냈다. 또 의원관(醫院官)을 설치하니, 서리와 백성들이 모두 기뻐하였으며, 군의관리들은 가난해도 즐거워했다. 옥졸들이 자급할 방법이 없어 일을 그만두겠다고 했을 때도 선생은 요속들과 함께 그들의 사정을 살펴

---

18) 상인이 交引을 가지고 權務 혹은 현장에 가서 물품을 가져갈 때 규정된 양보다 초과하는 것에 대해 반드시 내야만 했던 일종의 벌금이다. 지금의 체납금에 해당한다.
19) 관부에서 돈이나 식량을 징수할 때나 범인을 체포할 때는 모두 기한을 정해두었는데, 기한 내에 완성하지 못하면 반드시 처벌하고 다시금 기한을 정해 일을 마치도록 하였다. 이를 일러 '比較'라 한다.

알아낸 다음 창고의 곡식을 내주었다.

삭망(朔望)이나 휴일이 되면 학당을 찾아가 제생들을 가르쳤다. 군(郡)에 대대로 행해오던 관례 가운데 상원절(上元節)이 되면 황당(黃堂)20)에서 초제(醮祭)를 올리는 일이 있었는데, 말인즉 백성을 위해 복을 기원한다고 하였다. 이에 선생께서 서리와 백성들을 모아놓고 「홍범(洪範)」에 나오는 '복을 모아 백성에게 베푸네' 장(章)을 강독함으로써 초제를 대신하고, 사람 마음속의 '선'이야말로 곧 스스로 다복을 구하는 방도임을 밝히 드러내니, 모두 깊이 깨달아 마음에 느낀 바가 있었으며, 혹자는 이로 인해 눈물까지 흘렸다.

호북(湖北) 여러 군(郡)의 군사들 중에는 다른 곳으로 도망치는 자가 많아서, 관부 보기를 여관처럼 하였으나 막을 도리가 없어 위급한 일이 생길 시 부릴 사람이 없었다. 선생은 이를 근심하다가 [도망친 군졸을] 잡아오면 상을 하사하는 신용을 지키고, 도망친 자에게 가하는 형벌을 무겁게 하였다. 또 군졸들이 활쏘기 연습하는 것을 자주 사열하면서 적중시키는 자에게는 상을 주었다. 부역을 시키면 품삯을 더해주어 춥고 배고픈 근심을 없애주니, 너도나도 마음을 다해 무예를 연마하며 도망치는 자가 거의 나오지 않았다. 훗날 병부의 관리들이 군졸 사열을 하였는데, 오직 형문의 군졸들만이 다른 군과 달리 가지런히 훈련되어 있었다. 선생이 활쏘기를 검열하실 때는 병사들뿐만 아니라 군에 사는 백성들도 참여할 수 있게 하였으며 적중시키면 똑같이 상을 하사했다.

부하들을 천거할 때도 품계를 국한시키지 않았다. 선생이 일찍이 말씀하셨다. "옛날에는 품계의 구분 없었으되 어질고 못나고의 분별

---

20) 태수가 업무를 보는 관아의 正堂을 말한다.

은 엄격했다. 후세에 와서는 품계의 구분이 생겼으되 어질고 못나고 의 분별은 소략해졌다."

선생이 고향 집에 계실 때 마을 사람들이 가뭄으로 인해 고생했는데, 아무리 많이 기도해도 응험이 없었다. 누군가가 선생에게 [기도를] 부탁했다. 이에 산꼭대기에 제단을 차리자 한참동안 먹구름이 끼었고, 기도를 올리자 이내 큰비가 내렸다. 형문에 있을 때도 가뭄이 들었는데, 선생이 기도를 올리면 수레가 떠나자마자 가랑비가 내려[21] 군의 백성들이 모두 기이하게 생각했다. 흡족하고 참된 교화는 갈수록 더욱 드러났으니, 한 해가 지나자 태형을 시행하는 일이 없어지고 이내 송사도 사라졌다. 서로 보호하고 서로 사랑하여 고을 백성들이 즐겁게 지냈으며, 인심이 공경스러워져 날로 후덕해졌다. 이졸들 역시 서로 의(義)로써 권면하였으며, 관부의 일을 마치 제 집 일처럼 여겼다. 이에 식견 있는 자들은 선생의 고을살이가 겉으로 정령이나 형벌을 내세우는 것보다 훨씬 나았음을 알게 되었다. 여러 관사에서 주장(奏章)을 올려 천거를 논할 때, 승상 주필대(周必大) [22] 공은 이런 말을 했다. "형문에서 펼친 정사는 궁행의 효과를 입증한 것입니다."

선생이 3년 겨울 11월에 친척들에게 말했다. "돌아가신 교수(敎授) 형님[陸九齡]께서는 늘 천하에 뜻을 두고 있었으나 끝내 이를 펼치지

---

21) 수레가 떠나자마자 비가 내린다는 뜻으로, 관리가 仁政을 펼쳐 백성의 근심을 덜어주는 것을 상징한다.

22) 周必大(1126~1204), 字는 子充 혹은 洪道, 自號는 平園老叟이다. 管城(지금의 河南省 鄭州) 사람. 紹興 21년(1151)에 진사 급제하였고 27년(1157)에 博學宏詞科에 급제하였다. 吏部尙書·樞密使·左丞相을 역임하고 許國公에 봉해졌다. 시호는 文忠이다.

못하시고 돌아가셨습니다." 친척들도 모두 그렇다고 여겼다. 또 일찍 이 식구들에게 말했다. "내 곧 죽을 것이다." 혹자가 말했다. "어찌하여 이토록 불길한 말을 하십니까. 골육들은 장차 어찌하라고요?" 선생이 말했다. "이 또한 자연스러운 일이다." 또 요속들에게 말했다. "내 장차 마지막을 고하고자 한다." 선생은 본디 혈질(血疾)을 앓고 계셨는데, 열흘 후에 이 병이 크게 도지니, 실로 12월 병오일이었다. 사흘 후에 병세가 그쳐 요속들을 접견하고 평상시처럼 정사를 논하였다. 고요한 방에서 편히 쉴 때는 청소하고 향을 피우라고 시켰으나 집안일에 관해서는 일절 함구하였다. 경술일에 눈이 내리게 해 달라 기도하니, 신해일에 갑자기 눈이 내렸다. 이에 목욕물을 준비하라 시키고는 목욕을 마친 후 모두 새 옷으로 갈아입고 두건을 두른 다음 단정히 앉았다. 집안사람들이 약을 올렸으나 선생은 물리치셨다. 이 때부터 더 이상 아무 말도 하지 않다가 계축일 정오에 갑자기 돌아가셨다. 군의 요속들은 정성을 다해 염을 하였고, 서리와 백성들은 영좌 앞에서 통곡했다. 길을 가득 메운 사람들이 각기 애통하고 사모하는 마음을 글로 지어 바쳤다. 영구가 돌아가자 모여와 통곡하며 함께 장례를 치른 문인이 천여 명에 달했다. 군현에서는 선생이 강학하던 곳에 사당을 세웠다. 선생이 남긴 문장은 제생들이 이미 차례를 정해 편집하였다. 선생은 소흥 9년(1139) 2월 을해일에 태어났다. 향년 54세이시다. 소취 오씨(吳氏)는 유인(孺人)에 봉해졌다. 두 아들 지지(持之)와 순지(循之)가 있고 딸이 하나 있다. 이듬해 11월 임신일에 향리에 있는 영흥사(永興寺)에 묻었는데, 이 산은 돌아가신 모친 유인 요 씨의 무덤과 가깝다.

선생의 도는 지극하고도 위대하다. 내가 이를 어떻게 알 수 있었던가? 내가 부양(富陽) 주부로 있을 때 임안부에서 업무를 보았는데, 그

때 처음으로 선생의 가르침을 받게 되었다. 다시 부양으로 돌아왔을
때에도 거듭 옆에서 모시며 깨우침을 받을 수 있었다. 어느 날 저녁
우연히 본심(本心)에 관한 질문을 하자 선생께서는 그날 있었던 부채
송사를 가지고 답변을 해주셨다.[23] 나는 홀연 이 마음이 청명하다는
것을 깨달았고, 이 마음에는 본디 시말(始末)이 없음을 깨달았으며,
이 마음은 통하지 않는 곳이 없음을 깨달았다. 내 비록 범범하고 못
난 자이라 선생을 제대로 알기에 부족하지만, 이때에 이르러 선생의
마음이란 말로써 능히 찬술할 수 있는 바가 아니요, 대충 파악해 형
용할 수 있는 바가 아님을 알게 되었다. 해와 달의 밝음은 선생의 밝
음이요, 사시의 변화는 선생의 변화요, 천지의 광대함은 선생의 광대
함이요, 귀신의 측량하기 어려움은 선생의 측량하기 어려움이다. 이

---

23) 『宋元學案』권74 「慈湖學案」에 보이는 내용이다. "양간은 자가 경중이고 자계
사람이다. 건도 5년에 진사가 되어 부양 주부로 발령이 났다. 일찍이 돌이켜
보며 천지만물이 온통 하나이며 내 마음 바깥의 일이 아님을 깨닫게 되었다.
육상산이 부양에 이르렀을 때 밤에 쌍명각에 모였는데, 상산은 본심이라는 두
글자를 수 차례 언급했다. 선생이 물었다. '본심이란 무엇입니까?' 상산이 말했
다. '오늘 그대가 처리한 부채에 관한 소송에서, 저 부채 소송 건 자 중에 하나는
반드시 옳고 하나는 반드시 틀릴 것이다. 만약 누가 옳고 누가 틀렸는지를 보았
다면, 아무개 갑이 옳고 아무개 을이 틀렸다고 즉시 판결할 수 있을 것이니,
이것이 본심이 아니고 무엇이겠는가?' 선생은 이 말을 듣고 홀연 이 마음이 맑게
청명해는 것을 느껴 급히 또 물었다. '이게 다입니까?' 그러자 상산은 준엄한
목소리로 답했다. '이밖에 더 무엇이 있단 말인가?' 선생은 물러나 해가 뜰 때까
지 팔짱 낀 채 앉아 있다가 아침이 되자 절을 하고 상산의 제자가 되었다.(楊簡,
字敬仲, 慈溪人. 乾道五年進士, 調富陽主簿. 嘗反觀, 覺天地萬物通爲一體,
非吾心外事. 陸象山至富陽, 夜集雙明閣, 象山數提本心二字, 先生問, '何謂
本心?' 象山曰, '君今日所聽扇訟, 彼訟扇者, 必有一是, 有一非. 若見得孰是
孰非, 即決定爲某甲是, 某乙非, 非本心而何?' 先生聞之, 忽覺此心澄然淸明,
亟問曰, '止如斯邪?' 象山厲聲答曰, '更何有也?' 先生退, 拱坐達旦, 質明納
拜, 遂稱弟子.)"

를 말로써 다하고자 한다면, 만고의 세월이 흐른다 하여도 다 할 수
없을 것이다. 그러나 선생의 마음은 만고의 사람의 마음과 하나로 통
하여 둘이 아니니, 학자들은 자포자기해서는 안 될 것이다. 삼가 행
장을 쓰다.

소희 5년(1194) 2월 16일
문인 봉의랑 지요주낙평현 주관권농공사 양간이 쓰다

先生姓陸, 名九淵, 字子靜. 其先媯姓, 至齊宣王少子元侯諱通, 始
封平原般縣陸鄕, 因以爲氏. 曾孫諱烈, 爲吳令, 子孫遂爲吳郡吳縣人.
自吳公四十世爲唐宰相文公, 諱希聲, 是爲先生八世祖. 七世祖諱崇,
六世祖諱德遷, 五代末, 避地于撫州金谿. 高祖諱有程, 曾祖諱演, 並
以學行重於鄕里. 祖諱戩, 父贈宣敎郎諱賀, 生有異稟, 端重不伐, 究
心典籍, 見於躬行, 酌先儒冠昏喪祭之禮, 行之家, 家道之整, 著聞州
里. 母孺人饒氏, 生六子, 先生其季也.
　先生幼不戲弄, 靜重如成人. 三四歲時, 常侍宣敎公行, 遇事物必致
問. 一日, 忽問天地何所窮際, 宣敎公笑而不答, 遂深思至忘寢食. 角
總經夕不脫衣, 履有敝而無壞, 襪至三接, 手甲甚修, 足跡未嘗至庖廚.
常自掃灑林下, 宴坐終日. 立于門, 過者駐望稱歎, 以其端莊雍容異常
兒也. 五歲讀書, 紙隅無捲摺. 六歲侍親會嘉禮, 衣以華好, 却不受. 季
兄復齋, 年十三, 學『禮經』以告, 先生迺受. 與人粹然樂易, 然惡無禮
者. 讀書不苟簡, 外視雖若閒暇, 而實勤於考索. 伯兄總家務, 常夜分
起, 必見先生秉燭檢書. 伊川近世大儒, 言垂于後, 至今學者尊敬講習
之不替. 先生獨謂簡曰: "丱角時, 聞人誦伊川語, 自覺若傷我者. 亦嘗
謂人曰, '伊川之言, 奚爲與孔子 · 孟子之言不類?' 初讀『論語』, 卽疑有
子之言支離." 先生生而淸明, 不可企及, 有如此者. 他日讀古書, 至宇

宙二字, 解者曰"四方上下曰宇, 往古來今曰宙", 忽大省曰: "宇宙內事, 乃己分內事, 己分內事, 乃宇宙內事." 又嘗曰: "東海有聖人出焉, 此心同也, 此理同也. 西海有聖人出焉, 此心同也, 此理同也. 南海·北海有聖人出焉, 此心同也, 此理同也. 千百世之上有聖人出焉, 此心同也, 此理同也. 千百世之下有聖人出焉, 此心同也, 此理同也."

乾道八年, 登進士第. 時考官呂祖謙能識先生之文於數千人之中. 他日謂先生曰: "未嘗欸承足下之敎, 僅得之傳聞, 一見高文, 心開目明, 知其爲江西陸子靜也."

其始至行都, 一時俊傑咸從之游. 先生朝夕應酬答問, 學者踵至, 至不得寐者餘四十日. 所以自奉甚薄, 而精神益强. 聽其言, 興起者甚衆. 還里, 遠邇聞風而至, 求親炙問道者益盛. 先生旣受徒, 卽去今世所謂學規者, 而諸生善心自興, 容體自莊, 雍雍于于, 後至者相觀而化. 猗歟盛哉! 眞三代時學校也. 有一生飯次微交足, 飯旣, 先生從容問之曰: "汝適有過, 知之乎?" 生略思曰: "已省." 先生曰: "何過?" 對曰: "中食覺交足, 雖卽改正, 亦放逸也." 其嚴如此. 先生深知學者心術之微, 言中其情, 或至汗下. 有懷於中而不能自曉者, 爲之條析其故, 悉如其心. 亦有相去千里, 素無雅故, 聞其大槪而盡得其爲人. 嘗有言曰: "念慮之不正者, 頃刻而知之, 卽可以正. 念慮之正者, 頃刻而失之, 卽爲不正. 有可以形迹觀者, 有不可以形迹觀者, 必以形迹觀人, 則不足以知人. 必以形迹繩人, 則不足以救人." 又曰: "今天下學者, 唯有兩途. 一途朴實, 一途議論." 嗚呼至哉! 足以明人心之邪正, 破學者之窟宅矣. 嘗攻切問者之疵, 問者不領, 惡聲輒至, 旁觀不能堪, 而先生悠然從容, 乃及他事.

淳熙元年, 授迪功郎, 隆興府靖安縣主簿, 未上, 丁繼母太孺人鄧氏憂, 服闋, 調建寧府崇安縣主簿. 八年, 少師史公浩薦先生之辭曰: "淵源之學, 沈粹之行, 輩行推之, 而心悟理融, 出於自得." 得旨都堂審察陞擢, 不赴. 九年, 侍從復上薦, 除國子正. 諸生叩請, 莘莘啓諭, 如家居敎授, 感發良多. 十年冬, 遷勅令所刪定官. 同志之士, 相從講切不替. 僚友多賢, 相與問辯, 大信服. 先生自少時聞長上道靖康間事, 慨然有感於復讐之義, 至是遂訪求智勇之士與之商確, 益知武事利病, 形勢要害, 人物短長. 十一年當輪對, 期迫甚, 猶未入思慮, 所親累請, 久乃下筆, 繕寫甫就, 厥明卽對, 上屢兪所奏. 修寬恤詔令, 書成, 有旨改承奉郞. 十三年, 轉宣義郞. 親朋謂先生久次, 宜求去, 先生曰: "往時面對, 粗陳大義, 明主不以爲非. 然條貫靡竟, 統紀未終, 思欲再望淸光, 少自竭盡, 以致臣子之義." 距對五日, 除將作監丞. 後省疏駁, 得旨主管台州崇道觀.

先生旣歸, 學者輻輳愈盛, 雖鄕曲老長, 亦俯首聽誨, 言稱先生. 先生悼時俗之通病, 啓人心之固有, 咸惕然以懲, 躍然以興, 每詣城邑, 環坐率一二百人, 至不能容, 徙觀寺. 縣大夫爲設講坐於學宮, 聽者貴賤老少, 溢塞塗巷, 從遊之盛, 未見有此. 貴溪有山, 實龍虎之本岡, 先生登而樂之, 結茆其上. 山高五里, 其形如象, 遂名之曰象山, 自號象山翁. 四方學徒復大集, 至數百人, 從容講道, 詠歌怡愉, 有終焉之意. 於是人號象山先生.

十六年, 祠秩滿, 今上登極, 除知荊門軍. 是年, 轉宣敎郞, 又轉奉議郞. 紹熙二年九月, 初領郡事. 吏以故例白: "內諸局務, 外諸縣, 必有揭示約束, 接賓受詞分日." 先生曰: "安用是?" 延見僚屬如朋友, 推心豁然, 論事惟理是從. 先生家書有云: "每日同官稟事, 衆有所見, 皆得展其所懷, 辯爭利害於前, 太守唯默聽. 候其是非旣明, 乃從贊歎, 以養其徇公之意. 太守所判, 僚屬却回者常有之." 先生敎民如子弟, 雖賤隷走卒, 亦諭以理義. 接賓受詞無早暮, 下情盡達無壅. 故郡境之內, 官吏之貪廉, 民俗之習尙, 忠良材武與猾吏暴强, 先生皆得之於無事之日.

往時郡有追逮, 皆特遣人, 先生唯令訴者自執狀以追, 以地近遠立限, 皆如期, 卽日處決. 輕罪多酌人情, 曉令解釋. 至人倫之訟旣明, 多使令元詞自毁之, 以厚其俗. 唯怙終不可誨化, 乃始斷治, 詳其文狀,以防後日反覆. 久之, 民情益孚, 兩造有不持狀, 唯對辯求決. 亦有證者, 不召自至, 問其故, 曰: "事久不白, 共約求明." 或旣伏, 俾各持其狀去, 不復留案. 嘗夜與僚屬坐, 吏白有老者訴甚急, 呼問之, 體戰, 言不可解. 俾吏狀之, 謂其子爲群卒所殺. 先生判翌日呈, 僚屬難之, 先生曰: "子安知, 不至是." 凌晨追究, 其子蓋無恙也, 人益服先生之明. 有訴遭竊, 脫而不知其人. 先生自出二人姓名, 使捕至, 訊之伏辜, 盡得所竊物還訴者, 且宥其罪, 使自新. 因語吏曰: "某所某人尤暴." 吏亦莫知. 翌日有訴遭奪掠者, 卽其人也. 乃加追治, 吏大驚, 郡人以爲神. 初保伍之制, 州縣以非急務, 多不檢核, 盜賊得匿藏其間, 近邊尤以爲患. 先生首申嚴之, 姦無所蔽, 有劫僧廬, 鄰伍遽集, 擒獲不逸一人. 至是群盜屏息.

荊門素無城壁, 先生以爲此自古戰爭之場, 今爲次邊, 在江·漢之間, 爲四集之地. 南捍江陵, 北援襄陽, 東護隨·郢之脅, 西當光化·夷陵之衝. 荊門固則四郊有所恃, 否則有背脅腹心之虞. 由唐之湖陽以趨山, 則其涉漢之徑, 已在荊門之脅, 由鄧之鄧城以涉漢, 則其趨山之道, 已在荊門之腹. 餘有間途淺津, 陂陁不能以限馬, 灘瀨不能以濡軌者, 所在尙多. 自我出奇制勝, 徹敵兵之腹脅者, 亦正在此. 雖四山環合, 易於備禦, 義勇四千, 彊壯可用, 而倉廩藏庫之間麋鹿可至. 累議欲修築子城, 憚重費不敢輕擧. 先生審度決計, 召集義勇, 優給庸直, 躬日勸督, 役者樂趨, 竭力工倍, 二旬訖築. 初計者擬費緡錢二十萬, 至是僅費緡錢[24]五千而土工畢. 後復議成砌三重, 置角臺, 增二小門, 上置敵樓, 衝天渠, 荷葉渠, 護險墻之制畢備, 纔費緡錢三萬. 又郡學, 貢院, 客館, 官舍, 衆役並興, 初俗習惰, 人以執役爲恥, 吏唯好衣閒觀, 至是此風一變, 督役官吏, 布衣雜役夫佐力, 相勉以義, 不專以威. 盛役如此, 而人情晏然, 郡中恬若無事.

---

24) [원주] 원래는 '錢' 자가 탈락되어 있으나 道光本에 근거해 보충해 넣었다.

荊門兩縣置壘, 事力綿薄, 連歲困于送迎, 藏庫空竭, 調度倚辦商稅. 先是日差使臣曁小吏伺商人于門, 檢貨給引, 然後至務, 務唯據引入稅, 出門又覆視. 官收無幾, 而出入其費已多. 初謂以嚴禁榷, 杜奸弊, 而門吏取賄, 多所藏覆, 禁物亦或通行. 商苦重費, 多由僻途, 務入日縮. 先生罷去之. 或曰:"門譏所以防奸, 列郡行之以爲常, 一旦罷廢, 商冒利, 必有不至務者." 先生曰:"是非爾所知." 卽日揭示, 俾徑至務, 復減正稅援例, 是日稅入立增. 有一巨商, 已遵僻途, 忽聞新令, 復出正路, 巡尉卒於岐捕之. 先生詰得其實, 勞而釋之, 巨商感涕. 行旅聞者莫不以手加額, 誓以毋欺. 私相轉告, 必由荊門. 旁觀者詰其故, 商曰:"罷三門引, 減援例, 去我輩大害, 不可不報德." 稅收增倍, 酒課亦如之.

荊門故用銅錢, 後以近邊, 以鐵錢易之. 銅錢有禁, 而民之輸於公者尙容貼納. 先生曰:"旣禁之矣, 又使之輸, 不可." 卽蠲之. 又減鈔錢, 罷比較, 不遣人詣縣, 給吏札, 置醫院官, 吏民咸悅, 而郡吏亦貧而樂. 獄卒無以自給, 多告罷, 先生以僚屬訪察得其實, 遂廩給之.

朔望及暇日, 詣學講誨諸生. 郡有故事, 上元設齋醮黃堂, 其說曰爲民祈福. 先生于是會吏民, 講「洪範」'斂福錫民'一章, 以代醮事, 發明人心之善, 所以自求多福者, 莫不曉然有感於中, 或爲之泣.

湖北諸郡軍士多逃徙, 視官府如傳舍, 不可禁止, 緩急無可使者. 先生病之, 乃信捕獲之賞, 重奔竄之刑, 又數閱射, 中者受賞, 役之加庸直, 無饑寒之憂, 相與悉心弓矢, 逸者絶少. 他日兵官按閱, 獨荊門整習, 他郡所無. 先生平時按射, 不止於兵伍, 郡民皆得而與, 中亦同賞.

薦擧其屬, 不限流品. 嘗曰:"古者無流品之分, 而賢不肖之辨嚴. 後世有流品之分, 而賢不肖之辨略."

先生之家居也, 鄕人苦旱, 羣禱莫應. 有請於先生, 乃除壇山巓, 陰雲已久, 及致禱, 大雨隨至. 荊門亦旱, 先生每有祈, 必疏雨隨車, 郡民異之. 治化孚洽, 久而益著. 旣踰年, 笞箠不施, 至於無訟. 相保相愛, 閭里熙熙, 人心敬向, 日以加厚. 吏卒亦能相勉以義, 視官事如其家事.

識者知其爲郡, 有出於政刑號令之表者矣. 諸司交章論薦, 丞相周公必大嘗遺人書, 有曰: "荊門之政, 于以驗躬行之效."

三年冬十一月, 語女兄曰: "先教授兄有志天下, 竟不得施以沒." 女兄盡然. 又嘗謂家人曰: "吾將死矣." 或曰: "安得此不祥語, 骨肉將奈何?" 先生曰: "亦自然." 又告僚屬曰: "某將告終." 先生素有血疾, 居旬日大作, 實十二月丙午. 越三日, 疾良已, 接見屬僚, 與論政理如平時. 晏息靜室, 命掃灑焚香, 家事一不掛齒. 庚戌禱雪, 辛亥雪驟降. 命具浴, 浴罷, 盡易新衣, 幅巾端坐. 家人進藥, 先生却之. 自是不復言. 癸丑日中, 奄然而卒. 郡屬棺斂竭誠, 哭哀甚. 吏民哭奠, 充塞衢道, 各有辭以敍陳痛戀之情. 柩歸, 門人奔哭會葬以千數. 郡縣於其講學地爲立祠. 先生遺文, 諸生已次第編紀. 先生生於紹興九年二月乙亥, 享年五十有四. 娶吳氏, 封孺人. 二子持之·循之, 女一. 明年十有一月壬申, 葬于鄉之永興寺, 山距妣饒氏孺人墓爲近.

先生之道, 至矣大矣. 簡安得而知之? 惟簡主富陽簿時, 攝事臨安府中, 始承教於先生. 及反富陽, 又獲從容侍誨. 偶一夕, 簡發本心之問, 先生舉是日扇訟是非以答, 簡忽省此心之清明, 忽省此心之無始末, 忽省此心之無所不通. 簡雖凡下, 不足以識先生, 而於是亦知先生之心, 非口說所能贊述, 所略可得而言者. 日月之明, 先生之明也, 四時之變化, 先生之變化也. 天地之廣大, 先生之廣大也. 鬼神之不可測, 先生之不可測也. 欲盡言之, 雖窮萬古, 不可得而盡也. 雖然, 先生之心與萬古之人心一貫無二致, 學者不可自棄. 謹狀.

紹熙五年二月十有六日
門人奉議郎 知饒州樂平縣 主管勸農公事 楊簡 狀

권34

어록 상語錄上

〈부계로의 기록〉
〈엄송의 기록〉

〈부계로傅季魯의 기록〉

1. "도 바깥에 일 없고, 사물 바깥에 도 없다." 선생께서 늘 하신 말씀이다.

"道外無事, 事外無道," 先生常言之.

2. 도가 우주 간에 있으면서 언제 병든 적이 있던가. 그저 사람 스스로 병들었을 뿐이다. 천고의 성현들도 단지 사람의 병을 제거했을 뿐, 언제 도를 더하고 뺀 적 있던가?

道在宇宙間, 何嘗有病? 但人自有病. 千古聖賢, 只去人病, 如何增損得道?

3. 이치라는 것은 다만 눈앞의 이치일 뿐이다 비록 성인의 경지를 보았다고 하나 이 역시 단지 눈앞의 이치일 뿐이다.

道理只是眼前道理. 雖見到聖人田地, 亦只是眼前道理.

4. 당·우 사이에 도는 고요에게 있었고, 상·주 사이에는 기자에게 있었다. 하늘이 사람을 냄에 반드시 도를 밝히는 책임을 맡은 자가 있었으니, 고요와 기자가 바로 그런 사람들이었다. 기자가 미

친 척하며 죽지 않았던 것은 바로 이 도를 전하고 싶었기 때문이다. 무왕에게 「홍범」을 바친 뒤에 기자는 오랑캐들 사이에 거하며 주나라 곡식을 먹지 않았다.

唐·虞之際, 道在皐陶, 商周之際, 道在箕子. 天之生人, 必有能尸明道之責者, 皐陶·箕子是也. 箕子所以佯狂不死者, 正爲欲傳其道. 旣爲武王陳「洪範」, 則居於夷狄, 不食周粟.

5. 『논어』 중에는 맥락을 알 수 없는 말이 많다. 예컨대 "앎이 미치고도 인(仁)이 능히 지키지 못하면"[1]과 같은 것의 경우 어디에 미치고 무엇을 지킨다는 것인지 알 수 없고, "배우고 때로 익히면"[2]의 경우 때로 무엇을 익힌다는 것인지 알 수 없기 때문에 학문에 본령(本領)이 없고서는 읽기 쉽지 않다. 만약 학문에 본령을 갖추었다면, 앎이 미친 것도 여기에 미친 것이고, 인이 지킨 것도 이것을 지킨 것이고, 때로 익힌 것도 이것을 익힌 것임을 알 수 있다. 말하는 것도 이것을 말하는 것이고, 즐거워하는 것도 이것을 즐거워하는 것이니, 마치 높은 지붕 위에 기와로 막아 받아두었던 빗물이 흘러내리는 것처럼 거칠 것이 없다.[3] 학문함에 있어 근본

---

1) 『論語』「衛靈公」에 "공자께서 말씀하시기를, 앎이 미치고도 仁이 능히 지키지 못하면 비록 얻었으나 반드시 잃을 것이다.(子曰, 知及之, 仁不能守之, 雖得之必失之.)"라는 말이 나온다.
2) 『論語』「學而」.
3) 지붕의 고랑이 되게 놓은 기와에서 흘러내리는 빗물이라는 뜻으로, 막지 못하는 형세를 비유적으로 이르는 말이다. 『漢書』 권1 「高帝紀」에 "진은 이길 형세를 지닌 나라였다. 강이 휘감고 있고 산이 가로막고 있어 지세가 유리했다. 그러니 제후들에게 병사를 파견할 경우, 마치 높은 지붕 위에 기와로 막아 받아두었던 빗물이 흘러내리는 것처럼 거침없었다.(秦, 形勝之國也, 帶河阻山, 地勢便

을 안다면, 육경은 모두 나에 대한 각주일 뿐이다.

『論語』中多有無頭柄的說話, 如"知及之, 仁不能守之"之類, 不知所及所守者何事. 如"學而時習之", 不知時習者何事. 非學有本領, 未易讀也. 苟學有本領, 則知之所及者, 及此也, 仁之所守者, 守此也, 時習之, 習此也. 說者說此, 樂者樂此, 如高屋之上建瓴水矣. 學苟知本, 六經皆我註脚.

6. 천리와 인욕에 관한 이야기는 당연히 지극한 논의가 아니다. 만약 하늘이 이(理)이고 사람이 욕(欲)이라면 하늘과 사람은 서로 다른 것이 되어버린다. 이러한 학설은 대개 노자에게서 비롯되었다. [『禮記』]「악기」에서는 "사람이 태어나면서부터 고요한 것[靜]은 하늘이 부여한 성[天性]이고, 사물에 감응하여 움직이는 것[動]은 성의 욕구이다. 사물이 이르면 지성이 지각하는데, 그런 연후에 호오가 생겨난다. 따라서 반성할 수 없으면 천리가 멸절된다."4)고 하였는데, 천리와 인욕의 학설은 대략 여기에서 비롯되었으며, 「악기」의 이 말은 다시 노자에 뿌리를 두고 있다. 또한 오로지 고요한 것만이 천성이라고 말한다면, 움직이는 것은 그럼 천성이 아니란 말인가? 『상서(尙書)』에서 "인심은 위태롭고 도심은 은미하다."5)고 말하였다. 해설하는 자들은 대부분 인심을 가리켜 인욕이라 하고, 도심을 가리켜 천리라 하는데, 이는 옳지 않다. 마음은 하나이니, 사람에게 어찌 두 마음이 있을 수 있겠는

利 ; 其以下兵於諸侯, 譬猶居高屋之上建瓴水也.)"라는 표현이 보인다.

4) 「樂記」 원문에는 '不能反躬' 앞에 "호오는 안에서 절제하지 못하고, 지력은 외부에 유혹을 받는다.(好惡無節於內, 知誘於外.)" 두 구절이 더 있다.

5) 『尙書』「大禹謨」.

가? 사람을 놓고 말할 때는 위태롭다 하고, 도를 놓고 말할 때는 은미하다고 하는데, "[성인이라도] 생각하지 않으면 광인이 되고, [광인이라도] 능히 생각하면 성인이 된다."6)고 하였으니, [인심이란] 위태롭지 않은가? "소리도 없고 냄새도 없고, 형상도 없고 몸체도 없으니",7) [도심이란] 은미하지 않은가? 따라서 말하노니, 장자는 "작고도 작은 것은 사람에 속해 있는 까닭이고, 크고도 큰 것은 홀로 하늘에서 노닐기 때문이다."8), "천도와 인도는 그 차이가 멀다."9)라고 하였는데, 이는 분명 하늘과 사람을 나누어 둘로 찢어놓은 말이다.

天理人欲之言, 亦自不是至論. 若天是理, 人是欲, 則是天人不同矣. 此其原蓋出於老氏.「樂記」曰: "人生而靜, 天之性也, 感於物而動, 性之欲也. 物至知知, 而後好惡形焉. 不能反躬, 天理滅矣." 天理人欲之言蓋出於此.「樂記」之言亦根於老氏. 且如專言靜是天性, 則動獨不是天性耶?『書』云: "人心惟危, 道心惟微." 解者多指人心爲人欲, 道心爲天理, 此說非是. 心一也, 人安有二心? 自人而言, 則曰惟危, 自道而言, 則曰惟微. "罔念作狂, 克念作聖",非危乎? "無聲無臭, 無形無體," 非微乎? 因言莊子云: "眇乎小哉! 以屬諸人. 謷乎大哉! 獨遊於天." 又曰: "天道之與人道也相遠矣." 是分明裂天人而爲二也.

---

6) 『尙書』「多方」.
7) 『中庸』 33장에 "상천의 작용이 소리도 없고 냄새도 없다는 것이야말로 지극한 것이다.(上天之載, 無聲無臭, 至矣.)"라는 말이 나온다.
8) 『莊子』「德充符」에 나오는 말이다. 그러나 『莊子』 원문에는 "獨遊於天"이 아니라 "홀로 하늘의 도를 실현한다.(獨成其天)"라고 되어 있다.
9) 『莊子』「在宥」에 나오는 말이다. "군주가 되는 것은 천도이고 신하가 되는 것은 인도이다. 천도와 인도는 그 차이가 멀다.(主者, 天道也. 臣者, 人道也. 天道之與人道也, 相去遠矣.)"

7. "몸가짐과 일처리가 예법에 맞는 것은 성대한 덕의 지극함이
다."[10]라 하였으니, 이로써 늘 선후가 있게 된다.

"動容周旋中禮, 此盛德之至." 所以常有先後.

8. "말을 반드시 신실하게 함이 그로써 행실을 바로잡기 위한 것은
아니다."[11]라 하였으니 행실을 바로잡으려는 마음이 생기자마자
이미 잘못된 것이다.

"言語必信, 非以正行." 纔有正其行之心, 已自不是了.

9. 옛 사람들은 모두 실제 이치[理]를 밝혔고 실제 일을 하였다.

古人皆是明實理, 做實事.

10. 근자에 학문을 논하는 자들은 "확충해 나아갈 때는 반드시 사단
(四端)을 좇아가며 하나 하나 확충해야 한다."고 말하는데, 이러
한 도리가 어디 있단 말인가? 맹자는 장차 사람이 지니고 있는 사
단을 끄집어냄으로써 인성의 선함을 밝혀 자포자기하지 못하도록
하려했던 것뿐이다. 이 마음만 보존되어 있으면 이 이치는 절로
밝아지리니, 측은해 해야 할 때 절로 측은지심을 가질 수 있고,
[잘못을] 수치스러워하고 미워해야 할 때, 겸손히 물러나야 할 때,
시비가 눈앞에 있을 때를 당해서도 절로 구별할 수 있을 것이다.
또 말하노니, "너그럽고 부드러워야 할 때 절로 너그럽고 부드러

---

10) 『孟子』「盡心下」.
11) 『孟子』「盡心下」.

워지고, 강인함과 의연함을 보여야 할 때 절로 강인함과 의연함을 보일 수 있어야 하니, 이것이 곧 두루 넓고 깊은 근원이 있어서 필요한 때마다 흘러나온다.[12]라는 말의 뜻이다."

近來論學者言: "擴而充之, 須於四端上逐一充." 焉有此理? 孟子當來, 只是發出人有是四端, 以明人性之善, 不可自暴自棄. 苟此心之存, 則此理自明, 當惻隱處自惻隱, 當羞惡, 當辭遜, 是非在前, 自能辨之. 又云: "當寬裕溫柔, 自寬裕溫柔, 當發强剛毅, 自發强剛毅, 所謂溥博淵泉, 而時出之."

11. 부자께서 자공에게 물었다. "너와 회 중에 누가 더 나으냐?"[13] 자공이 말했다. "제가 어찌 감히 회를 쳐다볼 수 있겠습니까? 회는 하나를 들으면 열을 알지만 저는 하나를 들으면 둘을 압니다." 이러한 대답은 공자님의 기운을 허비하게 했을 뿐이다. 그래서 부자께서 "나 역시 안회만 못하다."고 대답하신 것이다. 선생께서 여기까지 말씀하셨을 때 오 씨 성을 가진 자가 자리에 있었는데, 갑자기 "[부자께서 그렇게 말씀하신 것은 자공의 말에] 자신이 안회보다 못한 것을 꺼리는 마음이 여전히 있기 때문이었을 것입니다."라고 말하였다. [상산 선생께서는 자리에 앉아 있던 학문에 뜻을 둔 학생들에게 이렇게 말했다. "이 이야기는 천하의 사인들에게 말해주어도 제대로 이해하라는 법 없는데, 오 군의 영민함이 이와 같구나. 제군들이 비록 학문에 뜻을 두었다 하더라도 이런 점은 미치지 못할 것이다." 오 군은 겸손히 사양하며, "어쩌다 맞

---

12) 『中庸』 31장.
13) 『論語』 「公冶長」에 나오는 말이다.

추었습니다."라고 말하였다.

夫子問子貢曰: "汝與回也孰愈?" 子貢曰: "賜也, 何敢望回? 回也聞
一以知十, 賜也聞一以知二." 此又是白著了夫子氣力, 故夫子復語
之曰: "弗如也." 時有姓吳者在坐, 遽曰: "爲是尙嫌少在." 先生因語
坐間有志者曰: "此說與天下士人語, 未必能通曉, 而吳君通敏如
此. 雖諸君有志, 然於此不能及也." 吳遜謝, 謂"偶然."

12. 부자의 문하에서 자공(子貢)은 그 재능이 가장 뛰어났다. 부자는
    몹시 그를 촉망하여 지극히 연마하였다. "나의 도는 일이관지니
    라."14)라는 말도 오직 자공과 증자(曾子) 둘에게만 해주었다. 부
    자께서 돌아가신 후 삼년 만에 문인들이 모두 돌아갔는데, 자공은
    마당에 집을 짓고서 홀로 시묘살이 삼년을 더 한 후에 돌아갔다.
    부자께서 온 힘을 다해 자공을 연마하였으니, 자공이 홀로 3년간
    남은 것은 부자의 깊은 은혜에 보답하기 위함이었을 것이다. 당
    시 자공처럼 갈고 닦아 성취를 이룬 자라면 그 재주가 어찌 증자
    가 비할 바였겠는가? 그러나 안연(顔淵)이 죽자 둔한 증자가15)
    부자의 학문을 전수받았으니, 아마도 자공은 도리어 총명함에 매
    어서 끝내 덕(德)을 알지 못했기 때문이리라.

---

14) 공자가 증자에게 一以貫之를 말하는 내용은 『論語』「里仁」에 나오고, 子貢에
   게 말하는 내용은 「衛靈公」에 나온다. 공자는 증자에게 자신의 도는 오직 忠恕
   뿐이라고 말한 반면, 자공에게는 "너는 내가 많이 배웠기 때문에 안다고 생각하
   느냐?(女以予爲多學而識之者與?)"라고 물은 뒤에 "아니다. 나는 일이관지하느
   니라.(非也. 予一以貫之.)"고 말하였다. 즉 학문이란 많이 배워서 기억하는 것
   으로 생각하고 있는 子貢에게 학문의 근본은 '박학'이 아니라 道와 德이 무엇인
   지 아는 것임을 일깨우고자 했던 것이다.
15) 『論語』「先進」에 공자가 증자를 '둔하다(參也魯)'고 표현하는 말이 보인다.

子貢在夫子之門, 其才最高. 夫子所以屬望, 磨礱之者甚至. 如"予一以貫之", 獨以語子貢與曾子二人. 夫子既沒三年, 門人歸, 子貢反築室於場, 獨居三年然後歸. 蓋夫子所以磨礱子貢者極其力, 故子貢獨留三年, 報夫子深恩也. 當時若磨礱得子貢就, 則其材豈曾子之比? 顏子既亡, 而曾子以魯得之. 蓋子貢反爲聰明所累, 卒不能知德也.

13. 자공은 "[부자께서] 성(性)과 천도(天道)를 말씀하시는 것을 들어 보지 못했다."[16]고 하였으니 자공은 훗날 깨달은 바가 있었던 것이다. 그러나 "들어보지 못했다."고 말한 것은 실제에 부합하는 견해가 아니니, "나는 말하고 싶지 않다."[17]고 하셨던 것이 바로 이런 것에 관한 말씀인 셈이기 때문이다.

子貢言: "性與天道不可得而聞." 此是子貢後來有所見處. 然謂之 "不可得而聞", 非實見也, 如曰"予欲無言", 卽是言了.

14. 천하의 이치란 끝이 없어서, 내가 일평생 경험한 일을 가지고 말해본다면 남산의 대나무를 다 베어다가 그 위에 쓴다 해도 내가 하는 말을 다 받아 적기에 부족할 것이다. 그러나 결국에는 이 이치로 모여 귀결된다. 안자(顏子)는 그 사람됨에 있어 정신적인 면

---

16) 『論語』「公冶長」에 나오는 말이다.
17) 『論語』「陽貨」에 다음과 같은 내용이 보인다. "공자께서 말씀하셨다. '나는 말하고 싶지 않다.' 자공이 말했다. '부자께서 말씀하지 않으시면 저희들이 어찌 전술할 수 있겠습니까?' 공자께서 말씀하셨다. '하늘이 언제 말을 하더냐? 사시가 운행되고 만물이 생장할 뿐, 하늘이 언제 말을 하더냐?'(子曰, '予欲無言.' 子貢曰: '子如不言, 則小子何述焉?' 子曰, '天何言哉? 四時行焉, 百物生焉, 天何言哉?')"

은 가장 출중했지만 힘을 쓰는 일은 매우 어려워했다. 중궁(仲弓)
은 정신적인 면에 있어서는 안자에 미치지 못했지만 힘을 쓰는
일은 도리어 수월해 했다. 안자가 처음 공자에게 배울 때 공자께
서는 우러러 볼수록 더욱 높아지고 뚫을수록 더욱 단단해지며, 앞
에 계시는 듯하더니 뒤에 계셨다. 문장으로써 넓혀주고 예(禮)로
써 단속해주셨다. 두루 구하고 힘써 찾고 그 재주를 다했으나 우
뚝하여 쫓아갈 수 없었다.[18] 그가 '인(仁)'에 관해 묻자 부자께서
이에 대해 설명하신 후 '극기(克己)'라는 두 글자를 언급하시면서
"극기하여 예를 회복하는 것을 인이라 한다."고 하셨다. 또 그 뜻
을 드러내시며 "하루라도 극기복례할 수 있으면 천하가 인으로
돌아갈 수 있다."라고 하셨고, 그런 다음에 다시금 "인을 실천하
는 것은 자기 몸에 달린 것이지, 남에게 달린 것이겠는가?"[19]라고
하셨다. 나는 이 세 구절을 [부자께서 안회에게 가한] 세 번의 채
찍질이라 생각한다. 중궁의 사람됨에 대해서 혹자는 "옹은 인(仁)
하기는 하지만 달변이 아니다."[20]라고 하였다. 인자(仁者)는 조용
하며 달변이 아니니, 말재간이라곤 없다. 그의 사람됨을 생각해보

---

18) 『論語』「子罕」에 나오는 내용으로, 안연이 공자의 위대함을 찬탄하며 한 말이
다. 문자에 출입이 있는데, 『논어』 본문은 다음과 같다. "안연이 탄식하며 말했
다. '우러르면 더욱 높아지고, 뚫으면 더욱 단단해지며, 바라볼 때는 앞에 있더
니 홀연히 뒤에 있도다. 부자께서 차근차근히 사람을 잘 인도하시어 나를 文으
로써 넓히시고, 나를 예로써 단속하심이라. 그만두려 해도 그럴 수 없어 이미
내 재능을 다했으나, 높이 우뚝 서계신 듯하여 따르고자 해도 말미암을 길이
없을 뿐이로다.'(顏淵喟然歎曰, '仰之彌高, 鑽之彌堅, 瞻之在前, 忽然在後.
夫子循循然善誘人, 博我以文, 約我以禮, 欲罷不能, 既竭吾才, 如有所立卓
爾, 雖欲從之, 末由也已.')"
19) 이상 모두 『論語』「顏淵」에서 인용했다.
20) 『論語』「公冶長」.

건대 고요하고 생각을 적게 하여 일용에 있어 자연히 도에 부합하였다. 그가 인에 관해 묻자 부자께서는 그저 "문을 나갔을 때에는 큰손님을 만나듯이 하며, 백성에게 일을 부릴 때에는 큰 제사를 받들 듯이 하고, 자신이 하고자 하지 않는 일을 남에게 베풀지 말아야 한다."[21]라고만 말씀하셨으니, 이것이 다였기 때문이다. 그렇기는 하나 안자는 정신이 드높아 갈고 닦아 학문적 성취를 이루었으니, 이는 실로 중궁이 미칠 수 있는 바가 아니다.

天下之理無窮, 若以吾平生所經歷者言之, 眞所謂伐南山之竹, 不足以受我辭. 然其會歸, 總在於此. 顔子爲人最有精神, 然用力甚難. 仲弓精神不及顔子, 然用力却易. 顔子當初仰高鑽堅, 瞻前忽後, 博文約禮, 遍求力索, 旣竭其才, 方如有所立卓爾. 逮至問仁之時, 夫子語之, 猶下克己二字, 曰"克己復禮爲仁." 又發露其旨, 曰"一日克己復禮, 天下歸仁焉." 旣又復告之曰"爲仁由己, 而由人乎哉?" 吾嘗謂此三節, 乃三鞭也. 至於仲弓之爲人, 則或人嘗謂"雍也仁而不佞." 仁者靜, 不佞, 無口才也. 想其爲人, 沖靜寡思, 日用之間, 自然合道. 至其問仁, 夫子但答以"出門如見大賓, 使民如承大祭, 己所不欲, 勿施於人." 只此便是也. 然顔子精神高, 旣磨礱得就, 實則非仲弓所能及也.

15. 안자가 '인'에 관해 물은 후에 부자께서는 수많은 사업을 모두 안자에게 맡기셨다. 그래서 [안연에게] 말씀하시길, "등용되면 행하고 버려지면 숨는 것은 오직 너와 나만이 할 수 있다."[22]고 말씀

---

21) 『論語』「顔淵」.
22) 『論語』「述而」.

하셨던 것이다. 안자가 죽자 부자께서는 통곡하며 "하늘이 나를 버렸다."[23]고 말씀하셨다. 부자의 사업은 이때부터 전해지지 못했던 것이다. 증자가 비록 그 학맥을 이어받았으나 "증삼(曾參)은 둔하다."[24]하였으니, 어찌 안자가 쌓아온 수양과 학식을 바라다볼 수나 있었겠는가? 다행히 증자가 자사(子思)에게 전하고 자사가 맹자에게 전하여 부자의 도가 맹자에 이르러 빛을 발하게 되었다. 하지만 부자께서 안자에게 맡긴 사업은 결국 전해질 수 없었다.

顔子問仁之後, 夫子許多事業, 皆分付顔子了. 故曰"用之則行, 舍之則藏, 惟我與爾有是." 顔子沒, 夫子哭之曰: "天喪予." 蓋夫子事業自是無傳矣. 曾子雖能傳其脉, 然參也魯, 豈能望顔子之素蓄? 幸曾子傳之子思, 子思傳之孟子, 夫子之道, 至孟子而一光. 然夫子所分付顔子事業, 亦竟不復傳也.

16. 배움에는 본말이 있다. 안자는 [仁에 관한] 부자의 세 차례의 풀이[25]를 듣고 강령이 명료해진 연후에 그 조목을 여쭈었다. 부자께서는 "예가 아니면 보지 말고, 듣지 말고, 말하지 말고, 행동하지 말라."[26]고 대답하셨다. 안자는 이 말을 의혹 없이 환히 이해했기에 "제가 비록 불민하오나 청컨대 이 말씀을 행하겠습니다."라고 말하였던 것이다. 본말의 순서란 이와 같아야 한다. 그러나

---

23) 『論語』「先進」.
24) 『論語』「先進」.
25) 禪宗 용어 중에 心機를 끄집어 내 大悟를 유도하는 말을 三轉語라고 하는데, 육구연이 그런 뜻에서 이 용어를 사용한 것인지, 단순한 풀이라는 뜻으로 사용한 것인지 고민이 필요하다. 인에 관한 세 차례의 풀이란 앞앞 14조에서 인용한 대목을 가리킨다.
26) 『論語』「顔淵」.

지금 세상의 학자들은 본말과 선후를 단박에 뒤집어 뒤섞어놓은 채 상세한 부분을 가지고 갑자기 사람을 다그쳐서는 안 된다는 사실을 전혀 알지 못한다. 예가 아니면 보지 말고, 듣지도, 말하지도, 행동하지도 말라는 말씀은 안자가 이미 알고 있었기에 부자께서 그렇게 말씀하셨던 것이다. 지금 이런 것을 가지고 먼저 사람을 다그친다면, 이야말로 순서를 뛰어넘는 행동이다. 보고 듣고 말하고 행동함에 예가 아니면 하지 않는다고 하였으나 이 말을 가지고 안자를 살펴서는 안 된다. 모름지기 "청컨대 이 말씀을 행하겠습니다."라고 한 말을 안자가 감당해낼 수 있었음을 보아야만 한다.

學有本末, 顔子聞夫子三轉語, 其綱旣明, 然後請問其目. 夫子對以非禮勿視, 勿聽, 勿言, 勿動. 顔子於此洞然無疑, 故曰: "回雖不敏, 請事斯語矣." 本末之序蓋如此. 今世論學者, 本末先後, 一時顚倒錯亂, 曾不知詳細處未可遽責於人. 如非禮勿視, 聽, 言, 動, 顔子已知道, 夫子乃語之以此. 今先以此責人, 正是躐等. 視, 聽, 言, 動勿非禮, 不可於這上面看顔子, 須看"請事斯語", 直是承當得過.

17. 하늘[天]이라는 글자는 고요부터 말하기 시작하였다.[27)]

天之一字, 是皐陶說起.

18. 부자께서는 인(仁)으로써 이 도를 밝히셨으나 그 말은 혼연하여 틈이라곤 없었다. 맹자께서는 사방으로 문을 활짝 열어놓으신

---

27) 『尙書』 「皐陶謨」에 나오는 "天秩有禮", "天命有德", "天討有罪" 등의 표현을 두고 하는 말인 것 같다.

채[28] 아무런 숨기는 것이 없었다. 아마도 시대가 달랐기 때문일
것이다.

夫子以仁發明斯道, 其言渾無罅縫. 孟子十字打開, 更無隱遁, 蓋
時不同也.

19. 자고로 성현들이 이 이치를 밝히실 때 반드시 [그 말이] 다 똑같을
    필요는 없다. 예컨대 기자(箕子)가 한 말 중에 고요(皐陶)가 하지
    않은 말이 있고, 부자가 하신 말 중에 문왕과 주공이 하지 않은
    말이 있다. 맹자가 한 말 중에 우리 부자께서 하지 않은 말이 있
    다. 이치의 무궁함이란 이와 같다. 하지만 바둑에 비유해보건대,
    먼저 이러한 등급의 국수(國手)와 바둑을 두고, 나중에 또 이러한
    국수와 바둑을 둘 때, 바둑판에 놓인 알은 다를 수 있지만 이들과
    같은 실력을 지닌 자라야 놓을 수 있다. 그래서 "혹 주나라를 계
    승한 자라면 백 대 후라도 알 수 있다."[29]고 한 것이다. 옛 사람들
    은 도(道) 보기를 마치 다반사처럼 하였다. 그래서 칠조개(漆雕
    開)가 "저는 이것에 관해 아직 자신이 없습니다."[30]라고 한 것이

---

28) 말이 은미하지 않고 분명한 것을 가리킨다. '開門見山'과 같은 표현이다.
29) 『論語』「爲政」에 보이는 내용이다. "자장이 물었다. '십 대 후를 알 수 있습니
    까?' 공자께서 말씀하셨다. '은나라는 하나라의 예절과 법도를 따랐으니, 거기에
    보태거나 뺀 것을 알 수 있고, 주나라는 은나라의 예절과 법도를 따랐으니 거기
    에서 보태거나 뺀 것을 알 수 있다. 혹 주나라를 계승하는 자가 있다면 백 대
    후라도 할지라도 알 수 있다.'(子張問, '十世可知也?' 子曰, '殷因於夏禮, 所損
    益可知也. 周因於殷禮, 所損益可知也. 其或繼周者, 雖百世可知也.')"
30) 『論語』「公冶長」에 보인다. "공자께서 칠조개에게 벼슬할 것을 권하였다. 칠조
    개가 '저는 이에 관해 아직 자신이 없습니다.'라고 답하자 공자께서 기뻐하시었
    다.(子使漆彫開仕, 對曰, '吾斯之未能信.' 子說.)"

니, 여기서 "이것"이란 바로 도를 가리킨다.

自古聖賢發明此理, 不必盡同. 如箕子所言, 有皐陶之所未言, 夫子所言, 有文王·周公之所未言. 孟子所言, 有吾夫子之所未言. 理之無窮如此. 然譬之奕然, 先是這般等第國手下棊, 後來又是這般國手下棊, 雖所下子不同, 然均是這般手段始得. 故曰: "其或繼周者, 雖百世可知也." 古人視道, 只如家常茶飯, 故漆雕開曰: "吾斯之未能信." 斯, 此也.

20. 이 도는 이욕(利欲)에 빠진 사람과 더불어 말하기는 그래도 쉬우나 자기 견해에 빠진 사람과 더불어 말하기는 도리어 어렵다.

此道與溺於利欲之人言猶易, 與溺於意見之人言却難.

21. 졸졸 흐르는 물이 모여서 강이 된다. 샘의 근원이 막 시작되는 곳에서는 비록 조금씩 졸졸 흐를 뿐이어서 강까지 이르기에 아직 멀어 보이지만 그래도 강을 이루게 되는 이치는 갖추어져 있다. 만약에 밤낮을 쉬지 않고 흐르고 흐른다면, 지금은 비록 웅덩이조차 다 채울 수 없지만 훗날 저절로 웅덩이를 채울 수 있을 것이다. 지금은 비록 사해로 흘러들어가지 못하지만, 훗날 저절로 사해로 흘러들어갈 것이다. 지금은 비록 그 극(極)으로 모이지 못하고, 그 극으로 돌아가지 못하지만, 훗날 저절로 극으로 모이고, 극으로 돌아갈 것이다. 그러나 배우는 자들은 스스로를 믿지 못하고서 드러나 보이는 끝이 성대한 자를 보고는 이내 황망해하며 자기에게서 졸졸 흐르는 물을 버리고 그에게로 향하다가 스스로를 망쳐버리고 만다. 나의 물은 조금씩 졸졸 흐를 뿐이지만 도리어 진실하고, 저들의 드러나 보이는 끝은 비록 무성하지만 도리어

거짓임을 전혀 알지 못한다. 흡사 물을 길어다가 저들과 비슷해 지려고 해봐야 곧 물이 메말라버리는 꼴만 곧 보게 되는 것과 마찬가지이다. 내 일찍이 속담을 들어 학자들을 가르친 바 있다. "한 푼을 들이면 뜨내기 손님일 뿐이지만 두 푼을 들이면 단골이 된다."

涓涓之流, 積成江河. 泉源方動, 雖只涓涓之微, 去江河尙遠, 却有成江河之理. 若能混混, 不舍晝夜, 如今雖未盈科, 將來自盈科. 如今雖未放乎四海, 將來自放乎四海. 如今雖未會其有極, 歸其有極, 將來自會其有極, 歸其有極. 然學者不能自信, 見夫標末之盛者便自荒忙, 舍其涓涓而趨之, 却自壞了. 曾不知我之涓涓雖微却是眞, 彼之標末雖多却是僞, 恰似擔水來相似, 其涸可立而待也. 故吾嘗擧俗諺敎學者云: "一錢做單客, 兩錢做雙客."

22. 부자연(傅子淵)이 여기서 자기 집으로 돌아가자 진정기(陳正己)가 그에게 물었다. "육 선생은 사람을 가르칠 때 가장 먼저 무엇을 가르치던가?" 대답했다. "뜻을 분별하는 것이네." 진정기가 다시 물었다. "어떤 분별을 말하는가?" 대답했다. "의(義)와 이(利)에 대한 분별이네." 자연의 대답이라면 가히 요점을 찔렀다고 말할 만하다.

傅子淵自此歸其家, 陳正己問之曰: "陸先生敎人何先?" 對曰: "辨志." 正己復問曰: "何辨?" 對曰: "義利之辨." 若子淵之對, 可謂切要.

23. 이 도는 남과 경쟁하며 앞으로 나아가기 위해 노력하는 자가 능히 알 수 있는 바가 아니다. 오직 고요히 물러난 자만이 이 도에 들어올 수 있다. 또 말씀하셨다. 배우는 자라면 마음을 너무 조

급하게 써서는 안 된다. 오늘날 배우는 자들은 대개가 호사가들이라 반드시 자기에게 절실한 것에 뜻을 두지는 않는다. 부자께서 말씀하셨다. "옛날의 학자들은 자신을 위해 배웠지만, 지금의 학자들은 남을 위해 배운다."[31] 모름지기 스스로 성찰해보아야 할 것이다.

此道非爭競務進者能知, 惟靜退者可入. 又云: 學者不可用心太緊, 今之學者, 大抵多是好事, 未必有切己之志. 夫子曰: "古之學者爲己, 今之學者爲人." 須自省察.

24. 민의란 합쳐서 들으면 신묘해지지만 따로 떼어서 들으면 어리석어진다.[32] 그렇기 때문에 천하 만세에 자연히 공론이 존재하는 것이다.

夫民合而聽之則神, 離而聽之則愚. 故天下萬世自有公論.

25. 선생이 회옹(晦翁)과 변론을 벌이자 혹자가 변론할 필요가 없다며 간언하였다. 선생이 말했다. "너는 아느냐, 모르느냐? 건안에도 주회옹은 없고, 청전에도 육자정은 없다."[33]

---

31) 『論語』「憲問」.
32) 『管子』「君臣」에 "대저 민의란 나누어서 들으면 어리석어지고 모아서 들으면 성스러워진다.(夫民, 別而聽之則愚, 合而聽之則聖.)"는 말이 나오는데, 이를 인용한 듯하다.
33) 建安은 朱熹의 고향이고, 靑田은 육구연의 고향이다. 이 뜻은 변론하는 이유가 청전에 사는 육자정이라는 개인이 건안에 사는 주회옹이라는 개인을 이기기 위해서가 아니라는 것이다. 육상산이 "의견"이라는 말을 싫어하는 것도 마찬가지 이유에서이다. 『어록상』, 〈엄송의 기록, 18〉에서 "천지간에 주원회와 육자정이 있다고 무엇이 보태지겠는가?"라는 말과도 통한다. 육상산은 자기가 터득한

先生與晦翁辯論, 或諫其不必辨者. 先生曰: "汝曾知否? 建安亦無朱晦翁, 靑田亦無陸子靜."

26. 사의(私意)라는 난관을 극복하지 않고서는 끝내 덕에 들어가기 어렵다. 덕에 들어가지 못한다면, 규범과 법도를 어찌 알 수 있겠는가?

不曾過得私意一關, 終難入德. 未能入德, 則典則法度何以知之?

27. 상산에 거하시면서 학자들에게 자주 말씀하셨다. "너희들 귀는 스스로 밝고, 눈은 스스로 밝으니, 아비를 모심에 스스로 효를 다할 수 있고, 형을 모심에 스스로 공손할 수 있으며 본디 결함일랑 가지고 있지 않다. 다른 것을 구할 필요 없이 오직 스스로 세우기만 하면 될 따름이다."

居象山多告學者云: "汝耳自聰, 目自明, 事父自能孝, 事兄自能弟, 本無欠闕, 不必他求, 在自立而已."

28. 말세에 태어난 탓에 학자들과 말할 때 허다한 기력을 소비해야 하나니, 그들에게 허다한 병폐가 있기 때문이다. 만약 옛날에 살았더라면 그들과 이야기할 때 그저 "들어오면 효를 다하고 나아면 공손해라."[34]라고만 하면 될 뿐, 번다한 항목은 전혀 없었을 것이다.

───────────────

이치가 육상산 개인의 것이 아니라고 보는 것이다. 천하 만세에 변함없이 이어져온 이치라는 점에서 자신이 주희와 변론하는 것은 이 이치를 당시의 시대에 맞게 밝히기 위한 것이라는 생각에서 나온 말이다.

34) 『論語』「學而」.

生於末世, 故與學者言費許多氣力, 蓋爲他有許多病痛. 若在上世,
只是與他說: "入則孝, 出則弟", 初無許多事.

29. 천 마디 공허한 말은 한번 이룬 실천을 이기지 못한다. 나의 평생
의 학문은 다른 것이 아니라 오직 실천뿐이다.

千虛不博一實, 吾平生學問無他, 只是一實.

30. 혹자가 선생에게 왜 저술하지 않느냐고 물었다. 선생이 대답했다.
"육경이 나를 주석하고, 내가 육경을 주석한다." 한퇴지(韓退之:
韓愈)는 거꾸로 했으니, 아마도 문장을 배움으로써 도를 터득하
고자 했던 모양이다. 구양수(歐陽脩)도 한유와 매우 흡사했다. 그
들은 총명함이 남달랐지만 처음이 어그러져 속된 부류가 되어버
렸다. 누군가가 물었다 "어떻게 속되어져 버렸다는 말입니까?" "
「[아들] 부(符)가 성남에서 글공부를 하다」와 재상에게 보낸 세
편의 편지가 그러하다."35) 이정(二程)은 속되지는 않으나 총명함
은 [한유와 구양수에] 미치지 못한다.

或問先生何不著書? 對曰: "六經註我, 我註六經." 韓退之是倒做,
蓋欲因學文而學道. 歐公極似韓, 其聰明皆過人, 然不合初頭俗了.
或問: "如何俗了?" 曰: 「符讀書城南」, 「三上宰相書」是已." 至二程

---

35) 당나라 과거제도는 禮部 시험을 통과한 후에 吏部의 시험까지 통과해서 정식으
로 관원에 임명될 수 있었는데, 한유는 禮部 시험은 통과하였으나 吏部 전형에
서 번번이 고배를 마셨다. 이에 당시 재상에게 세 차례나 편지를 보내 자신을
뽑아줄 것을 호소한 바 있다. 또 아들이 城南으로 글공부를 하러 떠나자 아들에
게 시 한 수를 지어 보냈는데, 여기서 부모로서 자식이 출세하기를 바라는 세속
적인 욕심을 드러냈다 하여 질타의 대상이 되기도 하였다.

方不俗, 然聰明却有所不及.

31. 사람의 근본을 바로잡기란 어렵고 말단을 바로잡기란 쉽다. 지금 어떤 사람이 여기 있는데, 그에게 '방금 네가 한 어떠어떠한 말이 옳지 않고, 어떤 곳에서의 행동거지가 옳지 않다.'라고 말한다면 그 사람은 기꺼이 따르려 할 것이다. 그러나 만약 그의 근본을 건드리고자 하면 그는 따르려 하지 않을 것이다.

正人之本難, 正其末則易. 今有人在此, 與之言'汝適某言未是, 某處坐立擧動未是', 其人必樂從. 若去動他根本所在, 他便不肯.

32. 석가가 교(教)를 세운 까닭은 본디 [사람들로 하여금] 생사의 고락의로부터 벗어나게 해주고자 하였음이니, 사사로움 이루는 것을 위주로 한 것이 병폐의 뿌리이다. 또 세계가 이와 같을진댄 갑자기 '선(禪)'이라는 글자를 만들어냈으니, 바람도 없는데 파도가 일고, 평지에 흙더미가 쌓인 격이다.

釋氏立教, 本欲脫離生死, 惟主於成其私耳, 此其病根也. 且如世界如此, 忽然生一箇謂之'禪', 已自是無風起浪, 平地起土堆了.

33. "다른 것이 아니라 이(利)와 선(善)의 차이가 있을 뿐이다."[36] 맹

---

36) 『孟子』「盡心上」에 나오는 내용이다. "맹자께서 말씀하셨다. 닭이 울면 일어나서 부지런히 착한 일을 하는 사람은 순임금의 무리요, 닭이 울면 일어나서 부지런히 이익을 위하는 사람은 도척의 무리이니, 순임금과 도척의 구분을 알고자 한다면 다른 것이 없고 이로움과 착함의 차이가 있을 뿐이다.(孟子曰, 鷄鳴而起, 孳孳爲善者, 舜之徒也, 鷄鳴而起, 孳孳爲利者, 蹠之徒也. 欲知舜與蹠之分, 無他, 利與善之間也.)"

자께서는 투철히 보았기 때문에 이렇게 말씀하셨던 것이다. 어떤 이가 선생의 학문은 어디로부터 들어가야 하느냐고 물었다. 선생께서 말씀하셨다. "그저 절실하게 스스로를 돌아보고, 개과천선하면 된다."

"無它, 利與善之間也." 此是孟子見得透, 故如此說. 或問先生之學, 當來自何處入? 曰: "不過切己自反, 改過遷善."

34. 선이 있으면 반드시 악이 있으니, 마치 손바닥을 뒤집는 것과 같다. 그러나 선은 본연의 것인 반면 악은 이를 뒤집어야 생기는 것이다.

有善必有惡, 眞如反覆手. 然善却自本然, 惡却是反了方有.

35. 이 우주 간에 있는 사람의 품급은 완연히 서로 다르다. 세상 곳곳에서 시끄럽게 학문을 담론할 때, 나는 대부분의 시간을 여기서 후생들과 더불어 사람의 품급에 관해 이야기한다.

人品在宇宙間迥然不同. 諸處方曉曉然談學問時, 吾在此多與後生說人品.

36. 이 도(道)의 밝음은 마치 하늘에 태양이 떠오르면 온갖 음(陰)이 숨어 엎드리는 것과도 같다.

此道之明, 如太陽當空, 群陰畢伏.

37. [『상서』에 보이는] '전헌(典憲)'이라는 두 글자는 매우 커서, 오직 도를 아는 자만이 능히 알 수 있다. 후세에 와서는 사람들이 지어낸 가혹한 법을 가리켜서 '전헌'이라 부르게 되었는데, 이야 말로

이른바 '거리낌이 없다'37)는 것이다.

'典憲'二字甚大, 惟知道者能明之. 後世乃指其所撰苛法, 名之曰 '典憲', 此正所謂無忌憚.

38. 주원회(朱元晦: 朱熹)는 일찍이 한 학자에게 편지를 보내 이렇게 말했다. "육자정은 오로지 존덕성(尊德性)만 가지고 사람을 깨우친다. 그래서 그 문하에 노니는 자들 중에는 실천하는 선비들이 많은데, 도문학(道問學)에 있어서는 부족함이 있다. 내가 사람을 가르칠 때는 아무래도 도문학에 관한 부분이 약간 많은 편 아니겠는가? 그래서 나의 문하에 노니는 자들은 실천 부분이 [육자정 문하에] 많이 미치지 못한다."38) 이로써 보건대 원회는 두 가지의 단점을 없애고 두 가지의 장점을 합하고자 한 것인데,39) 나는 그래서는 안 된다고 생각한다. 존덕성이 무엇인지 알지 못하는데, 어떻게 도문학이 있을 수 있겠는가?

---

37) 『中庸』 2장에 보인다. "군자는 중용을 지킨다. 그러나 소인은 중용에서 어긋난다. 군자가 중용을 행할 때는 군자답게 때에 맞추어 중을 쓰지만 소인이 중용을 행할 때는 소인답게 꺼리는 것이 없다.(君子中庸, 小人反中庸. 君子之中庸也, 君子而時中, 小人之中庸也, 小人而無忌憚也.)"

38) 존덕성은 인간이 선천적으로 갖고 있는 선한 덕성을 존숭하여 그것을 보존·확충하는 방법이고, 도문학은 학문을 통하여 선한 덕성을 배양하는 방법이다. 이 말은 『중용』에 처음 나오며, 朱熹와 육구연이 각각 도문학과 존덕성을 중시하면서 철학적 범주로 구체화시켰다.

39) 朱熹의 입장에서 尊德性이란 범범한 의미의 尊德性이 아니라 도덕실천의 直貫義를 분명히 인지해야만 가능한 덕목이었다. 이 의미가 분명해지만 모든 행동이 진실한 도덕 실천이 되며, 그렇게 되면 道問學은 절로 그 가운데 존재하게 된다고 여겼다. 이것이 바로 주희가 제기한 "去兩短, 合兩長"의 뜻이다.

朱元晦曾作書與學者云: "陸子靜專以尊德性誨人, 故游其門者多踐履之士, 然於道問學處欠了. 某教人豈不是道問學處多了些子? 故游某之門者踐履多不及之." 觀此, 則是元晦欲去兩短, 合兩長. 然吾以爲不可, 旣不知尊德性, 焉有所謂道問學?

39. 나의 학문에 남들과 다른 곳이 여러 군데 있으니, 모두 내 안에서 나온 것일 뿐, 억지로 지어낸 것이 아니라는 점이다. 비록 천 마디 만 마디 말이 있다 하더라도 내게 보탬되는 바가 없다고 생각한다. 근자에 어떤 사람이 나를 논평하며 "먼저 그 큰 것을 세운다.'라는 한 마디를 빼놓고는 이렇다 할 수단이 없는 것 같습니다."라고 말했다. 나는 그 말을 듣고, "정말 그렇다."라고 말했다.

吾之學問與諸處異者, 只是在我全無杜撰. 雖千言萬語, 只是覺得他底在我不曾添一些. 近有議吾者云: "除了'先立乎其大者'一句, 全無伎倆." 吾聞之曰: "誠然."

40. 복재(復齋: 陸九齡) 형님께서 하루는 내게 물으셨다. "아우님께서는 요사이 어떤 것을 공부하고 계신가?" 내가 답했다. "사람의 상정(常情)과 일의 형세, 그리고 사물의 이치에 관해 공부하고 있습니다." 복재 형님께서는 그러냐고만 하셨다. 물가가 싼지 비싼지를 아는 것과 물건이 아름다운지 추한지, 진짜인지 가짜인지를 분별하는 것도 능력이 아니라고는 말할 수 없지만, 내가 말하는 공부란 이런 것을 두고 하는 말이 아니다.

復齋家兄一日見問云: "吾弟今在何處做工夫?" 某答云: "在人情, 事勢, 物理上做些工夫." 復齋應而已. 若知物價之低昂, 與夫辨物之美惡眞僞, 則吾不可不謂之能. 然吾之所謂做工夫, 非此之謂也.

41. 후세 학자들은 반드시 문호를 세우고자 하는데, 이 이치가 존재하는 곳에 어찌 문호를 따로 세울 수 있겠는가? 학자들은 또 자기 문호를 지키고자 하는데, 이는 더욱 더 비루하다.

後世言學者須要立箇門戶, 此理所在安有門戶可立? 學者又要各護門戶, 此尤鄙陋.

42. 사람이 이 천지간에서 살아가며 같은 기운을 나누어 가지지 않은 이가 없으니, 선을 행하도록 도와주고 악을 저지르지 않도록 막아주는 것이 의리상 마땅하다. 너와 나의 개념이 어디 있단 말인가? 또 어찌 스스로만을 위하는 마음을 가질 수 있겠는가?

人共生乎天地之間, 無非同氣. 扶其善而沮其惡, 義所當然. 安得有彼我之意? 又安得有自爲之意?

43. 이정(二程: 程頤・程顥)은 주무숙(周茂叔: 周敦頤)를 만나 음풍농월하고서 돌아갔다 하니 "나는 점(點)과 함께 하겠다."[40]라고 하신 뜻이 제법 있었다. 후에 정명도는 이 뜻을 그래도 간직했으나 정이천은 이미 이 뜻을 잃어버렸다.

二程見周茂叔後, 吟風弄月而歸, 有"吾與點也"之意. 後來明道此意却存, 伊川已失此意.

---

40) 『論語』「先進」에 나오는 말이다. 공자가 혹 누군가가 너희들을 알아준다면 어떤 일을 하겠느냐고 묻자 증점이 대답한 내용이다. "[증점이] 말했다. '봄이 오면 입던 옷을 봄옷으로 바꿔 입고 어른 대여섯 명, 아이 예닐곱 명과 함께 沂水에서 목욕하고 舞雩에서 바람을 쐰 다음 노래 부르며 돌아오고 싶습니다.' 공자께서 감탄하며 말씀하셨다. '나는 點과 함께 하련다.'(曰, '莫春, 春服旣成, 冠者五六人, 童子六七人, 浴乎沂, 風乎舞雩, 詠而歸.' 夫子喟然嘆曰, '吾與點也.')"

44. 보통 사람들과 이야기할 때면 내게 감동하지 않는 자가 없지만 학문을 담론하는 자와 이야기를 하다보면 간혹 원수가 되기도 한다. 온 세상 사람들은 대개 사사로운 뜻으로 학설을 세우고 일을 하므로, 오로지 이룬 것이 많은 사람만을 훌륭하다 여긴다. 나는 그 사사로움을 없애 이치[理]로 모이게 하고자 하였기에 그들과 원수가 되곤 하였다.

吾與常人言, 無不感動, 與談學問者, 或至爲仇. 擧世人大抵就私意建立做事, 專以做得多者爲先, 吾却欲殄其私而會於理, 此所以爲仇.

45. 나는 사람들과 이야기할 때 대부분 혈맥을 짚어 상대의 마음을 움직인다. 그렇기 때문에 법령으로 제재하는 것과 달리 사람들이 듣고 따르기 쉽다. 맹자께서 제나라 임금과 이야기할 때도 오직 백성과 함께 하는 문제[與民同]에만 나아가 임금의 마음을 움직였어도 그 나머지는 저절로 바로잡혔다.

吾與人言, 多就血脉上感移他, 故人之聽之者易, 非若法令者之爲也. 如孟子與齊君言, 只就與民同處轉移他, 其餘自正.

46. 오늘날 학문을 논하는 자들은 남의 것을 보태기에만 힘쓰는데, 나는 남의 것을 덜어내기만 한다. 이 점이 우리가 서로 다른 이유이다.

今之論學者只務添人底, 自家只是減他底, 此所以不同.

47. 우주는 사람을 막은 적이 없다. 사람 스스로가 우주를 막을 뿐이다.

宇宙不曾限隔人, 人自限隔宇宙.

48. "「건(乾)」은 쉬움[易]으로써 알고, 「곤(坤)」은 간략함[簡]으로써 능하다."[41] 선생께서 말씀하셨다. "내가 이 이치를 아는 것은 곧 건과 같고 이 이치를 행하는 것은 곧 곤과 같다. 아는 것이 먼저이므로 '건은 태시를 안다.'고 하고, 행하는 것이 나중이므로 '곤은 만물의 완성을 이룬다.'고 한 것이다."

"乾以易知, 坤以簡能." 先生常言之云: "吾知此理卽乾, 行此理卽坤. 知之在先, 故曰'乾知太始', 行之在後, 故曰'坤作成物'."

49. 부자께서 평생 하신 말씀이 어찌 『논어』에 실린 것에 그치겠는가? 다만 당시 제자들이 기록한 것이 여기에 그쳤을 뿐이다. 지금 유독 유자(有子)와 증자(曾子)만 자(子)라 칭한 것을 보니 어쩌면 [기록자 중에] 유약과 증자의 문인이 많았던가 보다. 그러나 나는 『논어』를 읽으면서 부자와 증자의 말이 나오면 의심하지 않지만, 유자의 말이 나오면 달갑지 않다.

夫子平生所言, 豈止如『論語』所載? 特當時弟子所載止此爾. 今觀有子·曾子獨稱子, 或多是有若·曾子門人. 然吾讀『論語』, 至夫子·曾子之言便無疑, 至有子之言便不喜.

50. 선생께서 배우러 온 자에게 물었다. "부자께서는 스스로 '나는 배움에 싫증내지 않는다.'[42]고 말씀하셨는데, 자공이 '많이 배워서 안다.'[43]고 말하자 옳지 않다고 여겼다. 어째서인가?" 그런 다음

---

41) 『周易』「繫辭上」.
42) 『孟子』「公孫丑上」.
43) 『論語』「衛靈公」. 공자는 자공에게는 "너는 내가 많이 배웠기 때문에 안다고

스스로 답하셨다. "부자는 그저 '나는 배움에 싫증내지 않는다.'[44] 라고만 말씀하셨을 뿐이니, 자공처럼 '많이 배워서 안다.'고 한다 면 이는 곧 우매하여 가리워진 말[蔽說]이다.

先生問學者云: "夫子自言'我學不厭', 及子貢言'多學而識之', 又却 以爲非, 何也?" 因自代對云: "夫子只言'我學不厭', 若子貢言'多學 而識之', 便是蔽說."

51. 학자란 모름지기 먼저 뜻을 세워야 하고, 뜻이 바로 섰으면 이제 현명한 스승을 만나야 한다.

學者須先立志, 志旣立, 却要遇明師.

52. "이단에 들어가는 것은 해가 될 뿐이다."[45] 요즘 세상에서는 모두 불교와 노자를 가리켜 이단이라고 하는데, 공자 당시에는 불교가 아직 중국에 들어오기 전이었으며, 비록 노자가 있긴 하였으나 그 학설이 미처 널리 드러나지 않았다. 그렇다면 어떤 것을 가리켜 이단이라고 한 것인가? 다르다[異]란 같다[同]과 상대되는 말이다. 비록 똑같이 요순을 배웠다 하더라도 배운 단서가 요순과 다르다 면 바로 이단인 것이니, 어찌 불교와 노자에 그치겠는가? 누군가 가 내게 이단에 대해 물어오기에 내가 대답했다. "그대는 먼저 같

생각하느냐?(女以予爲多學而識之者與?)"라고 물은 뒤에 "아니다. 나는 일이관 지하느니라.(非也. 予一以貫之.)"고 말하였다.
44) 『論語』「述而」에 "공자께서 말씀하셨다. 침묵하여 알고, 배우면서 싫증내지 않 고, 가르치면서 지치지 않으니, 내가 또 무엇이 있겠느냐?(子曰, 默而識之, 學 而不厭, 誨人不倦, 何有於我哉.)"라는 말이 나온다.
45) 『論語』「爲政」.

은 것의 단서를 이해해야 한다. 그러면 이것과 다른 것은 모두 이
단이 된다."

"攻乎異端, 斯害也已." 今世類指佛·老爲異端, 孔子時佛敎未入
中國, 雖有老子, 其說未著. 却指那箇爲異端? 蓋異與同對. 雖同師
堯舜, 而所學之端緒與堯舜不同, 卽是異端, 何止佛老哉? 有人問
吾異端者, 吾對曰: "子先理會得同底一端, 則凡異此者, 皆異端."

53. "부자께서는 괴(怪)·력(力)·난(亂)·신(神)을 말하지 않으셨다."[46]
부자께서는 그저 말하지 않았을 뿐, 없다고 말하지는 않았다. 역
(力)과 난(亂)이 분명히 있는 것이니, 신(神)과 괴(怪)인들 어찌
없겠는가? 사람이 두 개의 눈동자가 지닌 미력한 힘으로 아주 멀
리까지 내다볼 수 있는 것도 괴이하다. 만약 도에 밝지 못하다면
한 몸에 있는 모든 것이 다 괴이할 터이나, 그냥 넘기면서 살피지
못할 뿐이다.

"子不語怪·力·亂·神." 夫子只是不語, 非謂無也. 若力與亂, 分
明是有, 神怪豈獨無之? 人以雙瞳之微, 所矚甚遠, 亦怪矣. 苟不明
道, 則一身之間無非怪, 但玩而不察耳.

54. "더불어 도에 나갈 수는 있어도 더불어 설 수 없으며, 더불어 설
수는 있어도 경중을 헤아려 판단하지 못하는 수가 있다. '당체 꽃
이여, 이리저리 나부끼도다. 어찌 그대를 생각지 않으리오마는 집
이 멀기 때문이라.' 부자께서 말씀하셨다. 생각하지 않았을 뿐이

---

46) 『論語』「述而」.

니, 무엇이 멀단 말인가."47) 위에서는 단계가 다름을 이야기하고
있는데, 부자께서는 시에 있는 '집이 멀다.'라는 말을 인용하여 위
의 단계를 없애고자 하셨으니, 비록 앎에는 단계가 있지만 너무
멀어 들어갈 수 없는 단계란 없기 때문이다. 이에 이청신(李淸臣)
에게 말씀하셨다. "부자께서 [『시경』을] 산삭(刪削)하실 때 한 두
마디를 산삭하신 곳이 있는데, 지금 「당체」 시의 경우도 이 두 구
절이 빠져있으니, 바로 부자께서 산삭하신 것이다." 이청신이 또
말했다. "「석인(碩人)」 시48)에 '희기에 눈부시게 아름답구나!'49)
한 구절이 없는 것도 부자께서 산삭하셨을 것입니다." 옳은 말이
다. 당시 자하(子夏)의 말인즉 이랬다. '그림에 있어 흰색을 나중
으로 칠한다는 것은 곧 예(禮)를 나중으로 여긴다는 뜻 아닌가?
이는 안 될 말이다.' 부자께서는 자하의 이 말로 인해 이 구절을
산삭하셨을 것이다. 당시만 해도 자하는 본(本)과 말(末) 사이에
간극이 없다는 이치를 터득하였던 것인데, 후에 도리어 편협한 것
에 빠지고 말았기에 후세에 전한 그의 학문은 크나 큰 해악이 되
고 말았다. '그림에서 흰색을 나중에 칠한다.'는 말은 『주례(周

---

47) 『論語』「子罕」. 중간에 인용한 시는 현재 『詩經』에는 존재하지 않는, 즉 刪詩
과정에서 누락된 逸詩이다.

48) 『詩經』「衛風」의 편명이다.

49) 『論語』「八佾」에 이 시와 관련하여 다음과 같은 내용이 보인다. "자하가 물었
다. '어여쁜 미소의 보조개여, 아름다운 눈매의 눈동자여! 희기에 눈부시게 아름
답구나!라는 시가 있는데, 무슨 뜻입니까?' 공자께서 대답하셨다. '그림에서는
흰색을 나중에 칠한다는 뜻이다.' 자하가 다시 묻길, '禮가 나중이라는 말씀입니
까?' 공자께서 말씀하셨다. '나를 깨우친 건 商이로다. 이제 너와 詩를 이야기할
수 있겠다.'(子夏問曰, '巧笑倩兮, 美目盼兮, 素以爲絢兮, 何謂也?' 子曰, '繪
事後素.' 曰, '禮後乎?' 子曰, '起予者商也, 始可與言詩已矣.')"

禮)』의 "그림 그리는 일에서는 흰색 칠하는 것을 나중에 한다."[50]와 같은 뜻으로 먼저 그림을 그린 후에 흰색으로써 그 사이를 구별함을 말한 것이다. 즉 눈의 흰 부분과 검은 부분이 나뉘는 것을 기술하며 이로써 먼저 흰색으로 바탕을 칠한다고 주장하는 것은 틀린 소리이다.

"可與適道, 未可與立, 可與立, 未可與權. '棠棣之華, 偏其反而, 豈不爾思, 室是遠而.' 子曰: '未之思也, 夫何遠之有?'" 上面是說階級不同, 夫子因擧詩中'室是遠而'之語, 因以掃上面階級, 蓋雖有階級, 未有遠而不可進者也. 因言李淸臣云: "夫子刪詩, 固有刪去一二語者, 如棠棣之詩, 今逸此兩句, 乃夫子刪去也." 淸臣又曰: "碩人之詩, 無'素以爲絢兮'一語, 亦是夫子刪去." 其說皆是. 當時子夏之言, 謂'繪事以素爲後, 乃是以禮爲後乎? 言不可也.' 夫子蓋因子夏之言而刪之. 子夏當時亦有見乎本末無間之理, 然後來却有所泥, 故其學傳之後世尤有害. '繪事後素', 若『周禮』言"繪畵之事後素功", 謂旣畵之後, 以素間別之. 蓋以記其目之黑白分也, 謂先以素爲地非.

---

50) 『周禮』「考工記」. 이 구절의 해석에는 두 가지 주장이 있다. 우선 鄭玄의 古注를 보면 "繪는 文采를 그리는 것이다. 무릇 그림을 그릴 때는 먼저 여러 가지 색을 칠한 후에 흰색으로 그 사이를 고르게 펴서 그림의 문채를 완성하는 것이다. 이것은 비록 아름다운 입과 눈매를 가져 미적 자질을 갖춘 여인 일지라도 모름지기 禮를 갖추어야 미가 완성됨을 비유한 것이다.(繪畵, 文也. 凡繪事, 先布衆色, 然後以素分布其間, 以成其文. 喩美女雖有倩盼美質, 亦須禮以成之也.)"라고 설명하였는데, 육구연은 이 해석을 따르고 있다. 그러나 朱熹의 注는 이와 다르다. "繪事는 그림을 그리는 일이다. 後素는 바탕보다 나중에 해야 한다는 뜻이다. 「고공기」에 '繪畵之事後素功'이라 한 것은 먼저 흰 바탕을 만들어 놓은 후에 오색을 칠함을 말한 것이니, 마치 아름다운 자질이 있는 연후에 꾸밈을 가하는 것과 같다.(繪事, 繪畵之事也, 後素, 後於素也, 「考工記」曰'繪畵之事後素功', 謂先以粉地爲質而後施五采, 猶人有美質然後可加文飾.)" 육구연이 바로 이 해석에 반대하고 있음을 알 수 있다.

55. 고시(高柴)는 어리석고, 증삼(曾參)은 둔했으나[51] 부자께서 아끼셨다. 그래서 "자로(子路)가 자고(子羔: 高柴)로 하여금 비읍(費邑)의 수령이 되게 하자 부자께서는 남의 자식을 망친다고 하셨다." 이를 보면 부자께서는 자고를 절차탁마하여 원대한 성취를 이루게 해주려 하였음을 알 수 있다. 후에 자고가 요절하였기에 그 뜻을 증자에게 맡겼던 것이다.

柴愚參魯, 夫子所愛. 故"子路使子羔爲費宰, 子曰: 賊夫人之子." 以此見夫子欲子羔來磨礲就其遠者大者. 後來子羔早卒, 故屬意於 曾子.

56. "양 극단을 두드려 모든 것을 드러낸다."[52] 이는 처음과 마지막, 시작과 끝을 다 밝혀 남기거나 숨기는 것 없이 모든 것을 다 알려준다는 뜻이다.

"叩其兩端而竭焉." 言極其初終始末, 竭盡無留藏也.

57. "장강과 한수로 깨끗이 빤 것 같고, 가을 햇볕에 쬐어 말린 것 같으니, 그 희고 깨끗함은 미칠 수가 없다."[53] 이 몇 마디 말은 증자의 흉중에서 우러나온 것이다.

"江漢以濯之, 秋陽以暴之, 皜皜乎不可尙已." 此數語自曾子胸中 流出.

---

51) 『論語』「先進」에 "子羔는 어리석고, 曾參은 둔하다.(柴也愚, 參也魯)"는 내용 이 보인다.
52) 『論語』「子罕」.
53) 『孟子』「滕文公上」. 曾子가 孔子의 인품을 형용하며 그 밝음에는 누구도 견줄 수가 없음을 강조한 말이다.

58. 『상서』「함유일덕」 편에서는 "오직 이윤만이 몸소 탕 임금과 함께 다 같이 순일한 덕을 가지고"라고 하였으니, 이로써 당시 오직 이윤과 탕 두 사람만이 한결같은 덕[一德]에 합당할 수 있었음을 알 수 있다.

「咸有一德」之書, 言"惟尹躬暨湯, 咸有一德." 以此見當時只有尹‧湯二人, 可當一德.

59. 고요(皐陶)가 사람 알아보는 도를 논하며 말했다. "행동에는 아홉 가지 덕이 있으니 그 사람이 덕이 있다고 말할 때는 어떤 일을 어떻게 행하였는지를 말해야 될 것입니다."[54] 즉 어떤 사람에게 이러한 덕이 있다고 먼저 말한 후에 "아무개는 어떤 일, 어떤 일을 했다."라고 말해야 한다는 뜻이다. 덕이란 마음의 중심에 근본을 두었으되 그러한 기운으로 드러나는 것이라서 거짓으로 꾸며낼 수 없다. 하지만 일이란 재주와 지혜를 지닌 소인들도 거짓으로 꾸며낼 수 있다. 그렇기 때문에 행동에는 [이러한 행동을 가능하게 한] 아홉 가지 덕이 있다고 한 것이니 반드시 먼저 그 사람에게 덕이 있는지 말한 다음 "어떤 일을 어떻게 행했다고" 말해야만 사람들이 둘러대지 못한다.

皐陶論知人之道曰: "亦行有九德, 亦言其人有德, 乃言曰'載采采.'" 乃是謂必先言其人之有是德, 然後乃言曰"某人有某事, 有某事." 蓋德則根乎其中, 達乎其氣, 不可僞爲. 若事, 則有才智之小人可

---

54) 『尙書』「皐陶謨」. 孔穎達은 『傳』에서 '載采采'를 다음과 같이 설명하였다. "載란 行이요, 采란 事이다. 어떤 사람이 덕이 있다고 칭할 때는 반드시 그가 행한 어떠한 일을 말함으로써 이를 입증해야 한다.(載, 行, 采, 事也, 稱其人有德, 必言其所行某事某事以爲驗)"

僞爲之. 故行有九德, 必言其人有德, 乃言曰"載采采", 然後人不可
得而庾也.

60. 후세 사람들은 복희씨가 팔괘를 그리고 문왕이 이를 중첩하여 64
괘를 만들었다고 말하는데, 이 말은 옳지 않다. 또 『주례』와 같은
경우, 내용을 다 믿을 수는 없지만 「서인(筮人)」에서 "서인이 세
『역』 맡아 구서(九筮)의 명칭을 분변한다."라고 하면서,[55] "그 경
괘(經卦)는 모두 여덟이고 별괘(別卦)는 모두 64개이다."[56]라고
하였다. 또 "거북점과 시초점(蓍草占)이 화합하여 따른다."는 말
이 「우서(虞書)」에도 보이니, 거짓된 학설은 분명 아닐 것이다.
이렇듯 괘를 중첩했던 것은 이미 오래된 일이다. 복희씨가 팔괘
를 그린 후에 이를 좇아 중첩시킨 연후에 신명의 덕과 통하고 만
물의 실정을 유추할 수 있어서 천하의 이치를 지켜냈던 것이다.
문왕은 주사(繇辭)[57]에 근거하여 더욱 상세하게 함으로써 그 변
화를 끝까지 궁리했을 뿐이다.

後世言伏羲畫八卦, 文王始重之爲六十四卦. 其說不然. 且如『周
禮』雖未可盡信, 如「筮人」言三『易』, "其經卦皆八, 其別皆六十有
四", "龜筮協從", 亦見於「虞書」, 必非僞說. 如此, 則卦之重久矣.
蓋伏羲旣畫八卦, 卽從而重之, 然後能通神明之德, 類萬物之情,
而扶持天下之理. 文王蓋因其繇辭而加詳, 以盡其變爾.

---

55) 『周禮』「春官宗伯・筮人」에 "서인이 삼역을 맡아 구서의 명칭을 분변한다. 첫
번째는 연산이요, 두 번째는 귀장이요, 세 번째는 주역이다.(筮人掌三易, 以辨
九筮之名, 一曰連山, 二曰歸藏, 三曰周易.)"라는 말이 나온다.
56) 『周禮』「春官宗伯・大蔔」.
57) 籀辭. 즉 占辭를 말한다.

61. 「계사」첫 번째 편의 두 구절[58]은 의심스러우니, 거의 추측한 말에 가깝다.

「繫辭」首篇二句可疑, 蓋近於推測之辭.

62. 내가 깊이 믿는 바는 『상서』이지만 『주역』「계사」에서 "묵묵히 이루어 내며, 말하지 않아도 믿음을 주는 것은 덕행에 있느니라."[59]와 같은 부분들도 깊이 믿을 수 있다.

吾之深信者『書』, 然『易』「繫」言"默而成之, 不言而信, 存乎德行", 此等處深可信.

63. 이천은 「비괘(比卦)」의 '원서(原筮)'를 '점결(占決)과 복탁(卜度)'이라고 하였는데,[60] 이는 옳지 않다. 유일한 양효(陽爻)는 대인

---

58) 「繫辭傳」의 처음은 "하늘은 높고 땅은 낮으니 이에 건곤의 순서가 정해진다. 낮은 자리에서 높은 자리까지 6효가 배열되니 귀천이 자리 잡힌다. 動靜에 상도가 있으니 剛柔가 결정된다. 일이 같은 것끼리 모이고 만물이 무리를 따라 나뉘니, 여기에서 길흉이 생겨난다. 하늘에서는 象을 이루고 땅에서는 形을 이루어 변화가 나타난다.(天尊地卑, 乾坤定矣, 卑高以陳, 貴賤位矣. 動精有常, 剛柔斷矣. 方以類聚, 物以群分, 吉兇生矣, 在天成象, 在地成形, 變化見矣.)"로 시작한다.

59) 『周易』「繫辭上」.

60) 『周易』「比卦」의 卦辭는 "比는 길하니, 원래 점괘로 처음부터 끝까지 계속하면 허물이 없으나 안녕치 않은 때가 바야흐로 찾아올 때 [친한 이 찾기를] 나중에 하면 장부라도 흉할 것이다.(比, 吉. 原筮, 元永貞, 無咎. 不寧方來, 後夫凶.)"이다. 『伊川易傳』에서는 이를 다음과 같이 해석했다. "비는 길한 도이다. 사람이 서로 친하면 자연 吉道가 되기에 「잡괘」에서 '比樂師憂'라고 말했다. 사람이 서로 친할 때는 반드시 그 도가 있는데, 그 도를 말미암지 않으면 반드시 허물과 근심이 있다. 따라서 반드시 원점을 미루어 친할 수 있는 자를 결정해야 한다. 그런데 비괘의 筮는 占決(『주역』의 핵심 개념인 吉凶을 점쳐서 결단하는 말)과

(大人)이므로 "탐탁치 않아하던 자들도 바야흐로 찾아오는 것"은 자연스러운 이치이거늘, 어찌 점결과 복탁을 통해서만 알 수 있겠는가? '원서'는 「몽괘(蒙卦)」의 '초서(初筮)'와 같은 뜻이다. 원(原)이란 처음[初]이니, 고인들은 자주 통용하곤 하였다. 그래서 말하기를, "이천의 학문은 점결과 복탁의 과실을 면치 못했다."고 말한 것이다. "부귀도 나를 어지럽힐 수 없고, 빈천도 내 마음을 바꿀 수 없으며, 무력도 절개를 굽힐 수 없다."[61]라고 하였으나 도를 아는 자가 아니고서는 이렇게 하지 못한다. 양자(揚子)는 "문왕이 오랫동안 옥에 갇혔어도 그 지조를 고치지 않았다."[62]고 하였다. 문왕은 유리(羑里)에 갇혔을 때 『주역』을 연역했고, 부자는 진(陳)과 채(蔡) 사이에서 어려움에 봉착했을 때 거문고를 뜯으며 노래했다. 이것이 곧 오래도록 갇혀 있어도 그 지조를 바꾸지 않는다는 것을 말하는 것 아니겠는가?

伊川解「比卦」'原筮'作'占決卜度', 非也. 一陽當世之大人, 其"不寧方來", 乃自然之理勢, 豈在它占決卜度之中? '原筮'乃「蒙」"初筮"之義. 原, 初也, 古人字多通用. 因云: "伊川學問, 未免占決卜度之失." "富貴不能淫, 貧賤不能移, 威武不能屈", 非知道者不能. 揚子謂: "文王久幽而不改其操." 文王居羑里而贊『易』, 夫子厄於陳·蔡而弦歌, 豈久幽而不改其操之謂耶?

卜度(추측하고 판단하는 일)를 말한 것이지 시초점과 거북점을 말한 것이 아니다.(比, 吉道也. 人相親比, 自爲吉道, 故「雜卦」云'比樂師憂'. 人相親比, 必有其道, 苟非其道, 則有悔咎, 故必推原占, 決其可比者. 而比之筮謂占決卜度, 非謂以蓍龜也.)"

61) 『孟子』「滕文公下」.
62) 揚雄이 지은 『法言』「問明」에 나오는 구절이다.

64. 주나라의 도가 쇠한 이래로 군주의 직분이 불분명해졌다. 「요전 (堯典)」에서 희화(羲和)에게 명하여 "삼가 백성들에게 농시(農時) 를 알려주었다."고 하였으니, 이것이 정치의 시작이다. 후에는 이 일을 성관(星官)이나 역관에게 맡겼는데, 이는 군주의 직분이 불 분명했기 때문이었다. 맹자께서 "백성이 귀하고, 사직이 그 다음 이며 임금은 가볍다."[63]라고 한 말은 군주의 직분을 잘 알고서 한 말이다.

自周衰以來, 人主之職分不明. 「堯典」命羲和"敬授人時", 是爲政 首. 後世乃付之星官, 曆翁, 蓋緣人主職分不明所致. 孟子曰: "民 爲貴, 社稷次之, 君爲輕." 此却知人主職分.

65. 『시경』의 대아는 대부분 도를 말한 것이고, 소아는 대부분 일을 말한 것이다. 대아가 비록 작은 일을 언급하기는 하였지만 역시 도를 위주로 하였고, 소아가 비록 큰 일[64]을 언급하긴 하였지만 역시 일을 위주로 하였다. 이것이 바로 대아와 소아의 구분이 생 겨난 이유이다.

『詩』大雅多是言道, 小雅多是言事. 大雅雖是言小事, 亦主於道, 小雅雖是言大事, 亦主於事. 此所以爲大雅 · 小雅之辨.

66. 진나라 때는 도의 맥이 아직 무너진 적이 없으나, 한나라에 이르 러 크게 무너지고 말았다. 진나라는 과실이 매우 분명한 반면 한

---

63) 『孟子』「盡心下」.
64) 문맥으로 보아 '大道'가 되어야 할 것 같은데, 원문에 '大事'라고 되어 있어 그대 로 옮긴다.

나라에 이르러서는 겉모습은 그럴 듯한데 실정인 즉 그렇지 않았다. 그래서 바른 이치[理]가 더욱 무너져 내렸다.

秦不曾壞了道脉, 至漢而大壞. 蓋秦之失甚明, 至漢則迹似情非, 故正理愈壞.

67. 한 문제는 온화하며 선의를 가지고 있었지만 더불어 요순의 도에는 들어가지 못하였고, 겨우 향원(鄕原)과 비슷했을 따름이다.

漢文帝藹然善意, 然不可與入堯舜之道, 僅似鄕原.

68. 제공들은 대전에 올라 격물(格物) 말하기를 좋아하는데, 위에 계신 주상으로 하여금 자신의 몸에 나아가 이해하도록 하면 될 것을 격물을 따로 말할 필요가 어디 있단 말인가?

諸公上殿, 多好說格物, 且如人主在上, 便可就他身上理會, 何必別言格物?

69. 양자(揚子: 揚雄)은 침묵한 채 깊이 생각하기를 좋아했는데, 그는 평생을 바로 이 깊은 생각 때문에 그르쳤다.

揚子默而好深沉之思, 他平生爲此深沉之思所誤.

70. 한퇴지(韓退之: 韓愈)는 「원성(原性)」에서 기질을 도리어 성(性)으로 간주하여 말했다.

韓退之「原性」, 却將氣質做性說了.

71. 근자에 순자(荀子)의 「해폐편(解蔽篇)」을 읽었는데, 사람들이 우매하여 가리워진 바를 설파한 부분이 훌륭하였다. 사산(梭山: 陸九韶) 형님께서 말씀하셨다. "후세 사람들의 병폐가 바로 여기에 있으니, 모두 순자와 장자의 무리들에 의해 망가져버렸다." 내가 답했다. "오늘날 사람들의 공통된 병폐는 여기에 있지 않은 것 같습니다. 대개 사람들의 공통된 병폐는 초가집에 살면 기둥 높은 집을 부러워하고, 헤진 옷을 입으면 화려한 옷을 부러워하며, 거친 음식을 먹으면 달고 기름진 음식을 부러워하는 데 있으니, 이것이 바로 세상 사람들의 공통된 병폐입니다."

近日擧及荀子「解蔽篇」, 說得人之蔽處好. 梭山兄云: "後世之人, 病正在此, 都被荀子·莊子輩壞了." 答云: "今世人之通病恐不在此. 大概人之通病, 在於居茅茨則慕棟宇, 衣敝衣則慕華好, 食龥糲則慕甘肥, 此乃是世人之通病."

72. 『춘추』는 북행(北杏)[65]의 회합을 기록하면서 오직 제 환공(齊桓公)에게만 작위를 붙여주었다. 당시 이 의(義)를 제창한 자는 오직 환공과 관중(管仲) 둘뿐이었다. 『춘추』에서 다른 나라에 대해서 곧장 이름을 부른 것은 그들을 책망하는 뜻에서였다.

『春秋』北杏之會, 獨於齊桓公稱爵. 蓋當時倡斯義者, 惟桓公·管仲二人. 『春秋』於諸國稱人, 責之也.

---

65) 北杏은 옛 지명으로, 지금 山東省 東阿縣 북쪽에 해당한다. 기원전 681년 봄에 齊 桓公은 北杏에서 宋·陳·蔡·邾 등 몇몇 소국의 임금과 회맹하여 맹주가 되었다. 이로써 제 환공의 稱霸의 서막이 올랐다.

73. 옛날에는 풍속이 순후하여서 사람에게 비록 공허한 생각이 있었다 하더라도 저절로 소멸되었다. 그러나 후세의 풍속은 옛날만 못하여 [부질없는] 정신에 의해 해를 입고 말았기에, 더불어 도를 말하기 어렵다.

古者風俗醇厚, 人雖有虛底精神, 自然消了. 後世風俗不如古, 故被此一段精神爲害, 難與語道.

74. 이에 학자 얻기의 어려움을 탄식하며 말씀하셨다. "내가 학자들과 이야기를 해보면, 생각이 조금 높은 자들은 다 도망가 버리고, 낮은 자들은 모두 무너지고 만다. 나는 그저 이렇게 할 수밖에 없다. 나는 나의 방식이 이렇게 심각할 줄은 몰랐다. 그러나 또한 오직 이 한 길밖엔 없다."

因嘆學者之難得云: "我與學者說話, 精神稍高者, 或走了, 低者至塌了. 吾只是如此. 吾初不知手勢如此之甚, 然吾亦只有此一路."

75. 바야흐로 떨치고 일어서려다 의기소침하여 가라앉으면 논자들은 그 의기소침함을 탓하지 않고 떨치고 일어남이 너무 과했다고 나무란다. 그러면서 "앞으로 나아가는 것이 빠른 자는 뒤로 물러나는 것도 빠르다."[66]는 말을 들먹여 이를 증명하려 하면서, 아울러 그 처음이 잘못되었다며 훈계한다. 그들은 맹자의 뜻이 앞으로 나아가는 것을 경계하는 데 있지 않았다는 것을 전혀 알지 못한다.

---

66) 『孟子』「盡心上」.

人方奮立, 已而消蝕, 則議者不罪其消蝕, 而尤其奮立之太過, 擧
"其進銳者其退速"以爲證, 於是倂懲其初. 曾不知孟子之意不在此.

76. 성인이 『춘추』를 지을 때, 애초에 242년 간 있었던 일어났던 일에
뜻을 두었던 것은 아니다. 선생께서 또 말하셨다. "『춘추』는 대략
이 이치를 간직하고 있다." 또 말씀하셨다. "『춘추』가 제대로 이
해되지 않은 지 오래되었다. 『춘추』 해설하는 데 있어서의 오류
는 다른 경서에 비해 유난히 심하다."

聖人作『春秋』, 初非有意於二百四十二年行事. 又云: "『春秋』大概
是存此理." 又云: "『春秋』之亡久矣, 說『春秋』之繆, 尤甚於諸經也."

77. 일찍이 『춘추찬례』[67]를 읽다가 학자들에게 말씀하셨다. "담
(啖) · 조(趙)[68]의 설명에는 훌륭한 곳이 있다. 그래서 사람들은
담 · 조가 『춘추』에 공을 세웠다고 말한다." 또 말씀하셨다. "사람
들은 당나라 때 이학이 없었다고 말하지만 도리어 함부로 무고해
서는 안 될 부분도 있다."

嘗閱『春秋纂例』, 謂學者曰: "啖趙說得有好處. 故人謂啖趙有功於
『春秋』." 又云: "人謂唐無理學, 然反有不可厚誣者."

---

67) 『春秋集傳纂例』 10권을 가리킨다. 唐나라 陸淳이 찬집하였다. 이 책에서 陸
淳은 그의 스승인 啖助, 벗인 趙匡의 『춘추』에 관한 經說을 해설하여 밝혔다.
68) 당나라 經學者인 啖助와 趙匡의 병칭이다. 이들은 특히 『춘추』 연구에 정통하
였는데, 啖助는 『春秋通例』 · 『春秋集傳』을 편찬하였고, 趙匡은 『春秋闡微纂
類義疏』를 편찬하였다.

78. 후세에 『춘추』를 논하는 자들은 이를 마치 법령처럼 여기는데, 이는 성인의 뜻이 아니다.

後之論『春秋』者, 多如法令, 非聖人之旨也.

79. 천고의 성현들이 만약 한 당(堂)에 함께 자리한다 하여도 모두가 의견을 같이 할 리는 분명 없을 것이다. 그러나 이 마음[此心]이 이치는[此理] 만세의 한결같은 상도(常道)이다.

千古聖賢若同堂合席, 必無盡合之理. 然此心此理, 萬世一揆也.

80. "한 수(銖)⁶⁹⁾씩 달아도 한 섬[石]에 이르면 반드시 어긋나고, 한 촌(寸)씩 재도 한 길[丈]에 이르면 반드시 차이가 생긴다. 섬으로 달고 길로 재는 것이 빠르고도 과실이 적다."⁷⁰⁾ 이 말은 사람을 논하는 방법이 될 만하다. 사람을 놓고 대체적으로 논해볼 때, 나라를 위하고 백성을 위하고 도의를 위하는 자라면 군자이다. 대체적으로 논해볼 때, 자신의 사사로움을 위하고 권세를 위하고 나라에 충성하지 않는다면 소인이다. 만약 수(銖)로 달고 촌으로 재서 한두 가지 절목만 따지고 큰 강령을 놓친다면, 소인이 간혹 사람을 기만할 수도 있고 군자가 도리어 의심을 받을 수도 있어서 삿됨과 바름, 현명함과 그렇지 못함이 전도되는 꼴을 면치 못한다.

"銖銖而稱之, 至石必繆, 寸寸而度之, 至丈必差, 石稱丈量, 徑而寡失." 此可爲論人之法. 且如其人, 大槪論之, 在於爲國, 爲民, 爲道

---

69) 1냥의 24분의 1에 해당하는 무게 단위로, 매우 작은 양을 가리키는 말로 사용된다.

70) 『漢書』 권51 「枚乘傳」에서 인용한 구절이다.

義, 此則君子人矣. 大概論之, 在於爲私己, 爲權勢, 而非忠於國, 狥於義者, 則是小人矣. 若銖稱寸量, 校其一二節目而違其大綱, 則小人或得爲欺, 君子反被猜疑, 邪正賢否, 未免倒置矣.

81. 어떤 학자가 말씀을 듣고 깨달은 바가 있어 편지를 보내왔다. "선생의 말씀을 들은 후로 역괴(歷塊)71)처럼 한달음에 천 리를 간 듯하였습니다." 이에 선생께서 말씀하셨다. "내가 밝혀 드러낸 것은 학문하는 단서이므로 첫걸음에 해당한다. 이른바 아래로부터 위로 높이 올라가고 가까운 곳에서부터 멀리까지 이른다고 하였는데, 그대가 가리키는 곳 어디가 천 리인지 모르겠다. 오늘 사적인 작은 일을 버리고 넓고 큰 데로 나아가는 것을 가리켜 천 리라고 여겼다면, 이는 틀린 것이다. 이는 그저 첫걸음이라 부를 수 있을 뿐, 갑자기 천 리가 될 수는 없다."

有學者聽言有省, 以書來云: "自聽先生之言, 越千里如歷塊." 因云: "吾所發明爲學端緒, 乃是第一步, 所謂升高自下, 陟遐自邇, 却不知指何處爲千里? 若以爲今日捨私小而就廣大爲千里, 非也. 此只可謂之第一步, 不可遽謂千里."

82. 나는 사람의 상정(常情)을 연구하다 얻은 바가 있다. 혹자는 말하기를, "연못 속의 물고기의 수를 헤아려 볼 수 있는 사람은 불길하다."72)고 하였다. 그러나 내가 말하는 것은 각박하게 살펴보는 것

---

71) 준마 혹은 천리마를 가리킨다.
72) 『列子』「說符」에 나오는 말이다. "연못 속의 물고기의 수를 헤아려 볼 수 있는 사람은 불길하고, 숨어 있는 곳을 지혜로써 짐작할 수 있는 자에겐 재앙이 따른다.(察見淵魚者不祥, 智料隱匿者有殃.)"

이 아니라, 연구하여 얻은 것을 잘 지키는 방법을 말할 따름이다.

吾於人情硏究得到. 或曰: "察見淵中魚不祥." 然吾非苟察之謂, 硏
究得到, 有扶持之方耳.

83. 후세에는 관직을 사양하는 것을 하나의 예로 간주하지만, 옛 사람
들이 사양했던 것은 모두가 실제로 우러나온 마음에서였다. 당우
의 조정에서도 볼 수 있듯이, 공허한 꾸밈을 숭상하며 사양하는
것을 아름다운 명예라 여기지 않았다.

後世將讓職作一禮數, 古人推讓皆是實情. 唐虞之朝可見, 非尙
虛文, 以讓爲美名也.

84. 일찍이 왕순백(王順伯)이 하는 말을 들었다. "본조는 온갖 일이
다 당에 미치지 못하지만 인물 의론만은 한참 뛰어넘는다." 이 의
론은 매우 넓은 안목이라 가히 취할 만하다.

嘗聞王順伯云: "本朝百事不及唐, 然人物議論遠過之." 此議論甚
闊, 可取.

85. 선생께서 일찍이 왕순백에게 물었다. "존형께서 서법을 논하는
일에 정통하다고 들었는데, 감히 묻건대 서법에 과연 정론(定論)
이 있습니까?" 왕순백이 말했다. "정론이 있지요." 선생께서 말씀
하셨다. "이 말을 어떻게 믿을 수 있습니까?" 왕순백이 말했다.
"여기 곧게 그은 획과 꺾은 획 하나가 있는데, 세상에서 서법에
밝다는 두 세 사람에게 물어본다고 칩시다. 한 사람이 이 정도 등
급에 해당한다고 말했을 때 나머지 두 사람도 그렇다고 말한다면

정론이 있음을 알게 되지 않겠습니까?" 이에 물으셨다. "서법은 어떤 것이 귀합니까?" 왕순백이 말했다. "본조는 당나라에 미치지 못하고, 당은 한나라에 미치지 못하며, 한은 선진시대 고서(古書)에 미치지 못합니다." 선생께서 말씀하셨다. "그렇다면 대략 조금 더 오래된 것들이 귀한 셈이군요." 왕순백이 말했다. "대체로 옛 사람들은 일을 할 때 구차히 대강 대강 하지 않았습니다. 존형께서 옛 기물을 한번 보십시오. 그러나 후세 사람들은 이와 다릅니다." 이 논의는 매우 옳다.

嘗問王順伯曰: "聞尊兄精於論字畫, 敢問字果有定論否?" 順伯曰: "有定論." 曰: "何以信此說?" 順伯曰: "有一畫一拐於此, 使天下有兩三人曉書, 問之, 此人曰是此等第, 則彼二人之言亦同, 如此知其有定." 因問: "字畫孰爲貴?" 順伯曰: "本朝不及唐, 唐不及漢, 漢不及先秦古書." 曰: "如此則大抵是古得些子者爲貴." 順伯曰: "大抵古人作事不苟簡, 尊兄試觀古器, 與後來者異矣." 此論極是.

86. 부자연(傅子淵)이 가르침을 청하며 간단한 한 마디로 말씀해주십사 청하였을 때 선생은 [「간괘」의 괘사로] 대답하셨다. "그 등에 그치면 그 몸을 얻지 못하며, 그 뜰을 지나더라도 그 사람을 보지 못한다."[73] 후에 부자연이 진군거(陳君擧)에게 보낸 편지 속 내용을 보았더니 "[하나가] 옳으면 그 그릇됨을 모두 덮어버리고, 틀리면 그 옳은 것을 모두 덮어버린다."고 적혀 있었다. 이는 말의 병폐이다. 또 이렇게 적혀 있었다. "절(節)은 드넓게 하고 목(目)은 성글게 하며, 주지(主旨)는 드높게 하고 지취(志趣)는 깊게 한다."

---

73) 『周易』「艮卦」의 卦辭.

'주지는 드높게 하고 지취는 깊게 한다'는 말은 매우 훌륭하다. '절은 드넓게 하고 목은 성글게 한다'고 했는데, 부자연의 경우 장점도 여기에 있고 병폐도 여기에 있다. 또 말씀하셨다. "부자연은 광대하며, 등문범(鄧文範)은 세밀하다. 자연이 능히 문범의 세밀함을 겸할 수 있고, 문범이 능히 자연의 광대함을 겸할 수 있다면, 미미하지만은 않을 것이다."

傅子淵請敎, 乞簡省一語. 答曰: "艮其背, 不獲其身, 行其庭, 不見其人." 後見其與陳君擧書中云: "是則全掩其非, 非則全掩其是." 此是語病. 中又云: "闊節而疏目, 旨高而趣深." '旨高而趣深'甚佳, '闊節而疏目', 子淵好處在此, 病亦在此. 又云: "子淵弘大, 文範細密. 子淵能兼文範之細密, 文範能兼子淵之弘大, 則非細也."

87. 주제도(朱濟道)가 문왕을 칭송하자 선생께서 말씀하셨다. "문왕은 가벼이 칭송해서는 안 된다. 모름지기 문왕을 제대로 알아야만 칭찬할 수 있다." 주제도가 말했다. "문왕은 성인인지라 제가 능히 알 수 있는 바가 아닙니다." 선생께서 말씀하셨다. "주제도를 제대로 아는 것이 곧 문왕을 아는 것이다."

朱濟道力稱贊文王, 謂曰: "文王不可輕贊, 須是識得文王, 方可稱贊." 濟道云: "文王聖人, 誠非某所能識." 曰: "識得朱濟道, 便是文王."

88. 어떤 학자가 회옹(晦翁: 朱熹)의 처소로부터 찾아왔는데, 절하고 무릎 꿇고 말하는 모습이 퍽이나 괴이했다. 매일 재계(齋戒)를 마치면 이 학자는 반드시 논설을 펼쳤는데, [다른 이가] 응대하면 또 별다른 말을 하지 않았다. 그런데 나흘째가 되자 이 학자는 할 말

이 바닥이 나서 깨우침의 말씀을 한사코 청했다. 선생께서 답하셨다. "나 또한 상세히 논할 겨를이 없다. 그러나 이곳에서의 커다란 강령에 관해서는 한 가지 규칙을 말해줄 수 있다. 오늘날 사람들은 가장 얕은 단계에서는 성색(聲色)과 취미(臭味)를 추구하고, 여기서 조금 나간 사람은 부귀와 영달을 추구한다. 여기서 더나간 사람은 문장과 기예를 추구한다. 또 한 부류의 사람들은 이런 것을 전혀 돌보지 않은 채 학문을 담론한다. 나는 언제나 [이런 자들을] 한 마디 말로 논단하나니, '이기려는 마음[勝心]'이 그것이다." 이 학자는 잠자코 있었다. 며칠이 지나자 거동과 하는 말이 퍽이나 정상을 회복했다.

一學者自晦翁處來, 其拜跪語言頗怪. 每日出齋, 此學者必有陳論, 應之亦無他語. 至四日, 此學者所言已罄, 力請誨語. 答曰: "吾亦未暇詳論. 然此間大綱, 有一箇規模說與人. 今世人淺之爲聲色臭味, 進之爲富貴利達, 又進之爲文章技藝. 又有一般人都不理會, 却談學問. 吾總以一言斷之曰, 勝心." 此學者默然, 後數日, 其擧動言語頗復常.

89. 어떤 학자가 몇 달 동안 선생을 따라 공부했다. 어느 날 그에게 물었다. "말씀을 들으니 어떠한가?" 그 사람이 말했다. "처음 왔을 때는 선생님이 말씀하시는 순서가 뒤바뀐 게 아닌지 의심스러웠습니다. 기왕에 이렇게 말하고 나서 나중에는 다시 저렇게 말씀하시니까요. 그러다 두 달 동안 듣고 나자 이제야 하나로 관통하면서, 앞뒤가 바뀐 게 아닌가 했던 의심이 사라졌습니다."

一學者從游閱數月, 一日間之云: "聽說話如何?" 曰: "初來時疑先生之顚倒, 旣如此說了, 後又如彼說. 及至聽得兩月後, 方始貫通,無顚倒之疑."

90. 삼백 편의 『시경』에서 「주남」이 으뜸이고, 「주남」의 시 가운데 「관저」가 으뜸이다. 「관저」의 시는 선을 좋아하는 내용일 따름이다.

三百篇之『詩』「周南」爲首, 「周南」之詩「關雎」爲首, 「關雎」之詩好善而已.

91. "『시』에서 감흥을 일으킨다."[74]하셨으니, 사람이 학문을 할 적에는 어디서 일어나는지가 중요하다.

興於『詩』, 人之爲學, 貴於有所興起.

92. 수수와 사수에서 배우는 [공자의] 문인 중에는 간혹 노자의 무리와 서로 통하는 자들이 있게 마련이었다. 그래서 『예기』와 『악기』 중에는 노씨의 학설에 근원을 두고 있는 것들이 많다.

洙泗門人, 其間自有與老氏之徒相通者, 故記禮之書, 其言多原老氏之意.

93. 선생께서 칙국에 계실 때 혹자가 물었다. "선생께서 만약 등용되신다면, 어떠한 약방으로 이 나라를 고치시렵니까?" 선생께서 말씀하셨다. "내게 사물탕(四物湯)이 있는데, 사군자탕이라 불러도 됩니다." 혹자가 물었다. "어떤 것입니까?" 선생께서 말씀하셨다.

---

74) 『論語』「泰伯」에 "시에서 감흥을 일으키고, 예에서 규범을 세우며, 음악에서 정서를 완성시킨다.(興於詩, 立於禮, 成於樂.)"는 말이 보인다.

"현명한 자를 임용하고, 능력 있는 자를 부리고, 공 있는 자에게 상을 주고, 죄 지은 자를 벌하는 것입니다."

先生在勅局日, 或問曰: "先生如見用, 以何藥方醫國?" 先生曰: "吾有四物湯, 亦謂之四君子湯." 或問: "如何?" 曰: "任賢, 使能, 賞功, 罰罪."

94. 선생께서 말씀하셨다. "후세에 도리(道理)를 말한 것을 보면 늘 말이 꼬인다. 내가 말하는 도는 분명하고 명백해서 전혀 말이 꼬이는 곳이 없기 때문에 알기 쉽고 행하기 쉽다." 혹자가 선생에게 물었다. "이런 식으로 도를 담론하다가는 사람들이 [각기] 의견을 가지고 와서 모일 때에 저 불교도들이 선(禪)을 담론하는 것에 미치지 못하여, 자신의 의견을 드러낼 길 없게 될까 두렵습니다." 선생께서 말씀하셨다. "내가 비록 이런 식으로 도를 담론하지만, 빈 견해나 빈 말들은 모두 여기 와서 전혀 펼칠 길이 없다. 이른바 '덕행은 늘 평이하면서도 위험을 아는 것이고, 항상 간략하면서도 막힘을 아는 것이다.'[75]는 말이 있다. 지금 선을 담론하는 자들이 제아무리 어려운 말을 해도 기실은 자신의 의견에 도리어 기탁하여 말하는 것이다. 나는 수많은 사람들 앞에서 말할 때가 감추는 것이 아무 것도 없다."[76]

---

75) 『周易』「繫辭下」. "건은 천하에서 가장 강건한 것으로, 그 덕행은 항시 평이하면서도 위험을 아는 것이요, 곤은 천하에게 가장 유순한 것으로, 그 덕행은 항시 간략하면서도 막힘을 아는 것이다.(夫乾, 天下之至健也, 德行恆, 易以知險. 夫坤, 天下之至順也, 德行恆, 簡以知阻.)"
76) 여기서 상산이 "의견"이라는 표현에 대해서 가지는 독특한 입장을 볼 수 있다. 불교도들은 자기의 사견 즉 "其意見"에 기탁하여 담론하는 것이므로 아무리 까

先生云: "後世言道理者, 終是粘牙嚼舌. 吾之言道, 坦然明白, 全無
粘牙嚼舌處, 此所以易知易行." 或問先生: "如此談道, 恐人將意見
來會, 不及釋子談禪, 使人無所措其意見." 先生云: "吾雖如此談道,
然凡有虛見虛說, 皆來這裏使不得. 所謂德行常易以知險, 恒簡以
知阻也. 今之談禪者, 雖爲艱難之說, 其實反可寄託其意見. 吾於
百衆人前, 開口見膽."

95. 선생께서 말씀하셨다. "무릇 만물에는 본말이 있다. 저 나무에 나
아가 관찰하자면 그 근본이 반드시 조금 더 큰 법이다. 내가 사람
을 가르칠 때도 대개 그의 근본이 늘 무겁게 자리하도록 하여 말
단에 연루되지 않게끔 해준다. 그러나 지금 세상에서 학문을 논
하는 자들은 이를 달가워하지 않는다."

先生云: "凡物必有本末. 且如就樹木觀之, 則其根本必差大. 吾之
敎人, 大槪使其本常重, 不爲末所累. 然今世論學者却不悅此."

96. 한 사대부가 말했다. "육 어르신은 다른 사람과 달라서 허물 고치
는 사람을 칭찬한다."

有一士大夫云: "陸丈與他人不同, 却許人改過."

97. 선생께서 일찍이 어떤 학자에게 물었다. "만약에 번다한 일들을
그냥 흘려보내면 관대한 기상을 가질 수 있을 테고, 만약 매사에

다로운 논의를 세워서 주장해도 결국은 "자기 의견(其意見)"일 뿐이지만 상산
자신이 담론하는 것은 자기의 의견이 아닌 "이 이치" 즉 도리 그 자체이므로
숨길 것도 감출 것도 없는 것이다.

분별하려 든다면 편협한 듯 보일 것이다. 둘 중 누가 더 나은가?"
학자가 말했다. "분별을 하지 않는다면 발전하는 바가 없을 것입
니다." 선생께서 말씀하셨다. "그렇다."

先生嘗問一學者: "若事多放過, 有寬大氣象, 若動輒別白, 似若褊
隘, 不知孰是?" 學者云: "若不別白, 則無長進處." 先生曰: "然."

98. 선생께서 말씀하셨다. "배우는 자가 책을 읽을 때는 먼저 쉬운 곳
에서부터 푹 빠져 음미하고 익숙해지도록 반복하면서 스스로 절
실하게 사고해야 한다. 그러면 알기 어려운 부분도 환히 이해된
다. 하지만 먼저 알기 어려운 곳을 보게 되면 끝내 [앎에] 도달할
수 없다." 한 학자가 지은 시를 인용하셨다.

독서는 황망함을 가장 경계하나니,
푹 빠져 음미하는 공부만이 흥미가 오래 남는다네.
알지 못해도 괜찮으니 일단 넘어가되,
자신에게 절실한 바는 급히 사고해야 하네.
나를 주재하는 존재는 언제가 강건하기에,
밖으로 좇아 다녀봐야 정신만 괜히 소모된다네.
함께 교유하는 그대들에게 당부하노니,
언어로써 천상(天常)을 해치지 말게.

先生云: "學者讀書, 先於易曉處沉涵熟復, 切己致思, 則他難曉者
渙然冰釋矣. 若先看難曉處, 終不能達." 擧一學者詩云: "讀書切
戒在荒忙, 涵泳工夫興味長. 未曉莫妨權放過, 切身須要急思量.
自家主宰常精健, 逐外精神徒損傷. 寄語同遊二三子, 莫將言語壞
天常."

99. 선생께서 임안으로부터 돌아오셨을 때 내가 근래 학자들에 관해 물었다. 선생께서 말씀하셨다. "근래에 깨달음을 얻은 자가 한 명 있는데 가리워져 있던 것이 한번 벗겨지니 온갖 의심이 다 사라졌다고 말하더구나."

先生歸自臨安, 子雲問近來學者. 先生云: "有一人近來有省, 云一蔽旣徹, 群疑盡亡."

100. 선생께서 말씀하셨다. "구양수(歐陽脩) 공의 「본론」이 훌륭하기는 하지만 또한 겉껍데기만을 이야기했을 뿐이다." 『당감(唐鑒)』을 보고 있던 중이었는데 우리에게 한 단락을 읽으라고 하셨다. 이에 내가 청하여 말했다. "끝내 정수(精髓)를 말하지 못하겠습니다." 선생께서 말씀하셨다. "후세 사람들 중에도 정수가 있는 곳을 아는 자가 없을 것이다."

先生云: "歐公「本論」固好, 然亦只說得皮膚." 看『唐鑒』, 令讀一段, 子雲因請曰: "終是說骨髓不出." 先生云: "後世亦無人知得骨髓去處."

101. 유순수(劉淳叟)가 참선을 하자 주 씨(周氏) 성을 가진 벗이 그에게 물었다. "그대는 어찌하여 우리 유교의 도를 버리고 참선을 하는가?" 유순수가 답했다. "손에 비유하자면, 불자의 손은 호미 자루를 잡고 있고, 유자의 손은 도끼 자루를 잡고 있는 것과 같네. 잡고 있는 것이 서로 다르지만 모두가 이 손이라네. 나는 지금 이 호미로 이 손을 밝히려는 것뿐일세." 벗이 답했다. "그대가 말한 바와 같다면 나는 도끼 자루를 쥐고 이 손을 밝히고 싶을 뿐, 호

미 자루를 쥐고 이 손을 밝히고 싶지는 않네." 선생께서 말씀하셨다. "순수의 비유도 훌륭하고, 주 씨의 대답도 훌륭하다 이를 만하다."

劉淳叟參禪, 其友周姓者問之曰: "淳叟何故捨吾儒之道而參禪?" 淳叟答曰: "譬之於手, 釋氏是把鋤頭, 儒者把斧頭. 所把雖不同, 然却皆是這手. 我而今只要就他明此手." 友答云: "若如淳叟所言, 我只就把斧頭處明此手, 不願就他把鋤頭處明此手." 先生云: "淳叟亦善喻, 周亦可謂善對."

102. 선생께서 말씀하셨다. "자하의 학문이 후세에 전해져 큰 해를 끼쳤다."

先生云: "子夏之學, 傳之後世尤有害."

103. 선생께서 상산에 거하실 때 학생들에게 자주 이렇게 고하셨다. "너희들의 귀는 스스로 밝고, 너희들의 눈은 스스로 밝으니, 아비를 모심에 스스로 효를 다할 수 있고 형을 모심에 스스로 공손할 수 있으며 본디 결함일랑 가지고 있지 않다. 다른 것을 구할 필요 없이 오직 스스로를 세우면 될 따름이다."[77] 이에 많은 학자들이 떨치고 일어났다. 어떤 사람이 의론을 세우자 선생께서는 "이는 공허한 소리이다."라고 말씀하셨다. 혹자가 "이것은 시문(時文)의 견해입니다."라고 말하자 학자들은 마침내 "맹자는 양주와 묵적을 배격하였고, 한유(韓愈)는 불교와 노장을 배격하였으며, 육 선생

―――――――――

77) 앞의 제27조에 보이는 내용이다.

은 시문을 배격하였다."라고 말하였다. 선생께서 말씀하셨다. "그 말도 맞다. 그러나 양주와 묵적과 불교와 노장을 배격한 것은 어느 정도 기세가 있어 보이는데, 나는 그저 시문밖에는 배격하지 못하였구나." 이에 한바탕 웃었다.

先生居象山, 多告學者云: "汝耳自聰, 目自明, 事父自能孝, 事兄自能弟, 本無少缺, 不必他求, 在乎自立而已." 學者於此亦多興起. 有立議論者, 先生云: "此是虛說." 或云: "此是時文之見." 學者遂云: "孟子闢楊‧墨, 韓子闢佛老, 陸先生闢時文." 先生云: "此說也好. 然闢楊‧墨‧佛‧老者, 猶有些氣道, 吾却只闢得時文." 因一笑.

104. 선생께서 「귀계학기」를 지어 말씀하셨다. "요순의 도라는 것도 그저 이것에 불과하니, 너무 높아서 실행하기 어려운 일이란 있지 않다." 이 말을 인용하면서 일찍이 학자들에게 말씀하셨다. "나의 도는 정말이지 이른바 우부우부(愚夫愚婦)도 알 수 있는 그런 것이다."

先生作「貴溪學記」云: "堯舜之道, 不過如此, 此亦非有甚高難行之事." 嘗擧以語學者云: "吾之道, 眞所謂夫婦之愚可以與知."

105. 혹자가 육경을 읽을 때 어떤 사람의 해설과 주석을 봐야 하느냐고 물었다. 선생께서 말씀하셨다. "모름지기 고주(古註)를 정밀히 봐야 한다. 만약 『좌전』을 읽는다면 두예(杜預)의 주석을 정밀히 보지 않을 수 없다. 대저 먼저 문의(文義)를 분명히 이해할 수 있으면 그 안의 이치를 읽음에 저절로 분명해진다. 다만 고주 중에서 조기(趙岐)가 『맹자』를 해석한 것만은 문의가 소략한 곳이 많다."

或問讀六經當先看何人解註. 先生云: "須先精看古註, 如讀『左傳』則杜預註不可不精看. 大槪先須理會文義分明, 則讀之其理自明白. 然古註惟趙岐解『孟子』, 文義多略."

106. 한 후생이 군의 학교에서 살고자 하자 선생께서 그를 훈계하며 말했다. "첫째는 가려서 사귀어야 하고, 둘째는 언제나 규칙을 지켜야 하며, 셋째는 『논어』와 같은 고서를 읽어야 한다."

有一後生欲處郡庠, 先生訓之曰: "一擇交, 二隨身規矩, 三讀古書『論語』之屬."

107. 정 선생(程先生: 程頤)이 『주역』의 효사를 풀이한 것을 보면 「단사(彖辭)」에서 가져온 것이 많은데, 도리어 불분명한 부분이 있다.

程先生解『易』爻辭, 多得之「彖辭」, 却有鶻突處.

108. 사람의 글은 그 사람의 기질과 많이 닮았다. 두자미(杜子美: 杜甫)의 시는 그의 기질 자체가 그러하다.

人之文章, 多似其氣質. 杜子美詩乃其氣質如此.

109. 삼대(三代) 시절에는 원근 상하를 막론하고 모두 이 이치를 강론하여 밝힌 후 함께 지켰다. 그렇지 않은 자가 있으면 군중들이 그를 내쳤다. 후세에는 원근 상하를 막론하고 이 이치를 언급하는 자가 없다. 그래서 한 사람이 이에 힘쓰면 군중들은 도리어 그를 이상하게 생각한다. 후세에 능히 스스로 설 수 있는 자가 있다 하여도 적은 수로는 끝내 많은 수를 이기지 못하는 법이어서 빼

어난 인재가 아니고서는 떨치고 일어나지 못한다.

三代之時, 遠近上下, 皆講明扶持此理, 其有不然者, 衆從而斥之.
後世遠近上下, 皆無有及此者, 有一人務此, 衆反以爲怪. 故古之
時比屋至於可封. 後世雖能自立, 然寡固不可以敵衆, 非英才不能
奮興.

110. 한 학자가 어떤 일로 인해 한 관원에게 편지를 썼다. "악을 그치
게 하고 선을 선양하는 일과 간특함을 막고 선량함을 돕는 일은
천지간의 바른 이치입니다. 이 이치가 밝아지면 다스려질 것이요,
이 이치가 어두워지면 어지러워질 것입니다. 이 이치를 간직하면
인(仁)이 되는 것이요, 이 이치를 간직하지 못하면 불인(不仁)이
되는 것입니다." 선생께서는 무릎을 치며 칭찬하셨다.

有學者因事上一官員書云: "遏惡揚善, 沮姦佑良, 此天地之正理
也. 此理明則治, 不明則亂, 存之則爲仁, 不存則爲不仁." 先生擊
節稱賞.

111. 선생께서 말씀하셨다. "나는 과거에 응시하기 시작할 때부터 한
번도 득실을 마음에 둔 적이 없다. 과장의 글이라는 것도 그저 흉
금의 말을 곧장 쓰기만 하면 될 뿐이다." 그래서 「귀계현학기」를
지으시면서 "유속을 따르지 않고 바른 학문으로써 말하는 자라고
해서 어찌 모두 다 유사(有司)들에게 내쳐지고 천명에 의해 버림
받겠는가?"라고 하셨던 것이다.

先生云: "吾自應擧, 未嘗以得失爲念, 場屋之文, 只是直寫胸襟."
故作「貴溪縣學記」云: "不徇流俗而正學以言者, 豈皆有司之所棄,
天命之所遺?"

112. 어떤 학자가 먼저 남헌(南軒: 張栻)의 글을 보고서 후에 선생을 따르며 배웠는데, 스스로 깨우친 바가 있다고 말하였다. 후에 편지를 써서 자신의 소견을 진술하였는데, 거기 "태극과 하나가 된다."라는 말이 있었다. 선생께서 답장을 써서 "이 말은 남헌과 몹시도 닮아있다."고 하셨다.

有學者曾看南軒文字, 繼從先生游, 自謂有省. 及作書陳所見, 有一語云: "與太極同體." 先生復書云: "此語極似南軒."

113. 학자라면 너무 조급하게 마음을 써서는 안 된다. 깊은 산중에 보물이 있어도 보물에 무심한 자가 이를 얻는 법이다.

學者不可用心大緊. 深山有寶, 無心於寶者得之.

114. 한 학자가 집정자에게 편지글을 올렸는데, 중간에 이런 내용이 있었다. "각하께서는 일어나시자마자 금문(金門)에서 대루(待漏)[78]하시고, 조회에 나가서서는 천자 앞에서 정사를 논하시며, 물러나시면 중서성에서 일을 상의하여 처리하고, 돌아가서는 자택에서 이런저런 일을 자문하시는데, 이 마음이 대낮처럼 밝고 분명하여서 약해지거나 좀먹는 일은 없는지 모르겠습니다. 우뚝 서 있는 지주(砥柱)처럼 물에 휩쓸려가 빠지는 일은 없는지 모르겠습니다." 선생께서 말씀하셨다. "이는 학자들에게도 경계심을 줄 만한 말이다."

有學者上執政書, 中間有云: "閣下作而待漏於金門, 朝而議政於黼

---

78) 옛날에 신하가 새벽에 물시계로 시간을 보아 入朝하던 것을 말한다.

座, 退而平章於中書, 歸而咨訪於府第, 不識是心能如晝日之昭晰, 而無薄蝕之者乎? 能如砥柱之屹立, 而無淪胥之者乎?" 先生云: "此亦可以警學者."

115. 조입지가 선생에게 편지를 보냈다. "원컨대 선생님께서 또한 효제충신을 가져다 사람들을 깨우쳐주십시오." 선생께서 말씀하셨다. "입지의 황당함이 이와 같다니, 효제충신을 어떻게 '또한 가져다' 말할 수 있단 말인가?"

曹立之有書於先生曰: "願先生且將孝弟忠信誨人." 先生云: "立之之謬如此, 孝弟忠信如何說且將."

116. 옛 것을 익숙하게 알고 난 뒤라야 새로운 것을 알 수 있고, 오직 돈후해진 뒤라야 예를 숭상할 수 있다.[79]

惟溫故而後能知新, 惟敦厚而後能崇禮.

117. 『주역』 「계사」 상하편은 총괄적으로 『주역』을 설명한 글이다. 『주역』의 총론을 가지고 『주역』을 읽는다면 [내용이] 절로 분명해진다. 우리가 세상일을 논할 때도 마찬가지이다. 반드시 그 총괄적인 요령을 잡아야 한다.

『易』 「繫」上下篇, 總是贊『易』. 只將贊『易』看, 便自分明. 凡吾論世事皆如此. 必要挈其總要去處.

---

79) 『中庸』 27장에 "옛것을 익혀서 새것을 알며, 돈후함으로 예를 높인다. (溫故而知新, 敦厚以崇禮.)"라는 말이 나온다.

118. 후세에 역수를 논한 말들은 대부분이 사람들을 현혹하는 설에 지나지 않는다.

後世言易數者, 多只是眩惑人之說.

119. "사람이 어려서 배우는 것은 장성하여 실행하고자 해서이다."[80] 오늘날 학문을 논하는 자들을 보면 그들이 사용하는 것은 배운 바가 아니고, 그들이 배운 바는 사용하지 못한다.

"夫人幼而學之, 壯而欲行之." 今之論學者, 所用非所學, 所學非所用.

120. 혹자가 기롱하기를, 선생은 사람을 가르칠 적에 오로지 한 길로만 돌아가도록 한다고 하였다. 선생께서 말씀하셨다. "내게는 오직 이 길 하나밖에 없다."

或有譏先生之教人, 專欲管歸一路者. 先生曰: "吾亦只有此一路."

121. 맹자께서 말씀하셨다. "사람의 본성이 불선하다고 말했다가 닥쳐올 후환을 어떻게 감당할 것인가?"[81] 지금 사람들은 이 뜻의 요지를 대부분 잃어버렸다. 맹자께서는 성선(性善)을 주장하셨기에 사람은 누구나 선하게 될 수 있다고 말씀하셨다. 다른 사람이 불선하다고 말했다가 그 사람이 장차 불선을 달갑게 여기며 그 불선으로 그대를 대한다면 그대는 장차 어떻게 대처할 것인가? 그래서 "후환을 어떻게 감당할 것인가?"라고 말씀하신 것이다.

---

80) 『孟子』 「梁惠王下」.
81) 『孟子』 「離婁下」.

孟子曰: "言人之不善, 當如後患何?" 今人多失其旨. 蓋孟子道性
善, 故言人無有不善. 今若言人之不善, 彼將甘爲不善, 而以不善
向汝, 汝將何以待之? 故曰: "當如後患何?"

122. 맹자의 성선(性善)을 제대로 볼 수 있으면 거의 모든 것을 보았
다고 할 수 있다.

見到孟子道性善處, 方是見得盡.

123. 한퇴지(韓退之: 韓愈)가 말했다. "맹자가 죽은 후 그의 학문을
전수받은 자가 없다." "순자(荀子)와 양웅(揚雄)은 가리되 정밀히
가리지 못했고, 말하되 상세히 하지 못했다."[82] 어쩌면 이리도 확
실히 말했단 말인가.

退之言: "軻死不得其傳." "荀與楊, 擇焉而不精, 語焉而不詳." 何其
說得如此端的.

124. 정 선생(程先生: 程頤)이 "빈번히 되돌아오니 위태롭다."를 해석
하면서 "과오는 잃어버리는 데 있지 회복하는 데에 있지 않다."[83]

---

82) 모두 한유가 지은 「原道」에서 인용하였다.

83) 『周易』「復卦」의 六三 爻辭이다. 程頤는 『易傳』에서 "회복하는 것은 안정과
공고를 귀히 여기나니, 빈번히 회복하고 빈번히 잃는다면 회복에 있어 안정됨이
없는 것이다. 선을 회복하고 누차 잃는 것은 위험한 도이다. 성인께서 개과천선
의 길을 열어놓으셨는데, 회복할 수 있음을 칭찬하면서도 누차 잃는 것의 위험
을 알게 하셨기에 [爻辭에서] '厲無咎'라고 말한 것이다. 또 빈번히 잃는다고
해서 회복하는 일을 제지해서는 안 되나니, 빈번히 잃는 것은 위험하지만 누차
회복하는 일이 무슨 허물이 있겠는가? 과오는 잃어버리는 데 있지 회복하는
데 있지 않다.(復貴安固, 頻復頻失, 不安于復也. 復善而屢失, 危之道也. 聖

고 하였는데, 매우 훌륭하다.

程先生解"頻復厲", 言"過在失, 不在復", 極好.

125. 선생께서 칙국(勅局)에 계실 때 혹자가 소인배들이 기회를 엿보고 있으니 물러나는 것이 좋겠다고 권유했다. 선생께서 말씀하셨다. "내가 떠나지 않고 있는 이유는 임금 때문이다. 불우하다고 해서 떠나다니, 어찌 그런 것으로 거취를 결정할 수 있겠는가?"

先生在勅局日, 或勸以小人闚伺, 宜乞退省. 先生曰: "吾之未去, 以君也. 不遇則去, 豈可以彼爲去就耶?"

126. 이백(李白)과 두보(杜甫)와 도연명(陶淵明)은 모두 우리 도에 뜻을 둔 자들이다.

李白 · 杜甫 · 陶淵明, 皆有志於吾道.

127. 타고난 자질이 고상한 사람은 의(義)가 있는 곳을 따르고 행하는데 아무런 어려움도 느끼지 않는다. 그 다음 사람은 의와 이(利)가 다투지만 이(利)는 끝내 의(義)를 이기지 못하므로 스스로 설수 있게 된다.

資禀之高者, 義之所在, 順而行之, 初無留難. 其次義利交戰, 而利終不勝義, 故自立.

人開遷善之道, 與其復而危其屢失, 故云'厲無咎'. 不可以頻失而戒其復也. 頻失則爲危, 屢復何咎? 過在失而不在復也.)"라고 말했다.

128. 나는 어려서부터 남들이 의론하는 것을 들을 때 그럴듯한 것 같지만 실질은 이와 같지 않은 경우, 언제나 그대로 안주하려 하지 않고서 반드시 그 실질을 구한 연후에야 그만두었다.

吾自幼時, 聽人議論似好, 而其實不如此者, 必不肯安, 必要求其實而後已.

129. 내가 실천에 있어 아직 순일하지 못하다 하더라도, 스스로 경계하여 채찍질하는 순간 천지와 비슷해진다.

吾於踐履未能純一, 然纔自警策, 便與天地相似.

130. 후세 사람들은 관대함과 어짊이 대개 임시방편[姑息]에서 나왔다고들 말하는데, 꾸미고 문식하는 마음에서 나온 게 아니라 그 실정에 맞는 것이라면 [어떤 일이든] 곧 관대함과 어짊이 된다는 것을 전혀 모르고 있다. 그래서 나는 늘 이렇게 말했다. "요순과 공자의 관대함과 어짊을 나는 사예(四裔)와 양관(兩觀)[84] 사이에서 보았다."

後世言寬仁者類出於姑息, 殊不知苟不出於文致, 而當其情, 是乃寬仁也. 故吾嘗曰: "虞·舜·孔子之寬仁, 吾於四裔兩觀之間見之."

131. 한 사인이 시를 지어 올렸다. "눈앞의 장막을 걷어내니 동쪽이 환히 밝아오네." 선생께서는 그 말을 퍽 인정하며 말씀하셨다.

---

84) 四裔는 순임금이 四凶(混沌·窮奇·檮杌·饕餮)을 추방한 곳이고, 兩觀은 공자가 姦人 少正卯를 죽인 곳이다.

"내가 학자들과 더불어 하는 이야기는 진실로 이른바 '우연(虞淵)에서 해를 가져다 함지(咸池)에서 씻긴다.'[85]는 것과 같다."

有士人上詩云: "手扶浮翳開東明." 先生頗取其語, 因云: "吾與學者言, 眞所謂'取日虞淵, 洗光咸池.'"

이상 문인 계로 부자운이 편하여 기록하다
右門人傅子雲季魯編錄

---

85) 虞淵은 해가 지면 돌아간다는 전설 속의 못이고, 함지는 해가 지면 돌아가 목욕을 한다고 하는 못이다. 『淮南子』「天文訓」에 "우연에 이르는 것을 일러 황혼이라고 한다.(至于虞淵, 是謂黃昏.)"는 내용이 보이고, 屈原의 「離騷」에 "내 말에게 함지에서 물을 먹이고, 내 말고삐를 부상에 매어놓네.(飮余馬於咸池兮, 揚余轡乎扶桑.)"라는 구절이 나오는데 王逸의 注에 "함지는 해가 목욕하는 곳이다.(咸池 , 日浴處也)"라는 설명이 보인다.

〈엄송嚴松의 기록〉

1. 염자가 퇴조하자 공자께서 물으셨다. "어찌하여 늦었느냐?" 염자
가 대답했다. "나랏일 때문입니다." 공자께서 말씀하셨다. "그것
은 계씨(季氏)의 집안일이었을 것이다."[86] 노나라에는 나랏일이
없었기 때문에 그가 행한 바는 역시 계씨 집안일이었을 따름이다.
정(政)이란 곧 정(正)이다.

    冉子退朝, 子曰: "何晏也?" 對曰: "有政." 子曰: "其事也." 魯國無
    政, 所行者亦其事而已. 政者, 正也.

2. "뜻이 전일하면 기를 움직이다." 이는 논할 필요 없이 자명하지만,
"기가 전일하면 뜻을 움직인다."는 말만은 사람으로 하여금 의심
하지 않을 수 없게 한다. 하지만 맹자께서 다시 '넘어지는 것[蹶
者]과 달리는 것[趨者]이 마음을 움직인다.'는 말을 가지고 이를
설명하셨으니,[87] 의심하지 않아도 될 것이다. 일이란 전일함이다.
뜻이란 본디 기를 이끄는 장수이지만 기도 전일해지면 능히 뜻을
움직일 수 있다. 그래서 "그 뜻을 단단히 하라."고만 하시지 않고
또 "기운을 사납게 내버려두지 말라."고 훈계하신 것이다. 평상시

---

86) 『論語』「子路」에 보이는 내용이다.
87) 『孟子』「公孫丑上」. "맹자께서 말씀하셨다. '뜻이 전일하면 기를 움직인다. 기
가 전일하면 뜻을 움직인다. 지금 넘어지고 달리는 것은 모두 기가 움직인 것이
다. 그런데 도리어 마음을 움직이게 되는 것이다.(曰, 志壹則動氣, 氣壹則動志
也. 今夫蹶者趨者, 是氣也, 而反動其心.)"

기거하고 음식을 먹을 때도 적절히 자제하고 조절해야 하며, 보고 듣고 말하고 움직일 때도 사정(邪正)의 구분을 엄정히 해야 한다. 이 모두가 "기운을 사납게 내버려두지 않는" 공부이다.

"志壹動氣", 此不待論, 獨"氣壹動志", 未能使人無疑. 孟子復以'蹶趨動心'明之, 則可以無疑矣. 壹者, 專一也. 志固爲氣之帥, 然至於氣之專一, 則亦能動志. 故不但言"持其志", 又戒之以"無暴其氣"也. 居處飮食, 適節宣之宜, 視聽言動, 嚴邪正之辨, 皆"無暴其氣"之工也.

3. 옛날 사람들은 열다섯에 대학에 들어갔다. "대학의 도는 밝은 덕[明德]을 밝게 하는 것에 있으며 백성을 새롭게 함에 있으며, 지극한 선에 머무는 데 있다." 이 말이 바로 대학의 요지이다. 천하에 밝은 덕을 밝히고자 하는 것이 대학에 들어가는 목적이고, 격물치지는 시작 지점이다. 『중용』에서 "널리 배우고, 자세히 묻고, 신중히 생각하고 밝게 변별하라."[88]고 한 것은 격물의 방법이다. 독서에 있어 사우(師友)를 가까이하는 것은 배우기 위함이지만 생각하는 것인즉 자신에게 달려있다. 묻고 변별할 때는 모두 사람을 찾아야 한다. 자고로 성인들도 전시대 철인의 말씀을 따르고 사우의 말을 따랐기에 능히 발전이 있을 수 있었다. 하물며 성인도 아니거늘, 어찌 개인적인 앎에 자신을 맡겨 학문을 발전시킬 수 있겠는가? 그러나 전대 철인들의 말씀은 때에 따라서 이치를 다루었기에 그 가리키는 바가 같지 않았다. 이로 인해 책에 적혀 있는 내용에 바른 것과 그릇된 것, 순정한 것과 하자 있는 것이

---

88) 『中庸』 20장.

뒤섞이게 되었으니, 만약 제대로 가려내지 못한다면 마구잡이식
으로 보게 된다. 사우를 통해 결정하려고 해도 사우의 말 또한 일
치하지 않을뿐더러 맞고 틀린 것, 마땅하고 그렇지 않는 것이 섞
여 있어서 만약 제대로 가려내지 못한다면 마구잡이식으로 추종
하게 된다. 마구잡이식 보기와 마구잡이식 추종으로 어디에 이르
러 머무를 것인가? "이는 집을 지으면서 길가는 사람과 의논함과
같은지라, 이 때문에 완성하지 못하도다."[89] 하나를 취해 그것을
따르고자 한다면, 그것이 사사로운 의견이나 편협한 학설이 아닐
줄 또 어찌 아는가? 자막(子莫)은 중도를 지켰음에도 맹자께서는
"한 가지만을 주장하고서 백 가지의 장점을 버렸다."[90]고 여겼으
니, 어찌 제대로 배웠다 할 수 있겠는가? 후세의 학자들이여, 이
를 어떻게 처리할 것인가?

古者十五而入大學, "大學之道, 在明明德, 在親民, 在止於至善",
此言大學指歸. 欲明明德於天下是入大學標的. 格物致知, 是下
手處. 『中庸』言博學, 審問, 愼思, 明辨, 是格物之方. 讀書親師友
是學, 思則在己. 問與辨, 皆須卽人. 自古聖人亦因往哲之言, 師友

---

89) 『詩經』「小雅·小旻」.
90) 『孟子』「盡心上」에 "맹자가 말했다. 양자는 자신을 위하는 입장을 취하여, 머리
    털 하나를 뽑음으로써 천하를 이롭게 한다 하여도 하지 아니한다. 묵자는 겸애
    를 주장하여 이마에서 발꿈치까지 닳아 없어진다 할지라도 천하를 이롭게 하는
    일이라면 한다. 자막은 그 가운데를 지킨다. 가운데를 지킴은 도에 가깝다 하겠
    다. 그러나 가운데만 지키며 임기응변의 권도가 없으니, 이는 한쪽만을 주장하
    는 것이다. 한쪽만을 고집하는 것을 미워함은 그것이 중용의 도를 해치기 때문
    이며, 한 가지만을 주장하고서 백 가지의 장점을 버리기 때문이다.(孟子曰, 楊
    子取爲我, 拔一毛而利天下, 不爲也. 墨子兼愛, 摩頂放踵, 利天下, 爲之. 子
    莫執中, 執中爲近之, 執中無權, 猶執一也. 所惡執一者, 爲其賊道也, 擧一而
    廢百也.)"라는 말이 보인다.

之言, 乃能有進, 況非聖人, 豈有任私智而能進學者? 然往哲之言,
因時乘理, 其指不一. 方冊所載, 又有正僞, 純疵, 若不能擇, 則是
泛觀. 欲取決於師友, 師友之言亦不一, 又有是非, 當否, 若不能擇,
則是泛從. 泛觀泛從, 何所至止? 如彼作室, 于道謀, 是用不潰于
成. 欲取其一而從之, 則又安知非私意偏說? 子莫執中, 孟子尙以
爲執一廢百, 豈爲善學? 後之學者, 顧何以處此?

4. 학자들의 규모는 대개 견문에 달려있다. 어린 아이는 아직 [학문
을] 전수받아 익히지 못했는데, 어떻게 규모를 완성할 수 있겠는
가? 이러한 까닭에 익히는 바는 조심하지 않을 수 없다. 세속 가
운데 처하면서 능히 스스로 빠져나오는 일은 호걸이 아니고서는
할 수 없다. 추세에 몰려 그리로 나아가는 자는 대부분 정도(正
道)를 얻지 못하니, 이 또한 당연한 이치이다.

學者規模, 多係其聞見. 孩提之童, 未有傳習, 豈能有是規模? 是故
所習不可不謹. 處乎其中而能自拔者, 非豪傑不能. 劫於事勢而爲
之趨向者, 多不得其正, 亦理之常也.

5. 옛날에는 세(勢)와 도(道)가 서로 합쳐져 있었는데, 후세에는 세
와 도가 떨어지게 되었다. 세와 도가 합쳐져 있다는 것은 무얼 말
하는가? 그 덕이 마땅히 제후가 되어야 할 자는 제후가 되고, 마
땅히 대부가 되어야 할 자는 대부가 되며, 사(士)가 되어야 할 자
는 사가 되는 것, 이것을 일러 세와 도가 합쳐져 있다고 말한다.
후세에는 이와 반대로 되어서 현자가 아래에 거하고 못난 자가
위에 거한다. 이를 일러 세와 도가 떨어져 있다고 말한다. 세와
도가 합쳐진 즉 치세가 되고, 세와 도가 떨어진 즉 난세가 된다.

古者勢與道合, 後世勢與道離. 何謂勢與道合? 蓋德之宜爲諸侯者
爲諸侯, 宜爲大夫者爲大夫, 宜爲士者爲士, 此之謂勢與道合. 後
世反此. 賢者居下, 不肖者居上, 夫是之謂勢與道離. 勢與道合則
是治世, 勢與道離則是亂世.

6. "자르듯 다듬듯 한다는 것은 배움을 말하는 것이요, 쪼듯 갈듯 한
다는 것은 스스로 닦는 것을 말하는 것이다"91) 뼈와 상아는 부서
지기 쉽기 때문에 자르고 다듬는 공정을 정교하고 세밀하게 해야
하고, 옥과 돌은 단단하기 때문에 쪼고 가는 공정을 굵고 크게
해야 한다. 학문은 세밀함을 귀히 여기고 스스로 닦는 일은 용맹
함을 귀히 여긴다.

"如切如磋者, 道學也, 如琢如磨者, 自修也." 骨象脆, 切磋之工精
細, 玉石堅, 琢磨之工麤大. 學問貴細密, 自修貴勇猛.

7. 세상 사람들은 이해(利害)를 파악하는 데만 신경쓰면서 스스로
똑똑하게 알고 있다고들 자부하는데, 그밖에 자신의 분수에 관한
일은 그저 흘려버리곤 한다. 어찌 알겠는가? 명리(名利)란 비단으
로 덮어놓은 함정과도 같아서, 탐욕으로 인해 그 안에 빠져버리면
결국 크나 큰 '똑똑하지 못함'만 남기게 된다는 것을.

世人只管理會利害, 皆自謂惺惺, 及他己分上事, 又却只是放過.
爭知道名利如錦覆陷穽, 使人貪而墮其中, 到頭只贏得一箇大不惺
惺去?

---

91) 『大學』.

8. "양(陽)은 임금이 하나이고 백성이 둘이니, 군자의 도이다. 음(陰)은 임금이 둘이고 백성이 하나이니, 소인의 도이다."[92] 양은 홀수이고 음은 짝수이다. 양은 홀수를 임금으로 여기므로 하나이고, 음은 짝수를 임금으로 여기므로 둘이다. 하나가 있으면 둘이 있다. 다만 주인 되는 바가 하나에 있을 따름이다. 저 소인의 일인들 어찌 갑자기 하나를 끊어버렸겠는가? 주인 삼는 바가 하나가 아닐 따름이다. 그래서 군자는 이치로써 일을 통제하고 이치로써 현상을 관찰한다. 그렇게 때문에 "[『주역』의 道는] 한 곳에 머무르시 않고서 변동하며 [四方天地] 육허(六虛)를 돌아다닌다. 올라가고 내려옴이 무상하고, 강함과 부드러움이 번갈아 바뀌니, 항상 변치 않는 준칙으로 삼을 수 없고 언제나 [때와 장소에 맞게] 변화에 따른다."[93]고 한 것이다.

"陽, 一君而二民, 君子之道也. 陰, 二君而一民, 小人之道也." 陽奇陰偶. 陽, 以奇爲君, 一也. 陰, 以偶爲君, 二也. 有一則有二, 第所主在一. 彼小人之事豈遽絶其一哉? 所主非是耳. 故君子以理制事, 以理觀象. 故曰: "變動不居, 周流六虛, 上下無常, 剛柔相易, 不可爲典要, 唯變所適."

9. 『상서(尙書)』의 『소(疏)』 중에 "하늘을 한 바퀴 돌면 365도(度) 4분도(分度)의 1이다."[94]는 말이 나온다. 천체는 탄환처럼 둥글며,

---

93) 『周易』「繫辭下」.
94) 이 구절은 『尙書』「堯典」의 "1년은 366일(朞三百有六旬六日)"이라고 한 그 주에 보이는 말이다. "천체는 지극히 둥글다. 주위가 3백 65도 4分度의 1로서 땅을 둘러 왼편으로 돈다.(天體至圓, 周圍三百六十五度四分度之一, 繞地左旋.)"

북쪽이 높고 남쪽이 낮다. 북극은 지상으로부터 36도 올라와 있고, 남극은 지하로부터 36도 들어가 있는데, 남극과 북극의 도수95)는 직경 182도가 조금 넘는다. 천체는 높고 둥글다. 하늘의 중앙, 남극과 북극이 반으로 나뉘는 곳을 일러 적도라 하는데, 남북극으로부터 각 91도 되는 곳에 위치한다. 춘분에 해는 적도 위를 지나가, 이날부터 점차 북쪽으로 움직인다. 하지에는 적도에서 북으로 24도 되는 곳을 운행하는데, 북극으로부터는 67도, 남극으로부터는 115도 떨어진 곳이다. 하지 이후로 해는 점점 남쪽으로 갔다가 추분이 되면 다시 적도로 돌아와 춘분 때와 같은 위치에 이른다. 동지에는 적도 남쪽을 운행하는데, 남극으로부터 67도, 북극으로부터 115도 떨어진 곳이다. 해가 운행하는 길을 황도(黃道)라 부른다. 또 달이 운행하는 길도 있는데, 해와 가까운 곳에서 교차하며 지나간다. 반은 해가 다니는 길 안쪽에 있고, 반은 해가 다니는 길 바깥쪽에 있다.

『書疏』云: "周天三百六十五度四分度之一." 天體圓如彈丸, 北高南下. 北極出地上三十六度, 南極入地下三十六度, 南極去北極直徑一百八十二度强. 天體隆曲, 正當天之中央, 南北二極中等之處, 謂之赤道, 去南北極各九十一度. 春分日行赤道, 從此漸北. 夏至行赤道之北二十四度, 去北極六十七度, 去南極一百一十五度. 從夏至以後, 日漸南至. 秋分還行赤道與春分同. 冬至行赤道之南, 去南極六十七度, 去北極一百一十五度. 其日之行處, 謂之黃道. 又有月行之道, 與日相近, 交路而過, 半在日道之裏, 半在日道之表.

---

95) 남극에서 북극 사이의 도수(남극과 북극이 이루는 각도)를 계산하면 182도가 약간 넘는다는 뜻인 듯이다.

10. [해와 달이] 서로 교차하는 지점이 황도와 백도(白道)가 서로 만나는 곳인데, 북극과 남극으로부터는 멀리 떨어져 있으며, 황도와 백도 사이는 6도⁹⁶⁾를 이룬다. 이것이 일월이 운행하는 길의 대략이다.

其當交則兩道相合, 去極遠處, 兩道相去六度. 此其日月行道之大略也.

11. 황도란 해가 다니는 길이다. 동지에는 두수(斗宿)에 이르는데, 적도로부터 남쪽으로 24도 나와 있다. 하지에는 정수(井宿)에 이르는데, 적도로부터 북쪽으로 24도 나와 있다. 추분에는 각수(角宿)와 교차하고 춘분에는 규수(奎宿)와 교차한다. 달이 다니는 길은 아홉 개가 있는데, 황도로부터 불과 6도 떨어진 곳에서 출입한다. 두 길이 교차하면 합쳐지므로 교식(交蝕)이라 한다. 교식이란 월도와 황도가 교차하는 것을 말한다.

黃道者, 日所行也. 冬至在斗, 出赤道南二十四度. 夏至在井, 出赤道北二十四度. 秋分交於角, 春分交於奎. 月有九道, 其出入黃道不過六度. 當交則合, 故曰交蝕. 交蝕者, 月道與黃道交也.

12. 『맹자』의 '동산에 오르니 노나라가 작아보였다.'⁹⁷⁾ 일 장(章)을 대여섯 번이나 실마리를 찾아가며 궁구해보고 읊고 외워본 뒤에야 비로소 "모두가 배움이 충만해지고 넓어진 것을 말한 것이니, 물

---

96) 오늘날 황도와 백도의 교점을 대략 5.8도라고 보므로 이것은 대단히 정확한 수치인 셈이다.
97) 『孟子』 「盡心上」.

이 넘쳐나듯 일월이 빛을 발하듯, 모두 본원에서 우러나와 이처럼 된 것이다."라고 말할 수 있게 되었다.

『孟子』'登東山而小魯'一章, 紬繹誦詠五六過, 始云: "皆是言學之充廣, 如水之有瀾, 日月之有光, 皆是本原上發得如此."

13. "우산의 나무는 일찍이 아름다웠다."[98] 이하는 늘 외고 읊조려야 한다.

"牛山之木嘗美矣"以下, 常宜諷詠.

14. 원회(元晦: 朱熹)는 이천(伊川: 程頤)를 닮았고, 흠부(欽夫: 張栻)는 명도(明道: 程顥)를 닮았다. 이천은 [외물에 의해] 가리워진 바가 본디 심각하나 명도는 막힘없이 뚫려있다.

元晦似伊川, 欽夫似明道. 伊川蔽固深, 明道却通疏.

15. 구주(九疇)의 수: 1과 6이 북쪽에 있고 수(水)가 그 바름을 얻었다. 3과 8이 동쪽에 있고 목(木)이 그 바름을 얻었다. 오직 금(金)과 화(火)만은 자리가 바뀌었다. (목이 화를 생성하는 순서에 따라 3에서 위로 9에 이르러야 생성하고, 2에서 9까지 세어야 생성하니,) 이 때문에 화가 남쪽에 있는 것이다. 4에서 세서 7에 이르면 또한 4를 얻으므로 금이 서쪽에 있는 것이다.[99] 1이 변하여

---

98) 『孟子』「告子上」.
99) 오행상생은 토: 5/10 → 금: 4/9 → 수: 1/6 → 목: 3/8 → 화: 2/7이고, 오행상극은 토: 5 ← 수: 1/6 ← 화: 2/7 ← 금: 4/9 ← 목: 3/8인데, 가장 중요한 것이

7이 되고, 7이 변하여 9가 되며, 9가 다시 변하여 1이 된다. 1이 1과 합쳐지면 2가 되고, 1이 2와 합쳐지면 3이 되며, 1이 3과 합쳐지면 4가 되고, 1이 5와 합쳐지면 6이 된다. 5는 수의 시조이다. 그래서 7에 이르면 2와 5가 되는 것이니, 이것이 하나의 변화이다. 9에 이르면 극에 달하므로 7이 변하여 9가 된다고 한 것이다. 수는 9에 이르면 반드시 변하므로 10에 이른즉 변하여 일십(一十)이 되고 백은 일백(一百)이 되며, 천은 일천(一千)이 되고 만은 일만(一萬)이 되는 것이다. 이것은 9가 다시 변하여 1이 되었기 때문이다.

九疇之數: 一·六在北, 水得其正. 三·八在東, 木得其正. 唯金火易位, 而木生火, 自三上生至九, 自二數至於九, 正得二數, 故火在南. 自四數至七, 亦得四數, 故金在西. 一變而爲七, 七變而爲九, 九復變而爲一者. 一與一爲二, 一與二爲三, 一與三爲四, 一與四爲五, 一與五爲六. 五, 數之祖, 故至七則爲二與五矣, 是一變也. 至九而極, 故曰七變而爲九. 數至九則必變, 故至十則變爲一十, 百爲一百, 千爲一千, 萬爲一萬, 是九復變而爲一也.

16. 혹자가 가의(賈誼)[100]와 육지(陸贄)[101]의 의론이 어떠하냐고 물

先天에서 後天으로, 즉 河圖에서 洛書로의 변화는 바로 火와 金의 방위가 서로 교체된다는 점이다. 그래서 "1과 6이 북쪽에 있고 水가 그 바름을 얻었다. 3과 8이 동쪽에 있고 木이 그 바름을 얻었다"는 先天이든 後天이든 변화 없는 동쪽과 북쪽 설명이라 그 올바른 자리를 얻었다고 표현한 것이다. "오직 金과 火만은 자리가 바뀌었다."란 선천에서 후천으로의 변화로 이른바 '金火交易'이 일어나는 것을 말한다.

100) 賈誼(기원전 200~기원전 168). 文帝가 즉위했을 당시 賈誼는 太息·痛哭이라는 상소를 올려 문제에게 조정에서 정한 법령을 고칠 것을 권고하였다. 그러

었다. 선생께서 말씀하셨다. "가의는 실제 일에 나아가 인의를 설명했고, 육지는 인의에 나아가 실제 일을 설명했다."

或問賈誼・陸贄言論如何. 曰: "賈誼是就事上說仁義, 陸贄是就仁義上說事."

17. 임안(臨安) 사성관(四聖觀)에는 6월이 되면 온 성의 남녀가 모두 나와 기도를 올린다. 혹자가 사람들이 이처럼 찾아와 귀의하는 까닭을 묻자 선생께서 답하였다. "그저 상벌이 불분명하기 때문이다."

臨安四聖觀, 六月間傾城士女咸出禱祠, 或問何以致人歸鄉如此, 答曰: "只是賞罰不明."

18. 어느 날 저녁 달빛아래 거닐다가 깊이 탄식을 하셨다. 포민도(包敏道)가 옆에서 모시다가 물었다. "어찌하여 탄식을 하십니까?" 선생께서 말씀하셨다. "주원회(朱元晦: 朱熹)는 태산처럼 높은 산이거늘, 안타깝게도 그의 학문은 도를 보지 못하고 쓸데없이 정신만 허비하다가 스스로 그르치게 되었으니, 이를 어찌하느냐?" 포민도가 말했다. "사태가 이왕 이렇게 되었으니, 차라리 각자 저술을 남겨 천하 후세로 하여금 스스로 선택하게 하는 편이 낫지 않겠습니까?" 선생께서 갑자기 정색을 하시더니 성난 목소리로 말

나 가의의 의견은 끝내 받아들여지지 못하고 그는 마침내 長沙로 유배되어 그곳에서 젊은 나이에 생을 마감했다.

101) 陸贄(754~805). 字는 敬輿이고 吳郡 嘉興(지금의 浙江省 嘉興) 사람이다. 당나라를 대표하는 정치가이자 정론가이다. 貞元年間에 中書侍郎, 同平章事에 임명되었다. 그는 특히 폐정을 간언하고 세금을 감면할 것에 관한 주장을 많이 올렸다.

씀하셨다. "민도야! 민도야! 어찌 발전한 바라곤 없이 이내 그런 생각을 할 수 있단 말이냐. 이 천지간에 주원회와 육자정이 있다고 해서 무엇이 더 보태지겠느냐? 없다고 해서 무엇이 더 줄어들겠느냐?"102)

一夕步月, 喟然而嘆. 包敏道侍, 問曰: "先生何嘆?" 曰: "朱元晦泰山喬嶽, 可惜學不見道, 枉費精神, 遂自擔閣, 奈何?" 包曰: "勢旣如此, 莫若各自著書, 以待天下後世之自擇." 忽正色厲聲曰: "敏道! 敏道! 恁地沒長進, 乃作這般見解. 且道天地間有箇朱元晦 · 陸子靜, 便添得些子? 無了後, 便減得些子?"

19. 임안(臨安)에서 돌아오자 창사(倉使)인 탕(湯) 공103)이 찾아와 풍속이 아름답지 못하다고 말했다. 선생께서 말씀하셨다. "이제 막 돌아와 후생들과 함께 좋은 이야기를 나누려던 참이었습니다. 그러나 이 일인즉 하늘에도 달려있고 사람에도 달려있습니다." 탕 공이 말했다. "하늘에 달려있다는 것은 어떤 것입니까?" 선생께서 말씀하셨다. "3년에 한번 씩 과거를 시행하는데, 만일 뽑힌 자 중에 돈후한 자가 많고 경박한 자가 적으면 풍속이 이때부터 돈후해질 것이고, 그렇지 못하여 [뽑힌 자 중] 절반만이 돈후하거나 혹서너 명만이 돈후하다고 해도 풍속은 어느 정도 괜찮아 질 것입니다. 불행히도 돈후한 사람이 거의 없거나 전부 다가 경박한 사

---

102) 상산이 주원회의 학문에 대한 안타까움을 표현한 것은 주원회가 틀리고 내가 옳다는 마음에서 나온 것이 아니므로 자기 학설을 남겨서 후세에게 누가 옳으냐를 판단하게 하려는 것이 아니었다는 뜻이다.

103) 송나라 때는 諸路의 提擧常平司를 倉司 혹은 倉使라고 칭했다. 여기 나오는 탕 공은 湯思謙이다.

람일 경우, 후생들은 그들을 따르고 본받을 것이니, 이에 풍속은 날로 나빠질 것입니다." 탕 공이 말했다. "사람에 달려있다는 것은 어떤 것입니까?" 선생께서 말씀하셨다. "감사와 수령은 풍속을 이끌어가는 종주입니다. 원판(院判)[104]이 이곳에 계시면서 높은 지위와 중한 관작만 생각하지 않고, 깃발 들고 앞을 인도하거나 말 타고 뒤를 호위하는 자들까지 높이고 존경하며, 누추한 골목 초가집에 사는 돈독하고 공경스러우며 충신(忠信)을 행하고 배우기를 좋아하는 사인(士人)을 미천하다 여기지 마시고 높여 존경할 줄 안다면, 풍속은 저절로 돌아올 것입니다." 탕 공은 재삼 칭찬하였다. 이튿날 탕 공이 막료들에게 말했다. "육 어르신께서 근자에 성에 오셨는데, 어찌하여 가서 말씀을 듣지 않느냐?" 막료들이 말했다. "육 어르신의 문호가 너무 높고 엄준하여서, 거기서 의론하는 바는 우리 같은 사람들이 이해할 수 있는 바가 아닙니다." 탕 공이 말했다. "육 어르신이 하시는 말씀은 매우 평이하고 바르니, 한번 가서 들어보도록 해라. 내가 장식(張栻)이나 여조겸(呂祖謙) 등 여러 공과도 잘 아는 사이인데, 육 어르신의 말씀은 그들과도 다른 데가 있다."

歸自臨安, 湯倉因言風俗不美, 曰: "乍歸, 方欲與後生說些好話. 然此事亦由天, 亦由人." 湯云: "如何由天?" 曰: "且如三年一次科擧, 萬一中者篤厚之人多, 浮薄之人少, 則風俗自此而厚. 不然, 只得一半篤厚之人, 或三四箇篤厚之人, 風俗猶自庶幾. 不幸篤厚之人無幾, 或全是浮薄之人, 則後生從而視傚, 風俗日以敗壞." 湯云: "如何亦由人?" 曰: "監司·守令, 便是風俗之宗主. 只如院判在此,

---

104) 중앙 관서의 屬官을 가리키는 말이다.

毋只惟位高爵重, 旗旄導前, 騎卒擁後者, 是崇是敬, 陋巷茅茨之
間, 有篤敬忠信好學之士, 不以其微賤而知崇敬之, 則風俗庶幾可
回矣." 湯再三稱善. 次日謂幕僚曰: "陸丈近至城, 何不去聽說話?"
幕僚云: "恐陸丈門戶高峻, 議論非某輩所能喩." 湯云: "陸丈說話甚
平正, 試往聽看. 某於張·呂諸公皆相識, 然陸丈說話, 自是不同."

20. 모름지기 인정의 무상함을 알아야 사람을 이해할 수 있다.

須知人情之無常, 方料理得人.

21. 『효경』 18장[105]은 공자께서 실제 실천을 통해 말씀하신 것이지
허언이 아니다.

『孝經』十八章, 孔子於踐履實地上說出, 非虛言也

22. [『大學』의] "그 싹이 자라는 줄 모른다."란 잎과 가지만 무성하고
열매가 없는 것을 말한다.

莫知其苗之碩, 謂葉幹鬖鬆而亡實者也.

23. "천하 사람들이 성(性)이라고 말하는 것은 옛 자취[故]일 따름이
다."[106] 많은 사람들이 이 단락의 앞뒤 문의를 잘 이해하지 못한

---

105) 『孝經』 18장은 이러하다. "효자가 어버이의 상을 당하면 곡을 하되 쓸데없는
소리를 내지 아니하고, 예를 함부로 하지 아니하며, 말을 번잡스럽게 하지 아
니해야 한다. 좋은 옷을 입어도 몸이 불편하고 음악을 들어도 즐겁지 아니하
며, 맛있는 음식을 먹어도 달지 아니하니, 이는 슬퍼하고 서러워하는 정 때문
이다.(喪親子曰, 孝子之喪親也. 哭不偯. 禮無容. 言不文. 服美不安. 聞樂
不樂. 食旨不甘. 此哀戚之情也.)"

다. 중간에 "지자(智者)를 미워하는 까닭"에서부터 "지혜 역시 클 것이다."까지의 문의는 분명하여 맹자의 본래 뜻을 잃지 않고 있다. 나의 견해에 근거하자면 여기의 '고' 자는 『장자』의 "고(故)와 지(智)를 없애라."[107]를 가지고 풀이해야 마땅하다. 『장자』에 이 '고' 자가 있는 것으로 보아 옛 사람들의 언어 문자에 이 글자가 자주 등장했음을 알 수 있다. 『주역』「잡괘(雜卦)」 중에도 "수(隨) 는 연고[故]가 없다."라고 하였는데 이 역시 이 '고' 자이다. 맹자 당시에 천하에는 성(性)을 능히 알 수 있는 자가 없었다. 그래서 성을 말하는 사람은 과거의 자취에 근거했을 뿐이니, 실제로 성의 근본을 알았던 것은 아니어서 종종 이해(利害)를 가지고 미루어 말하곤 했다. 도리어 이(利)를 근본으로 삼은 셈이다. 부자께서 『주역』을 해설하셨는데 "책력을 다스리고 때를 밝힌다."는 말이 「혁괘(革卦)」의 「상사(象辭)」에 나온다. 책력이란 기후 예측을 근본으로 하므로 늘 측정방법을 바꾸어야 한다. 「혁(革)」의 뜻을 보건대, 천년 후의 동지와 하지를 앉아서 알아낼 수는 없음이 분명하다. 맹자께서 "천년 후의 동지와 하지를 앉아서 알아낼 수 있다."[108]고 한 것은, 사실 앉아있기만 해서는 알아낼 수 없다고 말한 것이다. 이렇게 말함으로써 자취를 구할 수 없음을 설명하신 것이다.

"天下之言性也, 則故而已矣." 此段人多不明首尾文義. 中間"所惡

---

107)『莊子』「刻意」.
108)『孟子』「離婁下」에 "하늘은 높고 별은 아득하지만 진실로 그 자취를 따라 계산하면 천 년 후의 동지나 하지도 앉아서 알아낼 수 있다.(天之高也, 星辰之遠也, 苟求其故, 千歲之日至, 可坐而致也.)"는 말이 나온다.

권34
313

於智"者, 至"智亦大矣", 文義亦自明, 不失孟子本旨. 據某所見, 當
以『莊子』"去故與智"解之. 觀『莊子』中有此'故'字, 則知古人言語文
字必常有此字. 『易』「雜卦」中"隨無故也", 卽是此'故'字. 當孟子時,
天下無能知其性者, 其言性者, 大抵據陳迹言之, 實非知性之本,
往往以利害推說耳, 是反以利爲本也. 夫子贊『易』, "治曆明時", 在
「革」之「象」. 蓋曆本測候, 常須改法. 觀「革」之義, 則千歲之日至,
無可坐致之理明矣. 孟子言"千歲之日至, 可坐而致也", 正是言不
可坐而致, 以此明不可求其故也.

24. "상제는 「진(震)」에서 나온다."[109] 상제란 하늘이고, 「진」은 동쪽
에 있으니 봄이다. 천둥[震]이란 우레이며, 만물은 우레를 얻어 싹
을 틔운다. 그래서 "「진」에서 나온다."라고 한 것이다. "가지런함
은 「손(巽)」에서 나온다."[110] 「손」은 동남쪽이요, 봄과 여름이 교
차하는 시기이다. 「손」은 바람이다. 만물은 바람을 얻어 생장하
며, 새로운 생물은 일제히 정결해지고 곱고 밝아진다. 그래서 "만
물이 정결해지고 가지런해지는 것이다."라고 말한 것이다. "서로
「이(離)」에서 바라본다." 「이」는 남방의 괘이며 여름이다. 생물의
형태는 이때에 이르러 모두 드러나며 만물이 찬란히 어우러지므
로 "서로 바라본다."고 한 것이다. "「곤(坤)」에서 부역한다." 만물
이 모두 땅의 기름을 받으면 장차 열매를 맺으려 하나니, 6, 7월
이 교차할 무렵이다. 만물은 이대에 이르러 열매를 잉태하므로
"「곤」에서 부역한다."고 한 것이다. "「태(兌)」에서 기뻐한다."
「태」는 가을 정 가운데다. 8월은 만물이 이미 열매를 맺는데, 윤

---

109) 『周易』「說卦傳」
110) 위와 같음.

택한 비를 맞으면 기쁘기에 "만물이 기뻐한다."고 한 것이다. "「건 (乾)」에서 싸운다." 「건」은 서북방의 괘이다. 묵은 곡식이 비어가 기 시작하므로, 「건」이 임금 노릇을 하지 않을 수 없다. 시월은 음이 극에 달해 양이 생겨나고, 음양이 교전하는 시기이니, 용이 들판에서 싸운다란 이를 두고 한 말이다. "「감(坎)」이 수고한다." 「감」이란 물[水]이요 지극히 수고로운 것이다. 음이 물러나고 양 이 생겨나는 시기는 만물이 돌아가는 곳이요, 음양이 아직 정해지 지 않은 시기는 만물이 돌아가 숨기 시작할 때이므로 그 일이 유 독 수고롭다. 그래서 "「감」이 수고한다."고 한 것이다. "「간(艮)」 에서 이룬다." 음양이 이때에 이르러 정해지고 묵은 곡식은 이때 에 이르러 텅 비며 햇곡식이 이때에 이르러 시작된다. 그래서 "만 물이 끝을 이루고 처음을 이룬다."고 한 것이다.

"帝出乎「震」." 帝者, 天也. 「震」居東, 春也. 「震」, 雷也, 萬物得雷 而萌動焉, 故曰"出乎「震」." "齊乎「巽」." 「巽」是東南, 春夏之交也. 「巽」, 風也, 萬物得風而滋長焉, 新生之物, 齊潔精明, 故曰"萬物之 潔齊也." "相見乎「離」." 「離」, 南方之卦也, 夏也. 生物之形至是畢 露, 文物粲然, 故曰"相見." "致役乎「坤」." 萬物皆得地之養, 將遂妊 實, 六七月之交也. 萬物於是而胎實焉, 故曰"致役乎「坤」." "說言 乎「兌」." 「兌」, 正秋也. 八月之時, 萬物旣已成實, 得雨澤而說懌, 故曰"萬物之所說也." "戰乎「乾」." 「乾」是西北方之卦也. 舊穀之事 將始, 「乾」不得不君乎此也. 十月之時, 陰極陽生, 陰陽交戰之時 也, 龍戰乎野是也. "勞乎「坎」." 「坎」者, 水也, 至勞者也. 陰退陽生 之時, 萬物之所歸也. 陰陽未定之時, 萬物歸藏之始, 其事獨勞, 故 曰"勞乎「坎」." "成言乎「艮」." 陰陽至是而定矣. 舊穀之事於是而 終, 新穀之事於是而始. 故曰"萬物之所成終成始也."

25. "『역』이라는 책은 멀리 할 수 없으며, 그 도(道)는 거듭 변한다. 한 곳에 머무르지 않고서 변동하며 [四方天地] 육허(六虛)를 돌아다닌다. 올라가고 내려옴이 무상하고, 강함과 부드러움이 번갈아 바뀌니, 한 자리에 고정된 법규가 될 수 없고 오직 알맞게 변할 뿐이다."[111] "깊은 못 가에 나아가고 얇은 얼음을 밟듯",[112] "서있을 때면 [忠信篤敬이] 눈앞에 있듯이, 수레에 타서는 [충신독경이] 횡목에 기대어 있듯이",[113] 근심 없을 적에 삼가고 경계하며[114] 늘 조심스럽게 행동해야 하나니, "도(道)란 잠시라도 떨어져있을 수 없는 것"이다.[115] 오전(五典)은 하늘이 펼쳐주신 바요 오례(五禮)는 하늘이 내린 질서이다.[116] 「홍범(洪範)」 구주(九疇)를 상제께서 우(禹)임금에게 내리시니, 이를 기자(箕子)가 전해받고 무왕(武王)은 기자를 찾아갔으며,[117] 삼대가 흥할 때마다 공

---

111) 『周易』「繫辭下」.
112) 『詩經』「小雅·小旻」.
113) 『論語』「衛靈公」에서 '忠信篤敬'의 뜻을 설명하면서, "서있을 때면 이 이치가 바로 눈앞에 있음을 보고, 수레에 타서는 이 이치가 횡목에 기대어 있는 것을 볼 것이니, 그러한 연후에 행할 것이다.(立則見其參於前也, 在輿則見其倚於衡也, 夫然後行.)"라고 하였는데, 이 구절을 인용하였다.
114) 『尙書』「大禹謨」에 나오는 말이다.
115) '小心翼翼'은 『詩經』「大雅·大明」에 나오고, '도란 잠시도 떨어질 수 없는 것이다.'는 『中庸』 1장에 나온다.
116) 『尙書』「皐陶謨」에 나오는 말이다. "하늘이 만물을 펼침에 법칙을 두셨으니 우리 오전을 신중히 지키도록 다섯 가지를 후하게 하시며, 하늘이 질서를 만들어 예를 두시되 우리 오례로부터 하셨다.(天敍有典, 勅我五典, 五惇哉. 天秩有禮, 自我五禮.)"
117) 周나라 武王이 商을 멸한 후 기자는 陵川으로 가 은거하였다. 무왕은 陵川에서 기자를 찾아낸 다음 국사를 보좌해 달라 부탁했으나 기자는 우 임금이 남긴 『洪範』九疇만을 무왕에게 고한 뒤 다른 곳으로 숨었다.

경하며 법도로 삼았다. 이 사람들이 없었다면, 『역』이라는 멀리할 수 없는 책과 거듭 옮겨가는 도를 이야기할 수 있었을까! "그 도는 거듭 변한다."고 하였으나 실은 옮겨가지 않고, "한 곳에 머무르지 않고서 변동한다."고 하였으나 기실은 머물러 있다. "육허를 돌아다닌다."고 하였으나 실제가 있고, "올라가고 내려옴이 무상하다."고 하였으나 상도가 있다. "강함과 부드러움이 번갈아 바뀌니"라고 하였으나 바뀌지 않고, "한 자리에 고정된 법규가 될 수 없다."고 하였으나 요처가 있으며, "오직 알맞게 변할 뿐이다."라고 하였으나 변화하지 않는다.

"『易』之爲書也, 不可遠, 爲道也屢遷. 變動不居, 周流六虛, 上下無常, 剛柔相易, 不可爲典要, 唯變所適." 臨深履薄, 參前倚衡, 儆戒無虞, 小心翼翼, 道不可須臾離也. 五典天敍, 五禮天秩, 「洪範」九疇, 帝用錫禹, 傳在箕子, 武王訪之, 三代攸興, 罔不克敬典. 不有斯人, 孰足以語不可遠之書, 而論屢遷之道也? "其爲道也屢遷", 不遷處. "變動不居", 居處. "周流六虛", 實處. "上下無常", 常處. "剛柔相易", 不易處. "不可爲典要", 要處. "惟變所適", 不變處.

26. "이(履)는 덕의 바탕이며, 겸(謙)은 덕의 자루이며, 복(復)은 덕의 근본이며, 항(恒)은 덕의 굳음이며, 손(損)은 덕의 닦음이며, 익(益)은 덕의 넉넉함이며, 곤(困)은 덕의 분별이며, 정(井)은 덕의 터이며, 손(巽)은 덕의 제재이다."[118] "『역』이 생겨난 시기는 중고시대였을 것이다. 『역』을 만든 사람은 우환이 있었을 것이다."[119]

---

118) 『周易』「繫辭下」.
119) 『周易』「繫辭下」.

상고시대는 순박하여 사람의 감정이나 사물의 상태나 큰 변화가 없었기 때문에 『역』이 없다 하더라도 부족함이 없었다. 중고시대에 이르러 감정과 상태가 날로 늘어나고 사기와 거짓이 날로 싹터서, 『역』의 도를 밝혀서 내보이지 않고서는 자질이 아름다운 사람으로 하여금 그 덕을 완성하게 할 수 없고 천하 대중으로 하여금 감화되게 할 수 없었기에, 생민의 재앙이 이루 헤아릴 수 없을 만큼 많았다. 성인의 우환이 이와 같았기에 시대에 기인하여 『역』을 짓지 않을 수 없었던 것이다. 『역』의 도가 드러나자 군자는 몸을 닦을 수 있었고 천하는 다스려졌다. "이 때문에 이(履)가 덕의 바탕인 것이다." 「잡괘(雜卦)」에서 말하길, "이(履)는 처소가 없다."고 하였다. 처소가 없다는 것은 움직인다는 뜻이다. "위는 하늘이요 아래는 못"[120]이란 존비의 뜻이며, 이는 곧 예의 근본이다. "경례(經禮) 삼백, 곡례(曲禮) 삼천"[121]은 모두 이 늘 움직이는 도에 근본을 두고 있다. "이(履)는 덕의 바탕"이라 함은 움직임을 덕의 바탕으로 삼는다는 뜻이다. 바탕[基]이란 시작이니, 덕은 움직임으로부터 앞으로 나아가게 된다. 움직이지 않는다면 덕이 어떻게 쌓일 수 있겠는가? "겸은 덕의 자루이다." [많은 것을 가지고] 있으나 거만하지 않는 것을 겸이라 하니, 겸이란 차서 넘치지 않는 것을 말한다. 넘치면 그 덕이 사라진다. 늘 넘치지 않는 마음을 다잡고 있으면 덕이 날로 쌓이기에 "덕의 자루"라고 한 것이다. 겸이 완성된 후에야 능히 회복할 수 있다. 복(復)이란 양(陽)

---

120) 『周易』「履卦」의 「象辭」에 나오는 말이다.
121) 『禮記』「禮器」에 나오는 말로 " 대강령의 예 삼백 가지와 소절목의 예 삼천 가지"라는 뜻이다.

이 회복하는 것, 즉 선을 회복하는 것을 의미한다. 사람의 성은 본디 선하다. 불선(不善)은 외물에 의해 변한 것이다. 외물이 해를 끼침을 알고서 능히 스스로 돌이킬 수 있다면, 선이란 나의 본성 안에 본디 있던 것이었음을 알게 될 것이요, 내가 본디 가지고 있던 것을 따라서 덕에 나아간다면 다른 곳으로 가는 일이 없을 것이다. 그래서 "복이란 덕의 뿌리"라고 한 것이다. 복을 알면 안팎이 부합하게 될 것이나 항상됨이 없다면 그 덕이 단단하지 못하여 말 그대로 비록 얻었어도 반드시 잃고 말 것이다. 그래서 "항이란 덕의 단단함"이라고 한 것이다. 군자가 덕을 닦을 때에 반드시 덕을 해치는 것을 제거한다면 덕이 날로 발전할 것이다. 그래서 "손은 덕의 닦음"이라고 한 것이다. 선이 날로 쌓이면 관대해지고 넉넉해진다. 그래서 "익은 덕의 넉넉함"이라고 한 것이다. 처리하기 힘든 환난에 닥치지 않고서는 그 덕을 알아보기 어렵다. 그래서 "곤은 덕의 분별"이라고 한 것이다. 우물[井]은 사람을 기르고 만물을 이롭게 하는 일을 하는데, 군자의 덕 또한 이와 같다. 그래서 "정은 덕의 터"라고 한 것이다. 이렇게 되면 무엇인가를 해낼 수 있게 되는데, 무엇인가를 해내는 사람은 언제나 때에 순응하고 적합함을 잘 제재한다. 때에 순응하지 못하고 적합함을 잘 제재하지 못하는 사람이나 한쪽은 반듯하나 한쪽은 굽은 사인이라면 성덕을 지녔다고 할 수 없다. 때에 순응하고 적합함을 잘 제재하면서 세속을 따르거나 더러움에 합류하지 않을 수 있는 자는 우임금과 직(稷), 그리고 안연(顔淵) 뿐이다. 그래서 "손은 덕의 제재"이라고 한 것이다.

"履, 德之基也, 謙, 德之柄也. 復, 德之本也, 恒, 德之固也. 損, 德之修也, 益, 德之裕也. 困, 德之辨也, 井, 德之地也. 巽, 德之制

也." "『易』之興也, 其於中古乎. 作『易』者其有憂患乎." 上古淳朴,
人情物態, 未至多變, 『易』雖不作, 未有闕也. 逮乎中古, 情態日開,
詐僞日萌, 非明『易』道以示之, 則質之美者無以成其德, 天下之衆
無以感而化, 生民之禍, 有不可勝言者. 聖人之憂患如此, 不得不
因時而作『易』也. 『易』道旣著, 則使君子身修而天下治矣. "是故
履, 德之基也." 「雜卦」曰: "履, 不處也." 不處者, 行也. 上天下澤,
尊卑之義, 禮之本也. "經禮三百, 曲禮三千", 皆本諸此常行之道.
"履, 德之基." 謂以行爲德之基也. 基, 始也, 德自行而進也. 不行則
德何由而積? "謙, 德之柄也." 有而不居爲謙, 謙者, 不盈也. 盈則
其德喪矣. 常執不盈之心, 則德乃日積, 故曰"德之柄." 旣能謙然後
能復, 復者, 陽復, 爲復善之義. 人性本善, 其不善者遷於物也. 知
物之爲害, 而能自反, 則知善者乃吾性之固有, 循吾固有而進德,
則沛然無他適矣. 故曰"復, 德之本也." 知復則內外合矣, 然而不
常, 則其德不固, 所謂雖得之, 必失之, 故曰"恒, 德之固也." 君子之
修德, 必去其害德者, 則德日進矣, 故曰"損, 德之修也." 善日積則
寬裕, 故曰"益, 德之裕也." 不臨患難難處之地, 未足以見其德, 故
曰"困, 德之辨也." 井以養人利物爲事, 君子之德亦猶是也, 故曰
"井, 德之地也." 夫然可以有爲, 有爲者, 常順時制宜. 不順時制宜
者, 一方一曲之士, 非盛德之事也. 順時制宜, 非隨俗合汚, 如禹・
稷・顔子是已. 故曰"巽, 德之制也."

27. "「이(履)」는 조화로우면서도 지극하다."[122] 「태(兌)」가 부드러움
으로 강건한 「건(乾)」을 받고 있으므로 조화로울 수 있는 있다.
하늘은 위에 있고 못은 아래에 처해 있는 것은 이치의 지극함이

---

122) 『周易』「繫辭下」. 다음 조목까지 이어지는 내용 모두 「繫辭下」에 관한 것들이다.

라 바꿀 수가 없으므로 '지극하다[至].' 군자의 행동은 이치의 뜻을 체현하므로 조화로우면서도 지극하다. "「겸(謙)」은 높으면서도 빛난다." 겸손하지 못하면 반드시 스스로 높이고 스스로 빛을 드러내려고 할 것이다. 스스로를 높이면 사람들은 그를 반드시 천히 여길 것이요, 스스로 빛을 드러내려고 하면 덕이 사라질 것이다. 능히 겸손할 수 있으면 스스로 낮아지고 스스로 어두워지려 할 것이다. 스스로 낮아지면 사람들이 그를 높일 것이고, 스스로 어두워지면 덕이 더욱 환히 드러날 것이다. "「복(復)」은 작으나 사물을 분별한다." 회복하기 위해서는 멀리가지 않는 것이 중요하다. 사소한 언동이나 은미한 생각일지라고 그것이 외물에 의해 현혹되었는지 여부를 반드시 살펴야 한다. 작을 때에 분별하지 않으면 장차 후회와 허물을 초래하게 될 것이다. "「항(恒)」은 번잡하나 싫어하지 않는다." 이 세상 살아가다보면 사람들과 주거니 받거니 해야 하고, 일어나는 사건 변화도 한 가지가 아니다. 사람들의 마음은 이러한 것에 염증과 권태를 느끼게 되어 그 덕을 항상 지키지 못한다. 항상 덕을 지킬 수 있는 사람은 비록 번잡하다 하여도 싫어하지 않는다. "「손(損)」은 어려움을 먼저 함에 뒤에는 쉽다." 사람의 상정(常情)을 거스르는 일은 어렵고 순응하는 일은 쉽다. 허물을 덜어내고 억누르는 일은 반드시 상정을 거스르게 되어 있어서 처음에는 어렵다. 그러나 덜어내고 억눌러 선으로 돌아가고 나면 본심에 순응하게 되므로 나중에는 쉬워진다. "「익(益)」은 넉넉함을 늘리면서도 베풀지 않는다." 익이란 선으로 옮겨 가 자신의 덕을 보태는 것을 말한다. 따라서 덕이 늘어나면서 넉넉해진다. 설(設)이란 사치스럽게 펼치는 것이다. 사치스럽게 크기만 할 뿐, 진실되지 못하다는 뜻을 가지고 있다. 이와 같다면

[덕에] 보탬이 되지 않을 것이다. "「곤(困)」은 궁하면서도 통한다." 덕을 닦지 않은 사람은 곤궁한 상황에 닥치면 뜻과 기운이 꺾여 다 잃어버리고 만다. 그러나 군자는 곤궁한 상황에 닥칠수록 덕이 더욱 자라나고 도가 더욱 환히 밝아진다. "「정(井)」은 제자리에 머물러 있으면서도 옮겨간다." 군자는 자신의 도를 굽혀 남을 따르지 않는다. 그러므로 "제자리에 머문다."고 한 것이다. 그러나 널리 베풀고 대중을 구제함에 있어서는 미치지 않는 곳이 없다. 그러므로 "옮겨간다."고 한 것이다. "「손(巽)」은 시의에 적합하면서도 드러나지 않는다." 손은 이치에 순응하므로 움직일 때마다 시의에 적합하다. 시의에 적합할 수 있는 까닭은 찾아볼 수 있는 형적이 없어 은미하기 때문이다.

"「履」, 和而至."「兌」以柔悅承「乾」之剛健, 故和. 天在上, 澤處下, 理之極至不可易, 故至. 君子所行, 體履之義, 故和而至. "「謙」, 尊而光." 不謙則必自尊自耀, 自尊則人必賤之, 自耀則德喪, 能謙則自卑自晦, 自卑則人尊之, 自晦則德益光顯. "「復」小而辨於物." 復貴不遠, 言動之微, 念慮之隱, 必察其爲物所誘與否. 不辨於小, 則將致悔咎矣. "「恒」雜而不厭." 人之生, 動用酬酢, 事變非一, 人情於此多至厭倦, 是不恒其德者也. 能恒者, 雖雜而不厭. "「損」先難而後易." 人情逆之則難, 順之則易, 凡損抑其過, 必逆乎情, 故先難. 旣損抑以歸於善, 則順乎本心, 故後易. "「益」長裕而不設." 益者, 遷善以益己之德, 故其德長進而寬裕. 設者, 侈張也, 有侈大不誠實之意, 如是則非所以爲益也. "「困」窮而通." 不修德者, 遇窮困則隕穫喪亡而已. 君子遇窮困, 則德益進, 道益通. "井居其所而遷." 如君子不以道徇人, 故曰"居其所". 而博施濟衆, 無有不及, 故曰"遷". "「巽」稱而隱." 巽順於理, 故動稱宜, 其所以稱宜者, 非有形迹可見, 故隱.

28. "「이(履)」로써 행함을 조화롭게 한다." 행함에 조화롭지 못한 것은 예로써 말미암지 않은 까닭이다. 능히 예로써 말미암을 수 있다면 조화로워진다. "「겸(謙)」으로써 예를 제재한다." 스스로를 높고 크게 여긴다면 예를 따를 수 없다. 스스로 낮게 행동할 수 있어야 스스로 예로써 절제할 수 있다. "「복(復)」으로써 스스로를 안다." 자신을 극복해야 선을 회복할 수 있으니, 다른 사람은 관여할 수 없다. "「항(恒)」으로써 덕을 한결같이 한다." 항상됨이 없으면 이랬다 저랬다 하지만 항상됨이 있으면 한결같아진다. "처음부터 끝이 오직 한결같아야 날로 새로워진다."123) "「손(損)」으로써 해로움을 멀리한다." 분노와 욕망 같은 것들은 덕에 해를 끼친다. 손이란 덕에 해되는 것들을 덜어낸다는 뜻이다. 덕에 해되는 것들을 능히 덜어낼 수 있으면 내 몸의 해악을 멀리할 방도가 절로 생기므로 군자가 반드시 이를 취할 필요는 없다. "「익(益)」으로써 이로움을 일으킨다." 자신에게 이익이 되는 것을 이(利)라 한다. 천하에서 자신에게 이익 되는 것 중에 선(善)보다 더 큰 것은 없다. 군자는 『역』의 상을 관찰하여 선으로 옮겨가므로 "이로움을 일으킨다."고 한 것이다. 능히 선으로 옮겨갈 수 있다면, 복과 경사의 이로움은 저절로 이를 것이어서 군자에 더할 바도 덜어낼 바도 없으니 이 또한 말할 필요 없다. "「곤(困)」으로써 원망을 적게 한다." 군자는 곤액에 처했을 때 자신의 운명을 미루어 궁구해본다. 내가 나의 뜻을 이루었으니 무슨 원망이 있겠는가? 곤(困)의 뜻을 미루어보건대, 궁액과 환난이 내 몸에 미쳐야만 곤궁이 아니라 도를 지니고 있으되 이를 행할 수 없는 경우 모두가

---

123) 『尙書』「咸有一德」에서 인용한 구절이다.

곤궁에 해당한다. 군자는 이에 스스로를 돌이켜볼 뿐, 원망 따위는 하지 않는다. "정(井)」으로써 의(義)를 분별한다." 군자의 뜻은 만물을 구제하는 데 있다. 우물[井]의 뜻에서 사람들은 군자의 뜻이 무엇인지 명확히 볼 수 있다. "손(巽)」으로써 권도(權道)를 행한다." 손(巽)이란 이치에 순응하는 것이다. 사물을 재는 저울[權]은 무게에 따라 응하므로 움직이건 고요하건 모두 시의에 적합하며, 한 가지를 정해놓음으로써 이치를 어그러뜨리지 않는다. 구괘(九卦)의 배열과 군자 수신의 요지는 그 순서가 이와 같다. 하나라도 빠져서는 안 되기에 다시 상세하게 풀이해 덧붙였다.

"「履」以和行." 行有不和, 以不由禮故也. 能由禮則和矣. "「謙」以制禮." 自尊大, 則不能由禮, 卑以自牧, 乃能自節制以禮. "復以自知." 自克乃能復善, 他人無與焉. "「恒」以一德." 不常則二三, 常則一. 終始惟一, 時乃日新. "「損」以遠害." 如忿慾之類, 爲德之害. 損者, 損其害德而已. 能損其害德者, 則吾身之害, 固有可遠之道, 特君子不取必乎此也. "「益」以興利." 有益於己者爲利, 天下之有益於己者莫如善, 君子觀『易』之象而遷善, 故曰"興利". 能遷善, 則福慶之利, 固有自致之理. 在君子無加損焉, 有不足言者. "「困」以寡怨." 君子於困厄之時, 必推致其命. 吾遂吾之志, 何怨之有? 推困之義, 不必窮厄患難及己也, 凡有道而有所不可行, 皆困也. 君子於此自反而已, 未嘗有所怨也. "「井」以辨義." 君子之義在於濟物, 於井之義, 人可以明君子之義. "「巽」以行權." 巽, 順於理, 如權之於物, 隨輕重而應, 則動靜稱宜, 不以一定而悖理也. 九卦之列, 君子修身之要, 其序如此, 缺一不可也. 故詳復贊之.

29. "이른바 마음의 뜻을 성실하게 한다함은 자신을 속이지 않는 것이다."[124] 이 단락에서 말하고 있는 것은 모두가 수신, 제가, 치

국, 평천하의 요지이므로 반복해서 말한 것이다. "악취를 싫어하
듯 하고 좋은 빛을 좋아하듯 하는 것"은 우리의 성(性) 본연의 호
오(好惡)이므로 억지로 하는 것이 아니다. 자기 자신을 기만하는
것은 이 마음을 기만하는 것이니, 홀로 있을 때 삼갈 수 있으면
[愼獨][125] 스스로를 기만하지 않게 된다. "성(誠)은 스스로 이루어
지는 것이고, 도는 스스로 행해야 하는 것이다."[126]라고 하였으
니, 스스로를 기만했다고 해서 아는 사람이 아무도 없을 것이라
생각해서는 안 된다. "열 개의 눈이 보고 있고 열 개의 손이 가리
키고 있다."[127] 그 지엄함이 이와 같다.

"所謂誠其意者, 無自欺也"一段, 總是修身, 齊家, 治國, 平天下之
要, 故反覆言之. 如惡惡臭, 如好好色, 乃是性所好惡, 非出於勉强
也. 自欺是欺其心, 愼獨卽不自欺. "誠者自成, 而道自道也." 自欺
不可謂無人知. "十目所視, 十手所指." 其嚴若此.

30. "그릇이나 이름만은 다른 사람에게 빌려줄 수 없다."[128]는 구절에

___

124) 『大學』.
125) 愼獨은 『大學』에 "이른바 性라는 것은 자기를 속이지 않는 것을 말한다. 마치
     악취를 싫어하고 미인을 좋아하듯 하는 것이니, 이를 自謙이라고 한다. 그러
     므로 군자는 반드시 홀로 있는 데서 삼간다.(所謂誠其意者, 毋自欺也, 如惡
     惡臭, 如好好色, 此之謂自謙. 故君子必愼其獨也.)"라고 한 것과 『中庸』에
     "감춘 것보다 잘 보이는 것이 없고, 조그마한 것보다 잘 드러나는 것이 없다.
     그러므로 군자는 홀로 있는 데서 삼간다.(莫見乎隱, 莫顯乎微, 故君子愼其
     獨也.)"라고 한 것에서 비롯된 말이다.
126) 『中庸』 25장.
127) 『大學』.
128) 『左傳』「成公 2年」에 나오는 이야기인데, 『通鑑絶要』 권1에도 보인다. "옛날
     에 중숙우해가 위나라에 공을 세웠는데, 고을을 사양하고 말 장식을 청하니

서 "말 장식은 제후가 마땅히 사용해서는 안 되는 물건이라 이
사람에게 줄 수 없다."라고만 말했으면 되었을 것을, 좌 씨(左氏:
左丘明)는 도리어 명분까지 들먹였다. 이는 공자의 말씀이 아니
다. 맹자께서 "주(紂)라는 사내 하나를 주살했다는 말을 들었노
라."[129]고 한 말이야말로 이름을 바로 잡는 것[正名]이고, 공자께
서 괴귀(蒯聵)와 첩(輒)에게 하신 일[130] 또한 정명이다.[131] 그러

공자는 차라리 고을을 많이 주는 것이 낫다고 하면서 그릇이나 이름만은 남에
게 빌려주는 것이 아니요 임금이 관장하는 것이라 하였다. 정치가 망하면 나라
도 따라 망하기 때문이다. 衛君이 공자를 기다려서 정치를 하려 했을 때 공자
가 먼저 이름을 바르게 하고자 했으니, 이름이 바르지 아니하면 백성이 어찌할
바를 몰라한다고 생각했기 때문이다. 말 장식이 작은 물건이지만 공자는 이를
아꼈고, 이름을 바르게 하는 것은 자잘한 업무이나 공자는 이를 먼저 하였다.
진실로 이름과 그릇이 어지러워지면 위아래가 연고가 없어지는지라, 그래서
이르길 '이름(명분)만큼 큰 것은 없다.'라고 하는 것이다.(昔仲叔于奚有功於
衛, 辭邑而請繁纓, 孔子以爲不如多與之邑, 惟器與名, 不可以假人, 君之所
司也. 政亡則國家從之. 衛君待孔子而爲政, 孔子欲先正名, 以爲名不正, 則
民無所措手足. 夫繁纓小物也, 而孔子惜之, 正名, 細務也, 而孔子先之. 誠
以名器既亂, 則上下無以相有故也, 故曰分莫大於名也.)"

129) 『孟子』「梁惠王下」.
130) 『論語』「子路」에 보인다. "자로가 말하기를, '위군이 선생을 기다려 정치를 하
고자 하는데, 선생께서는 장차 무엇을 우선으로 하시겠습니까?' 공자께서 말씀
하셨다. '이름부터 바로잡겠다.'(子路曰, '衛君待子而爲政, 子將奚先?' 子曰,
'必也正名乎!')" 여기 나오는 衛君은 出公 輒이다. 靈公이 세자 蒯聵를 쫓아
냈는데, 영공이 죽자 衛나라 사람들이 蒯聵는 아비에게 득죄하였고, 輒은 적
손이니 마땅히 왕이 되어야 한다고 하면서 蒯聵의 아들 輒을 왕으로 세웠다.
이때 晉나라에서 蒯聵를 衛나라로 돌려보내려고 했으나, 輒은 이를 막았다.
여기서는 공자가 輒을 위해 일하지 않은 것이 바로 명분을 바로잡기 위한 일이
었음을 말하고 있다.
131) 『좌전』에서는 천자의 물건인 '繁纓'을 준다는 것은 천자의 이름을 참칭하는
것이므로 "(어떤 지위를 상징하는) 기물과 이름은 아무에게다 줄 수 없다."고
하였지만 육상산의 입장에서 보면 제후에게 합당하지 않은 기물을 주어서는

나 사마 온공(司馬溫公: 司馬光)의 "명이란 무엇인가? 제후와 경
대부를 가리킨다."[132]는 말인즉 틀렸다.

"惟器與名, 不可以假人." 只當說"繁纓非諸侯所當用, 不可以與此
人." 左氏也說差却名了, 是非孔子之言. 如孟子謂"聞誅一夫紂矣",
乃是正名. 孔子於蒯聵·輒之事, 乃是正名. 至於溫公謂"名者何,
諸侯卿大夫是也", 則失之矣.

31. 일은 미리 요량해서는 안 된다. 성인은 미리 요량한 적이 없다.
"자로는 제 명에 죽기 어려울 것이다."[133] "분성괄은 죽겠구나."[134]
말씀의 은미함이 이와 같다.[135]

안된다고만 하면 되지 '이름'의 문제까지 언급한 것은 지나치다는 것이다. 왜냐
하면 이름을 바로잡는 것은 어떤 기물에 이름을 붙여 제후와 천자의 등급을
나누는 기능보다 더욱 큰 것이기 때문이다. 그러므로 더 이상 천자라고 볼
수 없는 紂를 일러 "한 사내"라고 부른 맹자야말로 이름의 기능을 잘 알아
이름을 바로잡은 것(正名)이 된다. 紂에게는 여전히 천자의 기물이 있었겠고
그러한 기물의 이름도 그에게 있었을 것이지만 맹자는 주紂가 더 이상 천자일
수 없다는 것을 알았고 그에 따라 이름 붙였기 때문이다.

132) 『資治通鑑』 권1에 "예란 무엇인가? 기강을 말한다. 分이란 무엇인가? 군신을
   말한다. 名이란 무엇인가? 공후와 경대부를 말한다.(何謂禮? 紀綱是也. 何謂
   分? 君臣是也. 何謂名? 公侯卿大夫是也.)"라는 말이 나온다.

133) 『論語』「先進」. 공자는 子路의 성정이 강하고 용감하여 화를 입을까 걱정했
   다. 후에 子路는 衛 大夫 孔悝의 가신이 되었는데, 후에 衛나라에 난이 발생
   하자 성 안에 사로잡힌 孔悝를 구하러 들어갔다가 결국 피살되었다.

134) 『孟子』「盡心下」. 이 다음에 이어지는 내용은 이러하다. "분성괄이 피살되자
   문인이 물었다. '그가 장차 피살되리라는 것을 어찌 아셨습니까?' 대답하셨다.
   '그는 사람됨이 자잘한 재주가 있으나, 군자의 대도를 들어보지 못했으니 자신
   을 죽이기에 딱 좋을 따름이다.'하고 하였다.(盆成括見殺, 門人問曰, '夫子何
   以知其將見殺?' 曰, '其爲人也小有才, 未聞君子之大道也, 則足以殺其軀而
   已矣.')"

事不可以逆料, 聖賢未嘗預料. "由也, 不得其死然." "死矣, 盆成
括." 其微言如此.

32. 이 이치[理]가 우주에 가득하니 그 누군들 이로부터 도망칠 수 있
으랴. 이에 순응하면 길하고, 거스르면 흉하다. 우매하고 가리워
져 이 이치를 보지 못하면 어둡고 어리석어지고, 환히 꿰뚫으면
밝고 지혜로워진다. 어둡고 어리석은 자는 이 이치를 보지 못하
므로 대개 이 이치를 거스르다 흉에 이르고, 밝고 지혜로운 자는
이 이치를 볼 수 있으므로 능히 순응하여 길에 이른다. 『주역』을
논하는 자들은 양(陽)이 귀하고 음(陰)이 천하다 하고, 강(剛)이
밝고 유(柔)가 어둡다 하는데, 본래는 맞는 소리이다. 그런데 「진
괘(晉卦)」를 보면 위에 있는 「이괘(離卦)」의 육오(六五) 음효(陰
爻) 하나가 밝음을 주재하고, 아래 있는 「곤괘(坤卦)」는 세 개의
음효로써 이괘의 밝음을 따르고 있기 때문에 길함을 부를 수 있
다. 두 개의 양효는 도리어 좋지 않다. 「이괘」가 밝은 까닭은 바
로 이 이치에 밝기 때문이다. 「곤괘」의 세 음효가 능히 그 밝음
을 따를 수 있으니, 길하여 이롭지 않음이 없는 것도 당연하다.
따라서 이 이치를 밝히 알고 이 이치를 따르면 좋아지나니, 그렇

---

135) 마치 미리 요량한 듯 보이는 이 두 구절을 가지고 공자와 맹자가 미리 요량하
지 않았다는 것을 입증하려 하고 있다. 육상산의 입장에서 보면 성인들은 기미
를 알아도 미리 단정하지 않고 은미한 언어로 표현한다는 것이다. 공자는 자로
가 제 명에 죽지 못할까 염려하신 말씀이지 자로가 제 명에 죽지 못할 것을
예언한 것은 아니라는 것(말을 먼저 하고 관련된 일이 벌어진 경우)이고, 맹자
가 분성괄이 죽음을 마치 예상하고 있었던 듯 행동하므로 사람들이 의아해했
으나 맹자는 이러한 일을 감지하고 있었음에도 불구하고 미리 예언하지는 않
았다는 것(일이 벌어지고 나서 말을 한 경우)이다.

게 다 하지 못할 경우 모두 좋아질 수 없는 것 또한 당연한 일이다. 이 이치를 알지 못하고서 효의 획이나 이름 설명과 같은 말단에 함몰되어 있는 자와 어찌 더불어 『주역』을 말할 수 있겠는가! 양이 귀하고 음이 천하고, 강이 밝고 유가 어둡다는 설명에 때론 집착해서는 안 된다.

此理塞宇宙, 誰能逃之? 順之則吉, 違之則兇. 其蒙蔽則爲昏愚, 通徹則爲明知. 昏愚者不見是理, 故多逆以致兇, 明知者見是理, 故能順以致吉. 說『易』者謂陽貴而陰賤, 剛明而柔暗, 是固然矣. 今「晉」之卦, 上離, 以六五一陰, 爲明之主, 下坤, 以三陰順從於離明, 是以致吉. 二陽爻反皆不善. 蓋離之所以爲明者, 明是理也. 坤之三陰能順從其明, 宜其吉無不利, 此以明理順理而善, 則其不盡然者, 亦宜其不盡善也. 不明此理, 而泥於爻畫名言之末, 豈可以言『易』哉? 陽貴, 陰賤, 剛明, 柔暗之說, 有時而不可泥也.

33. 「둔괘(屯卦)」에서 음양이 처음으로 만나니, 한번 구하면 장남을 얻고, 거듭 구하면 둘째 아들을 얻는다.[136] 육삼(六三) 효사에서 "사슴을 잡으려고 쫓아가는데 우인(虞人)이 없으니 홀로 숲 속에 들어간다."고 한 것은 하괘(下卦: 震卦, ☳)가 점차 상괘(上卦: 坎卦, ☵)의 험난한 지경[坎]으로 들어가게 됨을 가리킨 것이다.

---

136) 「屯卦」의 初九는 長男, 九五는 中男, 그리고 「蒙卦」의 上九는 少男에 해당하므로 이렇게 말한 것이다. 純陰으로 된 坤이 純陽으로 된 乾에서 처음으로 구하여[一索] 맨 밑에 陽爻를 얻어 오면 震이 되는데, 이를 長男이라 하고, 다시 구하여[再索] 중간의 양효를 얻어 오면 坎이 되는데 이를 中男이라 하며, 세 번 구하여[三索] 맨 위의 양효를 얻어 오면 艮이 되는데 이를 少男이라 한 데서 온 말이다.

상육(上六) 효사에서 "말을 타고 따라가면서 피눈물을 줄줄 흘리게 될 것이다."라고 한 것은 공자께서 말씀하신 "나도 어찌할 수가 없을 뿐이다."[137]와 같은 형국이다. 그렇지만 사람은 미처 삿됨[邪]이 형성되기 전에 그쳐야 하고, 미처 악이 싹트기 전에 끊어내야 하며, 미처 어지러워지기 전에 다스려야 하고, 미처 위태로워지기 전에 나라를 보호해야 한다.

「屯」陰陽始交, 一索而得長男, 再索而得中男. 六三"卽鹿無虞, 惟入於林中", 指下卦之漸入上卦坎險之地. 上六"乘馬班如, 泣血漣如", 正孔子曰"吾末如之何也已矣." 雖然, 人當止邪於未形, 絶惡於未萌, 致治於未亂, 保邦於未危.

34. 「몽괘(蒙卦)」의 구이(九二) 효는 몽매함을 걷어내는 주인공이다. 더 이상 육오(六五)와 더불어 상응하는지 여부를 논해서는 안 되니, '몽매함을 아우르다'나 '부인의 생각을 받아들이다'나 모두 '집안을 조화롭게 세우는'[138] 일이다.

「蒙」九二一爻爲發蒙之主, 不應更論與六五相得與否, '包蒙', '納婦', 卽'克家'之事.

35. 책을 싸매놓은 채 읽어보지도 않고서 여기저기 다니며 이야기하는 것은 근본 없는 짓이다.

束書不觀, 游談無根.

---

137) 『論語』「衛靈公」.
138) 「蒙卦」의 九二 爻辭이다.

36. 습관에 깊이 물든 자는 깨끗이 씻어내기 어렵다.

染習深者難得淨潔.

37. 자신이 밝게 깨친 연후라야 사람을 밝게 깨칠 수 있다.

自明然後能明人.

38. 복재 형님께서 정이천의 『역전(易傳)』에서 "그 등에서 멈추다."[139]를 해석한 부분을 보더니 내게 물으셨다. "이천의 설명이 어떠하냐?" 내가 말했다. "해설이 불분명합니다." 이에 나더러 설명해보라고 했다. 내가 말했다. "'그 등에서 멈추어 자기 자신을 보지 않는다.' 란 무아(無我)이며, '그 뜰을 지나더라도 그 사람을 보지 못한다.' 란 무물(無物)입니다."[140]

---

139) 「艮卦」의 卦辭이다.
140) 伊川『易傳』의 해설은 다음과 같다. "사람이 그친 곳에 안주하지 못하는 까닭은 탐욕에 움직이기 때문이다. 그런 자는 앞으로 끌고 와 그치게 하려고 해도 그리 할 수 없다. 따라서 艮의 도는 마땅히 '등에 멈추어야' 한다. 보이는 것은 앞에 있다. 때문에 등이란 이를 등진다는 뜻이니, 이 때문에 보지 못한다. 보이지 않는 상태에서 멈춘다면, 탐욕이 사람의 마음을 어지럽히지 않으므로 이에 안주할 수 있다. '그 몸을 잡지 못했다'란 그 몸을 보지 못하였다는 뜻이며, 이는 忘我의 경지이다. 내가 없으면 멈출 수 있지만 無我의 경지에 이르지 못하면 멈출 도리가 없다. '그 뜰을 지나도 사람을 보지 못한다.' 뜰과 계단 사이는 지극히 가깝다. 그러나 등에 머물러 있으면 지극히 가까워도 보지 못한다. 이에 외물과 교차하지 않고, 외물과 접하지 않으므로 내면에 탐욕이 싹트지 않는다. 이렇게 해서 멈추면 이에 멈추는 도를 얻게 되며, 이에 허물이 없는 상태에 멈추게 된다.(人之所以不能安其止者, 動于欲也. 欲牽于前而求其止, 不可得也. 故艮之道當'艮其背'. 所見者在前, 而背乃背之, 是所不見也. 止于所不見, 則無欲以亂其心, 而止乃安. '不獲其身', 不見其身也, 謂忘我

復齋看伊川『易傳』解"艮其背", 問某: "伊川說得如何?" 某云: "說得
鶻突." 遂命某說, 某云: "'艮其背, 不獲其身', 無我, '行其庭, 不見其
人', 無物."

39. 혹자가 말하기를, 선생의 학문은 도덕과 성명(性命)과 형이상(形
而上)의 것이고, 회옹(晦翁: 朱熹)의 학문은 명물(名物)과 도수
(度數)와 형이하의 것이니, 학자라면 두 선생의 학문을 겸해야 한
다고 말했다. 선생께서 말씀하셨다. "그대가 이런 식으로 회옹을
설명한다면, 회옹께서 승복하지 않을 것입니다. 회옹의 학문은 스
스로 일관되어 있다고 말하고는 있으나, 도를 살핌에 있어 밝지
못하기 때문에 끝내 일관되기에 부족합니다. 내 일찍이 회옹에게
편지를 보내어 '가늠하여 재고 모방하여 베낀 것은 정교하고, 따
라하고 남의 것을 빌려온 것은 매우 유사합니다. 그 조목과 규획
은 족히 자신할 만하고, 마디와 항목들은 족히 스스로 안주할 만
합니다.'라고 했는데, 이 말이야 말로 회옹의 고질병을 정곡으로
찔렀다고 할 수 있습니다."

或謂先生之學, 是道德, 性命, 形而上者, 晦翁之學, 是名物, 度數,
形而下者. 學者當兼二先生之學. 先生云: "足下如此說晦翁, 晦翁
未伏. 晦翁之學, 自謂一貫, 但其見道不明, 終不足以一貫耳. 吾嘗
與晦翁書云, '揣量模寫之工, 依放假借之似, 其條畫足以自信, 其
節目足以自安.' 此言切中晦翁之膏肓."

也, 無我則止矣. 不能無我, 無可止之道. '行其庭不見其人', 庭除之間, 至近
也, 在背, 則雖至近不見. 謂不交于物也. 外物不接, 內欲不萌, 如是而止,
乃得止之道, 于止爲無咎也.)"

40. 학자가 당시(堂試)[141]의 책문(策問)에 답을 적었다. 선생께서 말씀하셨다. "제공들이 책문에 답한 것은 모두 문제를 좇아 움직이는 꼴이었다. 책문에 답을 할 때는 당상 관리가 당 아래에 있는 이졸들을 배치하듯 해야 책문의 문제에 얽매이지 않을 수 있다."

學者答堂試策. 先生云: "諸公答策, 皆是隨問走. 答策當如堂上人部勒堂下吏卒, 乃不爲策題所纏."

41. 선생께서 문인들 중에 가장 마음에 들어 하던 자는 오로지 부자연(傅子淵)이었다. 처음에 자연이 선생에게 가르침을 청하였을 때, "등에서 멈추다, 뜰을 지나다, 무아(無我), 무물(無物)" 등을 이야기해주었다. 후에 자연이 말했다. "제가 옛날 남헌(南軒: 張栻)과 회옹의 문하에 있을 적에 [무아와 무물] 이 두 가지 말에 의해 가로막혀 십년 간 선생의 말씀을 받아들이지 않았습니다. 그러나 형양(衡陽) 분교(分敎)를 3년 동안 하면서 비로소 믿게 되었습니다." 선생께서는 누차 자연의 어짊을 칭찬하시며 말씀하셨다. "근자에 호남(湖南) 조대(漕臺)에서 진군거(陳君擧)가 서신과 돈을 보내오며 안부를 물었는데, 편지에서 '나는 이제 늙어 더 이상 사공(事功)을 드러낼 수 없으니, 그저 제 분수나 잘 지키려 합니다.'라고 하였다." 그러더니 답장의 내용을 말씀해주셨다. "근자에 자연이 군거에게 보낸 편지를 보았는데, 아주 좋더군요. 만약 자연이 절차탁마를 멈추지 않는다면, 군거께서는 희망을 볼 수 있을 것입니다. 다만 자연이 편지에서 '[하나가] 옳으면 그릇된 것을

---

141) 府(州)學에서 치르던 시험을 말한다.

덮고, 그릇되면 옳은 것을 덮어버린다.'고 말한 두 구절은 지워야 합니다." 후에 선생께서 돌아가시기 며칠 전에 형양으로부터 온 자연이 주익공(周益公: 周必大)에게 보내어 도를 논한 편지 다섯 통을 받아보았는데, 선생께서는 손에서 놓지 않고 찬탄하며 말했다. "자연은 용을 잡고 봉황을 칠 솜씨로구나."

先生於門人, 最屬意者唯傳子淵. 初子淵請敎先生, 有"艮背, 行庭, 無我, 無物"之說. 後子淵謂: "某舊登南軒·晦翁之門, 爲二說所礙, 十年不可先生之說. 及分敎衡陽三年, 乃始信." 先生屢稱子淵之賢, 因言: "比陳君擧自湖南漕臺遣書幣下問, 來書云: '某老矣, 不復見諸事功, 但欲結果身分耳.'" 先生略擧答書, 因說: "近得子淵與君擧書煞好, 若子淵切磋不已, 君擧當有可望也. 但子淵書中有兩句云, '是則全掩其非, 非則全掩其是', 亦爲抹出." 後聞先生臨終前數日, 有自衡陽來呈子淵與周益公論道五書, 先生手不釋, 嘆曰: "子淵擒龍打鳳底手段."

42. 소무(邵武) 사람 구원수(丘元壽)가 며칠 동안 말씀을 듣더니, 젊었을 적에 유독 이천(伊川)의 어록을 즐겨 읽었다고 말했다. 선생께서 말씀하셨다. "그대를 한번 보고서 학문에 뜻을 두고 있음과 이천을 추종하는 학자임을 알 수 있었다. 옛 것을 좋아함이 이와 같은데, 향리에 거할 때 누구와 더불어 교유했는가?" 원수가 타고난 성품이 차고 담담하여 사람들과 잘 맞지 않는다고 대답하자 선생께서 또 말씀하셨다. "자식의 스승으로 모셔온 사람도 없었는가?" 원수가 스승을 모셔온 적이 있으나 서로 잘 맞지 않아 두 아들만 맡겼을 뿐이라고 답하자 선생께서 말씀하셨다. "그렇다면 평생 가슴 속에 품고 있으면서 하고 싶은 말들을 누구에게 하는가?"

원수가 이야기할 만한 사람이 없다고 말하면서, 때로 들판을 둘러보다보면 늙은 농부들과 만나는데, 비록 글자는 모르지만 그들의 진심이 마음에 들어 사시사철 그들과 더불어 너도 나도 잊은 채 주거니 받거니 할 때가 많다고 대답하자 선생께서 학도들을 돌아보며 웃으면서 말했다. "소무에 있는 허다한 사인들 중에 원수의 마음에 드는 사람은 하나 없고, 그 마음에 든 자는 도리어 농부였구나. 그렇다면 사대부 유자들은 농부 보기에 부끄러움이 없을 수가 없다." 선생께서 다시 말씀하셨다. "세상에는 제멋대로 구는 한 부류의 사람들이 있는데, 비록 매우 형편없기는 하지만 그들의 과오는 구제하기가 쉽다. 도리어 착한 사람을 이해시키기가 더욱 어려운 법이다." 내가 여쭈었다. "구 어르신처럼 어진 분에게 선생의 힘이 미칠 곳이 있습니까?" 선생이 말씀하셨다. "원수는 매우 훌륭하다. 그러나 광대하지 못한 것이 걱정이다. '사람은 누구나 요순이 될 수 있다.'[142] '요순도 다른 사람들과 똑같을 뿐이다.'[143] 하지만 요순처럼 광대해지지 못하는 것이 걱정이다." 원수는 며칠 동안 연이어 가르침을 받들고는 한창 기뻐하며 "천하의 즐거움 중에 이보다 더 한 것이 없구나."라고 말하던 중이었는데, 이때에 이르자 갑자기 주눅이 들어 낯빛이 변하더니 "선생의 돈독한 사랑과 가르침을 입었으나, 제 스스로 생각하기에 이러한 역량이 없는 것 같으니, 감히 함부로 주제넘게 굴지 못하겠습니다." 라고 말했다. 선생께서 말씀하셨다. "이런 역량이 없다고 한 말은 잘못되었다. 원수의 평상시 역량이 곧 요순의 역량이거늘, 원수

---

142) 『孟子』「告子下」
143) 『孟子』「離婁下」

스스로 모르고 있을 뿐이다." 원수는 잠자코 있었으나 의혹은 갈수록 커졌다. 자리에서 물러나와 나와 헤어질 때 스스로 이렇게 말했다. "선생께 가르침을 받은 후부터 매우 즐거웠는데, 오늘은 가슴에 뭔가 막힌 듯 답답합니다. 일단 선생의 문집을 베껴 가 돌아가서 탐구해보고, 다시 와서 가르침을 받겠습니다."

邵武丘元壽聽話累日, 自言少時獨喜看伊川語錄. 先生曰: "一見足下, 知留意學問, 且從事伊川學者. 旣好古如此, 居鄕與誰游處?" 元壽對以賦性冷淡, 與人寡合. 先生云: "莫有令嗣延師否?" 元壽對以延師亦不相契, 止是託之二子耳. 先生云: "旣是如此, 平生懷抱欲說底話, 分付與誰?" 元壽對以無分付處, 有時按視田園, 老農老圃, 雖不識字, 喜其眞情, 四時之間, 與之相忘, 酬酢居多耳. 先生顧學者笑曰: "以邵武許多士人, 而不能有以契元壽之心, 契心者乃出于農圃之人, 如此, 是士大夫儒者, 視農圃間人不能無媿矣." 先生因言: "世間一種恣情縱欲之人, 雖大狼狽, 其過易於拯救, 却是好人劃地難理會." 松云: "如丘丈之賢, 先生還有力及之否?" 先生云: "元壽甚佳, 但恐其不大耳. '人皆可以爲堯舜.' '堯舜與人同耳.' 但恐不能爲堯舜之大也." 元壽連日聽敎, 方自慶快, 且云: "天下之樂, 無以加於此." 至是忽局蹐變色而答曰: "荷先生敎愛之篤, 但某自度無此力量, 誠不敢僭易." 先生云: "元壽道無此力量, 錯說了. 元壽平日之力量, 乃堯舜之力量, 元壽自不知耳." 元壽默然愈惑. 退, 松別之, 元壽自述: "自聽敎於先生甚樂, 今胸中忽如有物梗之者, 姑抄先生文集, 歸而求之, 再來承敎."

43. 선생께서 학자들과 이야기하다가 '지성시종조리(智聖始終條理)' 장(章)[144]에 이르렀을 때 갑자기 내게 물으셨다. "'지(智)'와 '성(聖)'은 어떠한 것이냐?" 내가 말했다. "이것을 아는 것을 일러 지

라 하고, 이것을 다하는 것을 일러 성이라 합니다." 선생께서 말
씀하셨다. "지와 성에 우열이 있느냐?" 내가 말했다. "우열이 없습
니다." 선생께서 말씀하셨다. "좋구나. 우열은 없지만 맹자께서
'[과녁에] 이르게 하는 것은 힘이지만 적중시키는 것은 힘이 아니
다.'라고 하셨으니, 이렇게 되면 지를 더욱 중시하는 것처럼 들린
다."[145] 내가 말했다. "이르게 하는 것은 힘이지만 적중시키는 것
은 힘이 아니라 기교이다. 문장은 당연히 이렇게 되어야 합니다.
맹자께서는 '이르게 하는 것은 힘이고 적중하는 기교이다.'라고
말씀하시지 않았습니다." 선생께서 말씀하셨다. "그렇다." 내가
말했다. "지와 성에 비록 우열은 없지만 선후는 있습니다. 필경
앎에 이르는 것이 먼저이고 힘써 행하는 것이 나중입니다. 그래
서 시종(始終)이라고 말한 것입니다." 선생께서 말씀하셨다. "그
렇다."

先生與學者說及智聖始終條理一章, 忽問松云: "智聖是如何?" 松
曰: "知此之謂智, 盡此之謂聖." 先生曰: "智聖有優劣否?" 松曰: "無
優劣." 先生曰: "好, 無優劣, 然孟子云, '其至, 爾力也, 其中, 非力',

---

144) 『孟子』「萬章下」에 나오는 "孔子를 일러서 集大成이라고 한다. 集大成은 金
　　으로 소리를 울려냄이요, 玉으로 소리를 떨쳐냄이니, 金으로 소리를 울려낸다
　　는 것은 條理를 시작함이요, 玉으로 소리를 떨쳐 낸다는 것은 條理를 끝맺음
　　이다. 條理를 시작함은 智의 일이요, 條理를 끝맺음은 聖의 일이다.(孔子之謂
　　集大成. 集大成也者, 金聲而玉振之也. 金聲也者, 始條理也; 玉振之也者,
　　終條理也. 始條理者, 智之事也; 終條理者, 聖之事也.)" 부분을 가리킨다.
145) 위의 구절 바로 다음에 이어지는 내용이다. "지는 비유하자면 기교이고, 성은
　　비유하자면 힘이다. 백보 바깥에서 활을 쏘아 [과녁에] 이르게 하는 것은 이
　　힘이지만 적중시키는 것은 힘이 아니다.(智譬則巧也, 聖譬則力也. 由射於百
　　步之外也, 其至, 爾力也, 其中, 非爾力也.)"

如此說似歸重于智." 松曰: "其至, 爾力也, 其中, 非爾力也, 巧也,
行文自當如此. 孟子不成道其至, 爾力也, 其中, 爾巧也." 先生曰:
"是." 松又曰: "智聖雖無優劣, 却有先後, 畢竟致知在先, 力行在後,
故曰始終." 先生曰: "是."

44. 선생께서 아들 지지(持之)를 위해 전에 지은 꾀꼬리를 읊은 시를
   다시 지으셨다.[146]

> 온갖 새들 봄을 노래하며 잠시도 쉬지 않건만
> 봄기운이 간곡하지 않은 것을 늘 의심해왔네
> 나무 위에서 들려온 소리가 꾀꼬리 소리였음을 깨닫고
> 이제껏 집착해 들으려 했던 모습에 실소가 나오네
>
> 들보 휘감는 여운[147]이 남쪽 가지에 흩어지니,
> 춘색이 사라진들 어찌하리오
> 알 품은 옥 둥지에 금빛 깃털 아름다운데
> 늦봄에 사방을 다니며 사람들 위해 노래하네.

선생께서는 꾀꼬리가 다른 새의 깃털로 둥지를 만들지만 금빛 깃
털 닿는 부분은 흰 꿩의 깃털로 대신함으로써 자신의 금빛 깃털
을 보양함을 말씀하신 것이다.

先生因爲子持之改所吟鶯詩云: "百喙吟春不暫停, 長疑春意未丁
寧. 數聲綠樹黃鸝曉, 始笑從來着意聽." "繞梁餘韻散南柯, 爭奈無
如春色何? 剩化玉巢金綽約, 深春到處爲人歌." 先生言鶯巢以他羽

---

146) 『육구연집』 권25에 실려 있다. 다만 尾聯의 '從來'는 '從前'으로 되어 있다.
147) 길게 여운이 남는 아름다운 노래 소리를 상징하는데, 여기서는 꾀꼬리의 울음
   소리를 형용하였다.

成之, 至貼近金羽處, 以白鷴羽藉之, 所以養其金羽也.

45. 한 객이 시를 논하자 선생께서 창려(昌黎: 韓愈)의 「장적을 조롱하다(調張籍)」 시를 읊으셨다.

이백(李白)과 두보(杜甫)의 글이 있어,
그 화염이 만 길이나 뻗어있네.
모르겠네, 저 어리석은 아이들이,
기롱하고 상처낸들 무슨 소용 있는지.
개미가 큰 나무를 흔들다니,
가소롭구나, 스스로의 능력도 모름이여.
운운
그대에게 신선의 옷을 얻어줄 터이니
나와 함께 높이 날아보면 어떻겠나?

또 말씀하셨다. "독서가 여기에 이르지 않았으면 시를 논할 필요가 없다."

有客論詩, 先生誦昌黎調張籍一篇云: "李杜文章在, 光燄萬丈長. 不知群兒愚, 那用故譏傷? 蚍蜉撼大樹, 可笑不自量. 云云. 乞君飛霞佩, 與我高頡頏." 且曰: "讀書不到此, 不必言詩."

46. 마음속이 화락하고 즐겁지 않을 때 비루하고 거짓된 마음이 들어가고, 겉모습이 장중하고 공경스럽지 않을 때 오만하고 경솔한 마음이 들어간다. 고자(告子)의 부동심(不動心)이 쥐고 지킴을 견고하게 하여 얻어진 것이라면, 맹자의 부동심은 도를 밝게 아는 힘에 의해 얻어진 것이다.

中心斯須不和不樂, 而鄙詐之心入之, 外貌斯須不莊不敬, 而慢易之
心入之與. 告子不動心, 是操持堅執做, 孟子不動心, 是明道之力.

47. 집안에서 옛날의 예법을 행하는 자가 있어 그 아비가 달가워하지
    않았다. 이에 부자지간의 불화가 그치지 않자 선생을 찾아와 가
    르침을 청했다. 선생께서 말씀하셨다. "예로써 말하자면 아드님께
    서 옛날의 예법으로 행하고자 하는 것은 그 명분이 매우 바릅니
    다. 그러나 실질적인 내용으로 말하자면 옛날은 지금과 멀리 떨
    어져 있으며, 예(禮)의 제도는 도리어 근래의 섯이니, 아드님께서
    행하신 것이 반드시 옛날 법도에 다 맞는다고 할 수는 없습니다.
    게다가 먼저 아버님에게 득죄하지 않았습니까. 상례(喪禮)에서는
    애통함이 부족하되 예법은 넘치는 것이 차라리 예법은 부족하되
    애통함이 넘치는 것만 못합니다. 세속의 예법 중 몹시 바르지 않
    은 것이 있다면 그것을 조정하면 될 터이니, 나머지는 그대로 예
    전에 하던 대로 따르십시오."

    有行古禮於其家, 而其父不悅. 乃至父子相非不已, 遂來請敎, 先
    生云: "以禮言之, 吾子於行古禮, 其名甚正. 以實言之, 則去古旣
    遠, 禮文不遠, 吾子所行, 未必盡契古禮, 而且先得罪於尊君矣. 喪
    禮與其哀不足而禮有餘也, 不若禮不足而哀有餘也. 如世俗甚不
    經, 裁之可也, 其餘且可從舊."

48. 한 현승이 선생에게 부임 시기가 언제냐고 물었다. 선생께서 말
    씀하셨다. "지금 속히 부임하라는 명을 받아서 홀로 말을 몰아 즉
    시 떠나려던 참이었습니다." 현승이 오랑캐들이 남쪽을 침략하려
    는 마음이 있는 듯하다고 말하자 선생께서 급히 말씀하셨다. "그

렇다면 형문(荊門)은 변방 바로 옆에 있는 곳이니 제 식구들을 이끌고 떠나서 조금이라도 지체되는 일이 없도록 해야 하겠군요. 만약 홀로 말을 몰고 떠나면 제가 [가족이 연루될까] 두려워서 피하는 것처럼 보일 수 있으니까요."

有縣丞問先生赴任尙何時, 先生曰: "此來爲得疾速之任之命, 方欲單騎卽行." 縣丞因言及虜人有南牧之意, 先生遽云: "如此則荊門乃次邊之地, 某當挈家以行, 未免少遲. 若以單騎, 却似某有所畏避也."

49. 임천(臨川)의 장차방(張次房)이 관직에 있다가[148] 「귀거래사」[149]를 짓고서 관직을 버리고 귀은(歸隱)했다. 한 해 넘게 두문불출하다가 선생을 만나러 왔다. 선생께서 말씀하셨다. "근자에 듣건대 제공들이 왕겸중(王謙仲)으로 인해 그대가 다시 출사하도록 천거했다던데, 정말로 그렇습니까?" 차방이 말했다. "제공들의 고마운 뜻을 크게 입었으나, 부끄럽게도 감당할 능력이 없습니다." 선생께서 말씀하셨다. "무슨 고마운 뜻을 입었다는 말씀입니까? 군자가 사람을 사랑하는 마음은 덕에서 나온 것이지만 소인이 사람을 사랑하는 마음은 고식에서 나온 것입니다. 제공들이 그대를 천거하고자 하는 것은 고식적인 사랑입니다." 차방이 처음 귀은했을 때, 한 일, 이 년 동안은 정의로운 기운이 왕성하더니 그 후 점차 약해졌다. 선생께서 극력 이끌어 주신 덕에 정의로운 기운이 다

---

148) 원문에는 '曆子'라고 되어 있는데, 관원의 功過를 기록하여 승진 시 참고로 사용하는 책자를 말한다. 관직 생활을 상징하는 말로 사용된 듯하다.

149) 晉나라 陶淵明이 전원에 歸隱하기 전에 지었다는 賦가 「歸去來辭」인데, 후에 관직을 버리고 귀은하는 것을 상징하는 말처럼 사용되었다.

시금 떨쳐지더니, 근년 들어서는 다시금 쇠해졌다. "그대는 먹을 밥이 없는 지경에 이르지는 않지 않았습니까? 제공들의 이번 천거의 경우 상황으로 보아 가기 어려운 듯하니, 도리어 스스로 욕을 당하고 말 뿐입니다. 저는 지금 관직 하나를 맡고 있는데 거기서 벗어나지도 못한 채 지금 또 형문(荊門)으로 가라는 명령을 받아 가는 수밖에는 없습니다. 만약 남해로 도망칠 수 있다면 저는 그대로 떠날 것입니다. 그대는 다행히 관직도 없는데, 지금에 와서 또 무얼 하려고 나서려는 것입니까?" 차방이 말했다. "말씀을 늦게 들어 일찌감치 사절하지 못한 게 한입니다."

臨川張次房於曆子賦「歸去來辭」, 棄官而歸. 杜門經歲, 來見先生. 先生云: "近聞諸公以王謙仲故, 推輓次房一出, 是否?" 次房云: "極荷諸公此意, 愧無以當之." 先生曰: "何荷之云? 君子之愛人也以德, 細人之愛人也以姑息. 凡諸公欲相推輓者, 姑息之愛也." 次房初歸時, 一二年間, 正氣甚盛, 後來寖弱, 先生敎授極力推輓, 是後正氣復振, 比年又寖衰. "次房莫未至無飯喫否? 若今諸公此擧, 事勢恐亦難行, 反自取辱耳. 某今有一官, 不能脫去得, 今又令去荊門, 某只得去. 若竄去南海, 某便着去. 次房幸而無官了, 而今更要出來做甚麼?" 次房云: "恨聞言之晚, 不能早謝絶之也."

50. 내가 선생에게 여쭈었다. "오늘날 학자라 할 수 있는 자는 누구입니까?" 선생께서 손가락을 꼽아 세셨는데, 부자연(傅子淵)을 첫손가락에 꼽으셨고, 등문범(鄧文範)을 그 다음으로 꼽으셨으며, 부계로(傅季魯)와 황원길(黃元吉)을 또 그 다음으로 꼽으셨다. 선생께서 말씀하셨다. "절강(浙江)에는 사람이 매우 많다. 깊이 얻은 자도 있고, 얕게 얻은 자도 있고, 한번 보고 얻은 자도 있고,

오래 보아 얻은 자도 있다. 광중(廣中)의 진거화(陳去華)는 성찰
하여 깨우친 것이 특히 우뚝 하였으나, 안타깝게도 이 사람은 이
미 고인이 되었다."

松問先生: "今之學者爲誰?" 先生屈指數之, 以傅子淵居其首, 鄧文
範居次, 傅季魯·黃元吉又次之. 且云: "浙間煞有人, 有得之深者,
有得之淺者, 有一見而得之者, 有久而後得之者. 廣中陳去華省發
偉特, 惜乎此人亡矣."

51. 전하는 이야기에 따르면, 황원길(黃元吉)이 장사(長沙)의 진군거
    (陳君擧: 陳傅良)와 이별할 때 진군거가 다음과 같은 시[150]를 지
    어 전송했다고 한다.

    그대 찾아오신 뜻 가볍지 않기에
    깊이 사귄 적 없지만 마음은 이내 기울었네.
    칠편(七篇)[151]에 이야기 미치자 부족함 없어지고
    삼획(三劃)[152]부터 배우자 이내 분명해졌네
    옛날부터 고상하지 못했던 것 늘 탄식하였으나
    오늘부터 노련함에 다가가길 몹시 바란다네
    형문에 계신 세 분의 익우(益友)에게 감사하나니
    언제 만나 술잔 들고 평생 이야기 해볼까?

---

150) 시의 제목은 「送黃元吉」이다. 이 시는 『全宋詩』에도 실려 있는데, 글자에 출
    입이 있다. 『전송시』에 실린 원문은 이러하다. "荷君來意固非因, 曾未深交意
    便傾. 語到七篇無欠少, 學從三畫已分明. 每嗟前此傷標置, 頗欲從今近老
    成. 爲謝荊門三益友, 何時尊酒話平生?"
151) 『孟子』를 가리킨다. 『맹자』가 모두 7편으로 이루어져 있기에 이렇게 칭한 것
    이다.
152) 三劃. 즉 『주역』을 가리킨다.

선생께서는 자연이 군거와 절차탁마했다는 이야기를 절실히 들으셨다. 진군거는 일찍이 의문이 일은 적이 있었는데, 황원길을 얻은 덕에 비로소 부자연의 학문을 믿을 수 있게 되었다. 엄송이 말했다. "원길의 학문이 도리어 자연보다 낫습니다." 선생께서 말씀하셨다. "원길은 나의 단련의 힘을 얻었다. 원길이 나를 따른 지 15년인데, 처음 몇 년 동안은 바깥의 것을 추구하는 병폐가 있더니, 중간에는 다시 자기 견해라는 소굴 속으로 빠져 들어갔고, 다시 몇 년 동안은 '안락'이라는 소굴 속으로 빠져 들어갔다. 그러다 요 일, 이년 사이 내가 통렬히 단련했지만, 벽을 마주한 것처럼 옆으로 접근할 방도가 없었다. 원길은 배우는 데 능하나 감히 질문하지 못했다. 마침내 여러 곳에 있는 후학들을 불러들여 강학하면서 제생들에게 질문을 하도록 시켰다. 내가 일일이 그들의 의문을 벗겨내자, 원길은 어느 날 갑자기 옆에 있다가 깨달은 바가 있었다. 그래서 원길이 배우기에 능하다는 것이다.

有傳黃元吉別長沙陳君擧, 有詩送行云: "荷君來意固非輕, 曾未深交意便傾. 說到七篇無欠少, 學從三畫已分明. 每嗟自昔傷標致, 頗欲從今近老成. 爲謝荊門三益友, 何時尊酒話平生?" 先生切聞子淵與君擧切磋, 又起君擧之疑, 得黃元吉, 君擧方信子淵之學. 松曰: "元吉之學, 却在子淵之上." 先生曰: "元吉得老夫鍛煉之力. 元吉從老夫十五年, 前數年病在逐外, 中間數年, 換入一意見窠窟去, 又數年, 換入一安樂窠窟去, 這一二年, 老夫痛加鍛煉, 似覺壁立無由近傍. 元吉善學, 不敢發問. 遂誘致諸處後生來授學, 却敎諸生致問, 老夫一一爲之問剝, 元吉一旦從傍忽有所省. 此元吉之善學."

52. 선생께서 말씀하셨다. "요즘 유자들은 모두 불교와 노장(老莊)을 이단이라고 지목한다. 공자께서 말씀하기길, '이단에 빠지면'이라는 말이 나온다. 공자 시대에는 아직 불교가 중국에 들어오지 않았다. 비록 노자가 있었으나 그 학설이 아직 널리 드러나지 않았으니, 도대체 어떤 것을 가리켜 이단이라고 한 것일까? 대저 '이(異)' 자는 '동(同)' 자와 상대된다. 비록 똑같이 요순을 배웠다 하더라도 배운 단서가 달라 요순과 같지 않다면, 이에 곧 이단이 되는 것이다.[153]" 선생은 이에 학자들이 이단에 빠지는 것을 경계하며 말씀하셨다. "천하의 이치를 간략하고 쉬운[簡易] 것을 좇아 배워야하겠는가? 아니면 번거롭고 어려운 것을 좇아 배워야하겠는가? 저 번거롭고 어려운 것이 과연 도(道)가 되기에 충분하다면, 수고스럽게 배워도 괜찮을 것이다. 그러나 실제로 도가 되기에 본디 부족하다면, 학자들이 무엇 때문에 번거롭고 어려운 것을 위해 고생한단 말인가? 간략하고 쉬운 것은 알기도 쉽고 따르기도 쉬우며, 도가 되기에 참으로 충분이다. 그러니 학자들이 무얼 꺼려 간략하고 쉬운 것을 따르지 않겠는가?

先生云: "今世儒者類指佛老爲異端. 孔子曰: '攻乎異端.' 孔子時, 佛敎未入中國, 雖有老子, 其說未著, 却指那箇爲異端? 蓋異字與同字爲對, 雖同師堯舜, 而所學異緒, 與堯舜不同, 此所以爲異端也." 先生因儆學者攻異端曰: "天下之理, 將從其簡且易者而學之乎? 將欲其繁且難者而學之乎? 若繁且難者果足以爲道, 勞苦而爲之可也, 其實本不足以爲道, 學者何苦於繁難之說. 簡且易者, 又易知易從, 又信足以爲道, 學者何憚而不爲簡易之從乎?

---

153) 『論語』「爲政」에 나온다. "이단에 빠지면 스스로를 해칠 뿐이다.(攻乎異端, 斯害也已.)

53. 선생께서 말씀하셨다. "만물은 이 마음속에 빽빽이 들어서있다. 마음에 가득 차서 발현되고 우주를 가득 채우는 것은 모두가 이 이치이다. 맹자께서 사단(四端)에 나아가 사람들에게 가리켜 보여주셨지만 마음에 어찌 오직 이 사단만 있겠는가? 또 어린아이가 우물에 빠지는 광경을 보게 되면 모두 근심하고 측은해하는 마음이 든다는 이 단서에 나아가 사람들에게 가리켜 보여주셨지만, 이 마음에 환히 존재하는 것을 터득해 이 마음을 채우기만 하면 족할 따름이다." 그러시더니 이렇게 읊조리셨다. "성(誠)이란 스스로 이루어지는 것이요, 도(道)란 스스로 행해야 하는 것이다. 성(誠)이라는 것은 만물의 시작이며 끝이니[154], 운운, 천지의 도는 한 마디로 설명할 수 있다."[155]

先生言: "萬物森然於方寸之間, 滿心而發, 充塞宇宙, 無非此理. 孟子就四端上指示人, 豈是人心只有這四端而已? 又就乍見孺子入井皆有怵惕惻隱之心一端指示人, 又得此心昭然, 但能充此心足矣." 乃誦: "誠者自成也, 而道自道也. 誠者物之終始, 云云. 天地之道, 可一言而盡也."

54. 선생께서 해주신 말씀이다. 호계수(胡季隨)가 회옹(晦翁: 朱熹)을 좇아 배웠다. 회옹이 그에게 『맹자』를 읽게 하였는데, 어느 날 계수에게 '마음에 있어서만 같은 바가[同然] 없겠는가?'[156] 이 한 구

---

154) 『中庸』 25장.
155) 『中庸』 26장.
156) 『孟子』 「告子上」에 나오는 내용이다. "그러므로 말하기를, 입은 맛에 대해 좋아하는 바가 같고, 귀는 소리에 대해 듣는 바가 같으며, 눈은 색에 대해 아름답게 여기는 바가 같다고 하였으니, 마음에 있어서만 같은 바가 없겠는가? 마음에 있어 같은 바는 무엇일까? 理와 義를 일컫는다. 성인은 내 마음에도 똑

절을 어떻게 해석하느냐고 물었다. 계수가 자신의 견해로써 해석하자 회옹은 이를 틀리다고 하면서, 계수에게 책을 생각 없이 거칠게 읽는다고 말했다. 후에 계수는 고생해가며 생각을 하다가 이내 병이 나고 말았다. 회옹이 계수에게 말했다. "'옹(雍)의 말이 맞다[雍之言然]'[157]의 연(然) 자는 위에 있는 '듣는 바가 같고', '아름답게 여기는 바가 같고', '좋아하는 바가 같다'에 대응하여 한 말이다." 선생께서 그 말을 들으시고 웃으면서, "겨우 그런 것이라면 왜 진작 그에게 말하지 않았는가?"라고 말씀하셨다.

先生言: 胡季隨從學晦翁. 晦翁使讀『孟子』, 他日問季隨如何解'至于心獨無所同然乎'一句, 季隨以所見解, 晦翁以爲非, 且謂季隨讀書鹵莽不思. 後季隨思之旣苦, 因以致疾. 晦翁乃言之曰: "然讀如'雍之言然'之然, 對上'同聽', '同美', '同嗜'說." 先生因笑曰: "只是如此, 何不早說與他?"

55. 선생께서 말씀하셨다. "우리 집에서는 논을 갈 때 매번 커다란 쟁기로 두 번에 걸쳐 땅을 2척 남짓 판 다음 1척 반 남짓 되는 곳에 모 한 포기를 심어 놓는다. 그러면 오래 가뭄이 들어도 밭을 깊이 팠기 때문에 우리 밭만 메마르지 않는다. 다른 논의 벼에서는 쌀알이 8, 90 알, 적게는 3, 50알 정도 열리는 반면, 우리 논의 벼는

같이 있는 것을 먼저 터득했을 뿐이다. 그러므로 理와 義가 나의 마음을 기쁘게 하는 것은, 소고기나 돼지고기가 내 입을 기쁘게 하는 것과 같다.(故曰, 口之於味也, 有同耆焉, 耳之於聲也, 有同聽焉, 目之於色也, 有同美焉, 至於心, 獨無所同然乎? 心之所同然者, 何也? 謂理也, 義也. 聖人先得我心之所同然耳. 故理義之悅我心, 猶芻豢之悅我口.)"

157) 『論語』「雍也」.

매 포기 당 적은 것이 120알, 많은 것은 200여 알 정도 열린다. 매 묘(畝) 당 수확을 따져보면 다른 곳의 몇 배 이상이나 된다. 깊이 밭을 갈아 쉬이 수확하는 법이 이와 같으니, 일인들 어찌 그렇지 않겠는가?" 사인들이 오로지 빨리 이루어지고 근본 없는 문장에만 힘쓰고 있는 당시 현실을 논하다가 이런 이야기를 하셨다.

先生言: "吾家治田, 每用長大钁頭, 兩次鋤至二尺許. 深一尺半許外, 方容秧一頭. 久旱時, 田肉深, 獨得不旱. 以他處禾穗數之, 每穗穀多不過八九十粒, 少者三五十粒而已. 以此中禾穗數之, 每穗少者尚百二十粒, 多者至二百餘粒. 每一畝所收, 比他處一畝不啻數倍. 蓋深耕易耨之法如此, 凡事獨不然乎?" 時因論及士人專事速化不根之文, 故及之.

56. 증택지(曾宅之)에게 보낸 답장은 그 내용이 매우 상세하다. 사산(梭山: 陸九韶)이 하루는 학자들에게 말씀하셨다. "문장이란 도를 밝히기 위한 것이며, 내용만 전달되면 족하다." 마음에 둔 뜻이 있으셔서 하신 말씀이었는데, 선생께서 정색하며 말씀하셨다. "도(道)는 움직이는 것이므로 효(爻)라 하였고, 효에 등급이 있으므로 물(物)이라 하였다. 물이 서로 뒤섞이기에 문(文)이라 하였다. 문에 온당치 않은바가 있기에 길흉이 생겨난다. '옛날 성인께서 『역』을 지으실 때에 신명에게서 그윽하게 도움을 받아서 시초를 내었고, 하늘을 3으로 하고 땅을 2로 하여 수(數)를 세웠으며, 음양에서 변화를 관찰하여 괘를 세우고, 강유(剛柔)에서 발휘하여 효를 내고, 도덕에 화순하여 의로 다스리고, 이치를 다하여 본성을 극진히 하여 천명에 이르게 하였다.'158) 이것이 바로 문이다. 문이 여기에 이르지 않았는데, 무슨 문을 설명한다는 것인가?"

答曾宅之一書甚詳. 梭山一日對學者言曰: "文所以明道, 辭達足矣." 意有所屬也. 先生正色而言曰: "道有變動, 故曰爻, 爻有等, 故曰物, 物相雜, 故曰文. 文不當, 故吉凶生焉. '昔者聖人之作『易』也, 幽贊于神明而生蓍, 參天兩地而倚數, 觀變于陰陽而立卦, 發揮于剛柔而生爻, 和順于道德而理于義, 窮理盡性以至于命.' 這方是文. 文不到這裏, 說甚文?"

57. 내가 일찍이 사산께 여쭈었다. "어떤 사람이 제게 묻기를, '맹자는 제후들에게 왕도(王道)로써 유세하였는데, 이는 왕도를 행하여 주나라 황실을 높이라는 것입니까? 왕도를 행하여 천자의 자리를 얻으라는 것입니까?'라고 하였습니다. 저는 어떻게 대답해야 합니까?" 사산이 말씀하셨다. "천자의 자리를 얻으라는 것이다." 내가 말했다. "후세 사람들이 맹자께서 제후들에게 찬탈의 죄를 가르쳤다고 의심한다면 어떻게 해명해야 합니까?" 사산이 말씀하셨다. "백성이 귀하고, 사직이 그 다음이며, 임금은 가볍다."[159] 선생께서 재삼 감탄하며 말씀하셨다. "가형께서 평소 이만한 의론을 하신 적이 없다." 한참 뒤에 말씀하셨다. "지금까지 이만한 의론이 없었다." 내가 말했다. "백이(伯夷)는 이러한 이치를 보지 못하였습니다." 선생도 그렇게 말씀하셨다. 내가 또 말했다. "무왕(武王)은 이러한 이치를 보았습니다." 선생께서 말씀하셨다. "복희(伏羲) 아래로 모두 이 이치를 보았다."

松嘗問梭山云: "有問松, '孟子說諸侯以王道, 是行王道以尊周室?

---

158) 『周易』「說卦傳」.
159) 『孟子』「盡心下」.

行王道以得天位?' 當如何對?" 梭山云: "得天位." 松曰: "却如何解
後世疑孟子敎諸侯簒奪之罪?" 梭山云: "民爲貴, 社稷次之, 君爲
輕." 先生再三稱嘆曰: "家兄平日無此議論." 良久曰: "曠古以來無
此議論." 松曰: "伯夷不見此理." 先生亦云. 松又云: "武王見得此
理." 先生曰: "伏羲以來皆見此理."

58. 혹자가 선생께서 형문(荊門)으로 가시게 되자 곡진히 도를 행할
계책을 권면하였다. "중훼(仲虺)가 탕(湯)의 덕을 가리켜 '의로 일
을 바로잡고 예로 마음을 바로잡았다.'[160]고 히였습니다. 옛 사람
들은 온 몸이 순전히 도의로 가득 차 있었습니다. 후세 현자들도
마음을 다스릴 때나 일을 처리할 때 예의를 다하지 않는 것은 아
니나 다만 그 마음이 먼저 이해(利害)를 위주로 하기 때문에 예의
를 행하지 않을 따름입니다. 후세 사람이 옛 사람과 크게 달라진
이유가 바로 이것입니다. 옛 사람들은 이해(利害)를 이해하는 것
이 곧 예의를 위해서였지만, 후세에는 예의를 이해하는 것이 오직
이해(利害)를 위해서일 따름입니다."

或勸先生之荊門, 爲委曲行道之計. 答云: "仲虺言湯之德曰'以義
制事, 以禮制心.' 古人通體純是道義, 後世賢者處心處事, 亦非盡
無禮義, 特其心先主乎利害, 而以禮義行之耳. 後世所以大異于
古人者, 正在於此. 古人理會利害便是禮義, 後世理會禮義却只
是利害."

59. 선생께서 말씀하셨다. "오군옥(吳君玉)은 자신의 명민함을 자부

---

160) 『尙書』「仲虺之誥」.

하였다. 괴당(槐堂)을 찾아와 닷새 동안 거했는데, 매번 책에 있
는 구절을 들어 질문하고, 그 질문한 바를 따라 자신의 의문을 해
결한 후 자신이 깨달은 것으로부터 그 의미를 넓혀나갔다. 매번
그러하였다. 그가 재삼 탄식하며 말하기를, '온 천하에서 선생을
가리켜 선학(禪學)이라고 말하는데, 제 눈에만은 선생이 성학(聖
學)으로 보입니다.' 그리고는 물러나 자기 자신을 살폈는데, 아무
런 문제도 발견할 수 없었다. 그의 명민함이 이와 같았거늘, 오래
함께 하면서 절차탁마하지 못하였다."

先生言: "吳君玉自負明敏, 至槐堂處五日, 每擧書句爲問. 隨其所
問, 解釋其疑, 然後從其所曉敷廣其說, 每每如此. 其人再三稱嘆
云, '天下皆說先生是禪學, 獨某見得先生是聖學.' 然退省其私, 又
却都無事了. 此人明敏, 只是不得久與之切磋."

60. 선생께서 말씀하셨다. "진중화(陳重華)가 논했다. '장자가 노자에
미치지 못하는 이유가 셋 있고, 맹자가 공자에 미치지 못하는 이
유가 셋 있다. 첫째는 사람을 짐승에 비유해서는 안 된다는 것이
다.' 회옹(晦翁: 朱熹)도 그런 논의를 한 바 있다." 내가 말했다.
"맹자께서 '사람이 금수와 다른 점이 거의 없다.'[161]고 하신 것
은 사람이 짐승처럼 될까봐 두려웠기 때문입니다. '이는 짐승이
다.'[162]라고 하신 것은 임금도 아비도 모르기 때문입니다. '짐승과

---

161) 『孟子』 「離婁下」.
162) 『孟子』 「滕文公下」. "양주의 '위아'는 임금을 모름이요, 묵적의 '겸애'는 아비를
    모름이다. 아비도 임금도 모르면, 이는 짐승이다.(楊氏爲我, 是無君也, 墨氏
    兼愛, 是無父也. 無父無君, 是禽獸也.)"

거리가 멀지 않다.'[163]고 하신 것은 야기(夜氣)를 보존하기 부족하기 때문입니다. 회옹은 오직 기상(氣象) 측면에서만 이해했을 뿐이니, 이러한 탓에 국량이 협소한 자와 성인의 말씀은 종종 같아지지 못합니다." 선생께서 말씀하셨다. "요·순·우·탕·문·무·주공·공자 이 칠 팔 명의 성인이 같은 당에 합석해 앉았다 한들, 그 기상이 어찌 다 같을 수 있겠는가? 내가 여기서 기상을 말하고 있지만 외면에 대해 말하는 것이 아니다. 그래서 음양은 하나의 큰 기(氣)요, 건곤은 하나의 큰 상(象)이라고 말하는 것이다." 그리고는 또 말씀하셨다. "맹자의 말씀, 예컨대 '맹시사(孟施舍)가 기를 지킴은 증자(曾子)가 간약함을 지킨 것만 못하다.'[164]와 같은 두 구절은 도리어 불필요한 혹이다."

先生言: "重華論, '莊子不及老子者三, 孟子不及孔子三. 其一, 不合以人比禽獸.' 晦翁亦有此論." 松曰: "孟子言, '人之所以異于禽獸者幾希', 惟恐人之入于禽獸. '是禽獸也', 爲其無君父也. '則其違禽獸不遠矣', 爲其夜氣不足以存也. 晦翁但在氣象上理會, 此其所以錙銖聖人之言, 往往皆不可得而同也." 先生曰: "使堯·舜·禹·湯·文·武·周公·孔子七八聖人, 合堂同席而居, 其氣象豈能盡同? 我這裏也說氣象, 但不是就外面說, 乃曰, 陰陽一大氣, 乾坤一大象." 因說: "孟子之言, 如'孟施舍之守氣, 不如曾子之守約也.' 此兩句却贅了."

61. 사람이 나면서부터 고요한 것은 하늘의 성(性)이고, 외물에 닿아 마음이 움직인 것은 성(性)의 욕(欲)이다. 이는 "그 등에서 멈춘

---

163) 『孟子』「告子上」.
164) 『孟子』「公孫丑上」.

다.”와 “뜰을 지나다”165)의 뜻을 알지 못하기 때문이다.

人生而靜, 天之性也, 感物而動, 性之欲也, 是爲不識“艮背行庭”
之旨.

62. 순임금은 “악은 숨겨주고 선은 널리 드러내셨다.”166) 해설하는 자
들이 말하기를 “숨기다[隱]란 감춘다[藏]는 뜻이다.”라고 하지만
이 설명은 맞지 않는다. 여기서 은(隱)은 엎드리다[伏]의 뜻이다.
그 악을 엎어 끊어놓으면 선은 저절로 드러날 뿐이다. 자신에게
있어서나 남에게 있어서나 마찬가지이다. “국가를 다스리는 자는
악한 것을 보았을 때 마치 농부가 잡초를 제거하려고 애쓰는 것처
럼 해야 한다. 잡초를 모두 뽑아 한 쪽에 쌓아두고 뿌리를 뻗지
못하게 해야 심어서 좋은 것이 잘 자라게 된다.”167) “이 때문에 군
자는 악을 막고 선을 드러내며, 하늘의 아름다운 명을 따른다.”168)

舜“隱惡而揚善”, 說者曰“隱, 藏也”, 此說非是. 隱, 伏也, 伏絶其惡,
而善自揚耳. 在己在人一也. “爲國家者, 見惡如農夫之務去草焉,
芟夷蘊崇之, 絶其本根, 勿使能植, 則善者信矣.” “故君子以遏惡揚
善, 順天休命也.”

---

165) 각주 140 참고.
166) 『中庸』 6장. “공자께서 말씀하셨다. 순임금은 크게 지혜로운 분이실 것이다.
    순임금은 묻기를 좋아하고 가까운 말을 살피기를 좋아하고, 악은 숨겨주고 선
    은 널리 드러내셨다.(子曰, 舜其大知也與! 舜好問而好察邇言, 隱惡而揚
    善.)”
167) 『左傳』 「隱公 6년」.
168) 『周易』 「大有卦」의 「象辭」에 나오는 말이다.

63. "성탕은 걸(桀)을 남소(南巢)로 쫓아내고 덕에 부끄러움이 있음을
느꼈다."[169] 탕임금은 여기에 이르러 도리어 의문을 품었으니, 이
것이 바로 탕의 과오이다. 그래서 중훼(仲虺)는 고(誥)를 지어
"하늘이 사람을 낼 때 모두 욕심이 있게 하였다. 왕이 없으면 곧
혼란해질 것이기 때문에 총명한 사람을 내서서 다스리려 하셨습
니다." "오호라! 끝을 신중히 하려면 그 시작부터 그렇게 하여야
합니다. 예 있는 자를 번성하게 하시고, 어둡고 포악한 자를 전복
시켜 하늘의 도를 공경하고 높이셔야 천명을 영원히 보존할 것입
니다."라고 말했다.

"成湯放桀于南巢, 惟有慚德." 湯到這裏却生一疑, 此是湯之過也.
故仲虺作誥曰: "惟天生民有欲. 無主乃亂, 惟天生聰明時乂." "嗚
呼, 謹厥終, 惟其始, 殖有禮, 覆昏暴, 欽崇天道, 永保天命."

64. 학자가 물었다. "형문에서 정사를 돌보실 때 무엇을 가장 먼저 하
시겠습니까?" 대답하셨다. "반드시 사람의 마음을 바로잡을 것이다."

學者問: "荊門之政何先?" 答曰: "必也正人心乎."

65. "사람은 그 친애하는 것에 치우치게 마련이고, 천히 여기고 미워
하는 것에 치우치게 마련이고, 경외하는 것에 치우치게 마련이고,
슬피 여기고 긍휼히 여기는 것에 치우치게 마련이고, 거만하고 태
만한 것에 치우치게 마련이다."[170] 여기서 치우치다[辟]란 비교한
다는 말이다. 집안에서 사람을 다스릴 때, 자신이 친애하는 사람

---

169) 『尙書』「仲虺之誥」.
170) 『大學』.

과 천히 여기고 미워하는 사람을 놓고 비교하기도 하고, 때론 따라 하기도 하고, 때론 왈가왈부하기도 한다. 그래서 폐해는 끝도 없어 이루 다 궁구할 수 없다. 요컨대 그런 것으로는 집안을 가지런히 다스릴 수 없다.

"人之其所親愛而辟焉, 之其所賤惡而辟焉, 之其所畏敬而辟焉, 之其所哀矜而辟焉, 之其所敖惰而辟焉." 辟, 比量也. 家中以次之人, 以我親愛賤惡而比量之, 或效之. 或議之, 其弊無窮, 不可悉究, 要其終, 實不足以齊其家.

66. 고자(告子)의 학설은 맹자와 나란히 천하에 퍼져나갔다. 맹자는 고자의 학설을 깨뜨리기 위해서 그가 본 것에 나아가 상세히 그와 더불어 절차탁마하지 않을 수 없었다. 한번은 고자가 버들을 가지고 의론을 펼치니[171] 맹자도 고리버들에 나아가 그의 학설을 깨뜨렸고, 한번은 여울물을 가지고 의론을 펼치니[172] 맹자도 여

---

171) 『孟子』「告子上」에 보이는 내용이다. "고자가 말하였다. '性은 고리버들과 같고 義는 나무로 만든 그릇과 같으니 사람의 본성으로써 인의를 행하는 것은 고리버들을 가지고 나무 그릇을 만드는 것과 같다.' 맹자께서 말씀하셨다. '그대는 능히 고리버들의 본성을 따라서 나무 그릇을 만들 수 있다고 생각하는가? 아니면 고리버들의 본성을 죽이고 해쳐야 나무 그릇을 만들 수 있다고 생각하는가? 만약 고리버들의 본성을 죽이고 해쳐야 나무 그릇을 만든다고 한다면, 사람도 본성을 죽이거나 해쳐야 비로소 인의를 행하게 된다는 말인가? 천하모든 사람들을 이끌고 인의를 해치는 것은 분명 그대의 말일 것이다.'(告子曰, '性猶杞柳也, 義猶桮棬也. 以人性爲仁義, 猶以杞柳爲桮棬.' 孟子曰, '子能順杞柳之性, 而以爲桮棬乎? 將戕賊杞柳而後, 以爲桮棬也? 如將戕賊杞柳而以爲桮棬, 則亦將戕賊人, 以爲仁義與? 率天下之人而禍仁義者, 必子之言夫.')"
172) 『孟子』「告子上」. "고자가 말했다. '性은 여울물과 같다. 동쪽을 터놓으면 동

울물에 나아가 그의 학설을 깨뜨렸다. 한번은 타고난 그대로를 성(性)이라 한다[173]고 의론을 펼치자 타고난 그대로를 성이라고 한다는 말에 나아가 그 학설을 깨뜨렸고, 한번은 인(仁)은 안에 있는 것이고 의(義)는 밖에 있는 것[174]이라고 의론을 펼치자 의는 밖에 있는 것이라는 말에 나아가 그의 학설을 깨뜨렸다. 이단을 철저히 파헤치기 위해서는 반드시 이렇게 해서 그로 하여금 할 말이 없게 만들어야만 한다.

쪽으로 흐르고, 서쪽을 터놓으면 서쪽으로 흐르니, 人性에 善과 不善의 구분이 없음은 물에 동서의 구별이 없는 것과 같다.' 맹자께서 말씀하셨다. '물에 진실로 동서 구별이 없다지만 상하 구별도 없단 말인가? 人性의 善함은 물이 아래로 내려가는 것과 같으니, 사람은 不善한 사람이 없으며, 물은 아래로 내려가지 않는 것이 없다.'(告子曰, '性猶湍水也. 決諸東方則東流, 決諸西方則西流, 人性之無分於善不善也, 猶水之無分於東西也.' 孟子曰, '水信無分於東西, 無分於上下乎? 人性之善也, 猶水之就下也. 人無有不善, 水無有不下.')"

173) 『孟子』「告子上」. "고자가 말했다. '태어난 그대로를 性이라 한다.' 맹자께서 말씀하셨다. '태어난 그대로를 성이라고 한다면 흰색을 일러 희다고 하는 것과 같은가?' '그렇다.' '흰 깃의 흰색은 흰 눈의 흰색과 같고, 백옥의 흰색과 같은가?' '그렇다.' '그렇다면 개의 性은 소의 性과 같고, 소의 性은 사람의 性과 같은가?'(告子曰, '生之謂性.' 孟子曰, '生之謂性也, 猶白之謂白與?' 曰, '然.' '白羽之白也, 猶白雪之白, 白雪之白, 猶白玉之白與?' 曰, '然.' '然則犬之性, 猶牛之性, 牛之性, 猶人之性與?')"

174) 『孟子』「告子上」. "고자가 말했다. '식욕과 색욕은 모두가 性이다. 인은 안에 있는 것이지 밖에 있는 것이 아니며, 의는 밖에 있는 것이지 안에 있는 것이 아니다.' 맹자께서 말씀하셨다. '어찌하여 인은 안에 있고 의는 밖에 있다고 하는가?' '저 사람의 나이가 많아서 내가 그를 나이 많은 사람으로 받드는 것이지 나한테 나이 많은 것이 있는 것은 아니다. 그것은 마치 저것이 희어서 내가 그것을 희다고 여기는 것과 같다. 그것이 외부에서 흰 것에 따라가는 것이기 때문에 외재적인 것이라고 하는 것입니다.'(告子曰, 食色, 性也, 仁內也, 非外也, 義外也, 非内也.' 孟子曰, '何以謂仁內義外也?' 曰, '彼長而我長之, 非有長於我也. 猶彼白而我白之, 從其白於外也, 故謂之外也.')"

告子與孟子並駕其說于天下. 孟子將破其說, 不得不就他所見處細
與他研磨. 一次將杞柳來論, 便就他杞柳上破其說, 一次將湍水來
論, 便就他湍水上破其說, 一次將生之謂性來論, 又就他生之謂性
上破其說, 一次將仁內義外來論, 又就他義外上破其說. 窮究異端,
要得恁地, 使他無語始得.

67. "점을 쳐서 공신을 뽑는다."[175]의 공손함, 그 공손함은 진실에서
나왔고, 한 문제(漢文帝)가 즉위할 때의 공손함, 그 공손함은 거
짓에서 나왔다. 문제는 「수대래공조(修代來功詔)」[176]를 내리면서
"짐이 의심쩍어 했을 때 오직 송창(宋昌)만이 짐에게 권유하여 짐
이 종묘를 보존할 수 있게 되었다. 이에 송창을 위장군으로 높인
다." 운운하였다. 후세 임금들은 학문을 알지 못하고 탐욕만 가득
하니, 하늘이 내린 자리란 임금이 사사로이 할 수 없는 것임을 어
찌 알았겠는가?

枚卜功臣之遜, 遜出于誠, 漢文卽位之遜, 遜出于僞云云. 及修代
來功詔: "稱朕狐疑, 唯宋昌勸朕, 朕已得保宗廟, 尊昌爲衛將軍云
云." 後世人主不知學, 人欲橫流, 安知天位非人君所可得而私?

---

175) 枚卜은 기다란 나무판으로 점을 치던 도구이다. 고대에는 이 점을 쳐서 관리
   를 뽑았다. 『尙書』「大禹謨」에 "공신들에 대하여 낱낱이 점을 쳐서, 오로지
   길한 자만을 좇도록 하겠습니다.(枚卜功臣, 惟吉之從.)"는 구절이 있다.
176) 『漢書』 권4 「文紀」에 실려 있는 문제가 내린 詔書이다. "바야흐로 대신들이
   여러 여씨들을 주살하고 짐을 맞이하러 왔을 때 짐은 의심쩍어 했으며, 모두들
   짐을 말렸다. 오직 중위 송창만이 짐에게 권유하여 짐이 종묘를 보존할 수
   있게 되었다. 이에 송창을 위장군으로 높이고, 장무후에 봉한다. 짐을 따르던
   여섯 명의 관직도 모두 구경에 이르게 한다.(方大臣誅諸呂迎朕, 朕狐疑, 皆
   止朕. 唯中尉宋昌勸朕, 朕已得保宗廟. 已尊昌爲衛將軍, 其封昌爲壯武侯.
   諸從朕六人官皆至九卿.)"

68. 공자께서 돌아가시자 노자의 학설이 나왔고, 한나라에 이르러서
는 그 학술이 더욱 성행하였다. 조참(曹參)은 제(齊)나라 상국이
되자 여러 장로와 선생들을 모두 불러들여 백성을 편안히 해 줄
방도를 물었다. 그러나 제나라의 유자들이 수 백 명이었고 그들
이 하는 말이 모두 달랐기에 조참은 어찌 결정해야 할지 알지 못
했다. 이때 교서(膠西)에 개공(蓋公)이라는 자가 있었는데 노자의
학설에 정통하다는 말을 듣고 사람 편에 후한 예물을 보내 모셔
왔다. 개공과 만났더니 개공은 치도(治道)에 있어 청정(淸靜)을
귀히 여기면 백성은 절로 편안해진다고 말하면서 이와 비슷한 부
류의 이야기들을 갖추어 아뢰었다. 이에 조참은 정당(正堂)을 개
공에게 내주어 머물게 하였다. 그가 다스림의 요체에 황로술(黃
老術)을 썼기에 제나라 상국으로 있던 9년 동안 나라가 안정되어
어진 재상이라 크게 칭송받았다. 이는 그가 노자의 맥이 여기 있
음을 본 덕분이었다. 소하(蕭何)가 죽은 뒤에 조참이 입조하여 상
국이 되었는데, 모두 소하가 하던 방식대로 따르며 절제하였다.
군현의 이장(吏長)을 뽑을 때, 말이 어눌하나 근엄하고 후덕한 장
자가 있으면 바로 불러들여 승상사(丞相史)에 임명했고, 언사가
심히 각박하고 명성을 얻고자 하는 자는 모두 내쳤다. 또 밤낮으
로 술을 마시며 일을 돌보지 않았다. 사람들의 자잘한 과실을 보
면 가려주고 덮여주었다. 부중(府中)이 무사태평하고 한나라 황
실이 다스려졌던 혈맥이 바로 여기에 있다.

夫子沒, 老氏之說出, 至漢而其術益行. 曹參相齊, 盡召長老諸先
生, 問所以安集百姓. 而齊故儒以百數, 言人人殊, 參未知所定. 聞
膠西有蓋公, 善治黃老言, 使人厚幣請之. 旣見蓋公, 公爲言治道
貴淸靜而民自定, 推此類具言之. 參於是避正堂舍蓋公焉. 其治要

用黃老術, 故相齊九年, 齊國安集, 大稱賢相. 此見老氏之脉在此
也. 蕭何薨, 參入相, 壹遵何爲之約束. 擇郡縣吏長, 木訥於文辭,
謹厚長者, 卽召除爲丞相史. 吏言文刻深, 欲聲名, 輒斥去之. 日夜
飮酒不事事. 見人有細過, 掩匿覆蓋之, 府中無事. 漢家之治, 血脉
在此.

69. 소요부(邵堯夫: 邵雍)[177]의 시에 "하나의 물(物)이 올 때는 하나
의 몸이 있으며, 하나의 몸에는 또 하나의 건곤(乾坤)이 있네."라
는 구절이 있는데, 성인께서 "건은 시작을 안다."[178]고 말씀하신
것을 알지 못하였다. 이에 말씀하셨다. "요부는 그저 한가로운 도
인일 뿐이다. 성인의 도에는 쓰임이 있나니, 쓰임이 없으면 성인의
도가 아니다."

邵堯夫詩: "一物其來有一身, 一身還有一乾坤." 不如聖人說"乾知
太始." 因曰: "堯夫只是箇閑道人. 聖人之道有用, 無用便非聖人
之道."

70. 선생께서 하루는 질손 준(濬)에게 준 편지를 직접 읊어주셨다.
"도가 장차 사라지려 하자 공맹(孔孟) 이후로 하늘을 돌리고 명을
바꿀 수가 없게 되었다." 운운. 또 「백주(柏舟)」 시[179]를 부르셨

---

177) 邵雍(1011~1077). 邵康節 또는 邵堯夫라고도 한다. 여러 번 관직을 제수받았
    으나 모두 마다하고 河南 교외에서 친구들과의 교유와 명상으로 세월을 보냈
    다. 『周易』을 연구하면서 수가 모든 존재의 기본이라는 상수학 이론을 만들었
    다.
178) 『周易』「繫辭上」.
179) 『詩經』「鄘風」의 편명이다.

는데, 엄송은 그로 인해 눈물이 흘러 옷깃을 적셨다. 잠시 후에는 또 「동황태일(東皇太一)」과 「운중군(雲中君)」[180]을 부르시며 엄송을 보면서 참지 못하고 슬피 우셨다. 또 노래하셨다. "쓸쓸히 말이 울고 아득히 깃발이 나부낀다."[181] 그리고는 이렇게 말씀하셨다. "'쓸쓸히 말이 울다.'는 고요함 속에 움직임이 있는 것이고, '아득히 깃발이 나부낀다.'는 움직임 속에 고요함이 있는 것이다."

先生一日自歌, 與姪孫濟書云: "道之將廢, 自孔孟之生, 不能回天而易命." 云云. 又歌「柏舟」詩, 松爲之涕泗沾襟. 少間, 又歌「東皇太一」·「雲中君」, 見松悲泣不堪. 又歌曰: "蕭蕭馬鳴, 悠悠旆旌." 乃曰: "蕭蕭馬鳴', 靜中有動矣. '悠悠旆旌', 動中有靜也."

71. "성(誠)이라는 것은 스스로 이루어지는 것이요, 도(道)는 스스로 행해야 하는 것이다."[182] "군자는 이로써 스스로 밝은 덕을 밝힌다."[183] "사람에게 이 사단(四端)이 있는데, 스스로 하지 못한다고 말하는 자는 스스로를 해치는 자이다."[184] 난포함[暴]이란 스스로를 난포하게 하는 것이고, 버린다[棄]는 것은 스스로를 버리는 것이고, 업신여긴다[侮]는 것은 스스로를 업신여기는 것이고, 반대로 한다[反]는 것은 스스로 반대로 하는 것이고, 얻는다[得]는 것은 스스로 얻는다는 것이다. "화와 복은 자기가 구하지 않은 것이 없다."[185] 성현께서 말씀하신 '스스로[自]'라는 한 글자는 참으로

---

180) 楚辭 「九歌」의 편명이다.
181) 『詩經』「小雅·車攻」에 나오는 구절이다.
182) 『中庸』 25장.
183) 『周易』「晉卦」의 「象辭」.
184) 『孟子』「公孫丑上」.

훌륭하다. 일찍이 말씀하셨다. "열세 살 적에 복재(復齋: 陸九齡)
형님께서 『논어』를 읽다가 나더러 앞으로 가까이 오라고 하시더니
물으셨다. '유자(有子) 장(章)186)을 어떻게 보았느냐?' 내가 답했
다. '그건 유자의 말이지 부자의 말씀이 아닙니다.' 선형께서 말씀
하셨다. '공자 문하에서 증자를 빼면 그 다음이 유자이니, 가벼이
논의할 수 없다. 다시 생각해보는 것이 어떻겠느냐?' 내가 말했다.
'부자의 말씀은 간략하고 쉬우나 유자의 말은 지리멸렬합니다.'"

"誠者自成也, 而道自道也." "君子以自昭明德." "人之有是四端, 而
自謂不能者, 自賊者也." 暴謂自暴, 棄謂自棄. 侮謂自侮, 反謂自
反, 得謂自得. "禍福無不自己求之者." 聖賢道一箇'自'字煞好. 嘗
言: "年十三時, 復齋因看『論語』, 命某近前, 問云, '看有子一章如
何?' 某云, '此有子之言, 非夫子之言.' 先兄云, '孔門除却曾子, 便
到有子, 未可輕議, 更思之如何?' 某曰, '夫子之言簡易, 有子之言
支離.'"

72. 여백공(呂伯恭: 呂祖謙)이 아호(鵝湖)에서의 모임을 주선하자 복
    재(復齋: 陸九齡) 선형께서 내게 말씀하셨다. "백공이 원회(元晦:
    朱熹)와 약속을 잡은 일은 바로 학술이 서로 다르기 때문이다. 하
    지만 먼저 우리 형제들끼리도 다르니, 어떻게 아호에서의 입장이
    같아지길 기대할 수 있겠느냐?" 선형께서는 마침내 나와 더불어

---

185) 『孟子』「公孫丑上」.
186) 『論語』「學而」에 나오는 "유자가 말했다. 사람됨이 효하고 공경스러우면 윗사
     람을 범하는 것을 좋아하는 자가 드무니, 윗사람을 범하는 것을 좋아하지 않으
     면서, 난 일으키기를 좋아하는 자는 없다.(有子曰, 其爲人也孝弟, 而好犯上
     者鮮矣, 不好犯上, 而好作亂者未之有也.)" 이 부분을 가리킨다.

의론하며 먼저 변론을 하시고, 아무개에게도 직접 말해보도록 시키셨는데, 저녁이 되어서야 끝마치셨다. 선형께서 말씀하셨다. "자정(子靜: 陸九淵)의 말이 옳다." 다음날 아침에 내가 선형께 말씀을 청하자 선형께서 말씀하셨다. "나는 할 말이 없다. 밤새 생각했는데, 자정의 말이 매우 옳다. 내가 지금 시 한 수를 지었다."

아이 적에는 사랑할 줄 알고 자라서는 공경할 줄을 아나니,
옛날 성현들이 전해온 것도 바로 이 마음이라네.
터가 있어야 집을 지을 수 있는 법,
밑동 없이 산이 생겼다는 말 들어보지 못했네.
전주 다는 일에 마음 쏟다가 가시덤불로 막히고,
정미한 것에 집착했다가 다시 가라앉고 마네.
벗들끼리의 절차탁마함을 귀히 여겨야 하나니,
지극한 즐거움이 지금 여기 있음을 알아야만 하네.

내가 말했다. "정말 빼어난 시입니다만, 두 번째 구가 조금 맞지 않습니다." 선형께서 말씀하셨다. "무슨 말이냐? 조금 맞지 않다니, 그럼 어떻게 고쳐야 한단 말이냐?" 내가 말했다. "일단 출발하고, 제가 가는 도중에 이 시에 화답을 하는 것도 무방할 듯합니다." 아호에 도착하자 백공이 우선 그간 선형께서 얻으신 새로운 공력에 관하여 물었다. 선형께서는 이 시를 읊었는데, 겨우 4구밖에 안 읽었을 때 원회가 백공을 돌아보며 말했다. "자수(子壽: 陸九齡)는 진작 자정의 배에 탔구려." 시를 다 읊자 선형 앞에서 변론을 펼쳤다. 내가 말했다. "도중에 제가 가형의 이 시에 화답한 게 있습니다."

무덤 보면 슬퍼지고 종묘 보면 흠모의 정 이나니,
이는 천고토록 마멸되지 않는 마음이네.

졸졸 흐르는 물이 큰 바다에 이르고
주먹만 한 돌이 쌓여 태산 화산이 되나니
간략하고 쉬운 공부는 끝내 오래가고 위대하지만,
지리멸렬한 사업은 끝내 부침하리라.

여기까지 읊었을 때 원회의 낯빛이 하얘지더니, "낮은 데서 높은
데로 오르는 법 알려면, 오직 지금 먼저 진위를 구별해야만 한다
네.(欲知自下升高處, 眞僞先須辨只今)"까지 마저 읊자 원회는 크
게 언짢아 하였다. 그래서 각자 휴식을 취했다. 이튿날 두 공(呂
祖謙과 朱熹)께서 상의하시어 수 십 단락의 의론을 가져오셨으나
그 학설을 모조리 깨뜨리셨다. 며칠 동안 계속해서 의론을 펼쳤
으나, 그 때마다 말이 굽혀졌다. 백공은 자못 마음을 비우고 귀
기울이고자 하는 뜻이 있었으나 원회에 의해 저지당했다. 후에
남강(南康)으로 갔을 때 원회가 백록서원(白鹿書院)으로 나를 초
대해 강학하게 했는데, '군자는 의(義)에 밝고' 장(章)[187]을 강학
하자 원회가 거듭 말했다. "내 여기에서 한 번도 이런 이야기를
해본 적이 없으니, 부끄러워 무슨 말을 할 수 있겠는가?"

呂伯恭爲鵝湖之集, 先兄復齋謂某曰: "伯恭約元晦爲此集, 正爲學
術異同, 某兄弟先自不同, 何以望鵝湖之同?" 先兄遂與某議論致
辯, 又令某自說, 至晚罷. 先兄云: "子靜之說是." 次早, 某請先兄
說, 先兄云: "某無說, 夜來思之, 子靜之說極是. 方得一詩云: '提孩
知愛長知欽, 古聖相傳只此心. 大抵有基方築室, 未聞無址忽成岑.
留情傳註翻蓁塞, 着意精微轉陸沉. 珍重友朋相切琢, 須知至樂在
于今.'" 某云: "詩甚佳, 但第二句微有未安." 先兄云: "說得恁地, 又

---

187) 『論語』「里仁」에 나오는 단락이다.

道未安, 更要如何?" 某云: "不妨一面起行, 某沿途却和此詩." 及至
鵝湖, 伯恭首問先兄別後新功. 先兄擧詩, 纔四句, 元晦顧伯恭曰:
"子壽早已上子靜舡了也." 擧詩罷, 遂致辯於先兄. 某云: "途中某
和得家兄此詩云: '墟墓興哀宗廟欽, 斯人千古不磨心. 涓流滴到滄
溟水, 拳石崇成泰華岑. 易簡工夫終久大, 支離事業竟浮沉.'" 擧詩
至此, 元晦失色. 至"欲知自下升高處, 眞僞先須辨只今", 元晦大不
懌, 於是各休息. 翌日二公商量數十折議論來, 莫不悉破其說. 繼
日凡致辯, 其說隨屈. 伯恭甚有虛心相聽之意, 竟爲元晦所尼. 後
往南康, 元晦延入白鹿講說, 因講'君子喩於義'一章, 元晦再三云:
"某在此不曾說到這裏, 負愧何言?"

73. 복재 선형께서 돌아가실 즈음에 말씀하셨다. "근자에 보니 자정
의 학문이 매우 밝아지고 있던데, 안타깝게도 함께 절차탁마하여
이 도가 크게 밝아지는 것을 보지 못하게 되었구나."

先兄復齋臨終云: "比來見得子靜之學甚明, 恨不得相與切磋, 見此
道之大明耳."

74. 우리 가족은 늘 온 식구가 모여서 밥을 먹었는데, 매번 자제들을
교대로 내보내 창고를 3년간 관리하게 하였다. 내가 그 차례가 되
었을 때 배움에 큰 진전이 있었으니, 이것이 바로 "일을 할 때 경
건하게 한다."[188]는 것이다.

吾家合族而食, 每輪差子弟掌庫三年. 某適當其職, 所學大進, 這
方是"執事敬."

---

188) 『論語』「子路」.

75. 서중성(徐仲誠)이 가르침을 청하자 『맹자』에 나오는 '만물이 내 안에 다 갖추어져 있다. 자신을 돌이켜보아 진실로 성(誠)하였다면 이보다 큰 즐거움이 없다.'[189] 장(章)에 관해 생각해보게 했다. 중성은 괴당(槐堂)에 약 한 달 머물렀다. 하루는 그에게 물었다. "그대가 『맹자』를 생각해보니 어떠한가?" 중성이 대답했다. "거울 속의 꽃을 보는 것 같았습니다." 선생께서 답했다. "그대를 보아도 그러하다." 좌우를 돌아보며 "중성은 스스로 표현하는 것에 뛰어난 자이다."하고 말하고는 그에게 말씀하셨다. "이 일은 다른 데서 구할 것이 아니라 오직 그대 몸에 있을 뿐이다." 잠시 있다가 미소 지으시며 말씀하셨다. "이미 분명히 말하였다." 얼마 후에 중성이 『중용』은 어떤 말을 요지로 삼느냐고 질문했다. 선생께서 답했다. "나는 그대에게 안[內]을 이야기하는데, 그대는 그저 바깥[外]만 이야기하는구나." 한참 뒤에 말씀하셨다. "구절 구절이 다 요지이다." 사산(梭山: 陸九韶)이 말했다. "널리 배우고, 자세히 묻고, 신중히 생각하고, 밝게 변별하고, 독실히 행하라는 것[190]이 요지이다." 선생께서 답했다. "배움을 알지 못하는데, 무엇을 널리 배운단 말입니까? 무엇을 자세히 묻단 말입니까? 무엇을 밝게 변별한단 말입니까? 무엇을 독실히 행한단 말입니까?"

徐仲誠請教, 使思『孟子』'萬物皆備于我矣, 反身而誠, 樂莫大焉'一章, 仲誠處槐堂一月, 一日問之, 云: "仲誠思得『孟子』如何?" 仲誠答曰: "如鏡中觀花." 答云: "見得仲誠也是如此." 顧左右曰: "仲誠眞善自述者." 因說與云: "此事不在他求, 只在仲誠身上." 旣又微

---

189) 『孟子』「盡心上」에 나오는 단락이다.
190) 『中庸』 20장.

笑而言曰: "已是分明說了也." 少間, 仲誠因問『中庸』以何爲要語.
答曰: "我與汝說內, 汝只管說外." 良久曰: "句句是要語." 梭山曰:
"博學之, 審問之, 謹思之, 明辨之, 篤行之. 此是要語." 答曰: "未知
學, 博學箇甚麼? 審問箇甚麼? 明辨箇甚麼? 篤行箇甚麼?"

76. 한 학자가 종일토록 말씀을 듣고 있다가 갑자기 질문을 청했다.
"어떻게 하는 것이 이치[理]를 궁구하고 성(性)을 다함으로써 명
(命)에 이르는 것입니까?" 선생께서 답하셨다. "나의 벗께서는 대
충 질문해오셨으나 나는 대충 대답하지 않겠다. 내가 지금 나의
벗과 말하고 있는 것이 모두 이 이치이다. 이치를 궁구한다는 것
은 이 이치를 궁구한다는 것이고, 성을 다한다는 것은 이 성을 다
한다는 것이며, 명에 이른다는 것은 이 명에 이른다는 것이다."

有學者終日聽話, 忽請問曰: "如何是窮理盡性以至於命?" 答曰:
"吾友是泛然問, 老夫却不是泛然答. 老夫凡今所與吾友說, 皆是理
也. 窮理是窮這箇理, 盡性是盡這箇性, 至命是至這箇命."

77. 조자신(趙子新)의 아름다운 자질을 칭찬하시며 말씀하셨다. "사
람이라면 자기의 능력을 과시하고자 하는 마음이 없지 않을 텐데,
조자신은 사람들로부터 칭송을 받으면 도리어 부끄러워하고, 사
람이라면 앞으로 나아가기를 좋아하는 마음이 없지 않을 텐데, 조
자신은 조용히 담담하게 지내며 앞으로 밀어도 나아가려 하지 않
는다. 사람이라면 누군가가 자기의 단점을 말하는 것을 싫어할
텐데, 조자신은 오직 자기의 실수를 고해주지 않을까 그것을 걱정
한다. 사람들과 종일토록 거할 때도 침묵한 채 단정히 앉아 있지

만 은연중에 기질과 습성이 얄팍한 자를 바로잡아 준 것이 매우
많으니, 사람들 중의 상서로운 존재라 이를 만하나 배움에 나아가
지 못하는 것이 걱정스러울 뿐이다." 혹자가 말했다. "나이가 아
직 장년에 이르지 않았는걸요." 선생께서 답하셨다. "아직이라고
말하지 말라. 스물이 넘었다." 하루는 조자신이 찾아오자 그에게
말씀하셨다. "가만히 앉아있지만 말고 모름지기 떨치고 일어나 드
날려야 한다. 수레 앞에 서 있어도 남을 내려가게 하지 못하고,
뒤에 있어도 남을 올라가게 하지 못하는데,191) 어찌하여 떨치고
일어나 드날리지 못하는가?"

稱嘆趙子新美質, 謂: "人莫不有夸示己能之心, 子新爲人稱揚, 反
生羞愧, 人莫不有好進之心, 子新恬淡, 雖推之不前, 人皆惡人言
己之短, 子新惟恐人不以其失爲告. 群居終日, 默然端坐, 陰有以
律夫氣習之澆薄者多矣, 可謂人中之一瑞, 但不能進學可憂耳."
或云: "年亦未壯." 答云: "莫道未也, 二十歲來." 一日, 子新至, 語
之曰: "莫堆堆地, 須發揚. 車前不能令人軒, 車後不能令人輕, 何
不發揚?"

78. 광중(廣中)의 학자 진거화(陳去華)는 성찰하여 깨우침이 우뚝하
였다. 내가 그에게 물었다. "'나는 증점(曾點)과 뜻을 같이 한다.'

---

191) 『後漢書』 권54 「馬援傳」에 "수레 앞에 [높이] 거해도 사람을 낮게 만들지 못하
고, 뒤에 거해도 사람을 높에 만들지 못한다.(居前不能令人輕, 居後不能令人
軒.)"라는 구절이 나오는데, 여기서 '不分軒輊'라는 말이 나와서 고저와 우열
의 차이가 나지 않는 것을 뜻하는 말로 사용되었다. 본문에는 "수레 앞에 있으
면서 사람을 높게 만들지 못하고, 수레 뒤에 있으면서 사람을 낮게 만들지
못한다.(車前不能令人軒, 車後不能令人輕)."라고 되어 있는데, '軒輊'의 순서
가 바뀐 듯하다.'

는 단락을 평소에 어떻게 이해하고 있느냐?"192) 누차 물었지만 거화는 끝내 이해하지 못했다고 했다. 어느 날 또 물었으나 거화는 아직도 이해하지 못했다고 말했다. 내가 말했다. "그냥 그대가 본 것을 가지고 말하면 된다. 설마 전혀 깨닫지 못하지는 않았을 것 아니냐?" 거화가 마침내 말하기를, 자신이 본 바에 따르면 세 사람은 그저 일에 착안했을 뿐이지만 증점은 이것[理]에 착안했다고 하였다. 내가 그에게 물었다. "아까는 이해하지 못하겠다고 하더니 지금은 이해가 되었단 말이냐?" 거화는 갑자기 깨달은 바가 있어 스스로 이렇게 말했다. "말씀을 들은 지 한 달이 되었는데, 앞에 열흘 동안 들을 때는 지금 말한 것과 모두 같았으나, 그 후 열흘 동안은 말한 것과 크게 달라졌으며, 다시 열흘 후에는 전에 말한 것과 다시 같아졌습니다." 이에 「십시(十詩)」를 지었다. 나와 이별한 후에 누군가에게 이렇게 말했다고 한다. "내가 있는 곳에 한 학자가 계시네. 이제 돌아가게 되면 남방의 사인(士人)들을 이끌고 북방의 학문을 배워야겠네." 광중에서 흠부(欽夫: 張栻)의 가르침을 받았기에 이곳을 북방이라고 여겼던 것이다.

廣中一學者陳去華, 省發偉特. 某因問: "'吾與點也'一段, 尋常如何理會?" 屢問之, 去華終以爲理會不得. 一日, 又問之, 去華又謂理會未得. 某云: "且以去華所見言之, 莫也未至全然曉不得?" 去華遂

---

192) 『論語』「先進」에 "증점이 말하기를, …… '늦봄에 봄옷이 이미 지어졌거든 어른 대여섯, 아이 예닐곱과 기수에서 목욕하고 무우에서 바람 쐬고 노래하면서 돌아오고 싶다.'고 하자 공자께서 탄식하며 말씀하시기를, '나는 점과 뜻을 같이한다.'고 하셨다.(點曰 …… '莫春者, 春服旣成, 冠者五六人, 童子六七人, 浴乎沂, 風乎舞雩, 詠而歸.' 夫子喟然歎曰, '吾與點也.')"라는 내용이 보인다.

謂, 據某所見, 三子只是事上着到, 曾點却在這裏着到. 某詰之曰:
"向道理會不得, 今又却理會得?" 去華頓有省, 自敍: "聽話一月, 前
十日聽得所言皆同, 後十日所言大異, 又後十日與前所言皆同." 因
有「十詩」. 別後謂人曰: "某方是一學者在. 待歸後, 率南方之士, 師
北方之學." 蓋廣中蒙欽夫之敎, 故以此爲北方耳.

79. 임천(臨川)에서 온 한 학자가 있는데, 처음 만나자마자 이렇게 물
었다. "매일 어떤 식으로 책을 보십니까?" 그 학자가 말했다. "법
도[規矩]를 지키며 봅니다." 기뻐하며 물었다. "어떻게 법도를 지
킵니까?" 학자가 말했다. "이천(伊川)의『역전(易傳)』, 호씨(胡氏:
胡安國)의『춘추』, 상채(上蔡: 謝良佐)의『논어』, 범씨(范氏: 范
祖禹)의『당감(唐鑑)』을 읽습니다." 선생께서 갑자기 호통을 치며
말씀하셨다. "비루한 소리!" 한참 있다가 다시 물었다. "규(規)란
무엇인가?" 얼마 있다 다시 물었다. "구(矩)란 무엇인가?" 학자는
그저 어물거릴 뿐이었다. 이튿날 학자가 다시 찾아오자 그 앞에
서 '건(乾)은 시작을 알고, 곤(坤)은 만물을 완성을 이룬다. 건은
평이함으로써 주관하고, 곤은 간결함으로써 잘 이룬다.' 장(章)[193]
을 읊었는데, 낭송을 마친 후에야 말씀하셨다. "「건」의 문언(文
言)에서 이르기를, '크도다, 건원이여!'라고 하였고,「곤」의 문언에
서 말하기를, '지극하도다, 곤원이여!'라고 하였다. 성인께서『역』
을 부연 설명하셨지만 그저 간략하고 쉽대[簡易]는 한 글자만을
이야기하셨을 뿐이다." 그리고는 학자를 두루 살피시며 말씀하셨
다. "무슨 알기 어려운 도가 있는 게 아니다." 또 말씀하셨다. "도

---

193)『周易』「繫辭上」.

는 가까운 데 있는데 멀리서 구하고, 일은 쉬운 데 있는데 어려운
데서 구한다." 학자를 돌아보며 말씀하셨다. "이것이야말로 법도
라고 부르는 것이니, 공이 어제 와서 한 말이 무슨 법도란 말인
가?"

臨川一學者初見, 問曰: "每日如何觀書?" 學者曰: "守規矩." 歡然
問曰: "如何守規矩?" 學者曰: "伊川『易傳』, 胡氏『春秋』, 上蔡『論
語』, 范氏『唐鑒』." 忽呵之曰: "陋說!" 良久復問曰: "何者爲規?" 又
頃問曰: "何者爲矩?" 學者但唯唯. 次日復來, 方對學者誦"乾知太
始, 坤作成物, 乾以易知, 坤以簡能"一章, 畢, 乃言曰: "「乾」文言
云, '大哉乾元', 「坤文言」云, '至哉坤元'. 聖人贊『易』, 却只是箇簡
易字道了." 遍目學者曰: "又却不是道難知也." 又曰: "道在邇而求
諸遠, 事在易而求諸難." 顧學者曰: "這方喚作規矩, 公昨日來道甚
規矩."

80. 한 학자가 말씀을 들은 뒤 이레 동안 밤잠을 이루지 못했다. 혹자
가 물었다. "이렇게 하는 것이 혹 조장(助長) 아닐까요?" 선생께
서 대답하셨다. "아니다. 저 사람은 얼핏 말을 듣고는 지난날의
잘못을 가슴아파하기 시작했다. 지금 바야흐로 혈기와 주인 자리
를 놓고 싸우는 중이다." 다시 학자들을 돌아보며 말씀하셨다.
"천하의 이치란 오직 그것의 그릇됨을 알지 못할까 걱정일 뿐이
다. 기왕에 잘못임을 알았다면 '군자는 이 점괘를 보고서 날이 어
두워지면 들어가 휴식을 취하느니라.'[194]처럼 행해서는 안 된다."

一學者聽言後, 更七夜不寢. 或問曰: "如此莫是助長否?" 答曰: "非

---

194) 『周易』「隨卦」의「象辭」에 나오는 말이다.

也. 彼蓋乍有所聞, 一旦悼乎昔之非, 正與血氣爭寨作主." 又顧謂
學者: "天下之理但患不知其非, 旣知其非, 便卽不爲'君子以嚮晦入
宴息也'."

81. 혹자가 물었다. "[공자께서는] 열다섯에 학문에 뜻을 두고 서른에
자립했다고 하였는데, 기왕에 자립했으면서 무슨 연유로 또 마흔
이 되기 전에 유혹됨이 있었던 것입니까?" 선생께서 말씀하셨다.
"학문에 뜻을 두었으면 부귀나 빈천이나 환난에 의해 마음이 움
직이지 않고, 이단사설에 그 뜻을 빼앗기지 않아야 한다. 이에 공
부를 계속하다보면 서른에 이르러 능히 자립할 수 있게 된다. 기
왕 자립한 뒤라 해도 천하의 학술에는 이동(異同)이 있고, 인심이
향하는 바 역시 차이가 있으며, 소리가 와전되어 서로 비슷해 보
이는 것이나 사이비(似而非)한 것이 있어 여기에 이르고도 얼마
간의 망설임은 남게 된다. 이에 다시금 10년의 공부를 더해야만
능히 불혹의 경지에 이를 수 있게 된다. 여기서 다시 10년의 공부
를 더하면, 혼연일체를 이루게 된다. 그래서 오십이면 천명을 안
다고 했던 것이다.

或問: "吾十有五而志于學, 三十而立, 旣有所立矣, 緣何未到四十
尙有惑在?" 曰: "志于學矣, 不爲富貴貧賤患難動心, 不爲異端邪說
搖奪, 是下工夫, 至三十, 然後能立. 旣立矣, 然天下學術之異同,
人心趨向之差別, 其聲訛相似, 似是而非之處, 到這裏多少疑在.
是又下工夫十年, 然後能不惑矣. 又下工夫十年, 方渾然一片. 故
曰五十而知天命."

82. '군자의 도에 어느 것을 먼저 전하는가?'195) 단락을 말씀하시면서,

자유와 자하 모두 틀렸다고 하셨다.

說'君子之道孰先傳'一段, 子游·子夏皆非.

83. 선생께서는 당시 세속의 사람들이 [利慾에] 골몰한 채 스스로 빠져나오지 못하는 것을 탄식하시며 학자 유정부(劉定夫)가 지은 「상산시(象山詩)」를 부르셨다.

사흘 동안 산을 보니 산 더욱 어여뻐
비단 주머니에 담아 넣어도 이루 다 엮을 수 없네
저 어지러운 뭇 산들은 다 무어란 말인가?
오직 영대산만이 우뚝한 것을.

또 젊은 시절에 지은 「대인시(大人詩)」를 읊으셨다.

본래부터 담도 크고 흉중도 드넓어
억 만 마리 호랑이 표범과 천 마리 규룡을
머리부터 거두어 한입에 삼켰네
가끔씩 이들이 소란을 피우면

---

195) 『論語』「子張」에 보인다. "자유가 말했다. '자하의 문하 제자들은 물 뿌리고 비로 쓸고 손님을 응대하고 드나드는 일은 잘하지만 그것은 말단이라, 근본되는 일은 하나도 없으니 어찌된 일인가?' 자하가 그 말을 듣고 말했다. '아! 말이 지나치다. 君子의 道에 있어 어느 것을 먼저 전하고, 어느 것을 뒤에 전하며, 어느 것을 게을리 하겠는가? 초목에 비유하면 구역으로 나뉘는 것과 같으니, 君子가 道를 어찌 속이겠는가? 처음이 있고 마침이 있는 사람은 오직 聖人뿐이로다.'(子游曰, '子夏之門人小子, 當洒掃應對進退則可矣, 抑末也, 本之則無, 如之何?' 子夏聞之, 曰: '噫! 言游過矣! 君子之道, 孰先傳焉?孰後傳焉 孰後倦焉? 譬諸草木, 區以別矣, 君子之道, 焉誣也? 有始有卒者, 其惟聖人乎!')"

포효하며 크게 씹어서 하나도 남기지 않았네
아침엔 발해의 물을 마시고
저녁엔 곤륜산 꼭대기에 잠을 잤네
이어진 산을 거문고 삼고
기다란 강물을 현으로 삼았네
만고토록 그 음성 전해지지 않으니
내 그대 위해 펼쳐주어 마땅하리

또 구양수(歐陽脩) 공이 지은 「매성유에게 주는 시(贈梅聖兪詩)」를 외우셨다.

금실 수놓은 옷 입은 누런 고니
스스로 멀리 날 수 있다 말하네
짝을 골라놓고 다른 곳에 깃들어 쉬며
해가 저물도록 깃털만 고이 가꾸네
아침에는 내려가 옥지의 물 마시고
저녁에는 흰 오동나무 가지에서 잠자네
배회하며 날개를 드리우니
마침 가을바람 불어오네

先生感嘆時俗汩沒, 未有能自拔者, 因歌學者劉定夫「象山詩」云: "三日觀山山愈姸, 錦囊收拾不勝編. 萬山擾擾何爲者? 惟有靈臺山歸然." 又誦少時自作「大人詩」云: "從來膽大胸膈寬, 虎豹億萬虯龍千, 從頭收拾一口呑. 有時此輩未妥帖, 哮吼大嚼無毫全. 朝飮渤澥水, 暮宿崑崙巓. 連山以爲琴, 長河爲之絃. 萬古不傳音, 吾當爲君宣." 又擧歐陽公「贈梅聖兪詩」云: "黃鵠刷金衣, 自言能遠飛. 擇侶異棲息, 終年修羽儀. 朝下玉池飮, 暮宿霜桐枝. 徘徊且垂翼, 會有秋風時."

84. 한 학생이 선생의 책상에 놓인 글을 읽고 어지럽혀 놓았다. 선생께서 말씀하셨다. "선생 어르신이 계신데도 엄숙히 정좌한 채 정심을 가다듬지 못하는 것을 일러 불경함이 심하다고 한다."

有學子閱亂先生几案間文字. 先生曰: "有先生長者在, 却不肅容正坐, 收斂精神, 謂不敬之甚."

85. 광무제(光武帝)가 "오한(吳漢)은 차강인의(差强人意)하다."[196]라고 말했는데, 여기서 '강(强)'은 '일으키다[起]'의 뜻이다.

光武謂"吳漢差强人意", '强'訓起.

이상 문인 송년 엄송이 기록하다.

右門人嚴松松年所錄

---

196) 『後漢書』 권48 「吳漢傳」. 원래 差强人意는 그럭저럭 마음에 든다는 뜻이지만, 육구연은 '사람의 뜻을 일으킨다'로 새롭게 해석하였다.

권35

어록 하語錄下

〈주청수周淸叟의 기록〉

1. 역법가들이 말하는 삭허기영(朔虛氣盈)[1]이라는 것은 대개 30일을 기준으로 한다. 삭허란 이전 합삭(合朔)에서 다음 합삭까지 30일이 채 안 되는데, 그 차지 못한 부분을 삭허라고 한다. 기영이란 절(節) 하나와 기(氣)[2] 하나를 합친 도합 30일이고, 남은 부분이 중분(中分)이다. 중(中)이란 곧 [날짜(時日)의 길이를 재는 단위인] 기(氣)이다.

曆家所謂朔虛氣盈者, 蓋以三十日爲準. 朔虛者, 自前合朔之後合朔, 不滿三十日, 其不滿之分, 曰朔虛. 氣盈者, 一節一氣, 共三十日, 有餘分爲中分, 中卽氣也.

2. 「요전」에 실려 있는 것은 오직 희화(羲和)에게 명한 일[3] 뿐이다.

---

1) 氣盈은 해[日]의 움직임에 근거해 1년을 계산하면 중국에서 상정하던 1년보다 5와 235/940일이 많음을 일컫고, 朔虛는 달[月]이 차고 기우는 것에 근거해 1년을 계산하면 중국에서 상정하던 1년보다 5와 592/940일이 적어지는 것을 일컫는다. 기영과 삭허를 합쳐서 윤달이 생긴다.

2) 1년에 24節이 있다. 따라서 1節은 15일이 된다. 一候는 5일인데, 3候를 1氣라 하므로 역시 15일이 된다.

3) 『尙書』「堯典」에 "이에 희화에게 명하여 광대한 하늘을 공경히 따라 해와 달과

임금이 하늘을 대신해 만물을 다스리다보니 감히 정사를 중히 여기지 않을 수 없었다. 하지만 후세에 이르러 이를 점성가나 역관들에게 맡겨버렸고, 추보(推步)와 영책(迎策)[4] 같은 분야에서는 각자 자기의 학설을 주장하며 정법(定法)이라 여긴다. 다른 것들은 열거할 겨를도 없고, 당나라 일행(一行)[5]이 지은 『대연력(大衍曆)』만은 취할 만하여 오차 없이 오래 쓸 수 있으리라 생각했는데, 10년도 되지 않아 바뀌었으니, 이로써 그 이치에 밝지 않고서는 안 된다는 사실을 알 수 있다. 하늘은 왼쪽으로 돌고 해와 달과 별은 오른쪽으로 돈다. 또 밤낮으로 멈추지를 않으니, 어떻게 하나만 고집할 수 있겠는가? 그래서 한나라와 당나라 때 역법이 누차 변했던 것이다. 본조도 200여 년 간 역법이 열두 세 차례 변했다. 성인께서 지으신 『주역』의 「혁괘(革卦)」에 "책력을 다스리고 때를 밝힌다."는 말이 있다. '혁(革)'의 뜻만 보아도 하나만 고집할 수 없음이 분명하다.

「堯典」所載惟'命羲和'一事. 蓋人君代天理物, 不敢不重. 後世乃委之星翁, 曆官, 至于推步·迎策, 又各執己見以爲定法. 其他未暇擧, 如唐一行所造『大衍曆』亦可取, 疑若可以久用無差, 然未十年而已變, 是知不可不明其理也. 夫天左旋, 日月星緯右轉, 日夜不止, 豈可執一? 故漢·唐之曆屢變, 本朝二百餘年, 曆亦十二三

별의 상을 관찰하게 하고, 이를 책력으로 만들어 공경히 사람들에게 천시를 알리셨다.(乃命羲和, 欽若昊天, 曆象日月星辰, 敬授人時)"라는 내용이 보인다.
4) 推步는 天象을 추산하는 역법이다. 옛날 사람들은 일월의 운행이 곧 사람의 걸음과 같아서 이로 미루어 계산할 수 있다고 생각했다. 迎策은 '迎日推策'의 줄임말로 해를 헤아려 절기 역수를 예측하는 것을 말한다.
5) 一行(673~727). 본명은 張遂로 당나라 때 승려이자 저명한 天文學者이다. 그는 『大衍曆』을 지었고, 天文儀器를 발명해 천상을 관측했다.

變. 聖人作『易』, 於「革卦」言: "治曆明時." 觀'革'之義, 其不可執一明矣.

3. 사악(四岳)이 곤(鯀)을 천거했으나 "9년간 힘을 쏟았어도 성과를 이루지 못했다."[6] 하지만 임금의 자리를 물려주려고 할 때 [요임금은] 사악에게 첫 번째로 자문을 구했다. 요임금은 곤을 천거한 것을 잘못이라 여기지도, 그들을 간악한 당파라고 여기지도 않았다. 후세 사람들이 천거한 장본인을 처벌하는 뜻에 비해 볼 때 그 차이가 크다.

四岳擧鯀, "九載績用弗成," 而遜位之咨, 首及四岳. 堯不以擧鯀之非, 而疑其黨姦也. 比之後世罪擧主之義甚異.

4. 후생들이 경서를 읽을 때는 반드시 주소(注疏)와 선유(先儒)들의 해석을 보아야 한다. 그렇게 하지 않으면 자기의 견해나 의론을 고집하며 자기만 옳다고 여기는 지경에 빠진 채 고인을 경시하게 될까 걱정스럽기 때문이다. 한나라와 당나라 사이의 명신들이 남긴 의론 중에 나의 마음에 반대 되고 심히 도(道)에 어긋나는 곳이 있다 하더라고 스스로 반드시 "뭇 백성들에게 징험해보아 틀리지 않는다."[7]는 도리를 가지고 있어야 달리 분명히 말할 수 있다.

---

6) 『尙書』「堯典」에 보이는 내용이다.
7) 『中庸』 28장. "군자의 도는 몸에 근본을 두고 있어 뭇 백성에게 징험해보고 三代의 왕을 고찰해보아도 틀리지 않는다.(故君子之道本諸身, 徵諸庶民, 考諸三王而不謬.)"

後生看經書, 須着看注疏及先儒解釋, 不然, 執己見議論, 恐入自是之域, 便輕視古人. 至漢・唐間名臣議論, 反之吾心, 有甚悖道處, 亦須自家有"徵諸庶民而不謬"底道理, 然後別白言之.

5. 『상서』 전체에서 말하고 있는 것은 오직 덕이다. 그러나 덕을 안다는 것은 실로 어렵다.

『尙書』一部, 只是說德, 而知德者實難.

6. 뜻을 겸손히 하는 것과 조심스레 행동하는 것은 서로 다르다.

遜志, 小心, 是兩般.

7. 책을 읽으면서 내용을 몰라서는 안 되지만 오로지 내용만 알았다고 해서 다 되었다고 여긴다면, 이는 그저 어린아이의 배움일 뿐이다. 모름지기 요지를 보아야 한다.

讀書固不可不曉文義, 然只以曉文義爲是, 只是兒童之學, 須看意旨所在.

8. 『효경』 18장은 공자께서 몸소 실천해 보이시는 중에 증자에게 말씀하신 것이지, 공연한 말이 아니다.

『孝經』十八章, 孔子於曾子踐履實地中說出來, 非虛言也.

9. 오직 천하의 지극한 하나[一]만이 천하의 지극한 변화에 대처할 수 있고, 오직 천하의 지극한 편안함[安]만이 천하의 지극한 위험

에 대처할 수 있다.

惟天下之至一, 爲能處天下之至變, 惟天下之至安, 爲能處天下之
至危.

10. 「대우모」한 편의 요지는 '어렵게 여긴다.'[8) 두 글자에 있다.

「大禹謨」一篇, 要領只在'克艱'兩字上.

11. 학자라면 모름지기 독서에 뜻이 있어야한다. 그지 내용만 이해하
고 마는 것은 곧 뜻이 없는 것이다.

學者須是有志讀書, 只理會文義, 便是無志.

12. 제대로 배운다는 것은 관문이나 나루와도 같으니, 함부로 사람을
통과시켜주어서는 안 된다.

善學者如關津, 不可胡亂放人過.

13. 성인의 가르침은 일용에 나아가는 것에서 시작한다. 예를 들어
맹자는 "천천히 걸어서 나이 많은 사람에 뒤쳐져 가면 요순이 될
수 있다."[9)고 말했는데, 어르신들 뒤에만 따라가면 요순이 될 수

---

8) 『尚書』「大禹謨」의 "이르시기를, 임금이 능히 그 자리를 어렵게 여기며, 신하가
능히 그 직위를 어렵게 여겨야만 정사가 곧 다스려지고 백성이 덕을 빠르게
할 것입니다.(曰后克艱厥后, 臣克艱厥臣, 政乃乂, 黎民敏德.)"를 말한다.
9) 『孟子』「告子下」. "천천히 걸어서 나이 많은 사람에 뒤쳐져 가는 것을 공경스럽
다 하고, 빨리 걸어서 나이 많은 사람에 앞서서 가는 것을 공경스럽지 못하다고

있단 말인가? 어떻게 하면 요순과 같은 일을 할 수 있을까? 모름지기 실제 일에 노력을 기울어야 한다. 성인께서 "나는 너희에게 숨기는 것이 없다."10) "누구인들 밖으로 나갈 적에 문을 통하지 않고 나갈 수 있겠는가?"11)라고 하셨으니, 간단명료하기가 이와 같다.

聖人敎人, 只是就人日用處開端. 如孟子言 "徐行後長, 可爲堯舜." 不成在長者後行, 便是堯舜? 怎生做得堯舜樣事? 須是就上面着工夫. 聖人所謂吾無隱乎爾, 誰能出不由戶, 直截是如此.

14. 사인(士人)이라면 아량이 넓고 뜻이 굳세야 한다. 짐 드는 것에 비유해보자. 힘껏 들어 올렸으나 앞으로 나아갈 수 없어서 이내 멈춰버렸다면, 그 사람을 탓할 수 없다. 그러나 지금 스스로 앞으로 가까이 가보지도 않고서 도리어 짐을 들 수 없다고 한다면, 그런 도리가 어디 있겠는가? 그래서 "힘이 부족한 자는 중도에 그만두지만 지금 너는 선을 긋고 있는 것이다."12)라고 말씀하신 것이다.

士不可不弘毅, 譬如一箇擔子, 盡力擔去, 前面不奈何, 却住無怪. 今自不近前, 却說道擔不起, 豈有此理? 故曰: "力不足者, 中道而廢, 今女畫."

한다. 천천히 걸어가는 것이야 어찌 사람이 하지 못하는 것이겠는가? 하지 않을 따름이다. 요순의 도는 孝弟일 따름이다.(徐行後長者謂之弟, 疾行先長者謂之弟. 夫徐行者豈人所不能哉? 所不爲也. 堯舜之道, 孝弟而已矣.)"

10) 『論語』「述而」.
11) 『論語』「雍也」.
12) 『論語』「雍也」. "염구가 말했다. '선생님의 도를 좋아하지 않는 것은 아닙니다만 힘이 부족합니다.' 공자께서 말씀하셨다. '힘이 부족한 자는 중도에 그만두지만 지금 너는 선을 긋고 있는 것이다.'(冉求曰, '非不說子之道, 力不足也' 子曰, '力不足者, 中道而廢. 今女畫.')"

15. 독서하는 법이란 모름지기 평정하고 담담한 마음으로 자세히 음미해야 하니, 대충대충 읽어서는 안 된다. 이른바 "여유 있게 음미하고, 질리도록 실컷 읽으면" 자연히 "얼음 녹듯 모든 의혹이 풀려 즐겁게 이치에 순응하게 되는"13) 도리를 터득하게 될 것이다.

讀書之法, 須是平平淡淡去看, 子細玩味, 不可草草. 所謂"優而柔之, 厭而飫之", 自然有"渙然冰釋, 怡然理順"底道理.

16. 집안에 거하면서 일에 닥쳤을 때, 모름지기 착실히 일을 해나가야지 머리를 움츠려서는 안 된다. 자제로서의 직무를 다하지 못하고서 어찌 배움을 말할 수 있겠는가?

處家遇事, 須着去做, 若是褪頭便不是. 子弟之職已缺, 何以謂學?

17. 연나라 소왕이 악의를 대해준 것이나 한나라 고조가 소하를 대해준 것, 촉의 선주(先主: 劉備)가 제갈공명을 대해준 것이나 전진(前秦)의 부견(苻堅)이 왕맹을 대해준 것이나, 이들이 서로를 알아준 깊은 마음과 서로를 믿어준 돈독함을 이해하지 않으면 안 된다. 책을 읽고서 그 사람을 모른다면 되겠는가?

燕昭王之於樂毅, 漢高帝之於蕭何, 蜀先主之於孔明, 符秦之於王猛, 相知之深, 相信之篤, 這般處所不可不理會. 讀其書, 不知其人,

---

13) 杜預의「春秋左傳集解序」에 나오는 말이다. "여유 있게 음미하여 스스로 구하도록 하고, 질리도록 실컷 읽어 스스로 나아가게 한다. 그러면 강물과 바닷물이 스며들듯, 기름칠을 하여 윤택해지듯, 얼음이 녹듯 환히 의문이 풀리고 즐겁게 이에 순응하게 된 연후에 도리를 습득하게 될 것이다.(優而柔之, 使自求之, 厭而飫之, 使自趣之. 若江海之浸, 膏澤之潤, 渙然冰釋, 怡然理順, 然後爲得也.)"

可乎?

18. 연나라 소왕은 악의를 봉해주었고, 한나라 고조는 소하를 옥에 가
    두었다. 커다란 이해가 걸린 요해처에 이르자 이 마음이 흔들리
    지 않을 수 없었던 것이다. 다만 깊고 얕고의 차이가 있었을 뿐.

    燕昭之封樂毅, 漢高之械繫蕭何, 當大利害處, 未免搖動此心, 但
    有深淺.

19. 인품설은 본디 간단명료하다. 그러나 고요의 구덕(九德)[14]을 보
    면 몇 등급이 있다. 그 중 한 가지 덕을 놓고 논해보자면, '굳세면
    서도 독실하다'는 말 안에도 몇 가지 등급이 더 있다.

    人品之說, 直截是有. 只如皐陶九德, 便有數等. 就中即一德論之,
    如'剛而塞'者, 便自有幾般.

20. 고금의 인물들은 같은 곳은 간단명료하게 다 같고, 다른 곳은 간
    단명료하게 다 다르다. 그러나 다른 곳을 논한 것은 매우 번다한
    반면 같은 곳을 논한 것은 매우 소략하다. 덕을 행하면 마음이 편
    안하여 날로 아름다워지고, 거짓을 행하면 마음이 수고로워 날로
    졸렬해진다. 선을 행하면 백 가지 상서로움이 내려오지만 불선

---

14) 『尙書』 「皐陶謨」에 보인다. "고요가 말하기를, 너그러우면서도 장엄하며, 부드
    러우면서도 꼿꼿하며, 삼가면서도 공손하며, 다스리면서도 공경하며, 익숙하면
    서도 굳세며, 곧으면서도 온화하며, 간략하면서도 모나며, 굳세면서도 독실하
    며, 강하면서도 의를 좋아하는 것이니, 몸에 드러나고 시종 떳떳함이 있는 것이
    길한 사람입니다.(皐陶曰, 寬而栗, 柔而立, 願而恭, 亂而敬, 擾而毅, 直而溫,
    簡而廉, 剛而塞, 强而義, 彰厥有常, 吉哉.)"

(不善)을 행하면 백 가지 재앙이 내려온다. 맹자께서 말씀하셨다. "도는 둘 뿐이니, 인(仁)과 불인(不仁)이 그것이다."15) 같은 곳은 매우 간약하다.

古今人物, 同處直截是同, 異處直截是異. 然論異處極多, 同處却約. 作德便心逸日休, 作僞便心勞日拙, 作善便降之百祥, 作不善便降之百殃. 孟子言: "道二, 仁與不仁而已." 同處甚約.

21. 사람에게 스스로 아는 것보다 더 먼저 해야 하는 일은 없다. 이는 큰 강령에 있지 않으니, 모름지기 세밀히 찾아야만 한다.

人莫先於自知, 不在大綱上, 須是細膩求.

22. 학자들이 발전하지 못하는 것은 오로지 이기기만을 좋아하기 때문이다. 한 마디 말을 해도, 한 가지 일을 해도 모두 자기가 옳다고만 말하니, 그런 도리가 어디 있단 말인가? 옛 사람은 오직 허물을 알았거든 고치고, 선을 보았거든 그리로 옮겨가는 것만을 귀히 여겼을 뿐이다. 그러나 지금 사람들은 각자 자기가 옳다고 고집하다가 남에게 간파당하고 나면 당황한다. 이 때문에 옛 사람만 못해진 것이다.

學者不長進, 只是好己勝. 出一言, 做一事, 便道全是, 豈有此理? 古人惟貴知過則改, 見善則遷. 今各自執己是, 被人點破, 便愕然, 所以不如古人.

---

15) 『孟子』「離婁上」.

23. 도를 위주로 하면 침체되고자 하여도 기예가 따라서 발전하고, 기예를 위주로 하면 왕성해지고자 하여도 도도 망실되고 기예 또한 발전하지 못한다.

主於道, 則欲消而藝亦可進, 主於藝, 則欲熾而道亡, 藝亦不進.

24. 인(仁)은 부자로부터 펼쳐졌다.

仁自夫子發之.

25. 스스로 포기해서는 안 되고, 스스로 버려서도 안 되며, 스스로 굽혀서도 안 된다.

不可自暴, 自棄, 自屈.

26. 뜻이 작으면 대인의 일을 이야기할 수 없다.

志小不可以語大人事.

27. 천고의 성현들은 오직 한 가지 일만 했을 뿐, 두 가지 일이란 없었다.

千古聖賢, 只是辦一件事, 無兩件事.

28. "말을 하면 반드시 지키고 행동을 하면 반드시 결과가 있게 하는 것은 융통성 없는 소인이다."16) 스스로 잘 살펴보아야 한다.

---

16) 『論語』「子路」. 이 말은 완전히 폄하하는 말이기 보다는 『논어』 원문의 맥락을 살펴 볼 때 가장 훌륭하지는 못하지만 두 번째 정도는 되는 사람이라는 뜻이다.

"言必信, 行必果. 硜硜然, 小人哉." 宜自考察.

29. 한 걸음 물러나 생각해보아야 하나니, 밖으로만 치닫지 말라.

退步思量, 不要騖外.

30. "공공이 바야흐로[方] 사업을 모아 공(功)을 나타냈다."[17]와 "철철
   [方] 흐르는 냇물과도 같아"[18]에서의 '방(方)' 자는 '또[且]' 자로 풀
   어서는 안 된다.

"共工方鳩僝功"與"如川之方至", 此'方'字不可作'且'字看.

31. 요임금이 공공(共工)과 단주(丹朱)를 알아본 것은 형적 사이에서
   본 것이 아니라 그들의 마음 씀을 곧장 꿰뚫어보았던 것이다.

堯之知共工 · 丹朱, 不是於形迹間見之, 直是見他心術.

32. 여정자(呂正字: 呂祖謙)의 「관직책(館職策)」[19]은 실로 눈이 멀었

---

17) 『尙書』「堯典」.
18) 『詩經』「小雅 · 鹿鳴之什」.
19) 呂正字는 東萊先生 呂祖謙을 가리킨다. 그가 秘書省正字를 지냈기에 이렇게
   칭한 것이다. 呂祖謙은 乾道 7년(1171)에 「館職策」을 지었는데, 글 중에서 抗
   金에 대한 당시 士人들의 태도를 비판하며 "천하의 우환은 나약한 자는 늘 아무
   것도 하지 않으려고 하고, 날카로운 자는 늘 온 힘을 다해 하려고 하는 데 있다.
   (天下之患, 懦者常欲一切不爲, 銳者常欲一切亟爲.)"고 하면서 孝宗에게 言
   路를 열어 "백성들의 정황과 여론이 숨겨지거나 막혀 위에서 듣지 못하는 일이
   없도록 할 것(群情衆論隱匿壅遏,. 而不得上聞)"을 호소하였다. 그러나 이 글
   은 육구연 뿐 아니라 朱熹로부터도 비판을 받아서 「관직책」은 언사가 어지러

으니, 오로지 술(術)만 있을 따름이다. 맹자는 격발되어 글을 썼다 하더라도 정도(正道)를 벗어나지 않았다.

呂正字館職策, 直是失了眼目, 只是術. 然孟子亦激作, 却不離正道.

33. 양자운(揚子雲: 揚雄)은 쟁론하여 적중시키기를 좋아하였으나 실은 적중이 무엇인지조차 알지 못했다.

揚子雲好論中, 實不知中.

34. 대아는 강령이고 소아는 조목이다. 『상서』에는 강령과 조목이 다 갖추어져 있다.

「大雅」是綱, 「小雅」是目, 『尙書』綱目皆具.

35. 『상서』를 읽다가 「周書」「문후지명」에 이르면 도는 이미 사라지고 없다. 그래서 『춘추』를 지으신 것이다.

觀『書』到「文侯之命」, 道已湮沒, 『春秋』所以作.

36. 노여워하고 분노하는 바가 있으면 남을 설복시키기에 부족하고, 두려워하는 바가 있으면 스스로 서기에 부족하다.

有所忿懥, 則不足以服人, 有所恐懼, 則不足以自立.

위 명료하지가 못하며, 뒷부분은 요긴한 곳이 전혀 없다.(「館職策」亦說得漫不分曉, 後面全無緊要.)"고 폄하했다.

37. 도에 뜻을 두고, 덕에 근거하며, 인에 의지하는 것, 이것이 학자로서의 커다란 단서이다.

志道, 據德, 依仁, 學者之大端.

38. 모름지기 신용이 있어야만 가능하다.

須是信得及乃可.

39. 왕문중(王文中: 土通)의 『중설』은 양자운과 비슷하다. 비록 다른 부분이 있긴 하지만 귀결처는 하나이다.

王文中『中說』與揚子雲相若, 雖有不同, 其歸一也.

40. 도가 천하에 있으니, 더해도 안 되고 빼도 안 되고 취해서도 안 되고 버려서도 안 된다. 요컨대 사람 스스로 이해해야 한다.

道在天下, 加之不可, 損之不可, 取之不可, 舍之不可. 要人自理會.

41. 대강을 끌어낸 다음 자세히 이해해가다 보면 마치 강과 바다에서 물고기와 용이 헤엄치듯, 시원스레 막힘이 없다.

大綱提掇來, 細細理會去, 如魚龍遊於江海之中, 沛然無礙.

42. 요지에 근거하여 바야흐로 올 것을 관찰하라.

據要會以觀方來.

43. 『춘추』·『주역』·『시경』·『상서』가 모두 성인의 손을 거친 것을

보면 『논어』를 엮은 자에게 병폐가 있음을 알 수 있다.

觀『春秋』·『易』·『詩』·『書』, 經聖人手, 則知編『論語』者亦有病.

44. 『중용』에 "귀신의 덕 됨이 그 성대하도다."[20]라는 말이 나오는데, 부자께서 이 뜻을 드러내 매우 명백히 밝히셨다.

『中庸』言: "鬼神之爲德也, 其盛矣乎!" 夫子發明, 判然甚白.

45. 속담에 이르기를, "심지가 굳으면 돌도 뚫는다."는 말이 있다. 기왕에 한 사람이 되었으니 어찌 떨치고 일어나 예리해지지 않을 수 있겠는가.

俗諺云: "心堅石穿", 旣是一箇人, 如何不打疊教靈利.

46. 오늘날의 학자들은 길을 가다가 우연히 어떤 좋을 곳을 만나면 이내 편히 여기면서 거기 머무르고 만다. 그러나 퍼뜩 자각하는 순간 이미 예전 사람만 못해져 있다. 그래서 얼핏 나갔다 얼핏 들어갔다, 얼핏 밝아졌다 얼핏 어두워졌다 한다.

今之學者譬如行路, 偶然撞着一好處, 便且止, 覺時已不如前人, 所以乍出乍入, 乍明乍昏.

47. 학자들이 스스로 착실히 이해하려 하지 않고서 그저 남의 입에서 나온 말에만 신경 쓰기 때문에 발전하지 못하는 것이다. 문자 하나를 쓸 때에도 반드시 반복해가며 궁구하고, 그래도 잘 안되거든

---

20) 『中庸』 16장.

다시 생각을 바꾸어가며 끝까지 추궁해야 한다. 후에 혹 누군가에게 물어보거나 혹 누군가가 하는 말을 듣게 되거나 혹 어떤 사물을 보게 되었을 때, '부딪혀가며 성장하는' 도리가 절로 생겨날 것이다.

學者不自着實理會, 只管看人口頭言語, 所以不能進. 且如做一文字, 須是反覆窮究去, 不得又換思量, 皆要窮到窮處, 項項分明. 他日或問人, 或聽人言, 或觀一物, 自有觸長底道理.

48. 누서를 잃은 것은 조장 때문이 아니면 망각 때문이다. 그래서 주재자가 되지 못하는 것이다.

失了頭緒, 不是助長, 便是忘了, 所以做主不得.

49. 『예기』21)에서 이르기를, 후직(后稷)은 축사가 공손하며 신에게 구하는 바 욕망이 크지 않았다고 했는데, 이는 그저 말단을 설명했을 뿐이다. 『논어』에서는 백이(伯夷)와 숙제(叔齊)가 "인(仁)을 구하여 인을 얻었다."22)고 하였고, 태백(泰伯)이 "천하를 세 번이나 사양했다."23)고 하였으며, "은나라에 세 명의 인자가 있었다."24)고 하였는데, 이것은 도리어 모두 혈맥에 나아가 설명한 것이다.

『記』言后稷, 其辭恭, 其欲儉, 只是說末. 『論語』言伯夷 · 叔齊"求仁得仁", 泰伯"三以天下讓", "殷有三仁", 却從血脉上說來.

---

21) 『禮記』「表記」.
22) 『論語』「述而」.
23) 『論語』「泰伯」.
24) 『論語』「微子」.

50. 이로움과 해로움, 비방과 기림, 칭송과 기롱, 고달픔과 즐거움은 능히 사람의 마음을 움직일 수 있다. 불가에서는 이를 팔풍(八風)이라고 부른다.

利害毀譽稱譏苦樂能動搖人, 釋氏謂之八風.

51. 일곱 겹의 철옹성을 치고 있는 것이 사심(私心)이다. 사심에 막혀 있으면 아무리 생각해도 곧아지지 않는다. 어린아이에게도 사사로운 생각이 있다.

七重鐵城, 私心也. 私心所隔, 雖思非正. 小兒亦有私思.

52. 마음이라는 기관은 직책을 게을리 해서는 안 된다.

心官不可曠職.

53. 태양이 하늘에 있으면 태음과 오위(五緯: 五星)은 스스로 빛을 발하지 못한다. 그러니 도깨비가 어디서 나오겠는가?

太陽當天, 太陰五緯, 猶自放光芒不得, 那有魍魅魍魎來.

54. "작은 덕은 냇물처럼 흐르고 큰 덕은 돈독하게 만물을 화육한다."[25] 작은 덕은 곧 큰 덕이고, 큰 덕은 곧 작은 덕이다. "강하고 굳셈, 장중하고 중정(中正)함"[26]은 모두 흐르는 냇물이요, 돈독함[敦]은

---

25) 『中庸』30장.
26) 『中庸』31장. "오직 천하의 至聖이어야 능히 총명하고 지혜로워 족히 臨할 수 있다. 너그럽고 부드러워 족히 용납함이 있으며, 강하고 굳세어 족히 잡음이

두터움이요, 화(化)는 변화이다.

"小德川流, 大德敦化." 小德卽大德, 大德卽小德, 發强剛毅, 齊莊中正, 皆川流也. 敦, 厚, 化, 變化.

55. "황극(皇極)의 임금이 오복(五福)을 거두어서 백성들에게 펼쳐서 내려준다."[27] 복을 어떻게 펼쳐서 내려준단 말인가? 그저 이 이치가 우주에 가득 차있을 뿐이다.

"皇極之君, 斂時五福, 錫厥庶民." 福如何錫得? 只是此理充塞乎宇宙.

56. 속견에 빠지면 바른 말을 들어도 [귀에] 들어가지 않는다.

溺於俗見, 則聽正言不入.

57. 도를 알게 되면 말단이 곧 뿌리요, 가지가 곧 잎이다. 또 말씀하셨다. 뿌리가 있으면 자연히 가지와 잎이 있다.

知道則末卽是本, 枝卽是葉. 又曰: 有根則自有枝葉.

있으며, 장중하고 中正하여 족히 공경함이 있으며, 文理가 있고 세심히 살펴 족히 분별함이 있다.(唯天下至聖, 爲能聰明睿知, 足以有臨也. 寬裕溫柔, 足以有容也, 發强剛毅, 足以有執也, 齊莊中正, 足以有敬也, 文理密察, 足以有別也.)"

27) 『尙書』「洪範」에 "다섯 번째 皇極은 임금이 極을 세움이니, 이 五福을 거두어서 백성들에게 복을 펼쳐서 내려주면 이 백성들이 너의 極에 대하여 極을 보존해 줄 것이다.(五皇極, 皇建其有極, 斂是五福, 用敷錫厥庶民, 惟時厥庶民, 于汝極, 錫汝保極.)"라는 구절이 나온다.

58. 위로 통달한 자와 아래로 통달한 자는 의에 밝으냐 이(利)에 밝으냐에 의해 나뉜다.

上達下達, 即是喩義喩利.

59. 사람의 감정[人情]과 만물의 이치[物理]를 공부해야 한다.

人情物理上做工夫.

60. 노자가 말했다. "대도는 매우 평탄한데, 사람들은 지름길을 좋아한다."[28]

老子曰: "大道甚夷而民好徑."

61. 변론을 하다보면 발전이 있게 된다.

辯便有進.

62. 모름지기 아래에 있는 사물에까지 공부가 미쳐야 크고 작은 것에 맞추어 구제할 수 있다.

須是下及物工夫, 則隨大隨小有濟.

63. 만약 세상에 착실한 사우(師友)가 없다면, 자기의 견해에 집착하거나, 아니면 정욕(情慾)을 제멋대로 부리게 될 것이다.

天下若無着實師友, 不是各執己見, 便是恣情縱欲.

---

28) 『道德經』 53장.

64. 삼백 편의 시 중에는 부녀자에게서 나온 것도 있다. 그러나 후세의 선생과 숙유(宿儒)들은 분명하게 주해(註解)를 달지 못했으니, 어찌 지혜가 남들만 못해서였겠는가? 그저 당시에 도가 행해지고 도가 밝았기 때문이다.

三百篇之詩, 有出於婦人女子, 而後世老師宿儒, 且不能注解得分明, 豈其智有所不若? 只爲當時道行, 道明.

65. 한퇴지(韓退之: 韓愈)가 말했다. "맹가(孟軻) 사후 그 도가 전해시시 않았다."[29] 감히 후세에 현자가 없다고 무고하지는 않겠지만, 이(伊)·락(洛)의 제공[30]에 이르러서야 천 년 동안 전해지지 않았던 학문이 이어졌다. 다만 처음 시작이라 아직 환히 밝아지지 못했을 뿐이다. 오늘에 이르러서도 크게 빛을 드러내지 못한다면, 우리가 대체 무슨 일을 감당해낼 수 있겠는가?

韓退之言: "軻死不得其傳." 固不敢誣後世無賢者, 然直是至伊·洛諸公, 得千載不傳之學. 但草創未爲光明, 到今日若不大段光明, 更幹當甚事?

66. "대연(大衍)의 수는 50이지만 그 쓰임은 49이다. 이를 둘로 나누어 양의(兩儀)를 상징하고, 하나를 걸어서 삼재(三才)를 상징하고, 넷으로 세어 사시(四時)를 상징하고, 남는 것을 손가락에 껴서[扐] 윤달을 상징한다. 5년에 윤달이 두 번 든다. 그러므로 두

---

29) 韓愈의 「原道」에 나오는 말이다.
30) 伊·洛은 程顥와 程頤가 강학하던 伊川과 洛陽을 가리킨다.

번 손가락에 껴서 뒤에 거는 것이다."[31] 둘로 나눈 뒤에 그 중 하나를 앞에 건다고 했지만, 괘[掛]는 구별한다는 뜻이지 손가락 사이에 둔다는 뜻이 아니다. 그 중 하나를 구별한 다음에는 四로써 세는데, 그 나머지를 기(奇)라고 부른다. 그런 다음에 손가락 사이에 낀다. 늑(扐)은 손가락 사이를 말한다. 따라서 한번 세고 난 나머지는 四가 아니면 八이고, 두 번 센 다음의 나머지 역시 四 아니면 八이다. 四는 기(奇)이고 八은 우(偶)이다. 따라서 세 번 세어 모두가 기(奇)가 나오면 즉 四四四이니 「건괘(乾卦)」의 상이 된다. 세 번 세어 모두 우(偶)가 나오면 즉 八八八이니 「곤괘(坤卦)」의 상이 된다. 세 번 세어 두 개의 우와 한 개의 기가 나오면 즉 四八八이니 「간괘(艮卦)」의 상이 된다. 八四八이면 「감괘(坎卦)」의 상이, 八八四면 「진괘(震卦)」의 상이 된다. 세 번 세어 두 개의 기와 한 개의 우가 나오면 즉 八四四가 되니 「태괘(兌卦)」의 상이 되고, 四八四면 「이괘(離卦)」의 상이, 四四八이면 「손괘(巽卦)」의 상이 된다. 그래서 세 개의 기면 노양(老陽)이 되고, 세 개의 우면 노음(老陰)이 되며. 두 개의 우에 한 개의 기면 소양(少陽)이 되고, 두 개의 기에 한 개의 우면 소음(少陰)이 된다. 노음과 노양은 변하고, 소음과 소양은 변하지 않는다. 나누고 [分], 구별하고[掛], 세고[揲], 남은 것을 끼는 것이 사절(四節)이다.

---

31) 『周易』「繫辭上」. 河圖의 수는 1에서 10까지인데, 이를 모두 더하면 55이고, 이 天地數에서 생수 5를 빼면 50이 된다. 이것이 곧 大衍數이다. 그러나 태극 수 1을 빼고 사용하므로 실제 수는 49이다. 점칠 때 사용하는 시초는 뿌리가 하나에 줄기가 100개인데, 그것을 둘로 나누어 사용하면 각각 50개가 되므로 대연수가 되는 것이다. 扐이란 시초점을 칠 때 나머지 수를 손가락 사이에 끼는 것을 칭한다.

그래서 "4번의 절차를 거쳐 『역』이 이루어진다."[32]고 한 것이다. 구별하는 것에는 육효(六爻)가 있고, 매 효는 세 번 셀 수 있으니, 3곱하기 6이면 18이 된다. 그래서 "18번 변하여 괘가 이루어진다."고 한 것이다."【이상 「설시설(揲蓍說)」】

"大衍之數五十, 其用四十有九. 分而爲二以象兩, 掛一以象三, 揲之以四以象四時, 歸奇於扐以象閏. 五歲再閏, 故再扐而後掛." 旣分爲二, 乃掛其一于前. 掛, 別也, 非置之指間也. 旣別其一, 却以四揲之, 餘者謂之奇, 然後歸之扐. 扐, 指間也. 故一揲之餘, 不四則八, 再揲三揲之餘, 亦不四則八. 四, 奇也, 八, 偶也. 故三揲而皆奇, 則四四四, 有「乾」之象. 三揲而皆偶, 則八八八, 有「坤」之象. 三揲而得兩偶一奇, 則四八八, 有「艮」之象. 八四八, 有「坎」之象, 八八四, 有「震」之象. 三揲而得兩奇一偶, 則八四四, 有「兌」之象. 四八四, 有「離」之象, 四四八, 有「巽」之象. 故三奇爲老陽, 三偶爲老陰, 兩偶一奇爲少陽, 兩奇一偶爲少陰. 老陰老陽變, 少陰少陽不變. 分 · 掛 · 揲 · 歸奇是四節, 故曰"四營而成『易』." 掛有六爻, 每爻三揲, 三六十八, 故曰"十有八變而成卦."【右「揲蓍說」】

이상 문인 염부 주청수가 기록하다.
右門人周淸叟廉夫所錄

---

32) 『周易』「繫辭上」.

〈이백민李伯敏의 기록〉

1. 선생께서 백민에게 말씀하셨다. "근자에 배움으로 향하는 자들이 많으나, 한편으로는 기쁘고 한편으로는 두렵다. 사람이 배움에 용감하다는데 어찌 기쁘지 않겠느냐? 그러나 이 도(道)는 본디 일용중에 상시 행하는 것이거늘, 요즘 학자들이 이를 한 가지 일로 취급하며 허장성세하다보니 이름[名]이 실질[實]를 넘어서서 사람으로 하여금 불편한 마음을 일어나게 하였다. 이에 도학의 학설을 이야기하는 자라면 필시 사람들에게 깊이 배척받고 크게 비난 받게 되었으니, 이러한 풍상이 오래 이어지는 것을 어찌 두려워하지 않을 수 있겠느냐?"

   先生語伯敏云: "近日向學者多, 一則以喜, 一則以懼. 夫人勇於爲學, 豈不可喜? 然此道本日用常行, 近日學者却把作一事, 張大虛聲, 名過於實, 起人不平之心. 是以爲道學之說者, 必爲人深排力詆. 此風一長, 豈不可懼?"

2. 나는 사람을 취할 때 충직하고 신의 있고 정성스럽고 성실해 마치 입 밖으로 말조차 꺼내지 못할 것 같은 사람을 좋아한다. 담론을 하면 풍운을 일으켜 다른 사람들에게 인정받는 자라면 나는 몹시 미워한다.

   某之取人, 喜其忠信誠愨, 言似不能出口者. 談論風生, 他人所取者, 某深惡之.

3. 이어서 보시(補試)의 득실을 논하며 선생께서 말씀하셨다. "요즘 사람들은 이해(利害)에 의해 쉬이 흔들리기에, 오직 이해를 따지려는 마음만이 강하다. 과거에 응시하는 것만 보아도, 득실을 운명이라 여기는 자가 몇이나 되겠는가? 종종 성공하면 기뻐하고 실패하면 슬퍼한다. 하지만 오직 조입지(曹立之)와 만정순(萬正淳), 그리고 정학고(鄭學古)만은 이해에 거의 흔들리지 않는다. 그러므로 학자란 모름지기 스스로 세운 바가 있어야만 때에 닥쳐서 이해에 흔들리는 것을 모면할 수 있다." 주계역(朱季繹)이 말했다. "공경과 방종, 의(義)와 이(利)에 관한 학설은 학자들이 자신을 다잡고 일을 처리할 때 없어서는 안 되는 것들입니다." 선생께서 말씀하셨다. "스스로 실행하지 않고 이토록 한가하게 늘어지는 소리만 해서 무엇 하겠는가? 계속 이런 식으로 하다가는 장차 객이 주인을 이기게 되어 문사만 번지르르해질까봐 두렵구나. 하지만 이 지경에 이른 것은 학자들의 허물이 아니라 사승(師承)의 허물이다." 주계역이 말했다. "근자에 이단사설이 도를 해쳐서 사람들로 하여금 근본을 모르게 만들고 있습니다." 선생께서 말씀하셨다. "어떻게 말이냐?" 주계역이 말했다. "불가의 학문 같은 것도 사람들은 없어서는 안 된다고 여깁니다. 또 형이상(形而上)의 것이 도를 해쳐서 사람들로 하여금 근본을 모르게 만든다고들 말합니다." 선생께서 말씀하셨다. "나의 벗이여, 근본이 무엇인지 한번 말보겠느냐? 또 나의 벗의 무엇을 해쳤는지 말해보겠느냐? 자신이 입은 해악이 무엇인지 모르고서 어찌 남이 입은 해악을 알겠느냐? 포현도(包顯道)가 늘 '사람들은 모두 불교가 없어서는 안 된다고 말합니다.'라고 말하더니, 지금 나의 벗은 또 '도를 해친다.'고 말하는구나. 그러나 이 둘 모두 속박하기를 좋아하는 말이

다. 오늘 날 도를 해치는 것은 도리어 이와 같은 쓸데없는 말들이다. 조입지는 타고난 재질이 뛰어난데도 책을 읽고 마음을 수고롭게 함이 지나쳐 병을 얻었다. 후에 앓다 배우다를 반복하느라 쇠했다 성했다 하였다. 그가 나를 처음 찾아왔을 적만 해도 쓸데없는 언사가 허다했는데, 내가 그를 위해 깨끗이 씻어내 주었더니 흉중이 명쾌해지고 환히 밝아졌으며 병 또한 줄어들었다. 그러다 누군가의 말을 듣고는 다시금 우매하게 가리워져 어두워졌으니, 이는 나와 함께 지낸 날이 짧았기 때문이었다. 하지만 그는 능히 스스로를 잘 알아서, 매번 어둡게 가려질 때마다 나를 찾아왔다. 내가 또 그를 위해 씻어내 주면 마음이 다시금 환히 밝아졌으며, 그에게 강의해주고 해석해주면 듣는 즉시 이해했다. 내가 그에게 '요즘 혹시 의문은 없느냐?'라고 물으니 입지가 답했다. '없습니다. 저는 늘 혼자 책을 읽으면서 의문이 없는 경지에 이르기도 하지만, 의문이 없을 수 없을 때는 종종 학설을 스스로 바꾸어보기도 합니다.' 내가 말했다. '책을 읽고서 이해가 가지 않는 부분에 대해 그렇게까지 고심하며 힘껏 탐색할 필요가 있겠느냐? 너의 타고난 자질로 볼 때 생각이 닿으면 저절로 안배할 방법이 생겨날 것이다. 다만 마음이 어둡게 가려져서 바름을 얻지 못할까 두려우니, 차라리 잠시 내려놓았다가 때때로 깊이 잠겨 음미하면서 마치 이해하려하지 않는 거처럼 이해해보는 게 어떻겠느냐. 여유 있게 음미하여 저절로 구해지도록 하고, 질리도록 실컷 읽어 저절로 나아가게 한다면, 강물과 바닷물이 스며들듯, 기름칠을 하여 윤택해지듯, 얼음이 녹듯, 의문이 환히 풀리고 즐겁게 이치에 순응하게 될 것이며 그 후에 도리를 습득하게 될 것이다.'[33] 이렇게 함께 열흘 혹은 스무날을 지내다 돌아가고 나면 그 병이 퍼뜩 줄

어듣곤 하였다. 그러나 그 후 추시(秋試)로 인해 사람들의 쓸데없
는 말을 듣고는 다시금 어두워지고 미혹되었다. 후에 내게 자신
이 들은 말을 고해왔는데, 들어보니 불가의 학설이었다. 그는 평
생 불교와 노장(老莊)의 학설을 원수처럼 미워했는데, 나의 학설
을 모조리 배반해버리고는 도리어 원회(元晦)의 학설과 한통속이
되어버렸다. 그 후 그가 죽을 때까지 다시 만나지 않았다." 그러
더니 백민(伯敏)에게 물으셨다. "이런 이야기를 들어본 적이 있느
냐?" 백민이 말했다. "없습니다." 선생께서 주계역에게 말씀하셨
다. "그가 그래도 쓸데 없는 말을 많이 하지는 않았구나. 이민구
(李敏求: 伯敏)를 망치지 말고, 내가 그에게 들려준 말을 잘 들으
라. 대저 배움에 있어서는 스스로 세운 바가 있어야만 한다. 『논
어』에서 말하길, '자신이 서고자 한다면 남을 먼저 세우라.'[34]고
했다. 유속에 움직이지 않고 우뚝 서야만 스스로 설 수 있다. 하
늘이 내게 준 것이 무엇인지, 사람됨을 실천하고 있는지 반드시
생각해야 한다. 이를 이해한 연후라야 비로소 '배운다'고 말할 수
있다. 그래서 맹자께서 '공부하는 방법이란 다른 게 없다. 그 잃어
버린 마음을 찾는 것뿐이다.'[35]라고 말씀하신 것이다. '널리 배우
고, 자세히 묻고, 신중히 생각하고, 독실히 실행한다.'[36]는 것 또
한 이를 이름이다. 그러려면 반드시 뜻이 있어야만 한다. 공자께
서 '나는 열다섯에 배움에 뜻을 두었다.'[37]고 말씀하신 것도 바로

---

33) 杜預의 「春秋左傳集解序」에 나오는 말이다.
34) 『論語』「雍也」.
35) 『孟子』「告子上」.
36) 『中庸』 20장.
37) 『論語』「爲政」.

이 뜻이다." 내가 말했다. "저는 이러한 마음에 있어서 능히 그 잘못을 힘껏 제어할 수 있습니다. 다만 오래 가지 못할 뿐입니다." 선생께서 말씀하셨다. "오직 바깥만 강하게 제어하면서 안으로 그 근본을 생각하지 않고, 또 함양의 공부를 하지 않기 때문이다. 만약 마음이 명백해지고 정당해질 수 있다면, 힘껏 제어할 필요가 어디 있겠느냐? 지금 여기서 이야기하고 있는 도중에 갑자기 아름다운 여인이 앞에 나타난다해도 그대는 여색을 기뻐하는 마음이 결단코 생기지 않을 것이다. 만약 마음이 늘 지금과 같을 수 있다면, 힘껏 제어할 필요가 어디 있겠느냐?"

因論補試得失, 先生云: "今之人易爲利害所動, 只爲利害之心重. 且如應擧, 視得失爲分定者能幾人? 往往得之則喜, 失之則悲. 惟曹立之 · 萬正淳 · 鄭學古庶幾可不爲利害所動. 故學者須當有所立, 免得臨時爲利害所動." 朱季繹云: "如敬肆義利之說, 乃學者持己處事所不可無者." 先生云: "不曾行得, 說這般閑言長語則甚? 如此不已, 恐將來客勝主, 以辭爲勝. 然使至此, 非學者之過, 乃師承之過也." 朱云: "近日異端邪說害道, 使人不知本." 先生云: "如何?" 朱云: "如禪家之學, 人皆以爲不可無者, 又以謂形而上者所以害道, 使人不知本." 先生云: "吾友且道甚底是本? 又害了吾友甚底來? 自不知己之害, 又烏知人之害? 包顯道常云, '人皆謂禪是人不可無者', 今吾友又云'害道', 兩箇却好縛作一束. 今之所以害道者, 却是這閑言語. 曹立之天資甚高, 因讀書用心之過成疾, 其後疾與學相爲消長. 初來見某時, 亦是有許多閑言語, 某與之蕩滌, 則胸中快活明白, 病亦隨減. 迨一聞人言語, 又復昏蔽. 所以昏蔽者, 緣與某相聚日淺. 然其人能自知, 每昏蔽則復相過, 某又與之蕩滌, 其心下又復明白. 與講解, 隨聽即解. 某問: '比或有疑否?' 立之云: '無疑. 每常自讀書, 亦見得到這般田地, 只是不能無疑, 往往自變

其說.' 某云: '讀書不可曉處, 何須苦思力索? 如立之天資, 思之至,
固有一箇安排處. 但恐心下昏蔽, 不得其正, 不若且放下, 時復涵
泳, 似不去理會而理會. 所謂優而柔之, 使自求之, 厭而飫之, 使自
趨之, 若江海之寖, 膏澤之潤, 渙然冰釋, 怡然理順, 然後爲得也.'
如此相聚一兩旬而歸, 其病頓減. 其後因秋試, 聞人閑言語, 又復
昏惑. 又適有告之以某乃釋氏之學, 渠平生惡釋老如仇讐, 於是盡
叛某之說, 却湊合得元晦說話. 後不相見, 以至於死." 因問伯敏云:
"曾聞此等語否?" 伯敏云: "未之." 先生語朱云: "他却未有許多閑言
語, 且莫要壞了李敏求, 且聽某與他說. 大凡爲學須要有所立, 『語』
云: '己欲立而立人.' 卓然不爲流俗所移, 乃爲有立. 須思量天之所
以與我者是甚底? 爲復是要做人否? 理會得這箇明白, 然後方可謂
之學問, 故孟子云: '學問之道, 求其放心而已矣.' 如博學, 審問, 明
辯, 愼思. 篤行, 亦謂此也. 此須是有志方可. 孔子曰: '吾十有五而
志于學', 是這箇志." 伯敏云: "伯敏於此心, 能剛制其非, 只是持之
不久耳." 先生云: "只剛制於外, 而不內思其本, 涵養之功不至. 若
得心下明白正當, 何須剛制? 且如在此說話, 使忽有美色在前, 老
兄必無悅色之心. 若心常似如今, 何須剛制?"

4. 선생께서 무문자(繆文子)에게 말씀하셨다. "요즘 학자들은 사법
(師法)이 없는 관계로 종종 사설에 미혹되곤 한다. 이단이 사람을
미혹할 수 있는 까닭은, 우리 유자 스스로가 무너졌기 때문에 들
어올 수 있었던 것이다. 당우(唐虞) 시대에는 천하에 도(道)가 있
어서 어리석은 사내나 아낙 모두 혼연한 기상이 넘쳐났다. 이때
에 설령 살아 있는 부처, 살아 있는 노자 · 장자 · 열자가 나타났다
해도 입을 열지 못했을 것이다. 인가의 자손들이 조상의 가풍을
파괴시키는 등, 비루한 유자들이 도를 행하지 못하기 때문에 도리

어 부처와 노자가 나타나 너희를 시험하는 것이다. 장자가 말했다. '지혜로써 나라를 다스리는 자는 나라의 적이다.'[38] 비루한 유자들이 차분히 중요한 일을 해내지 못하기 때문에 저들이 이렇게 지껄일 수 있었던 것이다. 만약 지혜로운 자가 차분히 중요한 일들을 해낸다면, 어찌 나라의 적이라 할 수 있겠느냐? 오늘날 이단을 공격하는 자들은 그 이름만 가지고 공격할 뿐, 그들에 의해 자신이 시험 당하고 있다는 사실은 전혀 알지 못한다. 그들보다 아래에 있으면서 어떻게 저들을 설복시킬 수 있단 말이냐? 너희들은 모름지기 먼저 나 자신을 이해하고 저들을 설복시킬 방도를 찾아야만 할 것이다."

先生語繆文子云: "近日學者無師法, 往往被邪說所惑. 異端能惑人, 自吾儒敗績, 故能入. 使在唐虞之時, 道在天下, 愚夫愚婦, 亦皆有渾厚氣象, 是時便使活佛, 活老子·莊·列出來, 也開口不得. 惟陋儒不能行道, 如人家子孫, 敗壞父祖家風. 故釋老却倒來點檢你. 如莊子云: '以智治國國之賊.' 惟是陋儒, 不能行所無事, 故被他如此說. 若知者行其所無事, 如何是國之賊? 今之攻異端者, 但以其名攻之, 初不知自家自被他點檢, 在他下面, 如何得他服? 你須是先理會了我底是, 得有以使之服, 方可."

5. 학자들은 무엇보다 자신의 마음을 함몰시켜서는 안 되며, 남 앞에 학문을 과시해서는 안 된다. 과시하는 자는 반드시 남에게 공격 받게 되어 있다. 오직 보통 사람처럼 행동해야 하나니, 다른 사람의 잘못을 보게 되었을 경우 반드시 측은지심으로 미루어 완곡히

---

38) 이 말은 『道德經』 65장에 나온다.

권하여 깨우치고, 그것이 안 통할 시에는 그만두어야 한다. 만약 내 학문은 여차 여차하다고 말하면서 너의 것은 틀렸다고 말한다면, 반드시 남에게 공격받게 될 것이며, 이른바 학문이라는 것도 스스로 감당하지 못하게 될 것이다. 나는 자신의 학문을 주장하는 자들을 몇 명 본 적이 있는데, 그들에게 '그대는 다 깨달았소?'라고 물으면 불안한 기색을 보였다. 이와 같다면 난잡한 학설만 배웠을 뿐, 기실 아는 것은 하나도 없는 셈이다. 이러한 사람을 일러 고칠 길 없는 불치병 환자라고 한다. 차라리 하고 싶은 대로 다 하고 사는 사람들이 노리어 이야기하기 쉽다. 온통 난잡한 학설만 배운 자들이 가장 어찌해볼 도리가 없다. 여기에는 오직 두 갈래 길밖엔 없다. 이욕(利欲)과 도의(道義), 둘 중 이리로 가지 않으면 저리로 가게 되어있다.

學者先須不可陷溺其心, 又不當以學問誇人. 誇人者, 必爲人所攻. 只當如常人, 見人不是, 必推惻隱之心, 委曲勸諭之, 不可則止. 若說道我底學問如此, 你底不是, 必爲人所攻. 兼且所謂學問者, 自承當不住. 某見幾箇自主張學問, 某問他: '你了得也未?' 他心下不穩, 如此則是學亂說, 實無所知. 如此之人, 謂之痼疾不可治. 寧是縱情肆欲之人, 猶容易與他說話, 最是學一副亂說底, 沒奈他何. 此只有兩路, 利欲, 道義. 不之此, 則之彼.

6. 사람은 모름지기 한가로울 때면 큰 강령에 대해 생각해야 한다. 우주가 이토록 광활한데 이 몸이 그 가운데 섰으면 한 명의 큰 사람이 되어야 한다. 무문자(繆文子)가 말했다. "저는 일찍이 이런 생각을 해보았습니다. 나는 한 명의 사람이 되었는데, 사람이 되지 않고서 초목이나 금수가 되어서야 되겠는가? 하고 말입니

다." 선생께서 말씀하셨다. "이와 같다면 너무 세세하다. 오직 큰 강령만을 생각해야 한다. '하늘이 명한 바를 일러 성(性)이라 한다.'고 하였다. 하늘이 내게 명한 것은 하늘과 다르지 않으니, 그 규모를 더욱 광대하게 확충해나가야 한다. 그렇게 평상시에 생각해놓으면 일에 닥쳤을 때 힘을 덜 쓸 수 있고, 어딘가에 함몰되는 지경에 이르지 않을 수 있다." 문자가 말했다. "제가 처음 선생을 뵈러 왔을 때 제 눈을 가렸던 것들이 벗겨지는 듯 하더니 다시금 선생을 뵈러 오자 마음이 명쾌해지는 것을 느꼈습니다. 다만 모든 일에 있어서 스스로를 지켜낼 수 있기는 한데, 오직 두려운 바는 어두워졌을 때 스스로 이해하지 못한다는 것입니다." 선생께서 말씀하셨다. "내가 밝아졌을 때 무엇을 지키려고 하더냐? 사람의 귀란 듣고자 하면 듣고, 듣고자 하지 않으면 듣지 않는다. 눈도 그러하다. 그러니 왜 마음만 스스로 주관하지 못한단 말이냐?"

人須是閑時大綱思量. 宇宙之間, 如此廣闊, 吾身立於其中, 須大做一箇人. 文子云: "某嘗思量我是一箇人, 豈可不爲人, 却爲草木禽獸?" 先生云: "如此便又細了, 只要大綱思. 且如'天命之謂性', 天之所以命我者, 不殊乎天, 須是放敎規模廣大. 若尋常思量得, 臨事時自省力, 不到得被陷溺了." 文子云: "某始初來見先生, 若發蒙然. 再見先生, 覺心不快活, 凡事亦自持, 只恐到昏時自理會不得." 先生云: "某得明時, 何持之有? 人之於耳, 要聽卽聽, 不要聽則否. 於目亦然. 何獨於心而不由我乎?"

7. 선생께서 내게 말씀하셨다. "사람은 오직 뜻이 없는 것이 걱정이다. 뜻이 있으면서 성취하지 못할 것이 없다. 타고난 자질이 두터운 자도 필경 뜻이 있어야 한다. 나의 벗께서는 나의 말을 듣고

어떠하였는가?" 내가 말했다. "선생의 말씀을 들을 때마다 망연히 어디로 들어가야 할지 알지 못하겠습니다. '어린 아이가 듣고 묻지도 않으면서 차례를 넘어서지 못하듯 말입니다.'[39]" 선생께서 말씀하셨다. "만약 뜻이 있다면 모름지기 위세와 이익[勢利], 도(道)와 의(義) 두 갈래 길을 구분해야 한다. 내가 말하는 것은 모두가 나의 벗이 본디 가지고 있는 것들이다. 또 성현들께서 드리우신 가르침 같은 것도 사람이 본디 가지고 있는 것들이니, 어찌 바깥에 있는 한 가지 물건을 가져다가 우리 벗에게 주는 것이겠는가? 오직 이 모두를 밝히 드러내기만 하면 된다. 하늘이 내게 부여한 것이 이토록 두텁고 이토록 귀하니, 사람 된 바를 잃지 않으면 될 뿐이다." 내가 물었다. "일용에서 항상 행하는 것들 가운데 어떤 것에 공력을 기울여야 합니까?" 선생께서 말씀하셨다. "하늘이 내게 부여한 것이 지극히 귀하고 지극히 두텁다는 것만 능히 알 수 있으면 자연히 그릇되고 편벽한 것으로부터 멀어져 오직 옳은 것만을 지키게 된다. 내가 본디 가지고 있는 것이 무엇인지 알아야 한다." 내가 말했다. "그릇되고 편벽한 일은 감히 한 적이 없습니다." 선생께서 말씀하셨다. "그러나 억지로 이것을 제어한다 해도 그 사이에는 제어하지 못하는 것이 있게 마련이다. 그리 되면 장차 힘만 허비하게 되나니, 그래서 하늘이 내게 준 것이 무엇인지를 알아야 한다는 것이다. 나의 벗은 흡사 발전할 수 있을 듯 보이니, 이는 사람들의 쓸데없는 말에 현혹된 일이 없기 때문이다. 처음부터 이해해가기 시작하면 입문하기 쉽다. 대저 먼저 들어간 것이 주인이 된다. 그릇만 보아도 속이 비어있으면

---

39) 『禮記』「學記」에서 인용한 말이다.

능히 무언가를 담을 수 있다. 하지만 만약 먼지와 때가 먼저 들어가 있다면, 후에 아무리 좋은 물을 담으려고 해도 힘만 들 뿐이다. 주계역의 경우, 학문이 매우 박잡한데다 스스로 그 학문을 주장하고 있는 터라 도무지 어찌 해볼 도리가 없다."

先生語伯敏云: "人惟患無志, 有志無有不成者. 然資稟厚者, 必竟有志. 吾友每聽某之言如何?" 伯敏曰: "每聞先生之言, 茫然不知所入. 幼者聽而弗問, 又不敢躐等." 先生云: "若果有志, 且須分別勢利道義兩途. 某之所言, 皆吾友所固有. 且如聖賢垂敎, 亦是人固有, 豈是外面把一件物事來贈吾友? 但能悉爲發明. 天之所以予我者, 如此其厚, 如此其貴, 不失其所以爲人者耳." 伯敏問云: "日用常行, 去甚處下工夫?" 先生云: "能知天之所以予我者至貴至厚, 自然遠非僻, 惟正是守. 且要知我之所固有者." 伯敏云: "非僻未嘗敢爲." 先生云: "不過是硬制在這裏, 其間有不可制者, 如此將來亦費力, 所以要得知天之予我者. 看吾友似可進, 緣未曾被人閑言語所惑, 從頭理會, 故易入. 蓋先入者爲主, 如一器皿, 虛則能受物, 若垢汚先入, 後雖欲加以好水亦費力. 如季繹之學駁雜, 自主張學問, 却無奈何."

8. 내가 말했다. "올해는 작년과 비교하여 한 치의 발전도 없습니다." 선생께서 말씀하셨다. "어떻게 해야 발전인 것이냐? 만약 마땅히 해야 할 일을 하지 않을 때도 있고, 마땅히 해서는 안 될 일을 할 때도 있다면, 이는 발전하지 못하는 것이다. 이런 식으로 이해해 나가지 않고서 생각 없이 발전만을 바란다면, 이는 그저 남을 앞서고자 하는 것에 지나지 않으니, 이것이 이기고자 하는 마음[勝心]이다." 내가 말했다. "착수할 수 있는 지점이 없습니다." 선생

께서 말씀하셨다. "옛날에 천하에 밝은 덕을 밝히고자 했던 사람들은 먼저 그 나라를 다스렸고, 그 나라를 다스리고자 했던 사람들은 먼저 그 집안을 다스렸으며, 그 집안을 다스리고자 했던 사람들은 먼저 자신의 몸을 수양했다. 자신의 몸을 수양하고자 했던 사람들은 먼저 그 마음을 바르게 했고, 그 마음을 바르게 하고자 했던 사람들은 먼저 그 뜻을 진실되게 하였으며, 그 뜻을 진실되게 하고자 했던 자들은 먼저 그 앎에 이르렀다. 앎에 이르는 길은 격물에 있으니,40) 격물이 바로 착수해야 할 지점이다." 내가 말했다. "어떻게 하는 것이 격물입니까?" 선생께서 말씀하셨다. "사물의 이치[物理]를 궁구하는 것이다." 내가 말했다. "천하 만물이 이루 다 헤아릴 수 없이 많은데, 어떻게 다 궁구할 수 있습니까?" 선생께서 말씀하셨다. "만물은 모두 내 안에 있으니, 이치에 밝아지기만 하면 된다. 그러나 이치를 스스로 알지 못하겠거든 스승을 섬기고 벗을 가까이해야 한다." 내가 말했다. "다행히 이곳에 주계역(朱季繹)이 있어 때때로 서로 북돋워주고 있습니다." 선생께서 말씀하셨다. "계역은 포현도(包顯道)와 마찬가지로 가는 곳마다 사람들을 북돋워주지만, 근본 없는 말들을 많이 한다. 그의 뜻인즉 사적으로 문호를 세우고 싶어 하는 모양이나, 그의 학문은 겉을 위한 것이지 스스로를 위한 것이 아니다. 세상 사람들이 도학(道學)을 공격하는데, 이 또한 완전히 그들 탓만 할 수 없다. 우리가 먼저 목소리와 낯빛을 교만히 하고 문호를 세워 저들과 대적하였으며, 시끄럽게 이런저런 구실을 입에 올리며 믿음을 주지 못하였으니, 자연 사람들의 불만을 야기하게 된 것이다.

---

40) 『大學』.

나는 평상시에 유속의 공격을 받은 적이 없다. 나를 공격한 자들은 도리어 [주희의] 『어록(語錄)』이나 『[論孟] 정의(精義)』를 읽은 자들이었다. 정사남(程士南)은 가장 맹렬히 도학을 공격한 사람인데, 혹자가 그 앞에서 나를 거론하자 정사남은 '육 아무개와 같은 도학이라면 공격할 만한 것이 없다.'고 말했다. 또 학사에 머물고 있는 제공들도 내게는 의형제나 마찬가지인지라 나는 전혀 그들을 이기고자 하는 마음이 없다. 그저 일용 중의 평상시 행실이 절로 그들로 하여금 존경하게 하고 미덥게 할 뿐이다. 나는 예전에는 이정(二程)의 글을 보지 않다가 근래에야 비로소 보았는데, 거기에는 옳지 않는 내용이 많이 보였다. 지금 사람들은 책을 읽을 적에 쉬운 곳은 이해하려 하지 않고, 남의 선망의 시선을 받을 만한 곳이 있으면 힘을 다해 연구한다. 옛날의 성인들이 사람들의 선망을 산 적이 언제 있더냐? 도(道)가 행해지지 않은 관계로 특이한 곳을 보면 이내 선망하는 마음이 생기게 된 것이다. 주(周)나라 말에 인문이 피폐해지면서부터 이런 풍토가 생겨났다. 당우(唐虞) 시대에는 사람이 모두 똑같았는데, 무슨 선망할 것이 있었겠느냐? 그래서 장주(莊周)가 말했던 것이다. '장(臧)과 곡(穀)이 함께 양을 치다가 둘 다 양을 잃어버렸다. 장에게 무얼 했냐고 묻자 장은 바둑을 두며 놀았다고 했고, 곡에게 무얼 했냐고 묻자 책을 끼고 글을 읽었다고 답했다. 그러나 양을 잃어버린 것은 마찬가지이다.'[41] 나는 책을 읽을 때 오직 고주(古註)만 보지만, 성인의 말씀은 절로 분명해진다. '공부하는 사람은 집에 들어

41) 『莊子』 「駢拇篇」. 『莊子』에서는 臧이 책을 보고 있었다고 답했고, 穀이 바둑을 두었다고 대답했는데, 육구연은 이를 혼동한 듯하다.

와서는 어버이를 섬기고, 집을 나가서는 남을 공경해야 한다.'[42)
는 구절만 보아도 너에게 들어가면 효도하고 나가면 공경하라고
분명히 말하고 있는데 무슨 전주(傳註)가 더 필요하단 말이냐? 학
자들이 이러한 것에 정신을 피곤하게 쏟기 때문에 짐이 갈수록
무거워지는 것이다. 나에게로 오는 사람이 있으면 오직 그에게서
짐을 덜어내 줄 뿐이니, 이렇게 하는 것만이 곧 격물이다." 내가
말했다. "매번 책을 읽을 때마다 처음에는 정신을 집중하는데, 너
댓 번 읽고 나면 종종 마음이 떠나곤 합니다. 그러한 사실을 깨닫
고 마음을 책에 붙여보고자 노력하지만 이내 또 다른 마음이 생
겨나 마침내 심중이 시끄러워지고 맙니다." 선생께서 말씀하셨다.
"이는 내가 한 말이 귀에 들어가지 않았기 때문이다. 만약에 귀에
들어가기만 하면 이런 근심은 절로 없어질 것이다. 내가 하는 말
은 한 곳만을 내리치고 있는데, 우리 벗의 마음은 두세 군데로 갈
려 있다. 책을 읽을 때는 또한 평이하게 읽어야 하나니, 이해가
가지 않는 부분은 일단 놓아두고서 너무 집착하지 말아야 한다."

伯敏問云: "以今年校之去年, 殊無寸進." 先生云: "如何要長進? 若
當爲者有時而不能爲, 不當爲者有時乎爲之, 這箇却是不長進. 不
恁地理會, 泛然求長進, 不過欲以己先人, 此是勝心." 伯敏云: "無
箇下手處." 先生云: "古之欲明明德於天下者, 先治其國, 欲治其國
者, 先齊其家. 欲齊其家者, 先修其身, 欲修其身者, 先正其心. 欲
正其心者, 先誠其意, 欲誠其意者, 先致其知. 致知在格物. 格物是
下手處." 伯敏云: "如何樣格物?" 先生云: "研究物理." 伯敏云: "天
下萬物不勝其繁, 如何盡研究得?" 先生云: "萬物皆備於我, 只要明

---

42) 『論語』「學而」.

理. 然理不解自明, 須是隆師親友." 伯敏云: "此間賴有季繹, 時相
勉勵." 先生云: "季繹與顯道一般, 所至皆勉勵人, 但無根者多, 其
意似欲私立門戶, 其學爲外不爲己. 世之人所以攻道學者, 亦未可
全責他. 蓋自家驕其聲色, 立門戶與之爲敵, 曉曉騰43)口實, 有所
未孚, 自然起人不平之心. 某平日未嘗爲流俗所攻, 攻者却是讀語
錄精義者. 程士南最攻道學, 人或語之以某, 程云: '道學如陸某, 無
可攻者.' 又如學中諸公, 義均骨肉, 蓋某初無勝心, 日用常行, 自有
使他一箇敬信處. 某舊日伊・洛文字不曾看, 近日方看, 見其間多
有不是. 今人讀書, 平易處不理會, 有可以起人羨慕者, 則着力硏
究. 古先聖人, 何嘗有起人羨慕者? 只是此道不行, 見有奇特處, 便
生羨慕. 自周末文弊, 便有此風. 如唐虞之時, 人人如此, 又何羨
慕? 所以莊周云: '臧與穀共牧羊, 而俱亡其羊. 問臧奚事? 曰, 博塞
以遊. 問穀奚事? 曰, 挾策讀書. 其爲亡羊一也.' 某讀書只看古註,
聖人之言自明白. 且如'弟子入則孝, 出則弟', 是分明說與你入便
孝, 出便弟, 何須得傳註. 學者疲精神於此, 是以擔子越重. 到某這
裏, 只是與他減擔, 只此便是格物." 伯敏云: "每讀書, 始者心甚專,
三五遍後, 往往心不在此. 知其如此, 必欲使心在書上, 則又別生
一心. 卒之方寸擾擾." 先生云: "此是聽某言不入, 若聽得入, 自無
此患. 某之言打做一處, 吾友二三其心了. 如今讀書, 且平平讀, 未
曉處且放過, 不必太殢."

9. 무문자(繆文子)는 자질이 부족해 힘을 많이 허비하는 편인데다가
바깥의 것을 흠모하며 유독 [외물]에 막혀 있다. 매번 그가 물러날
때 보면 그물에서 벗어나지 못하는 것만 같다. 하늘이 내게 준 것

---

43) [원주] '騰'은 원래 '勝'이라고 되어 있으나, 아래에 '騰口'라는 표현이 수 차례
보이는 것으로 보아 '騰'이 되어야 옳다. 뜻에 의거해 고친다.

이 지극히 크고, 지극히 강하고, 지극히 곧고, 지극히 평탄하고, 지극히 공정하거늘, 이렇게 작고 사사로워서야 도대체 어찌 사람이 되겠느냐? 이 마음을 공평하고 정직하게 만들어야 한다. "치우치거나 무리지음이 없으면 왕도가 드넓고, 무리지음이나 치우침이 없으면 왕도가 평평하며, 뒤집히거나 기욺이 없으면 왕도가 곧아진다."[44] 나는 오늘 포현도(包顯道)에게 쓴 편지에서 이렇게 말했다. "옛날의 배움은 명성을 구하지 않고, 승부를 따지지 않고, 재지(才智)에 의지하지 않고, 공능(功能)을 긍지로 여기지 않았다. 오늘날의 배움은 딱 이와 반대이다."

繆文子資質亦費力, 慕外尤殢, 每見他退去, 一似不能脫羅網者. 天之所以予我者, 至大, 至剛, 至直, 至平, 至公. 如此私小做甚底人? 須是放敎此心, 公平正直. "無偏無黨, 王道蕩蕩, 無黨無偏, 王道平平. 無反無側, 王道正直." 某今日作包顯道書云: "古人之學, 不求聲名, 不較勝負, 不恃才智, 不矜功能. 今人之學, 正坐反此耳."

10. 개보(介甫: 王安石)의 글을 읽으니 그는 매사를 법도로 귀결시켰다. 이것이 바로 개보가 천하를 망친 이유이다. 요·순·삼대(三代: 夏·殷·周) 때 비록 법도가 있었다 해도 그 언제 이것만을 전적으로 믿었던 적이 있었던가? 또 호마법(戶馬法)과 청묘법(青苗法)이 과연 요·순·삼대와 부합하는지 모르겠다. 하지만 당시 개보를 비판하던 자 중에 개보의 법도에 나아가 그 과실을 언급한 자는 하나도 없고, 그저 "남을 자기와 똑같이 만들기를 좋아한

---

44) 『尙書』「洪範」.

다."거나 "조종의 법은 바꿀 수 없다."라고 말했을 뿐이다. 요임금
의 법은 순임금이 바꾸었고, 순임금의 법은 우임금이 바꾸었다.
조종의 법에도 마땅히 바꾸어야 하는 것이 있다. 만약 바꾸어서
그 결과가 훌륭하다면, 그 사람과 같아진들 싫어할 게 어디 있겠
는가? 옛날에는 도덕이 하나였고 풍속도 같았다. 지극한 온당함
은 하나로 귀결되고, 정밀한 뜻에는 둘이 없으며, 옛날과 같아지
는 것은 바로 아름다워지는 방법이기도 했다. 안타깝게도 이러한
의론으로써 그를 비판하지 못하고, 오직 "조종의 법은 바꿀 수 없
다."라고만 말하였다. 그러니 개보처럼 재주가 높은 사람이 어찌
승복하려 했겠는가? 오직 한 위공(韓魏公)[45]만이 "백성을 이롭게
하려다가 도리어 해를 끼칠 것"이라고 논했을 뿐인데, 이는 매우
타당한 논의이다. 혹자는 개보가 이(利)를 말해서는 안 되었다고
말한다. 하지만 『주관(周官)』이라는 책에서는 이재를 논한 것이
반을 차지하고 있다. "총재는 나라의 경비를 정한다."[46] "재물을
잘 관리하고 법령을 올바르게 정비한다."[47]고 하였으니, 옛 사람
이 그 언제 이(利)를 이해하지 못했던가? 다만 삼사(三司)에서 하
고 있는 일이 옛 사람들이 말한 이(利)가 아닐까 걱정스러울 뿐이
다. 이런 것은 논하지는 않고서 이(利)를 말했다며 개보를 폄하하

---

45) 韓琦(1008~1075), 字는 稚圭이며 相州安陽(지금의 河南省 安陽) 사람이다.
    天聖 5년(1027)에 진사가 되어 평생 동안 仁宗 · 英宗 · 神宗 세 황제를 모시며
    西夏와의 전쟁이나 慶歷 新政 등 많은 사건을 겪었다. 10년 간 재상을 지냈고,
    지방으로 폄적되어 십여 년의 지방관 생활도 했으나, 북송의 번영에 크나 큰
    공헌을 하였다.
46) 『禮記』「王制」.
47) 『周易』「繫辭上」.

다니, 개보라고 왜 할 말이 없었겠는가? 그래서 모두들 그를 어찌하지 못하는 지경에 이르고 말았던 것이다. 혹자가 물었다. "개보를 상앙(商鞅)과 비교해보면 어떻습니까?" 선생께서 말씀하셨다. "상앙은 현실의 땅을 딛고 걸었던 사람이다. 그래서 왕도(王道)이건 패도(覇道)이건 따지지 않고 일만 이루어질 수 있기를 바랐던 것인데, 이것이 도리어 미리 그 규모를 한정짓고 말았다. 개보는 요·순·삼대의 명성을 흠모하였으나 현실에 발을 디디지 않았다. 그래서 그가 이룬 것은 왕도도 아니요 패도도 아니었다. 그 근본 원인인즉 모두가 격물(格物)에 능하지 못한 탓에 모습만 그럴듯한 것을 모색하며 요·순·삼대도 이러했을 뿐이라고 여겼던 데에 있다. 그러므로 학자란 먼저 이치를 궁구해야 한다."

讀介甫書, 見其凡事歸之法度, 此是介甫敗壞天下處. 堯·舜·三代雖有法度, 亦何嘗專恃此? 又未知戶馬·靑苗等法果合堯·舜·三代否? 當時關介甫者無一人就介甫法度中言其失, 但云"喜人同己", "祖宗之法不可變." 夫堯之法, 舜嘗變之, 舜之法, 禹嘗變之, 祖宗法自有當變者, 使其所變果善, 何嫌於同? 古者道德一, 風俗同, 至當歸一, 精義無二, 同古者適所以爲美. 惜乎無以此關之, 但云"祖宗法不可變." 介甫才高, 如何便伏? 惟韓魏公論靑苗法云: "將欲利民, 反以害民." 甚切當. 或言介甫不當言利, 夫『周官』一書理財者居半, "冢宰制國用", 理財正辭, 古人何嘗不理會利? 但恐三司等事, 非古人所謂利耳. 不論此, 而以言利遏之, 彼豈無辭? 所以率至於無奈他何處. 或問: "介甫比商鞅何如?" 先生云: "商鞅是脚踏實地, 他亦不問王霸, 只要事成, 却是先定規模. 介甫慕堯·舜·三代之名, 不曾踏得實處, 故所成就者, 王不成, 霸不就. 本原皆因不能格物, 模索形似, 便以爲堯·舜·三代如此而已. 所以學者先要窮理."

11. 후생이 가장 하기 어려운 것은 스스로 서는 일이다. 한 사람의 힘으론 유속에 맞서지 못한다. 모름지기 높은 곳에 시선을 두고 유속을 깨뜨려야만 가능하다. 하지만 이것이 어찌 자잘한 청렴과 곡진한 근신으로 해낼 수 있는 일이겠는가? 반드시 호걸스러운 사인이라야 가능할 것이다. 호(胡) 어르신께서 회옹(晦翁)의 말을 거론하며 말했다. "호걸이면서 성인이 되지 못한 자는 있지만, 성인이면서 호걸이 아닌 자는 없다." 선생께서 말씀하셨다. "옳은 소리입니다."

後生自立最難. 一人力抵當流俗不去, 須是高着眼看破流俗方可. 要之, 此豈小廉曲謹所能爲哉? 必也豪傑之士. 胡丈因擧晦翁語云: "豪傑而不聖人者有之, 未有聖人而不豪傑者也." 先生云: "是."

12. 글 짓는 법에 관해 묻자 선생께서 말씀하셨다. "『한서(漢書)』와 『사기(史記)』, 한유(韓愈)와 유종원(柳宗元), 구양수(歐陽脩)와 소식(蘇軾), 윤사로(尹師魯: 尹洙)와 이기수(李淇水: 李淸臣)의 글에는 오류가 없다. 후생들은 오로지 독서만 생각하는데, 이른바 독서란 모름지기 물리를 밝히 보고 사정(事情)을 가늠하고 형세를 논해야 하는 것이다. 또한 사서(史書)를 읽을 적에는 성공하고 패한 원인, 옳고 그른 부분을 보아야만 한다. 유유히 빠져들어 음미하면서 한참 읽다 보면 저절로 공력을 얻게 된다. 이런 식으로 서너 권의 책을 읽는다면 3만 권의 책을 읽는 것보다 낫다."

問作文法, 先生云: "讀『漢』·『史』·韓·柳·歐·蘇·尹師魯·李淇水文不誤. 後生惟讀書一路, 所謂讀書, 須當明物理, 揣事情, 論事勢. 且如讀史, 須看他所以成, 所以敗, 所以是, 所以非處. 優游涵泳, 久自得力. 若如此讀得三五卷, 勝看三萬卷."

13. 내게 물으셨다. "글 짓는 것이 어떠하냐?" 내가 말했다. "요즘 [韓 愈의]「원도(原道)」등을 읽고 있는데, 아직 다 외지도 못했을 뿐 더러 망연히 어디부터 들어가야 좋을지 모르겠습니다." 선생께서 말씀하셨다. "『좌전(左傳)』은 한유나 유종원(柳宗元)보다 심오하 여 입문하기가 쉽지 않다. 소식(蘇軾)의 글부터 읽는 게 좋겠다. 그밖에 다른 진보는 있느냐? 나의 벗은 어떠한 뜻을 지니고 있느 냐?" 내가 말했다. "성인이 되고자 바라는 마음에 지금도 감히 방 비하고 막는 일을 폐하지 않고 있습니다." 선생께서 말씀하셨다. "어떻게 방비하고 막느냐?" 내가 말했다. "마땅히 해야 할 일을 하 고 있습니다." 선생께서 말씀하셨다. "성인이라 하여도 그저 이와 같을 따름일 것이다. 하지만 나의 벗께서는 근래에 정신이 온통 축 쳐져서 예전의 부지런하던 모습이 보이지 않는구나. 나태해진 것이 아니라면 이설(異說)에 의해 망가진 것이다. 사람이 학문을 할 적에는 나날이 새로워지는 공력이 있어야지 축 쳐져서는 안 된다. 소요부(邵堯夫: 邵雍)의 시 중에 이런 게 있다. '단련할 적 에 굳건히 우뚝 서면, 절차탁마한 곳에 이르러 빛을 발하리.' 절차 탁마하고 단련하면 이 이치가 밝아지리니, 냇물이 불어나듯, 나무 가 무성해지듯, 자연히 끊임없이 날로 나아갈 것이다. 나의 벗께 서 답답하게 정해진 것만 지키고 있으니, 무슨 수로 마땅히 해야 할 바를 행할 수 있겠는가? '널리 배우고, 자세히 묻고, 신중히 생 각하고 밝게 변별하고, 독실히 시행하라.'[48]고 하였다. 널리 배우 는 것이 먼저이고 힘써 행하는 것이 나중인 것이다. 나의 벗은 아 직 배움이 넓지 않거늘, 어떻게 그 행하는 바가 마땅히 해야 할

---

48) 『中庸』 20장.

일인지 해서는 안 될 일인지 알 수 있겠느냐? 방비하고 막는 일은 옛 사람들 또한 그리 하셨다. 그러나 그분들의 방비하고 막음은 나의 벗과 달랐다. 나의 벗은 억지로 다잡아 쥐고 있다. 고자(告子)는 마음이 움직이지 않을 때까지 억지로 다잡아 쥐었으니, 어찌 어려운 일이 아니었겠는가마는 여전히 올바르지는 않았다. 내가 평소에 그대에게 이야기해준 것은 하늘에서 부여받아 간과 폐로부터 우러난 것들뿐이었다. 이는 내가 본디 가지고 있는 것이거늘, 내가 언제 억지로 다잡아 쥐려고 한 적이 있더냐? 그대도 중간에 [마음이] 명쾌해지는 때가 있었다고 말한 바 있거늘, 오늘은 또 어찌하여 이렇게 되었느냐?" 내가 말했다. "뜻이 흡족할 때도 있습니다. 그럴 때는 제가 본래 지니고 있는 근본이 무엇인지 알 수 있어서 억지로 다잡아 쥘 필요가 없습니다. 다만 오래 가지 못할 뿐입니다. 방비하고 막는 일을 조금만 느슨히 하면 곧 물욕에 의해 해를 입고 맙니다." 선생께서 말씀하셨다. "죄란 항상 오래가지 못하는 법이거늘, 무엇 때문에 억지로 다잡아 쥐려 한단 말이냐? 여러 모로 힘만 들 뿐이며, 가끔씩 뜻이 흡족해지는 것 또한 우연일 뿐이다." 내가 말했다. "생각을 다잡아 쥐지 않는다면 착수할 곳이 없습니다." 선생께서 말씀하셨다. "어찌하여 진작에 묻지 않았느냐? 이 일만은 마땅히 해야 하는지 해서는 안 되는지에 관한 것이다. 마땅히 해야만 하는 큰일은 하려고 하지 않으면서 또 무슨 말을 한단 말이냐? 내가 평상시에 노형에게 한 말을 모두 다 잊은 듯하구나." 내가 말했다. "선생께서 늘 하셨던 놓친 마음을 구하라, 뜻을 세우라 등의 말씀은 모두 분명히 기억하고 있습니다." 선생께서 말씀하셨다. "지금이야 말로 마음을 놓쳤는데도 찾을 줄을 모르고 있구나. 만약 스스로 능히 선 바가 있다면, 어떻게 이런 지경에 이르렀겠느냐?" 내가 말했다. "어떻게 서야 합니까?" 선생께서 말씀하셨다. "네가 서는 것인데, 도리어 내게 어떻게 서느냐고 묻는단 말이냐? 똑바로 설 수만 있다면 다잡아 줄 필요가 어디 있겠느냐? 나의 벗이 나를 처음 찾아왔을 때는 분명히 이러한 이치를 잘 알고 있었는데, 후에 이단에 의해 망가지고 말았다. 이단이란 불교와 노장(老莊)을 가리키는 것이 아니다. 이 이치와 생각을 달리한다면, 예컨대 주계역(朱季繹)과 같은 무리라면 곧 이단인 것이다. 공자의 문하에서 오직 안자(顔子)와 증자(曾子)만이 도를 이어받았고, 다른 사람들은 도를 듣지 못하였다. 안자와 증자는 안으로부터 밖으로 우러나왔으나 다른 사람들은 밖에서 안으로 집어넣었기 때문이다. 지금 전해지는 것은 자하(子夏)와 자장(子張)의 무리가 밖에서 안으로 집어넣어 펼친 학문이다. 증자가 전한 학문은 맹자에 이르러 더 이상 전해지지 않았다. 나의 벗은 근본을 이해하지 못하고 도리어 문자만 이해하고 있다. 내실이 크면 소리도 웅장하다고 했다. 만약 근본이 튼튼하다면, 문장을 제대로 쓰지 못할까봐 겁내겠느냐? 지금 나의 벗처럼 문자는 문자고 학문은 학문이다, 이런 식으로 끊임없이 구별한다면, 어찌 두 동강만 나겠느냐? 장차 산산이 부서지고 말 것이다." 선생께서 물으셨다. "요즘 일용 중의 평소 행동이 강건하게 느껴지느냐? 흉중이 명쾌하게 느껴지느냐?" 내가 말했다. "요즘은 다른 일은 다 관여치 아니하고 오직 나에게도 뜻이 흡족했던 때가 있었다는 것만 이해하려고 노력하고 있습니다." 선생께서 말씀하셨다. "이것이 곧 학문의 근원이다. 만약 해이해지지 않은 채 어둡고 구석진 방에서도 이와 같이 하면서, 황망한 중에도 반드시 인(仁)에 있고 넘어지는 중에도 반드시 인에 있을 수만 있다면,49) 성취하지 못할까 근심할 게 무엇이겠느냐? '군자는 이로써 스스로 밝은 덕을 밝히느니라.'50) 옛날에 밝은 덕을 천하에 밝히고자 했던 자들은 앎에 이르는 것에 힘썼으며, 앎에 이르는 것은 격물에 달려 있었다. 옛날의 학자들은 스스로를 위해 [학문을] 했다. 따라서 스스로 밝은 덕을 밝히어 먼저 자신의 덕이 밝아진 연후에 그 밝음을 천하에 미루어 나갔다. 궁에서 종이 울리면 저 바깥까지 소리가 들리고, 하늘에서 학이 울면 하늘까지 그 소리가 들린다고 하였으니, 내 안에 있는 것을 다하면 저절로 가려지지 않는 법이다. 오늘의 학자는 오직 지엽에만 마음을 쏟으면서 실질을 구하지 않는다. 맹자께서 말씀하셨다. '마음을 다하면 성(性)을 알게 되고, 성을 알게 되면 곧 하늘을 알게 된다.'51) 마음은 오직 하나의 마음이다. 나의 마음, 벗의 마음, 위로는 천 백년 전 성현의 마음, 아래로는 천 백년 후 또 다른 성현의 마음, 그 마음은 오직 이와 같을 뿐이다. 마음의 체량(體量)은 매우 커서, 능히 나의 마음을 다할 수 있다면 하늘과 같아질 수 있다. 학문을 한다는 것은 오직 '성(誠)이란 스스로 이루어지는 것이요, 도(道)란 스스로 행해야 하는 것이다.'52)는 말씀을 이해하는 것일 뿐이니, 언제 구설에 올린 적이 있더냐?" 내가 말했다. "어떻게 하면 마음을 다할 수 있습니까? 성(性)·재(才)·심(心)·정(情)은 어떻게 구별합니까?" 선생께서 말씀하셨다. "벗이 지금 한 말 또한 지엽이다. 하지만 이는 벗의 잘못이 아니라 온 세상의 폐단이다. 오늘날

---

49) 『論語』「里仁」.
50) 『周易』「晉卦」의 象辭.
51) 『孟子』「盡心上」.
52) 『中庸』 25장.

학자들은 책을 읽으면서 오직 글자만 해석할 뿐, 달리 혈맥을 찾지 않는다. 게다가 정·성·심·재는 그저 같은 것인데, 우연히 말이 달라졌을 뿐이다." 내가 말했다. "혹 같은 데서 나왔는데 이름만 다른 것입니까?" 선생께서 말씀하셨다. "설명해서는 안 된다. 설명하면 바로 틀려져버리고 훗날 구설에만 오를 뿐이며, 이는 남을 위하는 학문이지 나를 위하는 학문이 아닌 셈이 된다. 자신의 실처(實處)만 이해할 수 있으면 훗날 자연히 분명해진다. 만약 기어이 설명하라고 한다면, 하늘에 있으면 성(性)이고, 사람에게 있으면 심(心)이다. 하지만 이는 벗의 질문에 응해 답해준 말일 뿐, 기실 반드시 이와 같을 필요는 없다. 마음에 누가 되는 것을 모두 제거할 수 있다면, 벗께서 뜻이 흡족했던 때란 바로 지금일 것이다. '우산(牛山)의 나무'[53] 한 단락의 혈맥은 오직 인의(仁義)에 있다. '재목이 없었다고 여긴다.' '이것이 어찌 산의 본성이겠는가?' '이것이 어찌 사람의 정(情)이겠는가?'는 우연히 언급된 말이었을 뿐더러 애초부터 구별할 필요조차 없다. 내가 벗에게 이 단락을 읽으라고 한 것은 벗이 도끼가 재목을 해친다는 사실을 알고서 그 마음을 경계했으면 하는 뜻에서였다. '밤낮으로 자라나고[日夜之所息]'에서 식(息) 자는 쉬다[歇]의 뜻으로 숨 쉬고 살아감[生息]을 뜻하기도 한다. 사람의 양심이 도끼에 의해 해를 입더라도 밤이 되면 휴식을 얻을 수 있다. 만약 밤에 휴식을 얻을 수 있게 되면 아침에 일어났을 때 그 사람의 호오(好惡)는 보통 사람과 크게 달라져 있을 것이다. 그러나 낮에 하는 일이 다시 쉬지 않고 양심을 가두고 사라지게 하는 짓이라면, 나중에는 밤이

---

53) 『孟子』「告子上」.

되어도 휴식을 얻을 수 없다. 잠들어서도 [모든 순서가] 전도되고, 생각도 어지러워져 마침내는 금수가 되어버리는 지경에 빠지고 말 것이다. 사람들은 그의 이와 같은 모습만 보고 그가 재목이었던 적이 없다고 여기지만, 이것이 어찌 사람의 정(情)이겠는가? 실처를 이해하고자 한다면 마음에 나아가 이해해야 한다. 속담에 이르기를, '어리석은 자 앞에서는 꿈 이야기를 해서는 안 된다.'고 하였고, 또 '사자는 사람을 물고, 미친개는 흙덩이를 쫓는다.'[54]고 하였다. 흙으로 사자를 때리면 곧장 달려와 사람을 물지만 개를 때리면 개는 미쳤기 때문에 오로지 흙만 안다는 뜻이다. 성인께서 사람을 가르치려는 마음이 급하다 보니 정(情)과 성(性)과 심(心)과 재(才)라는 말을 들어 설명하신 것이거늘, 어찌하여 그런 것에 집착하느냐? 만약 노형이 다른 사람에게 이야기했다면, 분명 어떤 것이 심이고, 어떤 것이 성이고, 정이고 재인지 설명하려 들었을 것이다. 이렇게 분명히 설명해도 좋지만 여전히 나와는 상관없는 일이다. 모름지기 혈맥과 골수에 나아가 실처를 이해해야만 한다. 독서란 모두 이와 같다." 양기(養氣) 단락[55]에 관해 묻자 선생께서 말씀하셨다. "이건 더욱이 혈맥을 구해야 한다. '나는 나의 호연지기(浩然之氣)를 잘 기른다.'는 말만 이해하면 되나니, 나의 벗이 뜻이 흡족할 때, 다른 일은 알려고 하지 않을 때, 그 때가 바로 '호연'한 상태이다. [곧음으로] 길러서 해치지 않으면 천지 사이에 가득 찬다.' '이는 의가 모여서 도달하는 경지이

---

54) 『傳燈錄』에 나오는 말이다. 흙덩이를 개에게 던지면 그것이 먹을거리인가 하고 그것을 쫓아가 냄새를 맡는다. 그러나 사자는 그 흙덩이를 쳐다보지도 않고 그것을 던진 사람을 문다는 뜻이다.
55) 『孟子』「公孫丑上」.

니, 의를 갑자기 빼앗아 취한다고 도달할 수 있는 경지가 아니다.'
당시 맹자는 고자와 변론을 하고 있었는데, 고자의 뜻은 '남의 말
이 이해되지 않더라도 이것을 마음 써서 알려하지 말라.'에 있었
으니, 이는 곧 외면을 다잡아 쥐고 있는 셈이었다. 요컨대 그 역
시 공자 문하 중의 다른 파(派)였으므로 훗날 한 곳에서 모일 수
도 있었겠지만 끝내 자연스럽지 못했을 뿐이다. 맹자는 자사(子
思)에게서 나왔으니, 함양하여 성취를 이룬 자라 할 수 있다. 그
래서 '이는 의가 모여서 생겨나는 것'이라고 말한 것이다. 의가 모
였다는 것은 그저 선이 쌓였다는 말이나. '행동하여서 마음에 만
족하지 못하는 것이 있으면 궁핍하게 된다.'고 했다. 만약 일을 행
함에 있어 마음에 마땅치 않은 바가 있다면 어떻게 호연해질 수
있겠느냐? 이 모든 말들은 다 고자를 내치기 위해 한 것들이다."
또 용(勇)을 기르는 것과 [不動心]의 차이에 대해 여쭈었더니 선
생께서 말씀하셨다. "이는 그저 나란히 가는 것들이다. 북궁(北
宮)의 마음 씀은 바깥에 있었으니, 고자가 말한 것처럼 '남의 말이
이해되지 않더라도 이것을 마음 써서 알려하지 않은' 사람이었다.
시사(施舍)의 마음 씀은 안에 있었으니, 맹자가 말한 '행동하여서
마음에 만족하지 못하는 것이 있으면 궁핍하게 된다.'에 해당하는
사람이었다. 그런데 시사는 증자를 닮고 북궁은 자하를 닮았다고
했다.56) 닮았다라고 한 것은 마음 씀씀이의 안팎이 닮았다는 것

---

56) 『孟子』「公孫丑上」. "北宮黝가 勇을 기름은 살이 찔려도 움직이지 않고 눈을
피하지 않았으나, 털끝만큼이라도 남에게 挫折당했다고 생각되면 마치 시장에
서 매 맞은 것처럼 여겼다. 헐렁한 옷 입은 천한 자에게도 좌절당하지 않고,
萬乘의 군주에게도 좌절당하지 않아, 萬乘의 君主 찌르기를 천한 사내 찌르듯
하고, 엄한 제후가 없어 나쁜 소리가 이르면 반드시 보복하였다. 孟施舍가 勇을

이지 정말로 그들이 [증자와 자하에] 미칠 수 있었다는 말은 아니다. 맹자의 말씀은 모두 당시 사람들이 스스로를 너무 낮은 데 두고서 성인을 너무 높이 보고, 또 스스로만 낮은 데 두는 게 아니라 다른 사람까지 낮은 데 두기 때문에 나온 것들이었다. '이들과 어찌 족히 더불어 인의를 이야기할 수 있겠는가?'[57]와 같은 말에서 이러한 사실을 족히 알 수 있다. 하늘이 내게 부여한 것이 처음에는 모두 똑같았다는 것을 모르고서, '재목이 있었던 적이 없다.'고 여기는 부류들은 재목이란 성인만 가지고 있는 것이지 내게는 없는 것이며 감히 감당할 수도 없는 것이라고들 치부해버린다. 그래서 맹자께서 재목이란 사람이면 모두가 가지고 있는 것인데, 도끼에 의해 해를 입는 바람에 금수로 몰락하고 말았으나, 이 마음을 능히 함양할 수 있다면 이내 성현이 될 수 있다고 말씀하셨던 것이다. 『맹자』를 읽을 때에는 모름지기 맹자께서 그런 말씀을 하신 뜻이 무엇인지를 이해해야 한다. 혈맥을 알지 못하고서 장구(章句)에만 함몰된다면 무슨 보탬이 되겠느냐?"

기름은 '지는 것 보기를 이긴 것과 같이하니, 적을 헤아려 나아가고 승리를 생각한 뒤 교전한다면 이는 三軍을 두려워하는 것이다. 내 어찌 능히 승리를 기필할 수 있겠는가? 능히 두려워하지 않을 수 있을 뿐이다.'라고 하였다. 孟施舍는 曾子와 비슷하고, 北宮黝는 子夏와 비슷하니, 이 두 사람의 勇 중에 누가 나은지 알지 못하겠으나 孟施舍는 지킴이 간약하다.(北宮黝之養勇也, 不膚撓, 不目逃, 思以一毫挫於人, 若撻之於市朝, 不受於褐寬博, 亦不受於萬乘之君, 視刺萬乘之君, 若刺褐夫, 無嚴諸侯, 惡聲至, 必反之. 孟施舍之所養勇也, 曰 '視不勝, 猶勝也, 量敵而後進, 慮勝而後會, 是畏三軍者也. 舍豈能爲必勝哉? 能無懼而已矣.' 孟施舍似曾子, 北宮黝似子夏. 夫二子之勇, 未知其孰賢, 然而孟施舍守約也.)"

57) 『孟子』「公孫丑下」.

問伯敏云: "作文如何?" 伯敏云: "近日讀得「原道」等書, 猶未成誦, 但茫然無入處." 先生云: "『左傳』深於韓·柳, 未易入, 且讀蘇文可也. 此外別有進否? 吾友之志要如何?" 伯敏云: "所望成人, 目今未嘗敢廢防閑." 先生云: "如何樣防閑?" 伯敏: "爲其所當爲." 先生云: "雖聖人不過如是. 但吾友近來精神都死, 却無向來亹亹之意, 不是懈怠, 便是被異說壞了. 夫人學問, 當有日新之功, 死却便不是. 邵堯夫詩云, '當鍛鍊時分勁挺, 到磨礲處發光輝.' 磨礲鍛鍊, 方得此理明, 如川之增, 如木之茂, 自然日進無已. 今吾友死守定, 如何會爲所當爲? '博學, 審問, 謹思, 明辨, 篤行', 博學在先, 力行在後. 吾友學未博, 焉知所行者是當爲, 是不當爲? 防閑, 古人亦有之, 但他底防閑與吾友別. 吾友是硬把捉. 告子硬把捉, 直到不動心處, 豈非難事? 只是依舊不是. 某平日與兄說話, 從天而下, 從肝肺中流出, 是自家有底物事, 何嘗硬把捉? 吾兄中間亦云有快活時, 如今何故如此?" 伯敏: "固有適意時, 亦知自家固有根本, 元不待把捉, 只是不能久. 防閑稍寬, 便爲物欲所害." 先生云: "此則罪在不常久上, 却如何硬把捉? 種種費力, 便是有時得意, 亦是偶然." 伯敏云: "却常思量不把捉, 無下手處." 先生云: "何不早問? 只此一事是當爲不當爲. 當爲底一件大事不肯做, 更說甚底? 某平日與老兄說底話, 想都忘了." 伯敏云: "先生常語以求放心, 立志, 皆歷歷可記." 先生云: "如今正是放其心而不知求也, 若果能立, 如何到這般田地." 伯敏云: "如何立?" 先生云: "立是你立, 却問我如何立? 若立得住, 何須把捉? 吾友分明是先曾知此理來, 後被異端壞了. 異端非佛老之謂. 異乎此理, 如季繹之徒, 便是異端. 孔門惟顔·曾傳道, 他未有聞. 蓋顔·曾從裏面出來, 他人外面入去. 今所傳者, 乃子夏·子張之徒, 外入之學. 曾子所傳, 至孟子不復傳矣. 吾友却不理會根本, 只理會文字. 實大聲宏, 若根本壯, 怕不會做文字? 今吾友文字自文字, 學問自學問, 若此不已, 豈止兩段? 將百碎."

問: "近日日用常行覺精健否? 胸中快活否?" 伯敏云: "近日別事不
管, 只理會我亦有適意時." 先生云: "此便是學問根源也. 若能無懈
怠, 暗室屋漏亦如此, 造次必於是, 顚沛必於是, 何患不成? 故云'君
子以自昭明德.' 古之欲明明德於天下者, 在致其知, 致知在格物.
古之學者爲己, 所以自昭其明德. 己之德已明, 然後推其明以及天
下. 鼓鍾于宮, 聲聞于外, 鶴鳴于九臯, 聲聞于天, 在我者旣盡, 亦
自不能掩. 今之學者, 只用心於枝葉, 不求實處. 孟子云: '盡其心者
知其性, 知其性則知天矣.' 心只是一箇心, 某之心, 吾友之心, 上而
千百載聖賢之心, 下而千百載復有一聖賢, 其心亦只如此. 心之體
甚大, 若能盡我之心, 便與天同. 爲學只是理會此'誠者自成也, 而
道自道也', 何嘗騰口說?" 伯敏云: "如何是盡心? 性·才·心·情,
如何分別?" 先生云: "如吾友此言, 又是枝葉. 雖然, 此非吾友之過,
蓋擧世之弊. 今之學者讀書, 只是解字, 更不求血脉. 且如情·性·
心·才, 都只是一般物事, 言偶不同耳." 伯敏云: "莫是同出而異名
否?" 先生曰: "不須得說, 說着便不是, 將來只是騰口說, 爲人不爲
己. 若理會得自家實處, 他日自明. 若必欲說時, 則在天者爲性, 在
人者爲心. 此蓋隨吾友而言, 其實不須如此. 只是要盡去爲心之累
者, 如吾友適意時, 即今便是. '牛山之木'一段, 血脉只在仁義上.
'以爲未嘗有材焉', '此豈山之性也哉?' '此豈人之情也哉?' 是偶然說
及, 初不須分別. 所以令吾友讀此者, 蓋欲吾友知斧斤之害其材,
有以警戒其心. '日夜之所息', 息者, 歇也, 又曰生息. 蓋人之良心
爲斧斤所害, 夜間方得歇息. 若夜間得息時, 則平旦好惡與常人甚
相遠. 惟旦晝所爲, 梏亡不止, 到後來夜間亦不能得息, 夢寐顚倒,
思慮紛亂, 以致淪爲禽獸. 人見其如此, 以爲未嘗有才焉, 此豈人
之情也哉? 只與理會實處, 就心上理會. 俗諺云: '癡人面前不得說
夢.' 又曰: '獅子咬人, 狂狗逐塊.' 以土打獅子, 便徑來咬人, 若打
狗, 狗狂, 只去理會土. 聖賢急於敎人, 故以情, 以性, 以心, 以才說

與人, 如何泥得? 若老兄與別人說, 定是說如何樣是心, 如何樣是性, 情與才. 如此分明說得好, 劉地不干我事, 須是血脉骨髓理會實處始得. 凡讀書皆如此." 又問養氣一段, 先生云: "此尤當求血脉, 只要理會'我善養吾浩然之氣.' 當吾友適意時, 別事不理會時, 便是'浩然'. '養而無害, 則塞乎天地之間.' '是集義所生者, 非義襲而取之也.' 蓋孟子當時與告子說, 告子之意, '不得於言, 勿求於心', 是外面硬把捉的. 要之亦是孔門別派, 將來也會成, 只是終不自然. 孟子出於子思, 則是涵養成就者, 故曰'是集義所生者.' '集義'只是積善. '行有不慊于心則餒矣', 若行事不當於心, 如何得浩然? 此言皆所以闢告子." 又問養勇異同, 先生云: "此只是比並. 北宮用心在外, 正如告子'不得於言, 勿求於心.' 施舍用心在內, 正如孟子'行有不慊於心則餒矣.' 而施舍又似曾子, 北宮又似子夏. 謂之似者, 蓋用心內外相似, 非眞可及也. 孟子之言, 大抵皆因當時之人處己太卑, 而視聖人太高. 不惟處己太卑, 而亦以此處人, 如'是何足與言仁義也'之語可見. 不知天之予我者, 其初未嘗不同. 如'未嘗有才焉'之類, 皆以謂才乃聖賢所有, 我之所無, 不敢承當着. 故孟子說此乃人人都有, 自爲斧斤所害, 所以淪胥爲禽獸. 若能涵養此心, 便是聖賢. 讀『孟子』須當理會他所以立言之意, 血脉不明, 沉溺章句何益?"

14. 내가 일찍이 시를 지은 적이 있다.

어지러운 가지와 잎일랑 추구하고 찾지 말지니
뿌리와 기둥에 이르러보면 오직 이 마음뿐이라네
줄도 없는 거문고 탔다고 도연명을 비웃지 말게
그 안에 감개 깊은 여음이 넉넉하나니

선생께서 고개를 끄덕이셨다. 직접 편집한 『어록』을 선생께 보여드렸더니, "잘 묶었구나. 다만 언어에 약간의 흠이 있어 남에게는 보여줄 수 없지만 스스로 간직하는 건 괜찮겠다. 또한 일시적으로 말한 내용들은 기록할 필요도 없다. 대개 남을 깨우치느라 마음이 다급하여 한 말들이라 하나 하나 따져보면 병폐가 없을 수는 없다." 이때 주계역(朱季繹)·양자직(楊子直)·정돈몽(程敦蒙)이 먼저 자리에 와있었는데, 선생께서 양자직에게 무엇을 근거로 삼아 학문을 하느냐고 물었다. 자직이 말했다. "성인의 말씀을 신봉하고 있습니다." 선생께서 말씀하셨다. "『예기』와 같은 책에서 '자왈(子曰)'이라고 한 부분은 모두가 성인의 말씀이다. 그대는 이 말들을 모두 신봉하는가? 아니면 그 사이에서 다시 선택을 하는가?" 자직은 아무 말도 하지 않았다. 선생께서 말씀하셨다. "만약에 모두 신봉한다고 한다면, 어떻게 모두 신봉할 수 있겠는가? 만약에 그 사이에서 다시 선택을 한다고 한다면, 이는 성인의 말씀을 신봉하지 않는 것이 된다. 사람들은 날 보고 독서를 가르치지 않는다고들 말하는데, 민구가 일전에 나를 찾아와 착수해야 할 지점을 묻자 나는 그에게 「여오(旅獒)」·「태갑(太甲)」·「고자(告子)」 '우산의 나무' 이하를 보라고 가르쳤다. 그러니 나라고 어찌 책을 읽지 않겠는가? 다만 사람들과 조금 다르게 볼 뿐이다."

伯敏嘗有詩云: "紛紛枝葉謾推尋, 到底根株只此心. 莫笑無弦陶靖節, 箇中三嘆有遺音." 先生首肯之. 呈所編『語錄』, 先生云: "編得也是, 但言語微有病, 不可以示人, 自存之可也. 兼一時說話有不必錄者, 蓋急於曉人, 或未能一一無病." 時朱季繹·楊子直·程敦蒙先在坐, 先生問子直學問何所據. 云: "信聖人之言." 先生云: "且如一部『禮記』, 凡'子曰'皆聖人言也. 子直將盡信乎? 抑其間有揀擇?" 子直無語. 先生云: "若使其都信, 如何都信得? 若使其揀擇, 却非信聖人之言也. 人謂某不敎人讀書, 如敏求前日來問某下手處, 某敎他讀「旅獒」·「太甲」·「告子」'牛山之木'以下, 何嘗不讀書來? 只是比他人讀得別些子.

이상 문인 민구 이백민이 기록하다
右門人李伯敏敏求所錄

〈포현도包顯道의 기록〉

1. 학자라면 모름지기 드넓고 강인해야 하니, 소인배 상을 하고 있으면 남의 미움을 산다. 소인들은 남이 일어나면 자기도 일어나고 남이 보면 자기도 본다. 그러니 어떻게 드넓고 깊고 고요한 마음으로 모든 것을 포용할 수 있겠는가? 이에 논하시기를, 명예를 다투려는 부류들은 아무런 일도 해결할 수 없다고 하셨다.

   學者須是弘毅, 小家相底得人憎. 小者, 他起你亦起, 他看你亦看, 安得寬弘沉靜者一切包容? 因論爭名之流, 皆不濟事.

2. 부성모(傅聖謨)는 뜻한 바가 없어 기꺼이 초목과 함께 썩고자 한다고 논하시면서 말씀하셨다. "그는 기꺼이 이렇게 살고자 하는데, 그대는 능히 그렇지 않을 수 있겠나?" 이에 내가 거사(居士)께서는 광망한 자[狂者]를 극히 싫어하시면서 가장 풍속을 해친다고 말씀하시고, 오직 성질 급한 자[狷者]만을 좋아하셔서58) 자호를 우차거사(又次居士)59)로 정하셨다고 말씀드렸다. 선생께서 말씀하셨다. "이 말 또한 나름 운치가 있구나."

---

58) 『論語』 「子路」에 狂者와 狷者에 관한 내용이 보인다. "공자께서 말씀하셨다. '중도를 행하는 자를 얻어 함께 못한다면 반드시 狂者(미치광이, 뜻이 높은 자)와 狷者(고집쟁이, 뜻을 굽히지 않는 자)와 함께할 것이다. 광자는 진취성이 있고 견자는 하지 않는 바가 있다.'(子曰, '不得中行而與之, 必也狂狷乎. 狂者進取, 狷者有所不爲也.')"

59) 또 그 다음(又次)이란 中行을 실현하는 자 그 다음이라고 공자께서 말씀하신 광자와 견자의 삶을 선택하겠다는 마음에서 이러한 호를 취한 것이다.

因論傅聖謨無志, 甘與草木俱腐, 曰: "他甘得如此, 你還能否?" 因
言居士極不喜狂者, 云最敗風俗, 只喜猾者, 故自號又次居士. 先
生云: "此言亦有味."

3. 이어 재(才)와 부재(不才)에 관해 논하시며 말씀하셨다. "사람은
거하는 곳에 따라 기상이 달라지고, 먹고 입는 것에 의해 몸이 달
라진다.[60] 그런데 오늘날의 학자들은 세속의 그물에서 빠져나오
지도 못했는데, 어떻게 천하의 넓은 집에 거할 수 있겠느냐?"

因論子才不才事, 曰: "居移氣, 養移體. 今之學者出世俗籠絡亦不
得, 況能居天下之廣居?"

4. 평상시 해이해지기 시작할 때에는 혹 서적과 사서(史書)를 읽거
나, 혹 시가를 읊거나, 혹 한 가지 사리를 이해하려 하거나, 혹 책
상이며 붓이며 벼루를 정리함으로써 정신이 퍼뜩 나도록 도와야
한다. 그러나 이는 모두 의지하는 것들일 뿐, 모름지기 [그 원인
을] 간파해야 한다. 이에 해이함을 없애는 방법에 관해 여쭈었다.
선생께서 말씀하셨다. "반드시 '잠시라도 떨어질 수 없는 것'[61]이
무엇인지 알아야만 가능하다."

尋常懈怠起時, 或讀書史, 或誦詩歌, 或理會一事, 或整肅几案筆
硯, 借此以助精彩. 然此是憑物, 須要識破. 因問去懈怠, 曰: "要須
知道'不可須臾離'乃可."

---

60) 『孟子』「盡心上」에서 인용한 말이다.
61) 『中庸』 1장에 "도란 잠시도 떨어질 수 없는 것이다. 떨어질 수 있다면 이는
도가 아니다.(道也者, 不可須臾離也, 可離, 非道也.)"라는 말이 나온다.

5. 이는 대장부의 일이니, 저 소인배들은 감당해내기에 부족하다.

   此是大丈夫事, 么麼小家相者, 不足以承當.

6. 내게 물으셨다. "한동안 퇴보했다는 말을 많이 하던데, 과연 퇴보했는지 아닌지 모르겠구나. 만약 퇴보하지 않았다면 털끝만한 것이라도 잡아두어야 한다. 도량이 컸던 선배들이 크고 작은 것을 언제 따졌더냐? 큰일을 보고도 마치 보지 못한 척, 듣고도 듣지 못한 척하였다. 오늘날 약간이나마 기세등등한 자들을 보면 모두 무언가에 의지하고 있으니, 절대 스스로 섰다고 볼 수 없다. 나와 같은 사람이라면 단 한 글자도 알지 못한다 해도 당당한 한 사람이다."

   問楊云: "多時有退步之說, 不知曾果退否? 若不退, 絲毫許牽得住. 前輩大量的人, 看有甚大小? 大事他見如不見, 聞如不聞. 今人略有些氣燄者, 多只是附物, 元非自立也. 若某則不識一箇字, 亦須還我堂堂地做箇人."

7. 여러 곳에서 학자들의 순서를 매기던데, 오로지 남을 책망하는 말뿐이어서 적용할 수 없다.

   諸處論學者次第, 只是責人, 不能行去.

8. 나는 할 줄 아는 것이라곤 없고, 오직 병폐를 잘 알 뿐이다.

   老夫無所能, 只是識病.

9. 천민(天民)이라 함은 이윤(伊尹)과 같은 부류를 가리킨다.

   天民如伊尹之類.

10. 여쭈었다. "편지를 보내 왕순백(王順伯)을 공격하셨는데, 불가를 이야기한 것도 아니요, 유가를 이야기한 것도 아니요, 오직 이치만을 따르셨던 것입니까?" 말씀하셨다. "그렇다."

問: "作書攻王順伯, 也不是言釋, 也不是言儒, 惟理是從否?" 曰: "然."

11. 양경중을 선(禪)이라고 말할 수는 없다. 다만 아직 기질이 다 사라지지 않았을 뿐이다.

楊敬仲不可說他有禪, 只是尙有氣習未盡.

12. 설상선에게 말씀하시기를, 외면으로 사람을 보면 안 된다. 그 속을 능히 알 수 있으면 외면은 대략만 보아도 된다.

因說薛象先, 不可令於外面觀人, 能知其底裏了, 外面略可觀驗.

13. "당우 시절이 공자 때만 못하다."는 말은 틀렸다.

"唐虞之間, 不如洙·泗." 此語不是.

14. 윤대(輪對) 때 첫 번째 올린 차자(箚子)62)에서 '태종'이라는 처음 시작 부분을 읽자 주상께서 말씀하셨다. "군신지간이라면 모름지기 이와 같아야지." 선생께서 대답하셨다. "폐하께서, (운운), 천하의 크나 큰 행운입니다." '형적에 드러나지 않았다.' 부분을 읽자 주상께서 말씀하셨다. "다행히도 이런 깨우침이 있었구나." 이

---

62) 『육구연집』 권18에 보이는 「산정관 윤대 차자」를 참조하여 읽으면 이해가 쉽다.

어 말씀하셨다. "허물이 없어야 한다고 근심할 필요 없나니, 허물을 고치는 것이 중요하다는 말이 매우 훌륭하다." 선생께서 대답하셨다. "이것이 요임금이 되고, 순임금이 되고, 우임금 탕임금이되고, 문왕 무왕이 될 수 있었던 혈맥이자 골수요, 성학을 우러러보아야하는 이유인 것입니다." 오늘날의 용무를 읽을 때가 되자먼저 상주문을 아뢰었다. "신 이토록 우매하오나"로 시작하여 "강토가 아직 수복되지 않았고", "인구를 늘리고 물자를 모으며 백성들을 가르치고 군사를 훈련시키다."[63]에 이르렀을 때 주상께서 "때가 있을 것이다."라고 말씀하셨는데, 목소리가 매우 장엄했다. 선생께서 대답하셨다. "10년간 인구를 늘리고 물자를 모으며, 10년간 백성들을 가르치고 군사를 훈련시켜야 할 그런 때가 대체언제 오겠습니까? 지금 천하가 몹시 빈궁하여, 주도 빈궁하고 현도 빈궁하고 백성도 빈궁합니다." 그 내용이 몹시 상세하여 주상께서 달가워하지 않으셨다. 도(道)를 논한 두 번째 차자를 읽었더니 주상께서 말씀하셨다. "진(秦)·한(漢) 이래로 도를 아는 군주가 없었소." 거기에는 자부의 마음이 깊이 담겨 있었는데, 이야기중에 불교의 설 또한 매우 많았다. 선생께서 대답하셨다. "신 감히 명을 받들지 못하겠나이다. 신이 말하는 도는 이런 것이 아니옵니다. 인구를 늘리고 물자를 모으며 백성들을 가르치고 군사를훈련시킨다는 것이 바로 도입니다." 인재 알아보는 것을 논한 세번째 차자를 읽었더니 주상께서 말씀하셨다. "인재란 써본 후에야

---

63) 『左傳』「哀公元年」에 "월나라는 10년간 인구를 늘리고 물자를 모았으며, 10년간 백성들 가르치고 군사를 훈련시켰다.(越十年生聚. 而十年敎訓.)"는 표현이나온다. 나라를 부강하게 하는 것을 뜻한다.

알 수 있는 것이다." 선생께서 대답하셨다. "쓰기 전에 미리 알아보아야 한다는 뜻입니다."【그 내용을 기록한다.】 주상께서 또 말씀하셨다. "인재란 써본 후에야 할 수 있다." 후에 또 말씀하셨다. "이 안에 사람이 있다. (운운)" 선생께서 대답하셨다. "세상에서 알지 못하고 (운운) 천하에 인재가 없는 것은 집정대신들이 폐하의 명령에 제대로 부응하지 못하기 때문입니다." 주상께서는 아무 말씀도 하지 않으셨다. 네 번째 차자를 읽자 주상께서는 크게 칭찬하셨다. 다섯 번째 차자에서 기술한 내용도 매우 많다. 대전을 내려와 대여섯 길음 갔을 때 주상께서 말씀하셨다. "짐은 상세한 곳에는 공력을 기울이지 않는다. 오직 요강이 되는 곳만 홀을 잡고 서서 아뢰라." 그리고는 더 이상 윤대를 받지 않으셨다. 후에 왕겸중(王謙仲)이 말하기를, 그가 매번 윤대할 때면, 소관(小官)들은 그의 시종에도 미치지 못하는 것만 같았다고 하였다.

輪對第一箚, 讀'太宗'起頭處, 上曰: "君臣之間, 須當如此." 答: "陛下, 云云, 天下幸甚," 讀'不存形迹'處, 上曰: "賴得有所悔." 連說: "不患無過, 貴改過之意甚多." 答: "此爲堯, 爲舜, 爲禹·湯, 爲文·武, 血脉骨髓, 仰見聖學." 讀入本日處, 先乞奏云: "臣愚蠢如此", 便讀"疆土未復", "生聚敎訓"處, 上曰: "此有時", 辭色甚壯. 答: "如十年生聚, 十年敎訓, 此有甚時? 今日天下貧甚, 州貧, 縣貧, 民貧." 其說甚詳, 上無說. 讀第二箚論道, 上曰: "自秦·漢而下, 無人主知道", 甚有自負之意, 其說甚多說禪. 答: "臣不敢奉詔, 臣之道不如此, 生聚敎訓處便是道." 讀第三箚論知人, 上曰: "人才用後見." 答: "要見之於前意思."【志其辭】上又曰: "人才用後見." 後又說: "此中有人, 云云." 答: "天下未知, 云云, 天下無人才, 執政大臣未稱陛下使令." 上默然. 讀第四箚, 上贊歎甚多. 第五箚所陳甚多. 下殿五六步, 上曰: "朕不在詳處做工夫, 只在要處秉笏立聽." 不容更轉對.
後王謙仲云, 渠每常轉對, 恐小官不比渠侍從也.

15. 일에는 쉬운 것과 어려운 것이 있다. 정부(定夫)가 처음 왔을 때
나는 그와 이야기가 어려우리라 생각했으나 나중에는 도리어 말
이 잘 통했다. 그런데 그가 현도 형제들과 이야기하기 어렵다고
하기에 내가 힘껏 변론하여 말했다. 선생께서 말씀하셨다. "네게
는 보이지 않는 것이 있다." 그러나 나 또한 이에 대해 때론 의문
이 일곤 하여서, 사람이 어느 한 곳에 있으면 이치도 어느 한 곳
에 있는 것이라고 여겨왔다. 후에 다시 "아직 서로 합쳐지지 못했
을 뿐이다."라고 이해하긴 했으나 끝내 의문이 남았다. 그러다 선
생의 말씀을 듣자마자 그 대의를 깨칠 수 있었다. 선생께서 말씀
하시기를, "도는 천하에 두루 가득 차있어서 작은 틈조차 없다.
사단(四端)과 온갖 선(善)은 모두가 하늘이 내게 부여한 것이라,
사람이 수고롭게 꾸미거나 보탤 필요가 없다. 오직 사람 스스로
병폐가 있어 도(道)와 격리되었을 뿐이다." 또 말씀하셨다. "조금
만 무거워도 곧 병폐이다." 또 말씀하셨다. "조금만 가벼워도 곧
병폐이다." 나는 이에 깊이 깨달을 수 있었다.

事有難易. 定夫初來, 恐難說話, 後却聽得入. 覺得顯道昆仲說話
難, 予力辯之. 先生曰: "顯道隱藏在." 然予於此一路亦時起疑, 以
爲人在一處, 理在一處. 後又解云: "只是未相合." 然終是疑. 纔聞
先生說, 即悟得大意, 曰: "道遍滿天下, 無些小空闕. 四端萬善, 皆
天之所予, 不勞人粧點. 但是人自有病, 與他間隔了." 又云: "只一
些子重便是病." 又云: "只一些輕亦是病." 予於此深有省.

16. 도를 보게 된 후에는 이전의 작은 비루함을 보아야 한다. 군자가 도에 있어 귀히 여기는 바가 세 가지 있는데, 도 자를 제대로 설명하였다.[64] 몸을 움직이는 것, 말을 하는 것, 얼굴빛을 바르게 하는 것. 도가 이와 같아지면 사나움과 거만함도 저절로 멀어지고, 비루함과 거스르는 행동도 저절로 멀어진다.[65]

見道後, 須見得前時小陋. 君子所貴乎道者三, 說得道字好. 動容貌, 出辭氣, 正顔色. 其道如此, 須是暴慢自遠, 鄙倍自遠.

17. 사람이 도를 병들게 하는 이유는 첫째, 타고난 자질 때문이고 둘째, 점차 몸에 젖은 습관 때문이다.

人之所以病道者, 一資稟, 二漸習.

18. 도는 크다. 사람이 스스로 작게 할 뿐이다. 도는 공명정대하다. 사람이 스스로 사사로이 할 뿐이다. 도는 드넓다. 사람이 스스로 좁힐 뿐이다.

道大, 人自小之, 道公, 人自私之, 道廣, 人自狹之.

19. 이에 내가 말했다. 도란 배우기 어려워서, 지금 사람이 이제 겨우

---

64) "도 자를 제대로 설명하였다." 이 구절은 아무래도 어록을 편집한 이가 評語처럼 집어 넣은 것 같다. 문장의 흐름에 잘 부합하지 않는다.

65) 『論語』「泰伯」에 "군자가 도에 있어 귀중히 여기는 바가 세 가지 있으니, 움직일 때는 사나움과 거만함을 멀리하며, 얼굴빛을 바르게 할 때는 성실함에 가깝게 하며, 말소리를 낼 때는 비루함과 도리에 위배되는 것을 멀리하여야 한다.(君子所貴乎道者三, 動容貌, 斯遠暴慢矣, 正顔色, 斯近信矣, 出辭氣, 斯遠鄙倍矣.)라는 말이 나오는데, 여기서 인용한 것이다.

이것을 이해하여 바르게 되고서도 이내 다시 그릇되어 지고 마니, 이는 어째서인가? 이것이 흉중에서 병폐를 일으켰기 때문이다. 자기 견해와 의론이 병폐를 일으키고 있다는 것을 조금이나마 알게 되어 스스로 말할 수 있게 되었는데, 선생께서는 "또 한 바탕 쓸데없는 소리를 보탰구나. 한 가지 실질만 알게 되면 만 가지 허상이 다 깨지게 마련이다."라고 말씀하셨다.

予因說, 道難學, 今人纔來理會此, 便是也不是. 何故? 以其便以此在胸中作病了. 予却能知得這些子, 見識議論作病, 亦能自說. 先生曰: "又添得一場閑說話. 一實了, 萬虛皆碎."

20. 여전히 이전에 가졌던 견해들만 논하고 있는 것은 이 견해가 아직 제거되지 않았기 때문이다.

尚追惟論量前此所見, 便是此見未去.

21. 나는 일찍이 『순자』「해폐」의 "먼 것만 보면 가려지고, 가까운 것만 보면 가려지고, 가벼운 것만 보면 가려지고, 무거운 것만 보면 가려진다."와 같은 단락을 거론하며 훌륭한 말씀이라고 말했다. 선생께서 말씀하셨다. "훌륭하긴 하다. 그러나 그에게는 주인이 없다. 주인이 있으면 가까운 곳을 보아도 가려지지 않고, 먼 것을 보아도 가려지지 않는다. 가볍고 무거운 것도 마찬가지이다."

予擧『荀子』「解蔽」: "遠爲蔽, 近爲蔽, 輕爲蔽, 重爲蔽"之類, 說好. 先生曰: "是好, 只是他無主人. 有主人時, 近亦不蔽, 遠亦不蔽, 輕重皆然."

22. 모든 물체에는 다 형상이 있지만 오직 마음만은 형상이 없다. 그런데 어쩌면 이리도 심하게 사람을 다스리고 제어할 수 있는 것일까?

其他體盡有形, 惟心無形, 然何故能攝制人如此之甚?

23. 성인이라면 약간의 빼어남에 만족해서는 안 된다.

若是聖人, 亦逞一些子精彩不得.

24. 평생 하신 말씀 중에는 한 가지 주장도 없다.

平生所說, 未嘗有一說.

25. 확 트이게, 밝게, 평탄하게, 넓은 집, 바른 자리, 대도,[66] 편안한 집, 바른 길[67]은 무슨 순서인가? 도리어 비워두고서 거하지 않고, 버리고서 말미암지 않으니, 슬프도다!

廓然, 昭然, 坦然, 廣居, 正位, 大道, 安宅, 正路, 是甚次第? 却反曠而弗居, 舍而弗由, 哀哉!

26. 지난날의 죄악은 쳐내 없애도 무방하니, 보면 볼수록 좋지 않다.

---

66) 『孟子』「滕文公下」에 "천하의 넓은 집에 거하고, 천하의 바른 자리에 서서, 천하의 큰 길을 다닌다.(居天下之廣居, 立天下之正位, 行天下之大道.)는 말이 나온다.

67) 『孟子』「離婁上」에 "인은 사람의 편안한 집이요, 의는 사람의 바른 길이다. 편안한 집을 비워두고서 거하지 않고, 바른 길을 버리고서 말미암지 않으니, 슬프도다.(仁, 人之安宅也, 義, 人之正路也. 曠安宅而弗居, 舍正路而不由, 哀哉)"라는 말이 나온다.

새로 터득한 것은 드러내도 무방하니, 보면 볼수록 견고해진다.

舊罪不妨誅責, 愈見得不好, 新得不妨發揚, 愈見得牢固.

27. 이에 말씀하시기를, 정부(定夫)의 구습이 쉬이 사라지지 않지만, 만약 한 가지만 사라지면 백 가지가 다 사라질 것이라고 하셨다. 내가 회암(晦庵: 朱熹)도 매사에 깨치려 했으나 그렇게 하지 못했다고 하자 선생께서 말씀하셨다. "서로 비교해서는 안 된다. 이것이 곧 군소리이다."

因說定夫舊習未易消, 若一處消了, 百處盡可消. 予謂晦庵逐事爲他消不得. 先生曰: "不可將此相比, 他是添."

28. 큰 세계를 누리려하지 않고서 도리어 작은 길, 작은 지름길을 차지하려 하고, 큰 사람이 되려하지 않고서 도리어 어린아이의 행태를 하려고 하니, 안타깝다!

大世界不享, 却要占箇小蹊小徑子, 大人不做, 却要爲小兒態, 可惜!

29. 삼가고 조심하여 상제를 밝게 섬기고, 상제께서 네게 임하시니 마음을 둘로 하지 말며, 두려워 떨며 조심해야 하나니,[68] 한가로이 다른 데 신경 쓸 겨를이 어디 있단 말인가?

小心翼翼, 昭事上帝, 上帝臨汝, 無貳爾心. 戰戰兢兢, 那有閑管時候?

---

68) 앞의 구절은 『詩經』「大我·大明」에서 인용했고, 뒤의 '戰戰兢兢'은 『詩經』「小雅·小旻」에서 인용했다.

30. 전(典)이란 항상됨요, 헌(憲)이란 법이니, 모두가 하늘을 말하는 것이다.

典, 常也, 憲, 法也, 皆天也.

31. 늘 도를 실천해야 한다. 도를 실천하면 정밀하고 밝아지지만, 단 한 가지라도 도를 실천하지 않으면 정밀해지거나 밝아지지 못할 뿐 아니라, 가지도 잃고 마디로 떨어뜨리고 만다.

要常踐道, 踐道則精明. 一不踐道, 便不精明, 便失枝落節.

32. 사람이 힘껏 일할 필요가 어디 있단 말인가? 즐겨 이치를 따르는 자를 일러 군자라 한다.

如何容人力做. 樂循理, 謂之君子.

33. 조심스럽게 행동하면 마음은 작아도 도는 크다. 대인은 천지와 그 덕을 합치시키고, 일월과 그 밝음을 합치시키고, 사시와 그 순서를 합치시키고, 귀신과 그 길흉을 합치시킨다.

小心翼翼, 心小而道大. 大人者, 與天地合其德, 與日月合其明, 與四時合其序, 與鬼神合其吉凶.

34. "내가 아는 것이 있느냐?"[69] 회암(晦庵: 朱熹)은 이를 겸사(謙辭) 라고 했다. 여기서도 또 다시 도리를 만들어내고 있다.

"吾有知乎哉?" 晦庵言謙辭. 又來這裏做箇道理.

---

69) 『論語』「子罕」.

35. 지금 허다한 망령됨과 어지러움을 다 제거하고, 모난 것들도 다 갈아내고, 윤기를 곱게 낸 다음 천지와 그 덕을 합치시킨다면 (운운) 어찌 즐겁지 않겠느냐?

今一切去了許多繆妄勞攘, 磨礱去圭角, 寖潤著光精, 與天地合其德, 云云, 豈不樂哉?

36. 효경을 완성하고, 인륜을 두텁게 하고, 교화를 아름답게 하고, 풍속을 바꾸라.

成孝敬, 厚人倫, 美教化, 移風俗.

37. 본마음을 잃지 않도록 착한 성품을 기르는 것[存養]은 주인이고 점검하고 수렴하는 것은 노예이다. 【가형께서 들으신 것은 '고찰과 탐구는 노예이다.'였다】

存養是主人, 檢斂是奴僕.【家兄所聞: 考索是奴僕.】

38. 지금 사람들이 오직 범범한 정을 없애지 못한다고 하는 것이나 안다고 하지만 서로 알지 못한다고 하는 것이나 (운운) 모두 사람의 마음을 말하고 있는 것이다.

如今人只是去些子凡情不得, 相識還如不相識云云, 始是道人心.

39. 상도(詳道)는 글씨도 좋고 문장도 좋다. 순인(純人)은 전일하여서 비록 적중하지 않아도 멀리 어긋나지는 않는다.[70]

---

70) 『大學』에 나오는 말이다. "「강고」에 이르기를, 갓난아기 보호하듯 하라고 하였

詳道書好, 文字亦好. 純人專, 不中不遠.

40. 급암(汲黯)은 타고난 도가 돈후하여 황로(黃老)의 학술도 그를 어지럽히지 못했다.

汲黯秉彝厚, 黃老學不能汩.

41. 위에 있는 것은 하늘이요 아래 있는 것은 땅이요, 사람은 그 가운데 거한다. 모름지기 사람됨을 실천해야 헛되지 않다.

上是天, 下是地, 人居其間. 須是做得人, 方不枉.

42. 도처럼 큰 것을 어찌 천박한 장부가 감당해낼 수 있겠는가? 민도가 타고난 자질을 이야기하기에 '군자는 천명이라 말하지 않는다.'[71] 한 단락을 들어주었다.

道大, 豈是淺丈夫所能勝任, 敏道言資稟, 因擧'君子不謂命也' 一段.

43. 지금 다른 것을 이해하려 할 필요 없으니, 그저 대소경중만 구별하면 된다.

으니, 마음을 정성스럽게 하여 그것을 구하면 비록 적중하지 못하더라도 멀리 어긋나지 않을 것이다.(「康誥」曰, 如保赤子. 心誠求之, 雖不中, 不遠矣.)"
71) 『孟子』「盡心下」. "부자 사이에 인을 지키는 것이나, 군신 사이에 의를 지키는 것이나, 빈주 사이에 예를 지키는 것이나, 현자가 지혜로운 것이나, 天道가 성인과 일치하는 것이나, 命이기는 하지만 性이 있으므로 군자는 명이라고 말하지 않는다.(仁之於父子也, 義之於君臣也, 禮之於賓主也, 智之於賢者也, 聖人之於天道也, 命也, 有性焉, 君子不謂命也.)"

今且未須去理會其他, 且分別大小輕重.

44. 행장에서 사람을 깎아내릴 때나 칭찬할 때는 반드시 도로써 해야 한다. [이 점에 있어] 반고는 사마천만 못하다.

行狀貶剝贊歎人, 須要有道, 班固不如馬遷.

45. 사람이 학문을 하기란 심히 어렵다. 하늘이 [만물을] 덮고 있고 땅이 [만물을] 싣고 있고, 봄이면 태어나고 여름이면 자라고, 가을이면 거두어들이고 겨울이면 숙살(肅殺)하는 것이 모두 이 이치로 인해 이루어진다. 그 가운데 거하는 중요하고 영명한 존재로서, 사람은 이 이치를 터득하는 방법을 알아내야 한다.

人爲學甚難, 天覆地載, 春生夏長, 秋斂冬肅, 俱此理. 人居其間要靈, 識此理如何解得.

46. 사람이 대소경중을 구별하지 못해 감식안이 없으면 사소한 일에도 이끌려 마음이 움직이면서 하늘에서 내려온 큰일은 도리어 흘려보내고 만다.

人不辨箇小大輕重, 無鑒識, 些小事便引得動心, 至於天來大事却放下着.

47. 소인을 예(藝)로써 가르치는 것은 좋아하지 않았지만 군자는 언제나 예로써 가르쳤다. 군자란 예를 얻었다 해서 이로써 교만해지지 않고, 얻지 못했다 해서 이로써 부족해지지 않는다. 그러나 소인은 이를 얻으면 탐욕을 부려 윤상을 해치고 교화를 어지럽힌다.

不愛敎小人以藝, 常敎君子以藝. 蓋君子得之, 不以爲驕, 不得不
以爲歉. 小人得以爲吝, 敗常亂敎.

48. "열다섯에 배움에 뜻을 두다."[72] 지금은 천 백년 이래로 뜻을 지
닌 사람이 단 하나도 없다. 그들을 탓할 수도 없는 것이, 무슨 뜻
을 세우겠는가? 반드시 지혜와 식견이 있는 연후라야 뜻과 소원
하는 바가 있을 수 있다.

"吾十有五而志于學." 今千百年無一人有志也. 是怪他不得, 志簡
甚底? 須是有智識, 然後有志願.

49. 사람이라면 큰 뜻이 있어야 한다. 보통사람들은 성색(聲色)과 부
귀에 골몰하므로 양심도 선한 본성도 모두 우매하게 가리워져 있
다. 지금 사람들이 어떻게 하면 뜻을 지닐 수 있을지 이해하기 위
해서는 먼저 지혜와 식견을 갖추어야만 한다.

人要有大志. 常人汨沒於聲色富貴間, 良心善性都蒙蔽了. 今人如
何便解有志, 須先有智識始得.

50. 한 단락의 혈기가 있으면 한 단락의 정신이 있다. 이러한 정신이
있는데도 도리어 쓰지를 못하고서, 도리어 혈기를 가지고 정신을
해치고 있다. 정신은 능히 혈기를 해치지 못하나니, 이 정신을 가
지고 넓은 집에 거하고, 바른 자리에 서고, 큰 길을 다니라.[73]

---

72) 『論語』「爲政」.
73) 『孟子』「滕文公下」에 나오는 "천하의 넓은 집에 거하고, 천하의 바른 자리에

有一段血氣, 便有一段精神. 有此精神, 却不能用, 反以害之. 非是
精神能害之, 但以此精神, 居廣居, 立正位, 行大道.

51. 한 문장을 보고 가벼이 어떤 뜻이냐고 물어서는 안 된다. 모른다
고 해서 해될 것이 무엇이랴?

見一文字, 未可輕易問是如何. 何患不曉?

52. 규칙을 준수하고, 부지런히 지키고, 법도에 맞게 다니고, 망령된
언사를 하지 말라.

守規矩, 孜孜持守, 規行矩步, 不妄言語.

53. 철검이 예리하면 광대들이 졸렬하다.[74]

鐵劍利, 則倡優拙.

54. 이해가 가지 않는 곳이 있으면 깊이 생각하고 통렬히 성찰하라.
한동안 이렇게 하면 나중에 생각이 밝아졌을 때 형통과 태평함이
있을 것이다.

有理會不得處, 沉思痛省. 一時間如此, 後來思得明時, 便有亨
泰處.

서서, 천하의 큰 길을 다닌다.(居天下之廣居, 立天下之正位, 行天下之大道)."
를 인용한 것이다.
74) 『史記』 권79 「范雎·蔡澤列傳」에 나오는 말이다. "[秦昭王]이 말했다. 내가
듣기로 초나라는 철검이 예리하고 광대들이 졸렬하다고 했다. 철검이 예리하면
병사들이 용감하고, 광대들이 졸렬하면 사려가 심원하다.(吾聞楚之鐵劍利而
倡優拙. 夫鐵劍利則士勇, 倡優拙則思慮遠.)"

55. 사람에게 오로지 정진함이 결여되어서는 안 된다.

令人欠箇精專不得.

56. 사람의 정신은 천 가지 만 가지이지만 도(道)는 오직 하나뿐이다.

人精神千種萬般, 夫道一而已矣.

57. 나태해지는 병이 있는데, 이 역시 그 사람의 도로 인해 초래된 것이다. 나는 큰 것만 다스리고 작은 것은 다스리지 않으니, 하나가 바르게 되면 백 가지가 다 바르게 되기 때문이다. 마치 누군가가 똑바로 앉아 있지 못할 때, 나는 그가 똑바로 앉아 있지 못하는 것을 질책하지 않으니, 그의 마음이 도에 없기 때문이다. 만약 마음이 도에 있다면 황망한 중에도 반드시 인(仁)에 있고, 넘어지는 중에도 반드시 인에 있을 터인데,[75] 어떻게 제대로 앉아있지 못할 수가 있겠는가? 오직 근면하고 나태하고의 사이, 하고 안 하고의 사이에 달려있을 따름이다.

有懶病, 也是其道有以致之. 我治其大而不治其小, 一正則百正. 恰如坐得不是, 我不責他坐得不是, 便是心不在道. 若心在道時, 顚沛必於是, 造次必於是, 豈解坐得不是? 只在勤與惰, 爲與不爲之間.

58. 사람의 자질은 다 달라서 침체된 채 막혀있는 자가 있고 가볍게 일어나는 자가 있다. 옛 사람에게 가죽과 현[76]의 뜻이 있었는데,

---

75) 『論語』「里仁」.

이는 스스로 깨달은 것이지 누가 이야기해준 것이 아니다. 그러
나 제멋대로 방종하여 극기하지 못하는 자가 있었고, 또 극기는
할 수 있으나 들인 공력이 깊지 않은 자가 있었다.

人之資質不同, 有沉滯者, 有輕揚者. 古人有韋·弦之義, 固當自
覺, 不待人言. 但有恣縱而不能自克者, 有能自克而用功不深者.

59. 사람은 마땅히 사람 되는 법을 알아야 한다. 깊이 생각하고 통렬
히 성찰해야지 [그렇지 않으면] 엉뚱한 것에 골몰한 채 헛되이 세
월만 보내게 된다. 벗들과 강학할 적에 미처 여기까지 이야기하
지 못했다. 만약 사람이 사람인 이유를 알지 못한다면, 그들과 강
학을 해봐야 큰 것은 놓치고 자잘한 것만 이야기하게 되어 결국
"밥을 마구 퍼먹고 국물을 줄줄 들이키고서도 뭔가 씹어 먹을 것
이 없느냐고 묻는"[77] 꼴이 되어버리고 말 것이다. 만약 그 큰 것
을 알 수 있다면, 가벼운 사람일지라도 자연히 가벼움에서 돌아서
서 후덕함으로 돌아갈 수 있다. 따라서 제멋대로 정욕을 다 부리
던 사람이라도 일단 덕을 높이고 도를 즐거워하는 법을 알게 되
면 이내 깨끗하고 명백하고 곧아진다.

人當先理會所以爲人, 深思痛省, 枉自汨沒虛過日月. 朋友講學,
未說到這裏. 若不知人之所以爲人, 而與之講學, 遺其大而言其細,

---

76) 韋는 가죽이니 부드럽고, 弦은 활이니 팽팽하다. 따라서 온건함과 강경함, 완만
   함과 급함의 비유로 사용한다. 『韓非子』「觀行」에 "서문표는 성질이 급해서 가
   죽을 차고서 스스로 행동을 느리게 하였고, 동안우는 성질이 느려서 활을 찾으
   니, 활을 참으로써 스스로 행동을 바르게 하려 함이었다.(西門豹之性急, 故佩
   韋以緩己, 董安于之性緩, 故佩弦, 故佩弦以自急.)"는 내용이 보인다.
77) 『孟子』「盡心上」.

便是放飯流歠而問無齒決. 若能知其大, 雖輕, 自然反輕歸厚. 因
舉一人恣情縱欲, 一知尊德樂道, 便明潔白直.

60. 상군이 말한 제왕(帝王)[78]은 모두 산산이 깨진 학설들이다.

商君所說帝王, 皆是破說.

61. 인습하는 것도 나쁘지 않다. 그 일에 기인하고 이치를 따르면 된다.

因循亦好, 因其事, 循其理.

62. 이치를 아직 밝게 보지 못했거늘 어떻게 그냥 놓아버릴 수 있는
가? 미리부터 화로를 올리고 나중에 부뚜막을 짓지 말라.

見理未明, 寧是放過去? 不要起爐作竈.

63. 바른 말, 바른 논의가 천하에 오래도록 빛을 발하게 해야 한다.

正言正論, 要使長明於天下.

64. 옛날의 군자들에게 있어서 앎이란 널리 섭렵하는 것이 중요했다.
그러나 천하의 모든 것을 알았다 하더라도 결국은 오직 이 이치
하나뿐이다. 그래서 널리 배우는 자들도 오직 정밀히 익숙해지는

---

78) 商鞅이 帝王之術로 秦 孝公에게 유세한 것을 말한다. 司馬遷은 『史記』 권68
「商鞅列傳」의 말미에서 "상군은 천성이 각박한 사람이다. 제왕의 술로 효공을
간알하고자 하였는데, 그 부화한 학설은 그 본성에서 나온 것이 아니었다.(商
君, 其天資刻薄人也. 迹其欲干孝公以帝王術, 挾持浮說, 非其質矣.)"라고 비
판하였다.

것만을 귀히 여겼던 것이다. 알고 알지 못하고는 처음부터 이 이치에는 아무런 영향도 미치지 못하기 때문이다. 만약 알지 못하는 것을 가지고 스스로 불만스럽게 여긴다면, 이는 비루함이다. 알지 못하는 것을 불만스러워 한다면 알고 난 후에는 태만해질 것이기 때문이다. 지금의 불만은 곧 훗날의 태만이다.

古之君子, 知固貴於博. 然知盡天下事, 只是此理. 所以博覽者, 但是貴精熟. 知與不知, 元無加損於此理. 若以不知爲慊, 便是鄙陋. 以不知爲歉, 則以知爲泰, 今日之歉, 乃他日之泰.

65. 군자는 아무리 들은 것이 많고 박식하여도 이런 것으로 자부하지 않는다.

君子雖多聞博識, 不以此自負.

66. 당당하게 떨치고 일어나야지, 비루하고 범속한 곳에 침몰되어 있어서는 안 된다.

要當軒昂奮發, 莫恁他沉埋在卑陋凡下處.

67. 이 우주 사이에 그 언제 장애가 있었던가? 너 스스로 침몰되고 스스로 우매하게 가리워져 은연중에 함정에 빠져버린 채 이른바 고원한 것이 무엇인지도 모르게 되었을 뿐이다. 이 함정을 찢고 깨트리려면 살피고 헤아려서 이 그물망을 뚫어야 한다.

此理在宇宙間, 何嘗有所礙? 是你自沉埋, 自蒙蔽, 陰陰地在箇陷穽中, 更不知所謂高遠底. 要決裂破陷穽, 窺測破箇羅網.

68. 섬멸시켜 깨끗이 쓸어내고 나니, 감개무량하게 흥이 일어난다.

誅鋤蕩滌, 慨然興發.

69. 분발하여 신속히 떨치고 일어나 그물망을 뚫어야 한다. 가시덤불을 모두 불사르고, 더러운 때를 깨끗이 씻어내야 한다.

激厲奮迅, 決破羅網, 焚燒荊棘, 蕩夷汚澤.

70. 세상 사람들은 대소경중을 구분하지 못한다. 작은 곳에 매몰되어 있는데 큰 곳을 어찌 이해하겠는가?

世不辨箇小大輕重, 旣是埋沒在小處, 於大處如何理會得?

71. 소리와 여색과 이익과 영달에 뜻을 둔 자는 본디 소인배이지만 남의 말이나 베끼는 자도 그와 마찬가지로 소인배이다.

志於聲色利達者, 固是小, 勤摸人言語的, 與他一般是小.

72. 능히 스스로를 세운 후에는 급암을 논해도 이렇게 논할 것이요, 동중서를 논해도 이렇게 논할 것이다.

若能自立後, 論汲黯便是如此論, 論董仲舒便是如此論.

73. 스스로 터득하고, 스스로 이루고, 스스로 말하라. 사우(師友)나 서적에 의지하지 말라.

自得, 自成, 自道, 不倚師友載籍.

74. 이치는 그저 눈앞에 있다. 그저 사람에 의해 가려져 있을 뿐이다. 줄곧 이치를 제대로 보지 못했기 때문에 날마다 공부만 하라고 시켰던 것이다. 말하노니, 그렇게만 해서는 안 된다. 눈에 보이는 일이 없더라도 물건 하나 일 하나도 놓치지 말고서 그 이치를 절차탁마하고 고찰해야 한다. 또한 천하의 모든 일, 모든 물건은 오직 한 가지 이치일 뿐, 두 가지 이치란 없다. 모름지기 지극한 하나에 이르러야 한다.

理只在眼前, 只是被人自蔽了. 因一向惺證他, 日逐只是敎他做工夫, 云不得只如此. 見在無事, 須是事事物物不放過, 磨考其理. 且天下事事物物只有一理, 無有二理, 須要到其至一處.

75. 부성모가 말했다. "어떤 사람이 보내 온 편지 중에 이런 내용이 있었습니다. '집을 보아도 높고 낮음이 다르고, 같은 하늘 아래라도 추위와 더위가 다르다.'" 선생께서는 훌륭한 생각이라며 칭찬하셨다. 성모가 말했다. "문장의 체격이 큰 것으로 보아 소인은 아닌 것 같습니다." 선생께서 말씀하셨다. "나는 그저 그 생각이 좋은 것만 보았는데, 성모는 허다한 말들을 하는구나."

傅聖謨說: "一人啓事有云, '見室而高下異, 共天而寒暑殊.' 先生稱意思好." 聖謨言: "文字體面大, 不小家." 先生云: "某只是見此好, 聖謨有許多說話."

76. 여쭈었다. "자로가 비명에 죽었지만 당시에 첩(輒)을 섬겨서는 안 되었다는 사실만 가지고 질책해야 하겠지요?"[79] 선생께서 말씀하셨다. "이는 책에서 읽어낸 것일 뿐이다. 도를 어지럽히는 책이

집안 가득이라, 지금 모두들 그 사이에 갇혀있다." 후에 말씀하셨다. "자로가 죽은 것은 매우 차례에 맞는 일이다."

問: "子路死之非, 只合責當時不合事輒." 曰: "此是去冊子上看得來底. 亂道之書成屋, 今都滯在其間." 後云: "子路死是甚次第."

77. 네가 이미 도를 어지럽혔는데, 어떻게 다시 너에게 설명해줄 수 있단 말이냐? 진흙 속 흙덩이를 씻으려면 반드시 장강과 한수 물에 빨아야 할 것이다.

你旣亂道了, 如何更爲你解說. 泥裏洗土塊, 須是江·漢以濯之.

78. "사람은 거하는 곳에 따라 기상이 달라지고, 먹고 입는 것에 의해 몸이 달라진다."[80] 그런데 지금은 그 기상이 모두 좋지 않다. (운운)

居移氣, 養移體, 今其氣一切不好, 云云.

79. 이곳의 학문은 칼이나 톱이나 가마솥만큼이나 위태롭고 무섭다.

這裏是刀鋸鼎鑊底學問.

80. 사람은 모름지기 역량이 드넓어야 주재자가 될 수 있다.

---

79) 원래 세자였던 蒯聵는 靈公에 의해 쫓겨났는데, 영공이 죽자 衛나라 사람들이 蒯聵는 아비에게 득죄하였고, 輒은 적손이니 마땅히 왕이 되어야 한다고 하면서 蒯聵의 아들 輒을 왕으로 세웠다. 이때 晉나라에서 蒯聵을 위나라로 돌려보내려고 했으나, 輒은 이를 막았다. 그래서 부자지간에 왕위를 놓고 난이 일어났는데, 子路는 자신이 섬기는 衛 出公 輒을 지키기 위해 蒯聵에게 죽임을 당했다. 공자는 명분을 바로잡기 위해 輒을 섬기지 않겠다고 말한 바 있다.
80) 『孟子』「盡心上」.

人須是力量寬洪, 作主宰.

81. 습관, 범속한 식견, 명리에 대한 추구, 황망한 순간, 즐거움을 다하다, 즐거움이 그 안에 있다, 읊조리며 돌아오다, 얼음을 밟다.

習氣, 識見凡下, 奔名逐利, 造次, 盡歡, 樂在其中, 詠歸, 履冰.

82. 여쭈었다. "안노공(顏魯公: 顏眞卿)은 학문을 몰랐는데, 죽을 때의 절개는 어찌 그리 훌륭할 수 있었습니까?"[81] 말씀하셨다. "요즘 사람들이 학문과 도를 너무 과하게 보고 있는 것이다. 사람에게는 모두 타고난 떳떳한 도리가 있다."

問: "顏魯公又不曾學, 如何死節如此好?" 曰: "便是今人將學, 將道, 看得太過了, 人皆有秉彝."

83. 포희씨에서 황제에 이르러 비로소 인문(人文)이 생겨나 요·순·삼대(三代)까지 이르렀다. 진나라 때부터 모든 것이 무너지기 시작하였으니, 오늘날 우리들이 정리해야 한다.

包犧氏至黃帝, 方有人文, 以至堯·舜·三代, 今自秦一切壞了, 至今吾輩, 盡當整理.

84. 선생께서 현위 이만경(李曼卿)에게 말씀하셨다. "지금 사람들은

---

81) 顏眞卿(709~785). 당나라 때 사람으로 서예가로 유명하다. 그는 반란을 일으킨 淮西節度使 李希烈과 협상하려 갔다가 3년간이나 감금되었다가 결국 처형당했다.

대부분 과거의 누습에 의해 망가졌다." 또 탕 감사에게 말했다.
"풍속이 좋아지고 나빠지고는 군자와 소인의 곤궁과 영달, 그리고
행과 불행에 달려 있으니, 모두 하늘의 뜻이지요. 하지만 위에 계
신 분에게도 달려 있습니다."

先生與李尉曼卿言: "今人多被科擧之習壞." 又擧與湯監言: "風俗
成敗, 係君子小人窮達, 亦係幸不幸, 皆天也. 然亦由在上之人."

85. 사람이라면 부모를 사랑하고 웃어른을 공경한다. 그러나 이욕에
의해 마음이 어두워지면 그렇지 않다. 이러한 사실을 밝히고자
할 시, 그저 이욕에 의해 어두워져 있는 곳에 나아가 지적해내기
만 해도 사랑과 공경이 절로 드러나게 된다. 이것이 곧 당·우·
삼대 때의 실학(實學)이니, 후세와 다른 점이 바로 여기에 있다.

人無不知愛親敬兄, 及爲利欲所昏便不然. 欲發明其事, 止就彼利
欲昏處指出, 便愛敬自在. 此是唐虞三代實學, 與後世異處在此.

86. 사람의 정신이 바깥에 있으면 죽을 때까지 수고롭고 어지러울 뿐
이니 반드시 이를 수습하여 주재자가 되어야 한다. 정신을 안으
로 수습하게 되면 측은해 해야 할 때 측은해 하고, 부끄러워하고
미워해야 할 때 부끄러워하고 미워하게 되나니, 누가 너를 기만할
수 있으며 누가 너를 속일 수 있겠느냐? 분명하게 본 연후에는 언
제나 함양해야 한다. 이것이 순서에 맞는 일이다.

人精神在外, 至死也勞攘, 須收拾作主宰. 收得精神在內時, 當惻
隱即惻隱, 當羞惡即羞惡. 誰欺得你? 誰瞞得你? 見得端的後, 常涵
養, 是甚次第.

87. 일이 없는데 일을 만들어내지 말라.

　勿無事生事.

88. "근심 없음을 오히려 경계하고, 법도를 잃지 말고, 안일함에 젖지 말고, 즐기는 데 지나치지 탐닉하지 마십시오."[82) 지극하도다, 참된 성인의 학문이여!

　儆戒無虞, 罔失法度, 罔遊于逸, 罔淫于樂, 至哉! 眞聖人學也.

89. '다잡아 쥐다'는 두 글자는 좋지 않다. 차라리 '고집'이라고 말하느니만 못하다.

　'把捉'二字不佳, 不如說'固執'.

90. 극기를 이루는 데 3년[83)간 그것을 극복했다니, 안자는 지금 사람들처럼 극복해야 할 병폐가 있는 것도 아니었으며, 약간 석연치 않은 면이 있었을 뿐이거늘.

　克己, 三年克之, 顔子又不是如今人之病要克, 只是一些子未釋然處.

91. 덕을 높이고 도를 즐거워할 줄 알아야 한다. 만약 내가 덕을 높이고 도를 즐거워할 줄 모른다면, 또한 장차 내몰려가게 되게 있다.

---

82) 『尙書』「大禹謨」.
83) 여기서 '年'은 혹 '月'이어야 맞지 않을까 싶다. 안연은 능히 克己復禮하였지만 "세 달 동안 인을 어기지 않았다(三月不違仁)"고 하였으니, 세 달 동안 극기를 시험해본 셈이되기 때문에 이런 의혹을 제기한 듯하다.

要知尊德樂道, 若某不知尊德樂道, 亦被驅將去.

92. 제자백가가 세상 사람들의 병폐를 설파한 부분은 훌륭하다. 그저 옳지 못한 곳에 근거해 학설을 세웠을 뿐이다. 불가와 노장(老莊) 도 마찬가지다.

諸子百家, 說得世人之病好, 只是他立處未是. 佛老亦然.

93. 읍에서 강학을 하시면, 그 말씀을 들은 사람들은 누구나 느낀 바가 있어 떨치고 일어났다. 그러나 유독 주익백(朱益伯)만은 엉뚱한 질문을 했다. 선생께서 대답하셨다. "익백은 추구하는 바가 지나치고 이익을 얻으려는 마음으로 듣기 때문에 신기함과 현묘함을 구하고자 하는 것이다."

邑中講說, 聞者無不感發. 獨朱益伯鶻突來問, 答曰: "益伯過求, 以利心聽, 故所求在新奇玄妙."

94. 생각하고 면려하는 공력을 쌓으면 구습은 저절로 제거된다.

積思勉之功, 舊習自除.

95. "선을 택하여 굳게 지니라."[84] 사람의 구습이 많건 적건 간에 어떻게 굳게 지니지 않을 수 있겠는가?

擇善固執, 人舊習多少, 如何不固執得?

---

84) 『中庸』 20장.

96. 잘못임을 아는 순간 본심이 회복된다.

知非則本心即復.

97. 사람은 한 가지 일에 머물러있기만을 좋아해서 그로 하여금 그
일을 버리라고 시키면 마치 원숭이가 나무를 잃어버린 양 어디
있어야 할지를 모른다.

人心只愛去泊着事, 敎他棄事時, 如鶻孫失了樹, 更無住處.

98. 스스로 선다는 뜻을 알게 되어 이 마음에 다른 일이 없게 되었을
때라면 이제 모름지기 함양을 해야지 다시 어떤 일을 이해하려고
해서는 안 된다. 예컨대 자로가 자고(子羔)를 비읍(費邑)의 읍재
로 삼자 성인께서는 "남의 자식을 해친다."[85]고 말씀하셨다. 배우
고 여유가 있으면 벼슬하라고 하였으니, 아직 그 때가 아니었기
때문이다. 처음 배우는 자들이라면 비록 약간의 정신이 모였다
하더라도 삽시간이면 단박에 흩어져버리고 만다. 나는 평상시 어
떤 식으로든 정신을 완전히 함양했기에 수많은 정신들이 좀체 흩
어지지 않는다.

旣知自立, 此心無事時, 須要涵養, 不可便去理會事. 如子路使子
羔爲費宰, 聖人謂"賊夫人之子." 學而優則仕, 蓋未可也. 初學者能
完聚得幾多精神, 纔一霍便散了. 某平日如何樣完養, 故有許多精
神難散.

---

85) 『論語』「先進」.

99. 나는 대중들을 따라다니며 약간의 쓸데없는 소리를 한 적인 있는데, 선생께서 잠시 후에 말씀하셨다. "현도, 그대는 지금 옳지 않은 일을 했다는 것을 알고 있는가?" 내가 답했다. "대략 알고 있습니다." 선생께서 말씀하셨다. "모름지기 깊이 알아야지 대략 알아서는 안 된다. 너는 늘 쓸데없는 소리 하기를 좋아한다."

予因隨衆略說些子閑話, 先生少頃曰: "顯道今知非否?" 某答曰: "略知." 先生曰: "須要深知, 略知不得. 顯道每常愛說閑話."

100. 학자라면 자신이 좋아하는 바를 알아야 한다. 이 도는 매우 담박하여 이를 좋아할 줄 아는 사람은 드물고, 그저 사소한 것들만 일삼기를 좋아한다. 벗들끼리 서로 도울 때도 모름지기 그 좋아하는 바를 도와주어야 한다. 만약 외면을 추구하도록 인도한다면 이는 그릇된 짓이다.

學者要知所好. 此道甚淡, 人多不知好之, 只愛事骨董. 君子之道, 淡而不厭. 朋友之相資, 須助其知好者, 若引其逐外, 即非也.

101. 사람은 누구나 요순이 될 수 있다. 이 성(性)과 이 도는 요순과 전혀 다르지 않지만 재(才)라면 차이가 있다. 학자들은 자신의 역량을 헤아려 덕[의 크기]를 재야 한다.

人皆可以爲堯舜. 此性此道, 與堯舜元不異, 若其才則有不同. 學者當量力度德.

102. 처음에 동원식(董元息)에게 스스로 설 것, 정신을 수습할 것, 쓸데없는 소리를 하지 말 것 등을 가르쳤더니 점차 좋아졌는데, 나

중에 어떤 교수가 『논어』 풀이하는 것을 듣고는 도로 망가져버리고 말았다.

初敎董元息自立, 收拾精神, 不得閑說話, 漸漸好, 後被敎授敎解『論語』, 却反壞了.

103. 사람들은 기꺼이 한가로이 할 일 없이 지내면서 천하의 넓은 집에 거하고자 하지 않는다. 반드시 외면을 추구하며, 한 가지 일에 착수하고 한 가지 말을 외워야 비로소 정신이 든다고 한다.

人不肯心閑無事, 居天下之廣居,[86] 須要去逐外, 着一事, 印一說, 方有精神.

104. 오로지 정일(精一)하려면 이와 같이 함양해야 한다.

惟精惟一, 須要如此涵養.

105. 아무 일 없을 때 "삼가고 조심하여 상제를 밝게 섬기는 일"[87]을 잊어서는 안 된다.

無事時, 不可忘小心翼翼, 昭事上帝.

106. 노자가 주장한 학문과 도를 행하는 것에 관한 학설[88]은 옳지 않

---

86) 『孟子』「滕文公下」.

87) 『詩經』「大雅·大明」.

88) 『老子』 48장에 나오는 "학문을 하여 날로 늘리고 도를 닦아 날마다 덜어낸다. 덜고 또 덜어내면 이윽고 아무 것도 하지 않아도 아무 것도 되지 않는 일이 없는 경지에 도달한다.(爲學日益, 爲道日損, 損之又損, 以至無爲, 無爲而無

다. 나라면 이렇게만 말할 것이다. "옳은 것을 드러내고 그릇된 것을 제거하며, 삿된 것을 버리고 바른 것에 나아가라."

老子爲學爲道之說, 非是. 如某說, 只云: "著是而去非, 捨邪而適正."

107. 도가 있는 사람과 도가 없는 사람이 재주가 있거나 재주가 없거나, 혹은 재주가 높거나 낮아 우리 도의 행운이 되고 불행이 되는 것, 이 모두는 하늘에 달려있다.

有道無道之人, 有才無才與才之高下, 爲道之幸不幸, 皆天也.

108. 나는 아무 일도 없을 때면 완전히 아무 것도 모르고 아무 능력도 없는 사람처럼 보인다. 하지만 일이 있어서 밖으로 나올 때면 반대로 모르는 게 하나도 없고 못하는 게 하나도 없는 사람처럼 보인다.

我無事時, 只似一箇全無知無能底人. 及事至方出來, 又却似箇無所不知, 無所不能之人.

109. 주제도(朱濟道)가 말했다. "옛날에는 용감함과 결단력을 숭상해서, 망설임 없이 일을 처리하곤 했습니다. 후에 선생을 뵙고 난 뒤로는 일에 닥쳤을 때 행여 틀릴까 망설이고 두려워하느라 일을 해낼 수가 없습니다. 오늘도 오로지 잘못을 참회하고 허물을 징벌하는 일만 했지만, 좋은 점이 전혀 없습니다." 선생께서 말씀하

不爲.)" 부분을 가리키는 듯하다.

섰다. "청컨대 존형께서는 이제부터 스스로 서보십시오. 정좌하신 채 두 손을 모으고, 정신을 수습하여 스스로 주재자가 되어보십시오. 만물이 모두 내 안에 갖추어져 있을 터이니, 빠지고 부족한 것이 어디 있겠습니까? 측은해 해야 할 때 자연히 측은해 하고, 부끄러워하고 미워해야 할 때 자연히 부끄러워하고 미워하며, 너그럽고 부드러워져야 할 때 자연히 너그럽고 부드러워지고, 강인함과 의연함을 발현해야 할 때 자연히 강인함과 의연함을 발현하게 될 것입니다."

朱濟道說: "前尙勇決, 無遲疑, 做得事. 後因見先生了, 臨事即疑恐不是, 做事不得. 今日中只管悔過懲艾, 皆無好處." 先生曰: "請尊兄即今自立, 正坐拱手, 收拾精神, 自作主宰. 萬物皆備於我, 有何欠闕? 當惻隱時自然惻隱, 當羞惡時自然羞惡, 當寬裕溫柔時自然寬裕溫柔, 當發强剛毅時自然發强剛毅."

110. 아무런 생각도 행동도 하지 않고 적막히 움직이지 않으면 감응하여 마침내 천하의 모든 변고에 통달할 수 있다.

無思無爲, 寂然不動, 感而遂通天下之故.

111. 악도 마음을 해칠 수 있지만 선 역시 마음을 해칠 수 있다. 주제도 같은 자는 선에 의해 해를 입은 경우이다.

惡能害心, 善亦能害心. 如濟道是爲善所害.

112. 마음이 한 가지 일에 빠져서는 안 되며, 오직 스스로 마음을 세워야 한다. 사람의 마음에는 본래 아무 일도 없으니, 어지러움이

생기는 것은 사물에 의해 끌려갔기 때문이다. 만약 정신이 남아 있다면 그 즉시 나오는 편이 좋다. 줄곧 끌려가다 보면 더욱 나빠진다.

心不可泊一事, 只自立心. 人心本來無事, 胡亂被事物牽將去. 若是有精神, 即時便出便好. 若一向去, 便壞了.

113. 그러나 사람들은 기꺼이 이와 같이 하고자 하지 않고서 무슨 말이건 하고자 한다. 지금 벗들도 모두 하고자 하는 말들을 가지고 있을 것이다.

人不肯只如此, 須要有箇說話. 今時朋友盡須要箇說話去講.

114. 후생들에게 무슨 할 일이 있겠는가? 독서하다 모르겠는 부분을 만났거든 묻고, 사물 중에 이해하지 못하겠는 것을 만났거든 묻고, 아울러 남들과 의논해보면 그만이다. 그밖에 무슨 일이 있겠는가?

後生有甚事, 但遇讀書不曉便問, 遇事物理會不得時便問, 幷與人商量, 其他有甚事.

115. 스스로 겉과 속, 안과 밖이 한결같아야 한다.

自家表裏內外如一.

116. 이어 말씀하셨다. "금계(金谿) 소 지현(蘇知縣)은 자질도 훌륭하고 윗사람을 존경할 줄도 안다. 다만 그에게 큰 요강에 대해 이야기를 하다보면 가장 중요한 부분이 통하지 않는다. 어째서이겠느

냐? 아마도 3, 40년 동안 부형과 사우의 가르침을 받은 데다 겪은 일 또한 많다보니 흉중에 스스로 주장이 생긴 탓일 것이다. 그러니 그를 어떻게 움직일 수 있겠느냐? 모름지기 모든 것을 드러내 없애버린 뒤라야 바로잡을 수 있다. 그대도 그래야 한다. 그렇기는 하나 이부(吏部)에서 정해놓은 법식 같은 것이 어떻게 그를 움직일 수 있겠느냐?"

因說: "金谿蘇知縣, 資質好, 亦甚知尊敬. 然只是與他說得大綱話, 大緊要處說不得. 何故? 蓋爲他三四十年父兄師友之敎, 履歷之事幾多, 今胸中自有主張了, 如何撥動得他? 須是一切撥動剗除了, 方得如格. 君亦須如此. 然如吏部格法, 如何動得他?"

117. 주제도가 말했다. "임천 땅에 [선생을] 따라 배우려는 자들이 성대하니, 또한 기뻐할 일입니다." 선생께서 말씀하셨다. "내 어찌 사람마다 능히 스스로 서고 사람마다 능히 '천하의 넓은 집에 거하며 천하의 바른 자리에 서는 것'[89]을 좋아하지 않을 수 있겠느냐? 큰 것이 서면 작은 것이 그것을 빼앗지 못한다. 그러나 매일같이 수많은 사람들이 한데 모여 있는 상황을 어찌 능히 유지할 수 있겠느냐? 어느 날 새로운 교수가 와서 당시(堂試)[90]를 치르면 수많은 사람들이 다시 그쪽으로 향할 것이니, 이는 추세에 몰려 그렇게 되는 것일 뿐이다. 만약 과거제를 지금 없애고 향리에서 천거하는 법을 채용한다면 그렇지 않을 것이다. 나라면 내가 좋아하는 자가 시험을 쳐도 좋고 안 쳐도 좋고, 붙어도 좋고 붙지

---

89) 『孟子』「滕文公下」.
90) 송나라 때 府(州)學에서 치르던 시험을 말한다.

않아도 좋다. 하지만 지금 사람들이 어떻게 다 나와 같을 수 있겠느냐? 내가 근심하는 바는 네가 근심하는 것보다 더 깊다. 힘없는 백성들이 관리에 의해 고생하는 것을 가슴아파할 때도, 사람들이 근심하는 것은 몸뚱이가 병드는 것이지만, 내가 근심하는 것은 사람들의 마음이 병드는 것이다."

朱濟道說: "臨川從學之盛, 亦可喜." 先生曰: "某豈不愛人人能自立, 人人'居天下之廣居, 立天下之正位.' 立乎其大者, 而小者弗能奪. 然豈能保任得朝日許多人在此相處? 一日新敎授堂試, 許多人皆往, 只是被勢驅得如此. 若如今去了科擧, 用鄕擧里選法, 便不如此. 如某却愛人試也好, 不試也好, 得也好, 不得也好, 今如何得人盡如此? 某所以憂之, 過於濟道. 所憫小民被官吏苦者, 以彼所病者在形, 某之所憂人之所病者在心."

118. 주제도에게 말했다. "풍속이 사람을 내몰아감이 심하다. 만약 마음이 밝지 않으면 어떻게 주재자가 될 수 있겠는가? 우리들은 이제 '온갖 시내를 막아 동쪽으로 흐르게 해야 한다.'"[91]

與濟道言: "風俗驅人之甚, 如人心不明, 如何作得主宰. 吾人正當障百川而東之."

119. 선생께서 말씀하셨다. "내가 한 쓸데없는 소리조차도 현실에 적용되는 곳이 있다. 아무 이유 없이 쓸데없는 소리를 한다면, 이는

---

91) 韓愈가 지은 「進學解」에서 따온 문구이다. "모든 시내를 막아 동으로 흐르게 하고, 이미 흘러가버린 미친듯한 물결을 되돌려야 한다.(障百川而東之, 回狂瀾於旣往.)"

불경스러움이다."

先生曰: "某閑說話皆有落着處, 若無謂閑說話, 是謂不敬."

120. 내가 주제도와 같이 일을 할 때 주제도 역시 나를 마음에 들어
하지 않는 부분이 있었다. 나는 모든 사람이 좋다고 하는 것을 보
면 좋지 않다고 말하고, 사람들이 좋지 않다고 말하면 그것을 취
했다.

某與濟道同事, 濟道亦有不喜某處, 以某見衆人說好, 某說不好,
衆人說不好, 某解取之.

121. 내가 누군가와 일을 도모하는 것은 바로 그대 마음의 그릇됨을
바로잡는 일이라네.

某與人理會事, 便是格君心之非事.

122. 서자의가 말한 바 있다. "회암과 더불어 한 달이 넘게 이야기를
했으나 분명히 이해되는 곳이 전혀 없었는데, 선생과 이야기하다
보니 한 마디에 바로 분명히 이해가 되었다."

擧徐子宜云: "與晦庵月餘說話, 都不討落着, 與先生說話, 一句即
討落着."

123. 말씀하시기를, 주제도는 형적에 얽매어있어 사람을 제대로 알지
못하므로 속임을 당한다고 하셨다.

說濟道滯形泥迹, 不能識人, 被人瞞.

124. 주제도가 여쭈었다. "지혜란 술(術)의 근원이라는데, 정말 그렇습니까?" 선생께서 말씀하셨다. "그렇지 않다. 복희씨가 괘를 긋고 문왕이 이를 중첩시키고, 공자가 「계사(繫辭)」를 지었다. 하나도 어긋남이 없는 천하의 이치를 성인께서는 빠짐없이 통찰하셨으니, 이것이 지혜이지 어찌 술(術)이겠느냐?" 그리고는 또 말씀하셨다. "예전에 어떤 사람과 함께 한 가지 일을 처리했더니, 후에 모두 본받았다. 그가 물었다. '연못 속의 물고기를 살필 수 있으면 상서롭지 못하다고 했는데, 이는 무슨 말입니까?'[92] 내가 말했다. 나리면 어지러워지기 전에 제어하고, 위태로워지기 전에 보호하여 화를 뒤집어 복으로 만들 텐데, 저쪽에서는 어떻게 하기에 상서롭지 못해지는지 알 수 없다."

濟道問: "智者術之原, 是否?" 曰: "不是. 伏羲畫卦, 文王重之, 孔子繫之. 天下之理, 無一違者, 聖人無不照燭, 此智也, 豈是術?" 因說: "舊曾與一人處事, 後皆效. 彼云: '察見淵魚不祥, 如何?' 曰: 我這裏制於未亂, 保於未危, 反禍爲福, 而彼爲之者, 不知如何爲不祥."

125. 이어 말씀하셨다. 허창조(許昌朝)가 찬집한 주희(朱熹)와 여조겸(呂祖謙)의 「학규(學規)」 한 질이 금계(金谿)의 교학(教學)에 있는데, 매달 한 번씩 열람하게 하는 것도 나쁘지는 않지만 [학규가] 다 맞는 것은 아니다. 나는 평상시 학규를 세워본 일이 없다. 그저 늘 근본에 나아가 이해시켰을 뿐이니, 근본이 서면 말단은

---

92) 『列子』「說符」에 나오는 내용이다. "연못의 물고기를 살필 수 있으면 상서롭지 못하고, 지혜로써 숨어있는 자를 예측할 수 있으면 재앙이 따른다.(察見淵魚者不祥, 智料隱匿者有殃.)"

자연히 갖추어진다. 만약 전적으로 말단으로 나아가 이해하려고
한다면 무익한 정도에 그치지 않을 것이다. 근본에 있어 깨달은
바가 생긴 후에 조금씩 바람을 타고 불을 붙이면 이내 세워지는
바가 있을 것이다. 미리부터 화로를 올리고 나중에 부뚜막을 지
어서는 안 된다.

因擧許昌朝集朱·呂『學規』, 在金谿敎學, 一冊, 月令人一觀, 固
好, 然亦未是. 某平時未嘗立學規, 但常就本上理會, 有本自然有
末. 若全去末上理會, 非惟無益. 今旣於本上有所知, 可略略地順
風吹火, 隨時建立, 但莫去起爐作竈.

126. 공부를 착실하면 하는 말마다 다 실질적인 일이고, 쓸데없는 말
을 하지 않으면 사람의 병폐를 지적해도 다 실제 병폐이다. 오후
에 한 사람이 오랑캐 사신이 훌륭하여 두 나라가 강화(講和)할 수
있었던 일에 관해 물어왔는데, 선생께서는 전쟁을 치루지 않고서
숱한 생령을 보전한 일은 매우 훌륭하다며 찬탄하셨다. 그러나
우리들은 모두 사인(士人)으로서 일찍이 『춘추』를 읽어 중국과
오랑캐의 구분을 알고 있으니, 두 성인의 원수를 어찌 갚지 않을
수 있느냐고 말씀하셨다. 하고 싶은 것 중에 살고픈 것보다 더 한
것이 있고, 싫은 것 중에 죽음보다 더 한 것이 있다. 지금 우리가
높은 곳에 무탈하게 거하며 유유자적 먹고 사는 것 또한 가히 부
끄러워할 만한 일이니, 편안함을 누리는 것은 의를 지키는 일이
아니다. 이 모두가 실제 이치요 실제 말이다.

做得工夫實, 則所說卽實事, 不說閑話, 所指人病卽實病. 因擧午
間一人問虜使善兩國講和. 先生因贊歎不用兵全得幾多生靈, 是
好. 然吾人皆士人, 曾讀『春秋』, 知中國·夷狄之辨. 二聖之讐, 豈

可不復? 所欲有甚於生, 所惡有甚於死. 今吾人高居無事, 優游以食, 亦可爲恥, 乃懷安非懷義也. 此皆是實理實說.

127. 일 바깥에 도 없고, 도 바깥에 일 없다. 고요가 우임금에게 말씀을 구하자 우임금은 그저 치수(治水) 때 행한 일을 가지고 대답했으니, 이 밖에 다른 일이라곤 없었다. 우임금은 성인의 경지에 든 사람이니, 말을 못했던 것이 아니지만 결국 다른 말은 고요에게 돌렸다. 사람을 아는 것이 무엇인지 확실치 않은 사람이라면 반드시 고요의 말을 귀감삼아야 할 것이다.

事外無道, 道外無事. 皐陶求禹言, 禹只擧治水所行之事, 外此無事. 禹優入聖域, 不是不能言, 然須以歸之皐陶. 如疑知人之類, 必假皐陶言之.

128. 오현중이 여쭈었다. "저는 어째서 이토록 어두울까요?" 선생께서 말씀하셨다. "사람이 타고난 기운은 그 맑음과 탁함이 다르다. 스스로 이를 온전히 기르며 외물을 좇지 않으면 이내 청명해지지만 한번이라도 외물을 좇게 되면 바로 어두워진다. 현중은 억측으로 판단하길 좋아하는데, 이 모두가 망령된 생각이다. 사람의 마음에 병이 있으면 반드시 벗겨내야 한다. 한 차례 벗겨내면 한 차례 청명해진다. 후에 다시 병이 생겼을 시 다시 벗겨내면 다시 청명해진다. 반드시 깨끗이 벗겨낼 때까지 계속해야 한다."

顯仲問云: "某何故多昏?" 先生曰: "人氣禀淸濁不同, 只自完養, 不逐物, 即隨淸明, 纔一逐物, 便昏眩了. 顯仲好懸斷, 都是妄意. 人心有病, 須是剝落. 剝落得一番, 即一番淸明, 後隨起來, 又剝落, 又淸明, 須是剝落得淨盡方是."

129. 사람의 마음 중에 도무지 없앨 수 없는 것이 있으니, 바로 사의 (私意)이다. 거기다 문장을 끌어들이고 뜻을 잡아당기며, 가지를 끌어들이고 넝쿨을 잡아당기며, 지금을 끌어들이고 옛날을 잡아당겨 증거와 신빙으로 삼고자 하는 것이다.

人心有消殺不得處, 便是私意, 便去引文牽義, 牽枝引蔓, 牽今引古, 爲證爲靠.

130. 병폐가 없어졌거든 책을 읽으면 좋다. 다만 끌려 갔다 끌려 왔다 하지 말라.

既無病時好讀書, 但莫去引起來.

131. 조카인 조(慥)가 물었다. "얼핏 여유로워졌다가 얼핏 움츠려들고, 얼핏 밝아졌다가 얼핏 어두워지는데 어떻게 해야 합니까?" 선생께서 말씀하셨다. "움츠려들지 말라. 오직 나태해지지만 않으면 된다. 움츠려들면 바름을 잃고, 여유로우면 바름을 얻는다. 어두우면 바름을 잃고, 밝으면 바름을 얻는다. 오늘 열 가지에 어두웠으나 내일은 아홉 가지에 어둡고, 모레는 오직 여덟 가지에만 어둡다면, 이것이 곧 발전이다."

慥姪問: "乍寬乍緊, 乍明乍昏如何?" 曰: "不要緊, 但莫懈怠. 緊便不是, 寬便是. 昏便不是, 明便是. 今日十件昏, 明日九件, 後日又只八件, 便是進."

132. 현중에게 말씀하셨다. "바람도 잠잠하고 파도도 고요할 때면 그 흥취가 유장하다. 사람의 타고난 자질과 성품이란 장단이 서로

다르지만, 함께 한 걸음 나아가면 다 사라질 것이요, 같이 한 걸음 물러나면 다 얻을 것이다." 부계로(傅季魯)에게 물으셨다. "어떻게 하면 통하고 어떻게 하면 막히느냐?" 그리고는 말씀하셨다. "나는 밝을 때는 줄곧 밝지만 오직 나태할 때만은 막힌다. 만약 늘 채찍질하면서 나태해지지 않는다면 어찌 막히겠느냐? 그러나 나는 잠시라도 막히는 순간이 닥치면 마음이 조금도 편안치가 않아서 곧장 빠져나길 길을 찾는다. 그러나 만약 다시 벗의 절차탁마의 도움을 얻어 빠져나가고자 한다면 또한 심히 어리석은 짓이라 결국 사람을 매몰시키고 말 것이다. 또 쓸데없는 소리나 하는 부류의 벗 역시 사람을 매몰시킨다. 아까 현중이 하는 쓸데없는 소리를 들었을 때 나 역시 휩쓸려갈 뻔했으니, 발전하지 못함이 또한 심하구나. 통해 있을 때는 말하는 것도 통하고, 막힐 때는 모든 것이 다 막힌다."

語顯仲云: "風恬浪靜中, 滋味深長. 人資性長短雖不同, 然同進一步則皆失, 同退一步則皆得." 問傅季魯: "如何而通? 如何而塞?" 因曰: "某明時直是明, 只是懈怠時即塞. 若長鞭策, 不懈怠, 豈解有塞? 然某纔遇塞時, 即不少安, 即求出. 若更藉朋友切磋求出, 亦鈍甚矣, 所以淹沒人. 只朋友說閑話之類, 亦能淹人. 某適被顯仲說閑話, 某亦隨流, 不長進亦甚. 然通時說事亦通, 塞時皆塞."

133. 글자를 쓸 적에 점 하나는 점 하나요 획 하나는 획 하나이니, 대충 해서는 안 된다.

寫字須一點是一點, 一畫是一畫, 不可苟.

134. 돼지와 닭은 종일 우리 안을 맴돌며 드높은 생각이란 없다. 모름
지기 한 칼로 두 동강을 내야지 어찌하여 이렇게 갇혀 맴돈단 말
인가? 갇혀 맴돌면서 무엇을 얻으려 하는가?

豕鷄終日縈縈, 無超然之意. 須是一刀兩斷, 何故縈縈如此? 縈縈
底討箇甚麼?

135. 고개 들어 남두성(南斗星)을 더위잡고 뒤로 돌아 북두성에 기대
보아도, 머리 들어 하늘 밖을 바라보아도, 나와 같은 사람은 존재
하지 않는다.

仰首攀南斗, 翻身倚北辰, 擧頭天外望, 無我這般人.

136. 지금 이야기하기 어려운 곳이 있다고 해서 가까이 다가오지 않
는 자 또한 병이 있는 자이고, 가까이 다가오는 자 또한 병이 있
는 자이다. 세속 정욕에 휩싸인 사람의 병은 도리어 무방하니, 그
에게 저 길을 버리고 이 길로 오라고 가르치기만 하면 되기 때문
이다. 가장 이해시키기 어려운 것은 도리에 어둡고 분명치 않은
사람들이다. 나는 평생 이런 사람들을 무서워했지 세속의 과오를
지닌 자들은 도리어 무서워하지 않았다.

今有難說處, 不近前來底又有病, 近前來底又有病. 世俗情慾底人
病却不妨, 只指敎他去彼就此. 最是於道理中鶻突不分明人難理
會. 某平生怕此等人, 世俗之過却不怕.

137. 옛날에는 사람을 너무 심하게 단정적으로 평가했다. 예를 들어
한 사람을 다 가르친 뒤에는 성취가 없어서는 안 된다고 단정 지

었다. 지금은 그렇지 않아서 차례대로 이끌어준다. 커다란 역량을 지닌 자라야만 나의 단정적인 평가를 감당할 수 있어 출로를 찾을 수 있기 때문이다.

舊橫截人太甚, 如截周成之後, 當不得無成. 今皆不然, 以次第進之. 有大力量者, 然後足以當其橫截, 卽有出路.

138. 아이를 가르칠 적에는 모름지기 자중하는 뜻을 이끌어내야 한다.

敎小兒, 須發其自重之意.

139. 내가 주 선생[주희]을 변박해도 되느냐고 여쭈었더니 선생께서 말씀하셨다. "어찌하여 변박하려느냐?" 내가 말했다. "받아들일 수 없어서입니다." 선생께서 말씀하셨다. "그렇게 말해서는 안 된다. 그의 학설도 받아들일 수 있겠으나, 아직 그 학설을 믿을 수 있는 마음이 생기지 않았을 뿐이다." 또 말씀하셨다. "오직 지금처럼 명백할 때라면 더 이상 어떻다 어떻다 추론할 필요 없다." 또 말씀하셨다. "무릇 일이란 한번 지나갔으면 다시 붙잡고 늘어질 필요 없다. 자연(子淵)은 그렇지 않아서, 지나갔으면 그 뿐, 더 이상 집착하지 않는다."

予問能辯朱事. 曰: "如何辯?" 予曰: "不得受用." 曰: "如此說便不得, 彼亦可受用, 只是信此心未及." 又曰: "只今明白時, 便不須更推如何如何." 又曰: "凡事只過了, 更不須滯滯泥泥. 子淵却不如此. 過了便了. 無凝滯."

140. 얼마만큼의 일을 처리해보고 사람까지 응대하다보면 손 안에서

도 책을 읽을 수 있다.

區處得多少事, 幷應對人, 手中亦讀得書.

141. 여쭈었다. "저의 두 형님께서는 선생의 학문의 요지와 혈맥을 모르는 듯합니다." 선생께서 말씀하셨다. "그래서 일전에 주제도에게 말하지 않았던 것이다. 모름지기 스스로 극복하고 물리쳐야 자신이 옛날에 믿었던 것이 헛된 믿음이었으며 실제로 본 바가 있는 것이 아니었음을 깨달을 수 있다."

問: "二兄恐不知先生學問旨脉." 曰: "固是前日亦嘗與朱濟道說, 須是自克却, 方見得自家舊相信時亦只是虛信, 不是實得見."

142. 나는 오직 일(一)을 말하지 않았을 뿐이지만 만약 일을 말하면 공께서는 곧 기뻐하셨다. 평소에 사람들이 무슨 말하는 것을 보니, 그저 남들이나 따라서 말할 뿐, 횡설수설하는 것 같았다. 나는 일(一)을 말하지 않았으나 양경중(楊敬仲: 楊簡)은 일(一)을 말했다. 일찍이 양경중과 이야기를 나누며 그에게 잠언을 해준 바 있다.

我只是不說一, 若說一, 公便愛. 平常看人說甚事, 只是隨他說, 却只似箇東說西說底人. 我不說一, 楊敬仲說一, 嘗與敬仲說箴他.

143. 무릇 일이란 이처럼 한 군데 정체되어 있어서는 안 된다. 나는 평생 이런 것에 뛰어나서 다른 일에 집착하지 않기 때문에 어떤 일이건 내게 추호의 누도 끼치지 못한다. 매번 한 가지 일을 이해할 때마다 혈맥과 골수가 나의 손 안에 들어있다. 그러나 한가롭

고 산만해서 전혀 그 일을 이해하지 못하는 사람처럼, 그 일 안에 함몰되지 않는다.

凡事莫如此滯滯泥泥, 某平生於此有長, 都不去着他事, 凡事累自家一毫不得. 每理會一事時, 血脉骨髓都在自家手中. 然我此中却似箇閑閑散散全不理會事底人, 不陷事中.

144. 포상도가 어제 유정부에 관해 이야기할 적에는 대범하고 시원시원했다. 언제나 이럴 때는 참 훌륭하지만 지엽에 얽매어 넘어져서는 안 된다. 모름지기 부지런히 공부하며 해이해지지 않아야만 가능하니, 만약 조금이라도 해이해지면 구습이 다시 도진다.

詳道如咋日言定夫時, 宏大磊落. 常常如此時好, 但莫被枝葉累倒了. 須是工夫孜孜不懈乃得, 若稍懈, 舊習又來.

145. 군자의 도는 담박하지만 질리지 않는다. 담박한 맛은 오래간다. 맛이 좋다면 그것은 탐욕이다. 사람들은 담박함을 좋아하지 않고, 요란한 것을 좋아한다. 사람들은 써야 할 것은 쓰려고 하지 않고, 해야 할 것은 하려고 하지 않는다. 그릇에는 크기가 있는 법, 커다란 그릇을 지닌 자는 절로 구별된다.

君子之道, 淡而不厭. 淡味長, 有滋味便是欲. 人不愛淡, 却只愛鬧熱. 人須要用不肯不用, 須要爲不肯不爲. 蓋器有大小, 有大大器底人自別.

146. 계산이 확고한 사람은 다 좋은데 병도 없는 데서 병을 만들어내고, 용왕매진하는 사람은 다 좋은데 모든 것을 한 번에 해결하려

한다. 하지만 용왕매진하는 사람이 비교적 나으니, 계산이 확고한
사람은 구제하기 어려울 때가 있다.

算穩底人好, 然又無病生病. 勇往底人好, 然又一槪去了. 然勇往
底人較好, 算穩底人有難救者.

147. 유정부가 선종에서 하는 이야기를 거론하여 말했다. "올바른 사
람이 사설(邪說)을 말하면 사설도 정설(正說)이 되고, 삿된 자가
정설을 이야기하면 정설도 사설이 된다." 선생께서 말씀하셨다.
"이것이야 말로 사설이다. 올바르면 올바르고, 삿되면 삿된 것이
지, 올바른 사람이 어찌 사설을 말하겠으며, 삿된 자가 어찌 정설
을 말하겠는가? 이것이 바로 유·불의 분기처(分岐處)이다."

定夫擧禪說: "正人說邪說, 邪說亦是正, 邪人說正說, 正說亦是邪."
先生曰: "此邪說也. 正則皆正, 邪則皆邪, 正人豈有邪說? 邪人豈
有正說? 此儒釋之分也."

148. 옛 사람들은 소박하고 정직해서 파종에 밝은 사람은 파종을 주
관하고, 음악에 밝은 사람은 음악을 주관했다. 배우고자 하는 사
람은 그것을 배우면 그만이되 자기가 잘하는 것을 위주로 하면
되었다. 그러면 위주로 하는 것이 절로 주인이 되고, 부차적으로
하는 것이 절로 부차적인 것이 되었다. 모든 것이 다 정해져 있어
서, 바꾸지도 다투지도 않았다.

古人樸實頭, 明播種者主播種, 明樂者主樂, 欲學者却學他. 然長
者爲主. 又其爲主者自爲主, 其爲副者自爲副, 一切皆有一定, 不
易不爭.

149. 숙세부터 영골(靈骨)이 없다는 말이 있는데, 사우들과 함께 거처
하면서 들은 바가 있어도 이를 실천해 옮기지 못한다면, 이를 일러
영골이 없다고 한다. 또 말씀하셨다. "사람은 누구나 요순이 될 수
있으니, 영골이 없다고 말하는 것은 일러 무고함이 심하다고 한다."

宿無靈骨, 在師友處有所聞, 又不踐履去, 是謂無靈骨. 又云: "人皆
可以爲堯舜, 謂無靈骨, 是謂厚誣."

150. 후생들은 언제 어디서나 법도를 잃어서는 안 된다.

後生隨身規矩不可失.

151. 도는 존귀하다고 말할 수도 있고, 무겁다고 말할 수도 있고, 밝
다고 말할 수도 있고, 높다고 말할 수도 있고, 크다고 말할 수도
있다. 하지만 사람이 자중하지 못하여 터럭만큼이라도 방종하게
되면 사욕이 생겨난다. 사욕은 도와 전혀 닮지 않았다.

道可謂尊, 可謂重, 可謂明, 可謂高, 可謂大. 人却不自重, 纔有毫
髮恣縱, 便是私欲, 與此全不相似.

152. 법도로써 한 말은 뇌양(雷陽)같고, 공순히 더불어 한 말은 풍음
(風陰) 같다.[93] 사람이 능히 법도로써 한 말을 듣고 깨달을 수 있

---

93) 『논어』「子罕」에 "공자께서 말씀하셨다. 법도로써 한 말을 능히 따르지 않을 수
있으랴! 고침이 귀하다. 공순히 더불어 한 말을 능히 기뻐하지 않을 수 있으랴!
[실마리를 찾아] 계속함이 귀하다. 기뻐하면서 이어나가지 아니하며, 따르기만
하고 고치지 아니하면, 내 어찌할 수 없다.(曰法語之言, 能無從乎! 改之爲貴.
巽與之言, 能無說乎! 繹之爲貴. 說而不繹, 從而不改, 吾末如之何也已矣.)"

다면 훌륭하다. 공순히 더불어 한 말을 듣고 깨달은 바가 있긴 하지만 아직 바름[正]을 얻지 못했다면, 반드시 실마리를 찾아 계속 생각해야 한다. 『시경』의 대아(大雅)·소아(小雅)와 정풍(正風)·변풍(變風)은 바로 공순히 더불어 한 말의 뜻이고, 「이소(離騷)」는 그 다음이다. 변풍에는 「이소」와 같은 내용이 없다. 이 또한 굴원(屈原)이 세운 것으로, [출로개] 막히자 부득이하여 이런 글을 지었던 것이다. 후세 사람들은 『시경』의 이아(二雅)를 배우지 못하여 오직 「이소」만 배웠다.

法語正如雷陽, 巽語正如風陰. 人能於法語有省時好, 於巽語有省, 未得其正, 須思繹. 『詩』雅·正·變風, 便是巽意, 「離騷」又其次也. 變風無「騷」意, 此又是屈原立此, 出於有所礙, 不得已. 後世作『詩』雅不得, 只學「騷」.

153. 병서는 사설(邪說)이다. 도가 천지를 가득 채우고 있는데, 정의로써 삿된 것을 정복함에 병서 따위를 쓸 필요가 어디 있단 말인가? 반드시 사정(邪正)을 구별해야 한다.

兵書邪說. 道塞乎天地, 以正伐邪, 何用此? 須別邪正.

154. "삼가고 조심하여 상제를 밝게 섬기고", "상제께서 네게 임하시니, 마음을 둘로 하지마라."[94] 이 이치가 우주를 가득 채우고 있

라는 내용이 보인다. 雷陽과 風陰은 각각 주역의 괘를 이야기하고 있는데, 震의 괘상은 ☳이며, 천둥, 번개인 우레[雷]를 의미하고, 長男을 뜻한다. 오행으로 보면 木에 해당하고 음양으로 보면 陽에 해당한다. 巽의 괘상은 ☴이며, 바람[風]을 의미하고, 長女를 뜻한다. 오행으로 보면 木에 해당하고 음양으로 보면 陰에 해당한다.

는데, 이를 어찌 사람이 멋대로 지어낼 수 있겠는가? 문왕은 늘 근신하며 경외했다고 했으니, 만약 이를 몰랐다면 무슨 근신과 경외를 했겠는가?

"小心翼翼, 昭事上帝." "上帝臨汝, 無貳爾心." 此理塞宇宙, 如何由人杜撰得? 文王敬忌, 若不知此, 敬忌箇甚麼?

155. 계위(季尉)를 보시더니 이렇게 말씀하셨다. "대개 많은 사람들이 과거 공부로 인해 망가졌다. 【그는 건녕(建寧) 사람이라서 특히 과거 공부에 빠져 있었다.】인재를 취하려면 의를 먼저 보고, 시험을 치르려면 이치에 얼마나 깊은지를 먼저 보아야지, 과거 공부처럼 미미한 것을 최상으로 여겨서는 안 된다."

見季尉, 因說: "大率人多爲擧業所壞.【渠建寧人, 尤溺於此.】取人當先行義, 考試當先理致, 毋以擧業之靡者爲上."

156. 대장부가 어찌 어린아이 놀이를 하리요?

大丈夫事豈當兒戲?

157. 자립하고 자중하여, 남의 뒤꿈치를 따라다니고 남의 말을 흉내 내서는 안 된다.

自立自重, 不可隨人脚跟, 學人言語.

158. 사단은 모두 내가 본디 지니고 있는 것이라 보태지거나 늘어난

---

94) 『詩經』「大雅·大明」.

것이 전혀 없다.

四端皆我固有, 全無增添.

159. 본조의 관제에 관해 말씀하시면서, 채원통(蔡元通)의 의론은 도
를 어지럽혔다고 하셨다.

說本朝官制, 蔡元通所論亂道,

160. 강태지가 물었다. "저는 매번 분노를 징벌하고 욕망을 억누르며
놓친 마음을 찾고 있습니다만, 잠시는 가능하나 오래가질 못합니
다. 가르침을 내려주십시오." 선생께서 답하셨다. "분노를 징벌하
고 욕망을 억누르기만 해서는 배움이라 할 수 없다. 다시는 그런
일이 없도록 징벌하고 억누르는 것도 배움이 아니다. 학자라면
모름지기 이치에 밝아야 배움이 무엇인지 알 수 있고, 그런 연후
라야 징벌과 억누름을 말할 수 있다. 배움이 무엇인지를 안 연후
에 징벌하고 억누른다면, 보통 사람들의 징벌이나 억누름과 다를
것이다. 보통 사람들의 징벌과 억누름은 사사건건 나아가고 말단
에 나아간다."

江泰之問: "某每懲忿窒慾, 求其放心, 然能暫而不能久. 請敎." 答
曰: "但懲忿窒慾, 未是學問事. 便懲窒得全無後, 也未是學. 學者
須是明理, 須是知學, 然後說得懲窒. 知學後懲窒, 與常人懲窒不
同. 常人懲窒只是就事就末."

161. 맹자께서 학문의 도가 놓친 마음을 찾는 것이라고 말씀하신 것
은 당시 사람들을 밝히 깨우치고 분발시키기 위함이었다. 당시에

는 이런 말이 없었기 때문에 말할 수 있었지만, 맹자께서 이미 말씀하셨는데 그 밑에 다시 주석을 달아서는 안 된다.

孟子言學問之道求放心, 是發明當時人. 當時未有此說, 便說得, 孟子旣說了, 下面更注脚, 便不得.

162. 금상 중명절【9월 4일】[95]아침에 선생께서 정사의 뜰 앞에 나오시더니, 붉은 옷을 입고 상아홀을 손에 쥔 채 북쪽을 향해 네 번 절하셨다. 정사로 돌아가 앉으신 다음에도 네 번 절하셨다. 그 까닭을 묻자 이렇게 대답하셨다. "높으신 분이 반드시 계시니, 그만둘 수가 없다. 태수가 임소에 부임하면 관청에서 절해야 한다."

今上重明節【九月四日】早, 先生就精舍庭前, 朱衣象笏, 向北四拜, 歸精舍坐, 四拜. 問之, 答曰: "必有所尊, 非有已也. 太守上任拜廳."

163. 학자에는 대략 다음 네 종류가 있다. 첫째, 배움의 길을 알지만 제멋대로 정욕을 부리며 가려하지 않는 사람들. 둘째, 그 일이 크고 어려운 것이 두려워서 하지 않는 사람들. 셋째, 그 길을 찾았으나 찾지 못한 사람들. 넷째, 길을 알지도 못하면서 스스로 알 수 있다고 여기는 사람들이다.

學者大率有四樣. 一, 雖知學路, 而恣情縱慾, 不肯爲. 一, 畏其事大且難而不爲. 一, 求而不得其路. 一, 未知路而自謂能知.

164. 배움은 능히 기질을 변화시킬 수 있다.

---

95) 宋 光宗 趙惇의 生日이다.

學能變化氣質.

165. 대인은 굳건히 움직이지 않는다. 이렇게 하지 못한다면 소인배
의 상이다.

大人凝然不動, 不如此, 小家相.

166. 선생께서 말씀하셨다. "나는 매번 사람을 볼 때, 한번만 봐도 그
사람이 옳은지 옳지 못한지 알 수 있다. 후에 다시 내가 본 것이
틀렸을까 의구심이 들기도 하지만 마지막에 가서 보면 끝내 처음
보았던 것에서 벗어나지 않는다."

先生云: "某每見人, 一見即知其是不是, 後又疑其恐不然, 最後終
不出初一見."

167. 도가 천지를 가득 채우고 있지만, 사람들의 사사로운 몸뚱이로
인해 도와 부합하지 못한다. 그러나 한 걸음 물러나 스스로 성찰
한다면 자연히 들어맞을 수 있을 것이다. 당·우·삼대 때는 교
화가 행해지고 풍속이 아름다워서 사람들은 사사로움을 부릴 길
이 없었다. "후(后)가 천지의 도를 마름질하여 완성하고 천지의
마땅함을 보좌함으로써 백성을 도왔다."[96] 그러나 모든 것이 거
꾸로 된 지금 상황은 이루 다 말로 표현할 수 없다.

---

96) 『周易』「泰卦」의 「象辭」에 나오는 말이다. "천지의 사귐이 泰이니, 后가 이로
써 천지의 도를 마름질하여 이루고, 천지의 마땅함을 도움으로써 백성을 돕는
다.(天地交, 泰, 后以財成天地之道, 輔相天地之宜, 以左右民)."

道塞天地, 人以自私之身與道不相入. 人能退步自省, 自然相入. 唐 · 虞 · 三代教化行, 習俗美, 人無由自私得. "后以裁成天地之道, 輔相天地之宜, 以左右民." 今都相背了, 說不得.

168. 높이 있는 사람은 외물을 취하지 않는다. 아래 있는 사람은 외물을 취하고 또 외물에 집착한다.

高底人不取物, 下人取物, 粘於物.

169. 타고난 자질이 훌륭한 사람은 넓고 커서 소인배와 모습도 다스로 인위적인 조작도 하지 않으며, 한가로운 자들이 그들을 건드려 봐야 꿈쩍도 하지 않기 때문에 자연히 도와 가까워진다. 타고난 자질이 훌륭한 사람은 한 면만 보아도 자연히 알아볼 수 있다. 자질과 품성은 도와 가깝다. 타고난 자질이 좋지 못한 사람은 자연히 도와 멀어지기 때문에 단련해야만 한다.

資稟好底人闊大, 不小家相, 不造作, 閑人慁他都不起不動, 自然與道相近. 資稟好底人, 須見一面, 自然識取, 資品與道相近. 資稟不好底人, 自與道相遠, 却去鍛煉.

170. 소동파(蘇東坡)가 「사정(嗣征)」을 논한 것은 매우 훌륭하다.[97]

---

97) 「嗣征」은 『尙書』의 편명 「胤往」을 가리킨다. 「嗣征」 혹은 「允征」이라고 표기되기도 한다. 여기서 다루고 있는 것은 蘇軾의 『書傳』이다. 南宋의 文人 陸游 (1125~1210)는 『老學庵筆記』에서 북송 慶歷年間에 경서를 의심하고 폄하하는 현상이 유행했다면서 다음과 같이 설명했다. "당나라 건국 초기에는 학자들이 감히 공안국 · 정강성에 대해 논의하지 못했으니, 하물며 성인이겠는가! 경력

이는 「오자지가(五子之歌)」로부터 추론해낸 것이다. 「고명(顧命)」을 적은 이유는 성왕(成王)이 즉위함으로 인해 유언비어가 퍼진 적이 있기 때문이니,[98] 이는 소공(召公)이 도를 감당하지 못해서가 아니라 유속의 인심이 그러했던 것이다. 주나라의 도가 쇠한 것이 그 첫 번째 이유요, "그대에게 좋은 계략과 꾀가 있다면 즉시 궁궐로 들어가 왕에게 알려 드려라. 그대는 곧 밖의 백성들에게 이를 가르쳐 말하되, '이 계책과 방법은 우리 임금의 성덕(聖德)이다.'라고 하라."[99]고 한 것이 두 번째 이유이다.

東坡論「胤征」甚好, 自「五子之歌」推來. 「顧命」陳設, 是因成王卽位, 流言所致, 此召公之非不任道, 流俗之情也. 周之道微, 此其一也. 又"爾有嘉謀嘉猷, 則入告爾后于內, 爾乃順之于外曰, 斯謀斯

이후로 제유들은 경서의 뜻을 드러내 밝히며 전인들이 논한 바를 부정하였다. 『계사』를 배척하고, 『주례』를 비방하며, 『맹자』를 의심하고, 『상서』의 「윤정」·「고명」을 비판하고 『시경』의 서를 내쳤다. 경서에 대해 왈가왈부하는 것도 어려운 일이 아니었으니, 하물며 전주였겠는가!(唐及國初, 學者不敢議孔安國·鄭康成, 況聖人乎! 自慶歷後, 諸儒發明經旨, 非前人所及. 然排『繫辭』, 毀「周禮」, 疑『孟子』, 譏『書』之「胤征」·「顧命」, 黜『詩』之序, 不難于議經, 況傳注乎!)" 蘇軾은 『書傳』 20권을 지어 『상서』에 대한 대담한 의문을 제기하였는데, 권6에서 "나는 『상서』에서 성인이 취하지 않았으나 여전히 남아 있는 두 편을 발견했다. 「윤정」은 천자의 명의를 빌려 제후에게 명령을 내린 것이고, 「강왕지고」는 참최를 벗고 곤면을 입었다.(予于『書』見聖人所不取而猶存者二, 「胤征」之挾天子令諸侯, 與「康王之誥」釋斬衰而袞冕也.)"라고 하였다. 즉, 다른 유자들의 해석과 달리 「胤征」에서 적고 있는 것은 羿가 簒位하던 당시의 일이고, 「康王之誥」는 예를 잃었다고 주장하였던 것이다.

98) 武王이 붕어하고 어린 成王이 즉위하자, 무왕의 아우인 管叔과 蔡叔이 '周公이 장차 어린 성왕에게 이롭지 않을 것이다.(公將不利於孺子)'라고 유언비어를 퍼뜨리고 武庚과 함께 반란을 일으켰다. 이에 주공이 2년 동안 東都에 피하여 거처하였고, 그 사이에 관숙과 채숙의 죄상이 드러나 동쪽으로 정벌하였다.

99) 『尙書』「君陳」.

猷, 惟我后之德." 此二也.

171. 예전에 건강(建康)에 있는 장우호(張于湖)에게 편지를 보냈는데,
『중용』을 잘못 이해하고서 "위공(魏公)은 능히 광대함에 이를 수
는 있으나 정미함을 다할 수는 없고, 고명함의 극을 다할 수 있으
나 중용을 말할 수는 없다."고 말해 두 토막을 내버리고 말았다.
또 「고조는 가할 것도, 가하지 않을 것도 없다는 논의(高祖無可
無不可論)」를 지었는데, 『상서』를 잘못 이해하고서, "사람의 마음
은 인위적이고, 도심(道心)은 천리(天理)이다."라고 말했다. 이 또
한 옳지 않다. 인심은 오직 대다수 보통 사람의 마음을 말한 것일
뿐이다. 미(微)라고 한 것은 정미함이니, 조금만 거칠어져도 정미
함이 아니다. 인욕과 천리를 말한 것도 옳지 않다. 사람에게도 선
과 악이 있고, 하늘에도 선과 악이 있다.【일식과 월식, 악성(惡星)
과 같은 것들】그러니 어떻게 선을 다 하늘에 돌리고 악을 다 사람
에게 돌릴 수 있겠는가. 이러한 이야기는 『악기(樂記)』에서 나왔
을 뿐, 성인의 말씀이 아니다.

舊嘗通張于湖書於建康, 誤解了『中庸』, 謂"魏公能致廣大而不能
盡精微, 極高明而不能道中庸", 乃成兩截去了. 又嘗作「高祖無可
無不可論」, 誤解了『書』, 謂"人心, 人僞也, 道心, 天理也", 非是. 人
心, 只是說大凡人之心. 惟微, 是精微, 纔粗便不精微, 謂人慾天理,
非是. 人亦有善有惡, 天亦有善有惡.【日月蝕, 惡星之類】豈可以善
皆歸之天, 惡皆歸之人. 此說出於『樂記』, 此說不是聖人之言.

172. 어린 후생들과 이야기하면 지극히 고상하고 지극히 정미한 것을

말해도 다 듣고 이해하지만, 노성한 사람들과 이야기하면 그렇지 않다. 그러니 도를 보는 데에는 기교랄 게 없는 것이다. 그저 마음이 평탄치 않은 사람들이 헤아리려고 하면 이내 잃어버리고 말 뿐이다.

與小後生說話, 雖極高極微, 無不聽得, 與一輩老成說便不然. 以此見道無巧, 只是那心不平底人揣度便失了.

173. 학자라면 모름지기 자신의 마음을 정결하게 수습한 연후에 분발하고 똑바로 서도록 해야 한다. 마음이 정결하지 않으면 분발도 똑바로 서는 것도 불가능하다. 옛 사람들의 배움이란 것이 '독서한 다음에 학문한다.'는 것이었음만 보아도 알 수 있다. 그러나 마음이 정결하지 않으면 책을 읽을 수 없다. [이럴 때] 만약 책을 읽는다면, 이는 곧 적군에게 무기를 빌려주고 도둑에게 식량을 대주는 것이나 마찬가지이다.

學者須是打疊田地淨潔, 然後令他奮發植立. 若田地不淨潔, 則奮發植立不得. 古人爲學卽'讀書然後爲學'可見. 然田地不淨潔, 亦讀書不得. 若讀書, 則是假寇兵, 資盜糧.

174. 이른바 "나도 모르는 사이에 임금의 법칙을 따르네."[100]란 세상이 태평하여 아무 일도 없음을 말한다. 그러나 어떤 학설 중에는 사람을 꼼짝할 수 없도록 억누르고, 아무 일도 하지 못하게 만든다고 이를 푼 것도 있는데, 이 또한 나름 일리가 있다. 나는 그대가 아무래도 이곳에 오래 머물 수 없을 것 같아서 큰 것을 함양하

---

100) 『列子』「仲尼」에 인용된 「康衢謠」의 한 구절이다.

도록 명했지, 이런 것들은 감히 언급도 하지 않았다. 하지만 나는 일 하나 물건 하나를 좇아가며 궁구하고 절차탁마하여, 시일이 차곡차곡 쌓임에 오늘에 이르렀다. 스스로 이해한 것도 아니고, 달리 무슨 방도가 있었던 것도 아니고, 더더욱 이해가 될 때까지 한가롭게 기다린 것도 아니다. 한번 이해가 되더니 이내 모든 것이 이해가 되었을 뿐이다. 하지만 나의 이해는 다른 사람의 것과 다르다. 나는 언제나 이해하기 위해 근면히 생활했다. 큰 형님께서는 매일 사경(四更: 3시~5시)에 일어나셨는데, 늘 보면 내가 책을 보면서 내용을 점검하거나 묵묵히 정좌하고 있었다고 했다. 늘 자식과 조카들에게 이 이야기를 하시며 나의 근면함은 다른 사람이 미치기 어렵다고 말씀하셨다. 요즘 사람들은 나를 보고 게을러서 아무 것도 이해하지 않는다고 말하는데, 가소롭다.

凡所謂"不識不知, 順帝之則," 晏然太平, 殊無一事. 然却有說擒搦人不下, 不能立事, 却要有理會處. 某於顯道, 恐不能久處此間, 且令涵養大處, 如此樣處未敢發. 然某皆是逐事逐物攷究練磨, 積日累月, 以至如今, 不是自會, 亦不是別有一竅子, 亦不是等閑理會, 一理會便會. 但是理會與他人別. 某從來勤理會, 長兄每四更一點起時, 只見某在看書, 或檢書, 或默坐. 常說與子姪, 以爲勤, 他人莫及. 今人却言某懶, 不曾去理會, 好笑.

175. 선생을 모시고 귀곡산에 올랐다. 선생께서는 진흙길을 2, 30리를 걸으신 뒤 말씀하셨다. "평소에 정력을 지극히 아끼며 가벼이 쓰지 않으면서 쓸 때를 위해 남겨두었다. 그래서 지금 이토록 정정한 것이다." 여러 사람들은 견딜 수 없이 힘들어 했다.

侍登鬼谷山. 先生行泥塗二三十里, 云: "平日極惜精力, 不輕用, 以留有用處, 所以如今如是健." 諸人皆困不堪.

176. 산을 보며 말씀하셨다. "경치 좋은 곳은 초목도 다 달라서, 속세의 기운이라곤 없다. 이를 보면 학문 또한 알 수 있다."

觀山, 云: "佳處草木皆異, 無俗物. 觀此亦可知學."

177. 천·지·인 삼재는 동등하니, 어찌 사람을 가벼이 여길 수 있겠는가? 사람이라는 글자 또한 어찌 가벼이 여길 수 있겠는가? 유에서 무를 말하고, 무에서 유를 말하는 부류는 유가의 학설이 아니다.

天·地·人之才等耳, 人豈可輕? 人字又豈可輕? 有中說無, 無中說有之類, 非儒說.

178. 이어 언급하시기를, 공이 간밤에 논한 일은 오직 이기고자 하는 마음이니, 바람이 잠잠하고 파도가 고요해지면 전혀 달라질 것이라고 하셨다.

因提公昨晚所論事, 只是勝心. 風平浪靜時, 都不如此.

179. 선생께서는 수(數)와 설시(揲蓍)를 설명하며 "후세 사람들의 시법은 모두 틀렸는데, 내가 [정확한 내용을] 알아냈다."라고 말씀하셨다.

先生說數, 說揲蓍, 云: "蓍法後人皆悞了, 吾得之矣."

180. 일행(一行)[101]의 수(數)는 매우 현묘하다. 총명함의 극치인지라 내 깊이 탄복하고 있으나 승려 출신이다. 승려 지세(持世)도 8권의 역법을 남겼다.

一行數妙甚, 聰明之極, 吾甚服之, 却自僧中出. 僧持世有曆法八卷.

181. 군자는 외물을 부리지만 소인은 외물에 의해 부림을 받는다. 권병은 모두 내게 있다. 만약 외물에게 있다면 외물에 의해 부림을 받게 된다.

君子役物, 小人役於物. 夫權皆在我, 若在物, 卽爲物役矣.

182. 유종원(柳宗元) 문장 중에 보이는 호(乎)와 여(歟)와 야(邪)와 같은 글자들에서 호(乎)라고 한 것은 의문문일 수도 있고 감탄문일 수도 있다. "또한 기쁘지 아니한가!"는 감탄문이고, "[부자의 구하심은] 사람들이 구하는 것과는 다를 것이다!"[102]는 감탄문이다. 『맹자』 '기류(杞柳)' 장(章)에 보이는 '여'와 '야'는 모두 의문문이다.

擧柳文乎 · 歟 · 邪之類, 說乎 · 歟是疑, 又是贊歎. "不亦說乎!"是贊歎, "其諸異乎人之求之歟!"是贊歎. 『孟子』'杞柳'章一'歟' · 一'也'皆疑.

---

101) 각주 5) 참고.
102) 두 구절 모두 『論語』 「學而」에서 인용했다.

183. 나도 일관을 말하고 저 사람도 일관을 말하는 것 같지만 꼭 그렇
지만은 않다. 천질(天秩)이니 천서(天叙)니 천명(天命)이니 천토
(天討)니 하는 것은 모두 실리(實理)이지만, 저 사람에게 이런 것
이 어찌 있겠느냐?

我說一貫, 彼亦說一貫, 只是不然. 天秩, 天叙, 天命, 天討, 皆是實
理, 彼豈有此?

184. 후생 중에 전혀 아는 것이 없는 자는 전혀 아는 것이 없는 듯
보여도 한번 이야기해주면 완벽하게 이해한다. 그의 마음에 아무
일도 들어 있지 않아 텅 비었기 때문이다. 하지만 그에게 어떠한
생각이 생기면 모든 것들이 가로막혀 아무 것도 들어가지 않는다.
이러한 허망함이 가장 사람을 해친다.

後生全無所知底, 似全無知, 一與說却透得. 爲他中虛無事. 彼有
這般意思底, 一切被這些子隔了, 全透不得, 此虛妄最害人.

185. '지나친[過]' 사람과 '미치지 못하는[不及]' 사람, 두 종류가 있다.
흉중에 아무 것도 들어 있지 않아 오로지 게으르게 가라앉아 있는
사람은 늘 어두운 속세로 치닫는다. 만약 그들을 일으켜 세울 수
있으면 좋겠지만 일으키기가 어렵다. 이들이 바로 '미치지 못하는'
사람에 속한다. 망령되이 나서기를 좋아하는 사람들은 모든 것을
막아버린다. 이들은 고치기가 어려우니, 이들이 바로 '지나친' 사
람에 속한다. 진중하고 광대한 사람이 낫지, 경박하고 소심한 사
람은 좋지 않다.

過不及有兩種人. 胸中無他, 只一味懈怠沉埋底人, 一向昏俗去,

若起得他却好, 只是難起, 此屬不及. 若好妄作人, 一切隔了, 此校
不好, 此屬過. 人凝重闊大底好, 輕薄小相底不好.

186. 괴(槐)가 말했다. "생각을 무겁게 하면 이내 놀라 의구심이 생깁
니다." 선생께서 답하셨다. "무겁게 하는 바가 있어서는 안 된다."
그리고는 맹자의 "잊어버리지도 말고, 자라는 것을 억지로 도와주
려고도 하지마라."[103]는 말씀을 인용하셨다.

槐云: "着意重便驚疑." 答: "有所重便不得." 擧孟子勿忘勿助長.

187. 여유롭고 너그러우면 간직하는 것이 많아지고 사려 또한 곧아진
다. 너무 지나치게 추구하고 탐색하면 간직하는 것이 적어지고
사려 또한 곧아지지 않는다.

優裕寬平, 即所存多, 思慮亦正. 求索太過, 即存少, 思慮亦不正.

188. 무겁게 막혀있는 사람은 가볍고 맑아지기 어려워서 덜어내 주어
도 이내 다시 무거워진다. 반드시 스승 옆에 오래 잡아두고 한참
동안 가볍고 맑아지는 법을 가르쳐야 한다. 그런데 자신이 무겁게
막혀있다면 어떻게 남을 가볍고 맑아지게 해 줄 수 있단 말인가?

重滯者難得輕淸, 刊了又重. 須是久在師側, 久久敎他輕淸去. 若
自重滯, 如何輕淸得人?

---

103) 『孟子』「公孫丑上」.

189. 황백칠 형은 지금은 매우 평이하고 여유롭고 애써 무언가를 추
구하지 않고 인위적으로 조작하지 않아서 매우 훌륭하다. 그러나
타고난 자질과 습성은 그렇지 않은 듯하였으니, 지금 이렇게 된
것이 배움의 힘이 아니고 무엇이겠는가?

黃百七哥, 今甚平夷閑雅, 無營求, 無造作, 甚好. 其資與其所習似
不然, 今却如此, 非學力而何?

190. 사람의 정신은 혈기에게 진다. 그러니 오관에 드러난 것들이 어
떻게 모두 바를 수 있겠는가? 현명한 스승과 좋은 벗을 얻어 이를
벗겨내 주고 깎아주지 않는다면, 어떻게 그 부화함과 거짓됨을 없
애고 진실로 돌아갈 수 있겠는가? 또 어떻게 능히 스스로 성찰하
고 자각하고 스스로 벗겨낼 수 있겠는가?

人之精爽, 負於血氣, 其發露於五官者安得皆正? 不得明師良友剖
剝, 如何得去其浮僞, 而歸於眞實? 又如何得能自省, 自覺, 自剝
落?

191. 수(數)는 곧 이치[理]이다. 사람이 이치에 어둡다면 어떻게 수에
밝을 수 있겠는가?

數即理也, 人不明理, 如何明數?

192. "신묘함으로서 미래를 알고, 지혜로써 지나간 일을 갈무리한
다."[104] 여기서 신묘함이란 시초점이고 지혜란 괘(卦)이다. 이는

---

104) 『周易』「繫辭上」.

사람 일신에 관한 시초점이다.

"神以知來, 智以藏往." 神, 蓍也, 智, 卦也, 此是人一身之蓍.

193. 나는 이제껏 배움을 말미암지 않았기에 자연히 사람의 어떤 기운과 부딪혔다. 일단 인위적으로 조작하고 애써 무언가를 추구하려는 사람을 보기만 하면 이내 달갑지 않았고, 겸허하고 담담한 사람을 보면 이내 기뻤다. 줄곧 쇠잔해 보이는 사람도 마음에 들었다. 근래 들어서는 일을 해내지 못하는 사람도 조금씩 싫어하게 되었고, 물러나 담박하게 지내는 자를 보면 언제나 그를 일으켜주고자 하였다.

某自來非由乎學, 自然與一種人氣相忤. 纔見一造作營求底人, 便不喜, 有一種冲然淡然底人, 便使人喜, 以至一樣衰底人, 心亦喜之. 年來爲不了事底, 方習得稍不喜, 見退淡底人, 只一向起發他.

194. 나는 지금껏 미리부터 화로를 올리고 나중에 부뚜막을 짓는 사람은 높이 사지 않았고, 대부분 평이한 사람을 높이 샀다.

某從來不尙人起爐作竈, 多尙平.

195. 많은 사람들이 누군가의 행동을 보고 나면 대부분 그들 상황에 맞게 가르쳐주지만, 마음으로 그릇되었다는 것도 알고 옳다고 여기지도 않으면서 이삼 년이 지나도록 지적하지 않는 사람도 있다. 이런 사람은 아무 것도 하지 않으면 그만이지만 한번 무언가를 하면 반드시 적중한다. 비록 적중하지 않는다 하여도 저 일 만들기만 좋아하지 적중하지 못하는 자들에 비하면 훨씬 낫다. 일에

있어서는 이처럼 많은 것을 하지 않지만, 문장의 경우에는 반드시 직접 짓는다. 문장이라야 어찌 남보다 훨씬 뛰어나겠는가? 오직 적합하면 그만이다. 조리와 질서가 없으면서 문장을 잘 짓는 사람은 그저 우연일 뿐이다. 또 말씀하셨다. 문장은 단련해야 한다.

因見衆人所爲, 亦多因他. 然亦有心知其爲非, 不以爲是, 有二三年不說破者. 如此不爲則已, 一爲必中. 此雖非中, 然與彼好生事不中底人相去懸絶. 於事則如此多不爲, 至於文章, 必某自爲之. 文章豈有太過人? 只是得箇恰好. 他人未有倫叙, 便做得好, 只是偶然. 又云, 文章要煆煉.

196. 『시경』의 「소서」는 시를 해석한 자가 지은 것이다. "천하가 쓸려가 버리다[天下蕩蕩]."[105]는 "위대하신 하느님[蕩蕩上帝]"에서 온 것이다. 이 서문은 직접 확인 할 수 있는 심각한 오류이다.

『詩』「小序」, 解詩者所爲. "天下蕩蕩", 乃因"蕩蕩上帝", 序此尤謬可見者.

197. 증삼·고시·칠조개 등은 '중도에 미치지 못한[不及]' 자들 중에서 훌륭한 자들이고, 증석은 '중도를 지나친[過]' 자들 중에서 훌륭한 자이다. 지나친 사(師)와 미치지 못한 상(商)[106]은 지나치고

---

105) 『詩經』「大雅·蕩之什」. 「毛詩序」에서는 이 시를 설명하며 이렇게 말했다. "「탕」은 소목공이 주나라 황실이 크게 무너지고 여왕이 무도한 탓에 천하가 쓸려가 버리고 기강도 문장도 사라진 것을 가슴 아파하며 지은 시이다.(「蕩」, 召穆公傷周室大壞也. 厲王無道, 天下蕩蕩, 無綱紀文章, 故作是詩也.)"
106) 『論語』「先進」에 "자공이 물었다. '사와 상은 누가 더 어집니까?' 공자께서 말씀하셨다. '사는 지나치고 상은 부족하다.'(子貢問, '師與商也孰賢?' 子曰, '師

미치지 못한 자들 중에서 훌륭하지 못한 자이다.

曾參·高柴·漆雕開之徒是'不及'之好者, 曾晳是過之好者, 師過
商不及是過不及之不好者.

198. "사람이면서 「주남」과 「소남」을 읽지 아니하면 담을 향하여 서
있는 것과 같다."[107) 이것이 배우는 자에게 있어 첫 번째 뜻이다.
"옛날에 밝은 덕을 천하에 밝히고자 했던 자들은,"[108) 이것이 두
번째 뜻이다. 공자께서 배움에 뜻을 두신 것은 바로 여기에 뜻을
두었던 것이다. 그러기 위해서는 모름지기 입문처가 필요한데,
「주남」과 「소남」이 바로 그 입문처이다. 뜻을 지니지 않은 후생
과는 이야기하기 어려우니, 이는 「진서(秦誓)」[109)에 나오는 '그
마음이 착하면' 한 장(章)과 서로 호응한다. 「주남」과 「소남」은
질리지 않고서 선(善)을 좋아하는데, 「관저(關雎)」와 「작소(鵲
巢)」도 마찬가지이다. 사람에게 선을 좋아하는 마음이 없으면 온
통 사심뿐이고, 선을 좋아하는 마음이 있으면 사심이 사라져서 남
이 가진 기예도 마치 자기가 가진 듯 여긴다. 지금 사람들은 꼭
다른 마음이 있어서가 아니라 그저 뜻이 없어서 선을 좋아하지
않을 뿐이다. 악정자(樂正子)가 선을 좋아하는지라 맹자는 기뻐
서 잠을 이루지 못하였다[110)고 하였다. 그러나 이는 악정자를 사

也過, 商也不及'.")라는 내용이 보인다.
107) 『論語』「陽貨」.
108) 『大學』.
109) 『尙書』의 편명. "곰곰이 나는 그것을 생각해 보았다. 만약 한 굳은 신하가 있
는데, 정말로 다른 재주는 없으나 그의 마음이 착하면 그 같은 사람은 받아들
이겠다.(昧昧我思之, 如有一介臣, 斷斷猗無他技, 其心休休焉, 其如有容.)"

사로이 여겨서가 아니었다.

"人而不爲「周南」·「召南」, 其猶正牆面而立也", 學者第一義. "古
之欲明明德於天下者", 此是第二. 孔子志學便是志此, 然須要有入
處. 「周南」·「召南」便是入處. 後生無志難說, 此與「秦誓」'其心休
休'一章相應. 「周南」·「召南」好善不厭, 「關雎」·「鵲巢」皆然. 人
無好善之心便皆自私, 有好善之心便無私, 便人之有技若己有之.
今人未必有他心, 只是無志, 便不好善. 樂正子好善, 孟子喜而不
寐, 又不是私於樂正子.

199. 일찍이 큰 닭 한 마리를 보았는데, 엄숙히 자중하는 모습이 작은
닭들과 달랐기에 「관저」의 뜻을 이해하게 되었다. 강가 모래섬에
있는 물수리가 고요히 자중하고 있는 모습을 이토록 아름다운 군
자와 미인에게 비유했던 것이다.

因曾見一大鷄, 凝然自重, 不與小鷄同, 因得「關雎」之意. 雎鳩在
河之洲, 幽閑自重, 以比興君子美人如此之美.

200. 문장은 이치를 위주로 한다. 순자는 이치에 어두웠던 탓에 문장
이 전아하지 못하다.

文以理爲主, 荀子於理有蔽, 所以文不雅馴.

201. "풍으로써 마음을 움직이고, 교(敎)로써 변화시킨다."[111] 풍은

---

110) 『孟子』「告子下」. "노나라가 악정자에게 정사를 맡기자 맹자께서 말씀하셨다.
'내 그 말을 듣고 기뻐서 잠을 이루지 못했다.……그 사람됨이 선을 좋아해서
이다.'(魯欲使樂正子爲政, 孟子曰, '吾聞之, 喜而不寐……其爲人也好善.')"

혈맥이고 교는 조목이다.

"風以動之, 敎以化之." 風是血脉, 敎是條目.

202. 부자께서 말씀하셨다. "유(由: 子路)야, 덕을 아는 사람이 거의 없구나."[112] 덕을 알아야 한다. 고요는 "아, 행동에도 아홉 가지 덕이 있으니"라고 말한 다음에 "어떤 일을 했는지 기록해야 한다."[113]고 하였다. [한 사람이 한] 일을 안 볼 수는 없지만 이는 필경 말단이다. 스스로를 기르는 자라면 또한 모름지기 덕을 길러야 하며, 남을 기를 때도 마찬가지이다. 스스로를 알려도 해도 모름지기 덕을 알아야 하며, 남을 알 때도 마찬가지이다. 덕을 보지 않고 한갓 바깥에 있는 행실과 일만 점검하고자 한다면, 장차 사람으로 하여금 거짓을 행하게 한다.

夫子曰: "由! 知德者鮮矣." 要知德. 皐陶言: "亦行有九德." 然後乃言曰: "載采采." 事固不可不觀, 然畢竟是末. 自養者亦須養德, 養人亦然. 自知者亦須知德, 知人亦然. 不於其德而徒繩檢於其外行與事之間, 將使人作僞.

203. 한유의 문장에는 글 짓는 첩경이 있다. 『상서』를 모방한 「平淮西碑」 등의 작품은 역시 편장을 이루고 있으나, 다른 글만 못하다.

---

111) 「毛詩序」에 나오는 말이다.
112) 『論語』「衛靈公」.
113) 『尚書』「皐陶謨」. 孔穎達은 傳에서 '載采采'를 다음과 같이 설명하였다. "載란 行이요, 采란 事이다. 어떤 사람이 덕이 있다고 칭할 때는 반드시 그가 행한 어떠한 일을 말함으로써 이를 입증해야 한다.(載, 行, 采, 事也, 稱其人有德, 必言其所行某事某事以爲驗)"

韓文有作文蹊徑,『尙書』亦成篇, 不如此.

204. 후생들은 옛날의 책과 문장을 정밀히 읽어야 한다.

後生精讀古書文.

205. 후생들이 우선 『한서』 「식화지」를 읽는 것도 좋다. 이어 『주관』 「고공기」를 읽어야 한다. 또 말씀하셨다. "후생이 「계사」를 즐겨 읽는데, 모두 성인께서 『주역』을 지은 것을 찬탄한 글이다."

『漢書』「食貨志」後生可先讀, 又着讀『周官』「考工記」. 又云: "後生 好看「繫辭」, 皆贊歎聖人作『易』."

206. 후생들이 「자허부」와 「상림부」114)를 즐겨 읽는 것은 모두 글자 수가 많아서이다. 그러나 나중에 공부를 좋아하는 정도는 여기에 미치지 못한다.

後生好看「子虛」·「上林賦」, 皆以字數多. 後來好工夫不及此.

207. 문장은 겨우 두 글자 한 구절이라 할지라도 반드시 출처가 있어야 한다. 그러나 육경의 구절을 사용하는 것은 몰래 사용한다고 말하지 않는다.

文纔上二字一句, 便要有出處. 使六經句, 不謂之偸使.

---

114) 한나라 때 문학가인 司馬相如가 지은 大賦이다.

208. 학자가 단번에 고치지 못한다면 이는 사사로운 뜻이니, 이렇게 해서는 발전하지 못한다.

學者不可翻然即改, 是私意, 此不長進.

209. 닷새 만에 물 하나를 그리고, 열흘 만에 소나무 하나를 그려야 한다. 이렇게 하지 않는다면 이는 엉터리로 한 것이다.

五日畫一水, 十日畫一松, 若不如此, 胡亂做.

210. 나는 사람을 볼 때 언행을 보지 않고 공(功)과 허물을 보지 않는다. 곧장 안으로 들어가 심장과 간을 새기듯 파악한다.

某觀人不在言行上, 不在功過上, 直截是雕出心肝.

211. 사람이 천지간에 살면서 어떻게 스스로 서지 않을 수 있겠는가?

人生天地間, 如何不植立?

212. 궁구하고 연마하다 보면 어느 날 아침 스스로 깨닫게 된다.

窮究磨煉, 一朝自省.

213. 이에 여쭈었다. "여사후(黎師侯)의 시는 이치가 밝지도 않고 의(義)가 정밀하지도 않으며, 그저 갈고 닦아 얻은 것인지라 사람들과 이야기하지 못하는 것입니다." 선생께서 말씀하셨다. "이런게 바로 평생토록 짐작하기를 좋아하는 모습니다. 그는 그저 이야기하지 못했을 뿐인데, 너는 어찌 말하지 못하는 이유까지 아느냐"

因問: "黎師侯詩, 不是理明義精, 只是揣磨得之, 所以不能言與
人." 曰: "此便是平生愛圖度樣子, 只是他不能言, 你又豈知得他是
如此?"

214. 한 가지 사물을 잡으면 꼭 쥐고 놓지 않으면서 함부로 행동한다.

定夫挾一物不放, 胡做.

215. 형공은 반드시 되기를 구하였으나 다른 사람들은 반드시 구하지
도 않는다.

荊公求必, 他人不必求.

216. 석가와 노자는 세상 사람들보다 한 수 위다. 다만 도가 치우쳐있
기 때문에 옳지 않을 뿐이다.

佛老高一世人, 只是道偏, 不是.

217. 주강숙이 와서 배움에 대해 묻자 선생께서 말씀하셨다. "공은 그
저 사공을 모시고 송사를 하러 왔다고 말하십시오." 증충지가 와
서 배움에 대해 묻자 선생께서 말씀하셨다. "공은 그저 누굴 위해
몰래 청탁하러 왔다고 말하십시오." 이것이 배움일 뿐이다.

周康叔來問學, 先生曰: "公且說扶渡子訟事來." 曾充之來問學, 先
生曰: "公且說爲誰打關節來." 只此是學.

218. 또 하는 일 없이 해탈과 망각만을 숭상했기 때문에 오늘날 중요한
관건의 순간에 당면해 대상을 마주하고서 밝아지지 못하는 것이다.

又無事尚解忘, 今當機對境, 乃不能明.

219. 신중히 생각을 한 곳에 집중하는 것은 대부분 타고난 자질에 따라 차이가 나지만, 한번 생각을 집중할 수 있으면 곧 빠져나올 수 있다.

謹致念, 大凡多隨資稟, 一致思便能出.

220. 이에 상도가 예전에 물었다. "마음은 모두 일어났는데, 이제 어디로 가서 도를 구해야 할지 모르겠습니다. '덕을 이룬 사람은 위에 있게 되고 기예를 이룬 사람은 아래에 있게 된다. 행실을 이룬 사람은 앞에 있게 되고, 일을 이룬 사람은 뒤에 있게 된다.[115]'고 했는데, 지금 사람들의 성명(性命)은 일이나 기예와 같은 말단에 있을 뿐입니다." 팽세창이 말했다. "그저 경중과 대소를 몰라서 그렇지요." 선생께서 웃으며 말씀하셨다. "정신을 온통 요가(廖家)네 소 떼 속[116]으로 몰아넣었기 때문에 오현도가 제공들하고 풍수나 이야기하는 것이다."

因說詳道舊問云: "心都起了, 不知如何在求道. '德成而上, 藝成而下, 行成而先, 事成而後', 今人之性命只在事藝末上." 彭世昌云:

---

115) 『禮記』「樂記」.

116) 江西 廖家 風水는 전통이 깊다. 원래 당나라 말에 楊筠松에 의해 강서에 풍수학이 뿌리내리기 시작했는데, 그의 제자인 曾文辿과 廖瑀가 三僚에서 저술을 하고 풍수설을 널리 유행시키면서 廖氏 풍수학이 크게 이름을 날리게 되었다. 여기서는 육구연이 당시 사람들이 말단의 학문에 힘쓰는 것을 빗대어 농담처럼 말한 것이다.

"只是不識輕重大小." 先生笑曰: "打入廖家牛隊裏去了, 因吳顯道
與諸公說風水."

221. 선가(禪家)의 화두는 설파하지 않는다는 등의 이야기는 모두 후
세의 오류이다.

禪家話頭不說破之類, 後世之謬.

222. "잇는 것이 선(善)이다."[117]는 하나의 음과 하나의 양이 이어지
는 것을 말한 것이다.

"繼之者善也", 謂一陰一陽相繼.

223. 책을 정밀히 읽다 보면 정채롭고 경계가 될 말한 부분이 절로
드러난다. 만사가 다 그렇다.

精讀書, 著精采警語處, 凡事皆然.

224. 나도 지금은 사람들에게 시문(時文)을 가르치고, 가서 시험도 치
라고 시킨다. 또 누군가 발해(發解)[118] 되는 것을 좋아한다. 하지
만 이 생각이 공(公)에서 나왔지 사(私)에서 나오지 않았음을 잘
알아야 한다.

某今亦敎人做時文, 亦敎人去試, 亦愛好人發解之類, 要曉此意是

---

117) 「繫辭上」에 "일음 일양을 道라 하는데, 이를 이은 것이 善이고 이를 이룬 것이
性이다.(一陰一陽之謂道, 繼之者善也, 成之者性也.)"라는 말이 나온다.
118) 唐宋 시대에 과거에 응시한 사람을 州·縣에서 도성으로 보내는 일을 말한다.

爲公, 不是私.

225. 매사는 그 이치가 어떤지만 보면 되나니, 그 사람이 누군지는 보지 말라.

凡事只看其理如何, 不要看其人是誰.

226. 회옹(晦翁: 朱熹)에게 말했다. "아닌 게 아니라 마음의 병이 가장 고치기 어렵습니다."

說晦翁云: "莫教心病最難醫."

227. 안에 얽매인 바가 없고, 밖에 얽매인 바가 없으면 자연히 자유로워진다. 그러나 약간의 생각만 생겨도 이내 깊게 가라앉고 만다. 뼈와 골수까지 철저히 뚫어 초연히 볼 수 있게 되면 일신이 자연히 가볍고 청정해지고 자연히 신령해진다.

內無所累, 外無所累, 自然自在, 纔有一些子意便沉重了. 徹骨徹髓, 見得超然, 於一身自然輕淸, 自然靈.

228. 대개 문장이란 재능이 드높고 빼어난 자의 것은 글자마다 구절마다 따라가며 점검해야 한다. 하지만 재능이 온건하고 문장이 가지런한 자나 의론과 식견을 갖춘 자의 것이라면 옛 사람의 고아한 문장이라 여겨 뽑아도 좋다.

大凡文字, 才高超然底, 多須要逐字逐句檢點他. 才穩文整底, 議論見識低, 却以古人高文拔之.

229. 본분의 일에 익숙해진 후라야 일용 중의 일이 완전히 [본분을] 떠나지 않을 수 있다. 후생들에게 오직 본분의 일에만 매진하게 해도 미처 스스로도 구제하지 못하니, 어렵고도 어려운 일이다. 하지만 오직 본분의 일에만 나아가 힘쓰게 해도 굳이 일용 중의 일에 나아가고, 또 본분의 일은 일체 잊어버리고 마는 자도 있으니, 어렵고도 어려운 일이다. 정신은 온전히 안에 있어야지 밖에 있어서는 안 된다. 만약 밖에 있게 되면 평생 옳은 곳이 한 곳도 없게 된다. 만약에 소인에게 상을 준다면 지금 어떠한 생각을 가지고 그에게 상을 주어서도 안 되고, 소인에게 화를 낸다면 지금 어떠한 생각을 가지고 그에게 화를 내어서도 안 된다. 절대 그렇게 하지 말고, 그저 장려해야 하면 장려하고 화를 내야 하면 화를 내면서 나도 그 이유를 몰라야 한다. 만약 어떤 생각을 가지고 그렇게 한다면 이는 곧 사사로움이라 사람을 감동시키지도, 두렵게 만들지도 못한다.

本分事熟後日用中事全不離. 此後生只管令就本分事用工, 猶自救不暇, 難難. 教他只就本分事, 便就日用中事, 又一切忘了本分事, 難難. 精神全要在內, 不要在外, 若在外, 一生無是處. 但如獎一小人, 亦不可謂今要將些子意思獎他, 怒一小人, 亦不可謂今要將些子意思怒他, 都無事此. 只要當獎即獎, 當怒即怒, 吾亦不自知. 若有意爲之, 便是私, 感畏人都不得.

230. 내 안에는 부축하여 지키는 것이 있고, 보호하여 기르는 것이 있으며, 꺾어 억누르는 것이 있고, 내쳐 부러뜨리는 것이 있다.

我這裏有扶持, 有保養, 有摧抑, 有擯挫.

231. 한유(韓愈)의 문장 중에는 묘지명과 제문이 많이 보이는데, "동정호(洞庭湖)처럼 광대하고 끝도 없이 하늘과 붙어 있다."[119] 유종원(柳宗元)의 「여화광 제문(祭呂化光)」도 문장이 오묘하다.

　韓文章多見於墓誌祭文, 洞庭汗漫, 粘天無壁. 柳「祭呂化光」文章妙.

232. 옛 사람들은 정신을 쓸데없이 쓰지 않았다. 쓰지 않으면 그만이었지만 한번 썼다 하면 하릴 없이 쓰지 않았기에, 일을 해낼 수 있었다. 그러기 위해서는 모름지기 모든 것을 깨끗이 씻어내고 남긴 것이 조금도 없어야 한다.

　古人精神不閑用, 不做則已, 一做便不徒然, 所以做得事成. 須要一切蕩滌, 莫留一些方得.

233. 나는 평생 한 가지가 남보다 뛰어났으니, 다른 사람이 이해하려는 것을 나는 이해하지 않았고, 다른 사람이 하려는 것을 나는 하지 않았다.

　某平生有一節過人, 他人要會某不會, 他人要做某不做.

234. 고생스러움을 싫어하지 말라. 이것이 바로 학문의 맥이다.

　莫厭辛苦, 此學脈也.

235. 이치를 봄에 밝지 않고, 믿음이 이르지 않으면 편안할 수 없다.

---

119) 한유가 지은 「祭河南張員外文」에서 인용한 구절이다.

不是見理明, 信得及, 便安不得.

236. 흐리고 갬이 늘 변하는 것을 가지고 사람에게 열릴 때와 막힐 때
가 있음을 설명하셨다. 만약 별 일 없이 막혔다면 해될 것이 없지
만, 갑자기 이유가 있어 막혔다면 반드시 이해하고 넘어가야 한다.

因陰晴不常, 言人之開塞. 若無事時有塞, 亦未害, 忽有故而塞, 須
理會方得.

237. 희학질을 해서는 안 되고, 향리에서나 떠는 수다를 떨어서는 안
된다. 불초한 자를 진작시키고 망가진 생각을 깨뜨리고자 한다면
먼저 반드시 이 두 가지를 가지고 격발시켜야 한다. 나는 일고여
덟 살 적에 늘 향리의 칭찬을 들었는데, 그저 장중하게 몸가짐을
하면서 노는 것을 좋아하지 않은 덕분이었다. 그래서 소년 시절
에는 [함께 놀] 짝이 없어서 신발이 헤지지 않았고 손톱이 길었다.
후에 열대여섯 살이 되었을 때 함께 어울리는 무리가 없음을 깨
닫고 조금씩 마음의 문을 열기 시작했다. 삼국(三國: 魏 · 蜀 · 吳)
과 육조(六朝)의 역사를 읽고 이적이 중화를 어지럽힌 것을 알고
는 단번에 손톱을 잘라버리고 활쏘기와 기마를 배웠다. 하지만
흉중이 다른 사람들과 달라서 일찍이 실수를 한 적이 없다. 후에
[몸가짐이] 수렴되어 있는 자를 보면 모든 행동이 너무 고루하여
어쩔 수 없이 그에게 조금 스스로를 열도록 가르쳐야 했다. 이런
점이 어렵다. 수렴하지 않을 수도 없고, 수렴하면 또 다시 고루해
진다. 이처럼 중요한 곳은 사람 스스로 터득해야 한다.

不可戲謔, 不可作鄉談. 人欲起不肖破敗意, 必先借此二者發之.
某七八歲時常得鄉譽, 只是莊敬自持, 心不愛戲. 故小年時皆無侶,
韈不破, 指爪長. 後年十五六, 覺與人無徒, 遂稍放開. 及讀三國六
朝史, 見夷狄亂華, 乃一切剪了指爪, 學弓馬, 然胸中與人異, 未嘗
失了. 後見人收拾者, 又一切古執去了, 又不免教他稍放開. 此處
難, 不收拾又不得, 收拾又執. 這般要處, 要人自理會得.

238. 의론과 언사에는 결단코 방도가 없다. 그러나 한 가지 이야기를
하고 또 한 가지 이야기에 나아가는 것은 옳지 않다. 이는 매우
분명한 일이다. 그러나 만약 망설이며 결단하지 못한다면 이는
아니 한 것과 마찬가지이다.

截然無議論詞說蹊徑, 一說又一就說, 卽120)不是. 此事極分明, 若
遲疑, 則猶未.

239. 문자란 차라리 증오를 사고 분노를 살지언정 부끄러움을 사고
치욕을 사서는 안 된다. 회암에게 주는 편지는 그렇지 않아서 곧
장 휘몰아가야 한다.

大凡文字, 寧得人惡, 得人怒, 不可得人羞得人恥. 與晦庵書不是,
須是直湊.

240. 도는 가까이에 있는데 먼 데서 구하고, 일은 쉬운 데 있는데 어
려운 데서 구한다. 오직 가깝고 쉬운 곳에 나아가 착실히 실제에

---

120) [원주] '卽'은 원래 '節'로 되어 있으나, 문맥에 의거해 고친다.

나아가라. 텅 빈 견해를 숭상하지도 말고, 높은 곳을 탐하고 먼 곳에 이르려 애쓰지 말라.

道在邇而求諸遠, 事在易而求諸難. 只就近易處, 着着就實, 無尙虛見, 無貪高務遠.

241. 수시로 법도를 지켜야 함은 후생들에게 있어 가장 긴요한 일이다. 선생이나 어르신들을 보지 말라. 그들은 이미 노련하므로. 다만 남들이 보는 것을 너는 보지 말고, 남들이 웃는 것을 너는 웃지 말라. 말한 것처럼 예(禮)가 아니면 보지 말고, 예가 아니면 듣지 말라.121)

隨身規矩, 是後生切要, 莫看先生長者, 他老練, 但只他人看, 你莫看, 他人笑, 你莫笑. 所謂非禮勿視, 非禮勿聽.

242. 관중이 노자를 배웠다는 말 또한 맞는 말이다.

管仲學老子亦然.

243. 늙고 쇠해진 연후에 불교가 내 안에 들어온다.

老衰而後佛入.

244. 오로지 일만 논하고 말단만 논하지 말지니, 오로지 마음에 나아가 이야기해야 한다.

---

121) 『論語』「顔淵」.

不專論事論末, 專就心上說.

245. 엄태백(嚴泰伯)을 논하며 말씀하셨다. "그저 이기기만을 좋아할 뿐이다. 좋은 일 한 가지를 보면 앞으로 다가가 하지만, 해낸 결과는 또한 옳지 않다. 해낸 일이 훌륭하다 해도 그 마음은 도리어 훌륭하지 않다."

論嚴泰伯云: "只是一箇好勝. 見一好事做近前, 便做得亦不是, 事好心却不好."

246. 노자는 주나라의 도가 쇠하여 명분만이 기승을 부리는 것을 보고는 그 곳을 전적으로 공격하여 학설을 폈다. 그러나 양을 잃어버리기[122]는 매한가지였다.

老氏見周衰名勝, 故專攻此處而申其說. 亡羊一也.

247. 하나가 옳으면 모두가 옳고, 한 가지가 밝으면 모두가 밝다.

一是即皆是, 一明即皆明.

248. 오현중이 불필요한 말을 많이 하는 것을 지적하며 말씀하셨다. "반드시 못을 부러뜨리고 철도 잘라내야 한다.[123]

指顯仲剩語多, 曰: "須斬釘截鐵."

---

122) 각주 41) 참고.
123) 말이나 행동이 깔끔하고 결단력 있는 것을 말한다.

249. 여럿이서 바둑 두는 모습을 보시고서 말씀하셨다. "모든 일이란 함부로 가벼이 해서도 안 되고, 또 수준이 낮은 자라고 얕잡아 보아서도 안 된다. 후에 적수를 만났을 때 [상대가] 너무 익숙하게 느껴지면 이내 패하고 만다. 사자는 코끼리를 잡을 때나 토끼를 잡을 때나 모두 전력을 다한다."

因看諸人下象棋, 曰: "凡事不得胡亂輕易了, 又不得與低底下, 後遇敵手便慣了, 即敗. 獅子捉象捉兎, 皆用全力."

250. "말이 나옴이 기괄(機括)과 같다는 것은 말의 시비가 여기에 달려 있음을 이르는 것이다. 생각을 보존함이 맹약과 같다는 것은 마음의 승기(勝機)를 지킴을 이르는 말이다."[124] 장자(莊子)는 세(勢)가 막히면 도모하였고, 계책을 얻으면 끊어버렸다. 선생께서 예전에 말씀하시기를, 소경(小經)[125]에서 하는 말의 뜻이 장자와 비슷하다고 하셨다.

"其發若機括, 且司是非之謂也. 其留如詛盟, 其守勝之謂也." 莊子勢阻則謀, 計得則斷. 先生舊嘗作小經云意似莊子.

251. 자합(子合) 왕우(王遇)가 학문의 도는 무엇을 우선으로 해야 하냐고 여쭈었다. 선생께서 말씀하셨다. "사우(師友)를 가까이 하고 자신의 훌륭하지 못한 점을 없애라. 사람의 자질에는 좋고 나쁨

---

124) 『莊子』「齊物論」에 나오는 말이다. 機는 활 양쪽 끝의 활시위를 거는 곳이고, 栝은 화살 끝으로 활시위를 받는 곳을 뜻하는데, 가장 중요한 작용을 의미한다.
125) 송나라 때는 『莊子』와 『列子』를 소경이라 부르기도 하였고, 불경 중에 『阿彌陀經』을 소경이라 부르기도 하였는데, 여기서는 후자인 듯하다.

이 있으니, 사우를 얻어 쪼개고 갈아서 자신의 훌륭하지 못한 점이 무엇인지를 알아낸 다음 그것을 고쳐라." 자합이 말했다. "네. 더 많은 가르침을 주십시오." 선생께서는 대답하지 않으셨다. 선생께서 말씀하셨다. "자합은 내가 설명한 성선과 성악, 이정[二程]과 불교·노장 등의 말이 자기의 요구에 부합하지 않는다고 여겼던 것이다. 그래서 오직 '네.'라고만 대답했던 것이다. 나는 그가 이 말을 이해하기를 바랐기에 대답하지 않았다."

王遇子合問學問之道何先? 曰: "親師友, 去己之不美也. 人資質有美惡, 得師友琢磨, 知己之不美而改之." 子合曰: "是, 請益." 不答. 先生曰: "子合要某說性善性惡, 伊·洛·釋·老, 此等話不副其求, 故曰是而已. 吾欲其理會此說, 所以不答."

이상 현도 포양이 기록하다

右包揚顯道所錄

〈첨부민詹阜民의 기록〉

1. 나 부민(阜民)은 계묘년 12월에 선생을 처음 만나 뵈었는데, 당시 했던 말을 다 기억하지는 못하지만 대략 요지는 이러했다. "대저 배우고자 한다면 먼저 의(義)와 리(利), 공(公)과 사(私)의 구분을 알아야 한다. 지금 배우는 것이 과연 어떤 일인가? 사람이 이 천지간에 살면서 [진정] 사람이 되기 위해서는 마땅히 사람으로서의 도를 다해야 한다. 학자들이 배우는 이유도 사람 되는 법을 배우기 위해서일 뿐, 큰일을 하기 위해서가 아니다." 또 말씀하셨다. "공자 문하의 제자들 중 자하 · 자유 · 재아(宰我) · 자공 같은 사람들은 비록 성인을 만나지 못했다 하더라도 족히 학자로 일컬어지며 만세의 스승이 될 수 있었다. 그러나 마침내 성인의 가르침을 전수받은 자는 우매했던 고시(高柴)와 둔했던 증삼(曾參)이었다.[126] 이는 후세 학자들이 문의(文義)에 함몰되고 지식에 얽매어 어두움이 갈수록 심해진 탓에, 도를 가르칠 수 없음을 탓하신 것일 게다." 나는 집으로 돌아온 뒤에 여러 책들을 모두 물리쳤다. 그러나 후에 그래서는 안 된다는 의구심이 들어 다시금 여쭈었다. 선생께서 말씀하셨다. "나라고 해서 사람들에게 책을 읽으라고 시키지 않았겠느냐? 그래가지고 앞으로 무슨 일을 해낼지 모르겠구나."

阜民癸卯十二月初見先生, 不能盡記所言. 大旨云: "凡欲爲學, 當先識義利公私之辨. 今所學果何爲事? 人生天地間, 爲人自當盡人

---

126) 『論語』「先進」.

道. 學者所以爲學, 學爲人而已, 非有爲也." 又云: "孔門弟子如
子夏·子游·宰我·子貢, 雖不遇聖人, 亦足號名學者, 爲萬世
師. 然卒得聖人之傳者, 柴之愚, 參之魯. 蓋病後世學者溺於文
義, 知見繳繞, 蔽惑愈甚, 不可入道耳." 阜民旣還邸, 遂盡屛諸
書. 及後來疑其不可, 又問. 先生曰: "某何嘗不敎人讀書? 不知此
後煞有甚事."

2. 내가 선생을 모시고 앉아 있는데, 선생께서 갑자기 일어나시기에
   나 역시 일어났다. 선생께서 말씀하셨다. "아직도 안배가 필요하냐?"

   某方侍坐, 先生遽起, 某亦起. 先生曰: "還用安排否?"

3. 선생께서 '공도자가 묻기를, 다 같은 사람인데'127) 일 장(章)을 예
   로 들며 말씀하셨다 "사람에게는 오관이 있고, 오관마다 맡은 일
   이 다르다. 나는 오관을 통해 생각하며 이 마음을 수습하지만 [오
   관은] 오직 사물을 비출 뿐이다." 훗날 아무 질문도 하지 않고 선
   생을 모시고 앉아있었는데, 선생께서 말씀하셨다. "학자들이 늘
   눈을 감고 있을 수 있어도 또한 훌륭하다." 그래서 나는 할 일이
   없을 때면 편안히 앉아 눈을 감고서 밤낮으로 [마음을] 잘 붙잡아
   지킬 수 있도록 노력했다. 이렇게 보름이 지났을 때 하루는 다락
   에서 내려오다 갑자기 이 마음이 다시 명징해지면서 가운데에 무
   엇인가가 서는 것이 느껴졌다. 나는 속으로 이를 이상하게 여기

---

127) 『孟子』「告子上」에 보이는 "공도자가 물었다. '다 같은 사람인데, 혹자는 대인
   이 되고 혹자는 소인이 되는 것은 어째서입니까?'(公都子問曰, '釣是人也, 或
   爲大人, 或爲小人, 何也?')" 단락을 말한다.

다가 마침내 선생을 찾아뵈었다. 선생께서 나를 응시하시며 말씀
하셨다. "이 이치가 이미 드러났구나." 내가 선생에게 여쭈었다.
"어떻게 아셨습니까?" 선생께서 말씀하셨다. "눈동자로 추측했을
뿐이다." 그러더니 내게 말씀하셨다. "도가 과연 가까운 곳에 있
더냐?" 내가 말했다. "예. 옛날에는 남헌(南軒) 장 선생(張先生:
張栻)께서 편찬하신 『수사언인(洙泗言仁)』128) 등의 책을 가지고
고찰했는데, 끝내 인(仁)이 무엇인지 알지 못하였으나 지금에서야
이해하였습니다." 선생께서 말씀하셨다. "이것이 곧 앎이요 용
(勇)이다." 내가 그 말을 듣고 깨달아 말했다. "알고 용감해진 것
뿐만 아니라 모든 선(善)이 곧 이것입니다." 선생께서 말씀하셨
다. "그렇다. 이제는 다시 보존하고 기르는 일을 해야 한다."

先生擧'公都子問鈞是人也'一章云: "人有五官, 官有其職, 某因思
是便收此心, 然惟有照物而已." 他日侍坐無所問, 先生謂曰: "學者
能常閉目亦佳." 某因此無事則安坐瞑目, 用力操存, 夜以繼日. 如
此者半月, 一日下樓, 忽覺此心已復澄瑩中立, 竊異之, 遂見先生.
先生目逆而視之曰: "此理已顯也." 某問先生: "何以知之?" 曰: "占之
眸子而已." 因謂某: "道果在邇乎?" 某曰: "然. 昔者嘗以南軒張先生
所類『洙泗言仁』書考察之, 終不知仁, 今始解矣." 先生曰: "是即知
也, 勇也." 某因言而通, 對曰: "不惟知勇, 萬善皆是物也." 先生曰:
"然, 更當爲說存養一節."

4. 선생께서 말씀하셨다. "책을 읽을 때는 궁구하고 탐색할 필요 없

---

128) 張栻이 공자가 태어나서 죽은 洙泗 지방의 이름을 따서 공자가 말한 仁의
글귀를 모아 지은 것이다.

이 평이하게 읽으면 된다. 알 수 있는 것만 알고 넘어가도 오래 지나면 저절로 밝아지나니, 알지 못한다고 해서 부끄러이 여길 필요 없다. 너도 오늘날 책을 읽고 경서를 담론하는 자들을 보았지 않았느냐? 수십 가(家)들의 요지를 일일이 서술한 다음에 자신의 견해로써 끝맺음 한다. 열었다 닫았다 반복하면서 스스로 정미한 뜻을 다 궁구했다고 여기지만, 그 실질을 따져보면 전혀 터득하지 못하였다. 이와 같은즉 무슨 도움이 되겠느냐?"

先生曰: "讀書不必窮索, 平易讀之, 識其可識者, 久將自明, 毋恥不知. 子亦見今之讀書談經者乎? 歷叙數十家之旨而以己見終之. 開闔反覆, 自謂究竟精微, 然試探其實, 固未之得也. 則何益哉?"

5. 을사년 12월에 다시 도성에 들어가 선생을 만나 뵈었다. 좌정하고 있을 때 선생께서 말씀하셨다. "너는 어찌하여 이처럼 속박되어 있느냐?" 그러시더니 혼자 읊조리셨다. "큰 기러기의 털이 순풍을 만나 나는 듯 하며, 거대한 물고기가 큰 계곡에서 멋대로 헤엄치듯 성대하다고 하였으니,[129] 어찌 통쾌하지 않겠느냐?" 나는 이윽고 직접 기록한 『관규(管窺)』 등의 문장을 보이며 가르침을 청했다. 하루 이틀 지나 다시 찾아가자 선생께서 말씀하셨다. "밤새 벗들과 함께 읽어보았는데, 근거 없이 한 이야기들은 아니었다. 앞으로도 기록하는 일을 멈추지 말라. 훗날 스스로 확인해볼 수 있을 것이다."

---

129) 이 대목은 한나라 문인 王褒의 「聖主得賢臣頌」에 나오는 구절로, 聖主가 賢臣을 얻었을 때의 즐거움을 노래한 것이다.

乙巳十二月, 再入都見先生. 坐定, 曰: "子何以束縛如此?" 因自吟曰: "翼乎如鴻毛遇順風, 沛乎若巨魚縱大壑, 豈不快哉?" 旣而以所記管窺諸語請益. 一二日, 再造, 先生曰: "夜來與朋友同看來, 却不是無根據說得出來. 自此幸勿輟錄, 他日亦可自驗."

6. 내가 일찍이 여쭈었다. "선생의 학문도 누군가로부터 전수받은 것입니까?" 선생께서 말씀하셨다. "『맹자』를 읽고서 스스로 터득한 것이다."

某嘗問: "先生之學亦有所受乎?" 曰: "因讀『孟子』而自得之."

이상 문인 자남 첨부민이 기록하다

右門人詹阜民子南所錄

〈황원길黃元吉의 기록〉

1. 옛날에 선생께서 금계(金谿)에서 오시어 동료와 벗들을 이끌고 백록동(白鹿洞)에서 도에 관해 강학하시면서 '군자는 의(義)에 밝고 소인은 이(利)에 밝다' 일 장(章)130)의 뜻을 밝히 드러내셨다. 또 사람들의 밝은 바는 습관에서 나오고, 습관은 뜻에서 나온다고 깨우치심으로써 학자들의 병폐를 정곡으로 찌르셨다. 의리(義利)의 뜻이 한번 밝아지면 군자와 소인 사이의 구별이 어찌 엄격해지지 않을 수 있겠는가? 그러나 절실히 스스로를 성찰하지 않고, 성현의 가르침과 반대로 치닫는다면, 비록 이런 글이 있다고 해도 그저 종이 위에 적힌 진부한 말에 지나지 않는다. 괄창(括蒼)의 고(高) 선생께서 이런 말씀을 하셨다. "선생의 문장은 황종(黃鍾)·대려(大呂)와 같아서 [그 소리가] 저 땅 속까지 닿는다. 진실로 수(洙)·사(泗)·추(鄒)·노(魯)131)의 비결을 열었으니, 전하지 않을 수 있겠느냐?"

昔者先生來自金邑, 率僚友講道於白鹿洞, 發明'君子喩於義, 小人喩於利'一章之旨, 且喩人之所喩由其所習, 所習由其所志, 甚中學者之病. 義利之說一明, 君子小人相去一間, 豈不嚴乎? 苟不切己觀省, 與聖賢之書背馳, 則雖有此文, 特紙上之陳言耳. 括蒼高先

---

130) 『論語』「里仁」.
131) 洙泗는 공자가 강학하던 곳이고, 鄒魯는 각각 맹자와 공자의 출신지이다. 공자와 맹자를 대신 받는 말로 사용했다.

生有言曰: "先生之文如黃鐘·大呂, 發達九地, 眞啓洙泗鄒魯之秘, 其可不傳耶?"

황원길

黃元吉

형주일록

荊州日錄

1. 배움에 있어 우환은 의구심이 없는 것이니, 의구심이 생기면 발전이 있다. 공자의 문하생 중에 자공과 같은 사람은 의구심을 가진바가 없었기 때문에 도에 이르지 못했던 것이다. 공자께서 말씀하셨다. "니는 내가 많이 배워서 안다고 생각하느냐?" 자공이 말했다. "네." 공자께서도 종종 그렇지 않다고 여기셨으나 자공은 또 '그렇지 않습니까?'라고 물었다.[132] 안자(顏子)는 "우러르면 더욱 높아져, 말미암을 길이 없다."[133]고 하였다. 그 의구심이 작지 않아 편히 지낼 수가 없었기에 훌륭해질 수 있었던 것이다.

爲學患無疑, 疑則有進. 孔門如子貢即無所疑, 所以不至於道. 孔子曰: "女以予爲多學而識之者歟?" 子貢曰: "然." 往往孔子未然之, 孔子復有'非與?'之問. 顏子"仰之彌高, 末由也已", 其疑非細, 甚不

---

132) 『論語』「衛靈公」. 여기서는 공자가 '그렇지 않습니까?'라고 물었다고 되어 있으나 『논어』의 내용을 고찰해 볼 때 자공이 되어야 맞다.

133) 『論語』「子罕」에 나오는 내용으로, 안연이 공자의 위대함을 찬탄하며 한 말이다. "안연이 탄식하며 말했다. '우러르면 더욱 높아지고, 뚫으면 더욱 단단해지며, 바라볼 때는 앞에 있더니 홀연히 뒤에 있도다. 부자께서 차근차근히 사람을 잘 인도하시어 나를 文으로써 넓히시고, 나를 예로써 단속하심이라. 그만두려 해도 그럴 수 없어 이미 내 재능을 다했으나, 높이 우뚝 서계신 듯하여 따르고자 해도 말미암을 길이 없을 뿐이로다.'(顏淵喟然歎曰, '仰之彌高 鑽之彌堅 瞻之在前 忽然在後. 夫子循循然善誘人, 博我以文, 約我以禮, 欲罷不能, 旣竭吾才, 如有所立卓爾, 雖欲從之, 末由也已.')"

自安, 所以其殆庶幾乎.

2. 학문이란 모름지기 시비를 논해야지 효험을 논해서는 안 된다. 고자(告子)는 맹자보다 먼저 부동심(不動心)을 해냈으니, 그 효험은 맹자보다 앞선 셈이지만 끝내 고자는 옳지 않았다.

學問須論是非, 不論效驗. 如告子先孟子不動心, 其效先於孟子, 然畢竟告子不是.

3. "군자는 어진 이를 어질게 여기고 친한 이를 가까이 하지만, 소인은 즐거움을 즐거이 여기고 이익을 이익으로 여긴다."[134] 이는 모두 같은 뜻으로 둘 다 "잊지 않고서 말한다."와 "인자(仁者)가 보면 인이라 하고, 지자(智者)가 보면 지라 한다."[135]의 뜻을 위주로 하고 있다.

君子賢其賢而親其親, 小人樂其樂而利其利, 俱是一義. 皆主"不忘而言", "仁者見之謂之仁, 智者見之謂之智"之義.

4. "사람의 도는 정사에 민첩하다."[136] 이는 능히 사람의 도를 다할 수 있으면 정사도 반드시 민첩해짐을 말한 것이다.

"人道敏政", 言果能盡人道, 則政必敏矣.

---

134) 『大學』.

135) 『周易』「繫辭上」.

136) 『中庸』 20장. 여기서 '敏' 자의 경우, 鄭玄은 '힘쓰다'로 풀었고 朱熹는 '빠르다'로 풀었다.

5. 「홍범」에서 '도모함이 있는 자'는 도를 아는 자이고, '행함이 있는 자'는 힘써 행하는 자이고, '지키는 바가 있는 자'는 지키면서 떠나지 않는 자이다. "좋은 덕을 닦는다."고 한 것은 크게 느껴 떨치고 일어난 자를 말한다.

「洪範」'有猷'是知道者, '有爲'是力行者, '有守'是守而不去者, 曰"予攸好德"是, 大有感發者.

6. 삼덕, 육덕, 구덕은 그 덕이 얼마나 되는지를 통계 낸 것이다. 세 가지 덕이면 대부가 될 수 있고, 여섯 가지 덕이면 제후가 될 수 있고, 아홉 가지 덕이면 천하의 왕자가 될 수 있다. "합하여 받는다."란 구덕이 모두 이루어지는 뜻이요, "펴서 베풀다."[137]란 천하에 크게 펼친다는 뜻이다.

三德, 六德, 九德, 是通計其德多少. 三德可以爲大夫, 六德可以爲諸侯, 九德可以王天下. 翕受即是九德咸事, 敷施乃大施於天下.

7. "이(履)는 덕의 바탕이다."[138] 사람의 마음은 탐욕스럽고 방종하길 좋아한다. 따라서 「이괘」의 군자는 상하를 구분하고 백성의 뜻을 정해준다. 뜻이 정해지면 자신의 분수를 편히 받아들이게 되어 덕을 높이고 도를 즐거워할 수 있게 된다. "겸(謙)은 덕의 자루이다." 이 글귀는 습성에 깊이 물들면 물(物)과 아(我)를 구분하고 추구하

---

137) 『尙書』「皐陶謨」. "날로 엄히 여섯 가지 덕을 공경하는 사람은 일을 나라에 밝히려 하니, 합하여 받으며 펴서 베풀면 아홉 가지 덕이 모두 이루어진다.(日嚴祗敬六德, 亮采有邦, 翕受敷施, 九德咸事.)"
138) 『周易』「繫辭下」.

는 마음이 타오르지만, 겸손함이 있으면 마음을 비우고 사람을 받아들이게 되어 덕의 길에 들어가게 됨을 말한 것이다.

"履, 德之基", 是人心貪慾恣縱, 「履卦」之君子, 以辯上下, 定民志, 其志旣定, 則各安其分, 方得尊德樂道. "謙, 德之柄", 謂染習深重, 則物我之心熾, 然謙始能受人以虛, 而有入德之道矣.

8. 구주의 수: 1, 6이 북에 있고 수(水)가 그 바름을 얻는다. 3, 8이 동에 있고 목(木)이 그 바름을 얻는다. 오직 금(金)과 화(火)는 자리가 바뀌었는데, 금이 화 방향에 있고 화가 금 방향에 있으며, 목이 화를 생성하는 순서에 따라 3에서 위로 9에 이르러야 생성하고, 2에서 9까지 세어야 생성하므로 화가 남쪽에 있는 것이다. 4에서 세어 7에 이르면 또한 4라는 수를 얻으므로 금이 서쪽에 있는 것이다.[139]

九疇之數: 一六在北, 水得其正. 三八在東, 木得其正. 惟金火易位, 謂金在火鄕, 火在金鄕, 而木生火. 自三上生至九, 自二會生於九, 正得二數, 故火在南. 自四至七, 亦得四數, 故金在西.

9. 1이 변하여 7이 되고, 7이 변하여 9가 된다. 1과 1은 2가 되고, 1과 2는 3이 되고, 1과 3은 4가 되고, 1과 4는 5가 도고, 1과 5는 6이 된다. 5는 숫자의 시조이므로 5가 보이면 다시 변한다. 2와 5는 7이 되고, 3과 5는 8이 되고, 4와 5는 9가 된다. 9가 다시 변하여 1이 된다. 괘(卦)가 소음(少陰)이고 시(蓍)가 소양(少陽)이

---

139) 권34, 『語錄上』 嚴松의 기록 15조에 똑같은 내용이 보인다.

므로, 8이 여덟번 있는 64괘를 사용하고, 7이 일곱번 있는 49시초를 사용한다. 만물을 시작하게 하고 끝나게 하지만 간여하지 아니한다. 음이 장차 끝나고 양이 다시 시작되는 것이 「간(艮)」의 의미이기 때문이다. 만물을 고무하되 성인과 더불어 근심을 같이 하지 않으니,[140] 도에 어찌 일찍이 근심이 있었겠는가? 기왕에 사람으로 태어났으면 반드시 근심과 즐거움이 있게 마련이다. 정신은 운행하지 않으면 우매해지고, 혈기는 운행하지 않으면 병이 생긴다.

一變而爲七, 七變而爲九, 謂一與一爲二, 一與二爲三, 一與三爲四, 一與四爲五, 一與五爲六, 五者數之祖, 旣見五則變矣. 二與五爲七, 三與五爲八, 四與五爲九, 九復變而爲一. 卦陰著陽, 八八六十四, 七七四十九. 終萬物始萬物而不與, 乃是陰事將終, 陽事復始「艮」. 鼓萬物而不與聖人同憂, 道何嘗有憂? 旣是人, 則必有憂樂矣. 精神不運則愚, 血氣不運則病.

10. 맹자 사후에 우리의 도는 전해지지 않았다. 노자의 학설이 주나라 말에 시작되어 한나라 때 성행하더니, 진(晉)나라에 이르러 시들해졌다. 노자의 학설이 시들해지자 불가의 학문이 등장했다. 불교는 양(梁)나라 때 달마(達磨)에게서 시작되어 당나라 때 성행했고, 오늘에 이르러 시들해졌다. 큰 현자께서 나타나면 우리의 도도 흥성할 것이다.

孟子沒, 吾道不得其傳. 而老氏之學始於周末, 盛於漢, 迨晉而衰

---

140) 『周易』「繫辭上」.

矣. 老氏衰而佛氏之學出焉. 佛氏始於梁達磨, 盛於唐, 至今而衰
矣. 有大賢者出, 吾道其興矣夫.

11. 오직 한나라 무제만은 황로(黃老)를 채용하지 않았으니, 그의 인
    재 등용은 가히 칭찬할 만하다.

    獨漢武帝不用黃老, 於用人尙可與.

12. 탕 임금이 걸을 쫓아내고 무왕이 주를 쫓아낸 것은 "백성이 귀하
    고 사직이 그 다음이며 임금은 가볍다."[141]의 뜻이다. 공자께서
    『춘추』를 지으신 것 역시 마찬가지이다.

    湯放桀, 武王伐紂, 即"民爲貴, 社稷次之, 君爲輕"之義. 孔子作『春
    秋』之言亦如此.

13. 왕기공(王沂公)[142]이 정위(丁謂)를 논평한 말들은 사심에서 나온
    듯하나 그 뜻이 소인을 물리치는 데 있었으니, 그 맥인즉 올바르

---

141) 『孟子』「盡心下」.
142) 王曾(978~1038). 字는 孝先이며 靑州 益都(지금의 山東省 靑州) 사람이다.
    北宋 仁宗 때의 명재상이다. 『宋史』 권310에 그의 열전이 있다. 眞宗이 붕어
    한 후 王曾은 명을 받아 遺詔를 작성하면서 "명숙황후가 황태자를 보립하고
    임시로 군국의 대사를 결정한다.(以明肅皇后輔立皇太子, 權聽斷軍國大
    事.)"고 썼다. 이때 재상으로 있던 丁謂가 그에게 '임시[權]'라는 글자를 삭제할
    것을 요구했으나 그는 이 말을 따르지 않고 태후가 오직 대리청정만 할 수
    있음을 명시했다. 仁宗이 즉위한 후에 王曾은 禮部尙書가 되었다. 이때 丁謂
    는 나라의 큰일은 태후가 결정하도록 하고, 仁宗은 한 달에 두 번만 대신들을
    접견할 것을 제의했는데, 이때 王曾은 크게 반대하였다. 후에 丁謂는 사건에
    연루되어 처형되었다.

다. [겉으로 드러난] 형적이 비록 이와 같더라도 마음에 어찌 부끄러움이 있겠는가?

王沂公曾論丁謂, 似出私意, 然志在退小人, 其脉則正矣. 迹雖如此, 於心何愧焉?

14. 학문에 강령이 없으면 임금이 둘이고 백성이 하나인 꼴이 된다. 똑같은 '공경'이라도 만약 그 강령을 얻지 못한다면 공경이 임금이 되고 마음은 백성이 되고 만다. 하지만 그 강령을 얻으면 공경이 바로 이 마음을 지키고 기른다.

學問不得其綱, 則是二君一民. 等是'恭敬', 若不得其綱, 則恭敬是君, 此心是民. 若得其綱, 則恭敬者乃保養此心也.

15. 시초점은 7이 일곱번 있는 49를 사용하고 소양(少陽)이다. 괘는 8이 여덟번 있는 64를 사용하고 소음(少陰)이다. 소양과 소음은 변용할 수 있다.

蓍用七七, 少陽也. 卦用八八, 少陰也. 少陽少陰, 變而用之.

16. 바둑은 우리의 정신을 자라나게 하고, 거문고는 우리의 덕성을 기른다. 예(藝)가 곧 도(道)이고 도가 곧 예이니 어찌 두 가지 사물이겠는가? 이 점은 여기서도 볼 수 있다.

棋所以長吾之精神, 瑟所以養吾之德性. 藝即是道, 道即是藝, 豈惟二物, 於此可見矣.

17. 나 자신이 있으면 이치를 잊게 되고, 이치에 밝아지면 나 자신을 잊게 된다. "그 등에서 멈추고 그 몸을 잡지 않았기에 그 뜰을 지나면서도 그 사람을 보지 못한 것이다."143) 이는 [만사를] 이치에 맡기고 자기 자신과 남을 끼어넣지 않는다는 뜻이다.

有己則忘理, 明理則忘己. "艮其背, 不見其身, 行其庭, 不見其人", 則是任理而不以己與人叅也.

18. "[옛날 밝으신 임금은] 아비를 효도로 섬겼기에 하늘을 섬김이 밝았고, 어미를 효도로 섬겼기에 땅을 섬김이 명찰했다."144) 이는 학문이 이미 경지에 이르렀기에 자연히 이렇게 된 것이지 이것을 밝히고 드러내고자 한 것이 아니다. "[순임금은] 사물의 이치에 밝았고 인륜을 잘 살폈다."145)고 한 것도 마찬가지이다.

"事父孝, 故事天明, 事母孝, 故事地察", 是學已到田地, 自然如此, 非是欲去明此而察此也. "明於庶物, 察於人倫"亦然.

19. "「복」은 작되 물건을 분별하고"146)에서 '작다'는 마음이 대범하지 못하다는 뜻이다.

"「復」, 小而辨於物", '小'謂心不觕也.

---

143) 『周易』「艮卦」의 卦辭.
144) 『孝經』 18장에 나오는 말이다.
145) 『孟子』「離婁下」.
146) 『周易』「繫辭下」.

20. "밝은 덕을 밝히는 데 있고, 백성을 친(親)하게 하는 데 있다."는 말은 모두 "지극한 선에 머문다."를 위주로 한다.

"在明明德, 在親民", 皆主於"在止於至善."

21. 「고요모」·「홍범」·「여형」은 도를 전한 글들이다.

「皐陶謨」·「洪範」·「呂刑」, 乃傳道之書.

22. 사악(四岳)이 단주(丹朱)를 천거하고 곤(鯀)을 천거한 일 등을 볼 때, 사람을 알아보는 현명함은 비록 부족하지만 필경 덕이 있었다. 그래서 요임금이 제위를 선양할 적에 먼저 "[사악이여!] 그대들이 명을 받아 일을 잘하였으므로 제위를 그대에게 전하고자 하노라."라고 말했던 것이다.147)

四岳擧丹朱擧鯀等, 於知人之明, 雖有不足, 畢竟有德. 故堯欲遜位之時, 必首曰: "汝能庸命遜朕位."

23. 고요는 도에 밝았기 때문에 사람을 알아보는 일에 관해 자세히 서술하였다. 맹자께서는 "나는 말을 안다."148)고 하셨고, 부자께서는 "말을 알지 못하면 사람을 알 수 없다."149)고 하셨다.

皐陶明道, 故歷述知人之事. 孟子曰: "我知言." 夫子曰: "不知言, 無以知人也."

---

147) 『尙書』「堯典」에 나오는 내용이다.
148) 『孟子』「公孫丑上」.
149) 『論語』「堯曰」.

24. "정성을 다하면 밝아지고, 밝아지면 정성스러워진다."150)고 했다. 이는 순서가 있는 것이 아니라 이치가 절로 그러한 것이다. "누구나 가지고 싶어 하는 것이 선(善)이다."151) "앎이 지극해진 이후에 뜻이 성실해진다."152)는 말도 마찬가지이다. 도에 뜻이 있는 사람은 "경황 중에도 인(仁)에 있고, 넘어질 때도 인에 있다."153) 움직이며 일을 처리할 때나, 사물을 응대할 때나, 책을 읽어 옛날을 상고할 때나, 움직일 때이건 고요할 때이건 인이 없는 적이 없다. 이 이치는 우주를 가득 메우고 있으니, 이른바 도 바깥에 일이 없고, 일 바깥에 도가 없다. 이런 것을 버리고 달리 의론을 일삼거나, 다른 방향으로 나아가거나, 다른 법도를 따르거나, 다른 형적을 지니거나, 다른 업을 일삼거나, 다른 공업을 세운다면, 이는 도와 상관없는 것이요, 곧 이단이요, 이욕(利欲)에 빠진 것이요, 이욕이라는 틀에 갇힌 것이다. 이런 말을 하면 곧 사설(邪說)이고, 이런 것을 보면 곧 사견(邪見)이다.

"誠則明, 明則誠." 此非有次第也, 其理自如此. "可欲之謂善", "知至而意誠"亦同. 有志於道者, 當造次必於是, 顚沛必於是. 凡動容周旋, 應事接物, 讀書考古, 或動或靜, 莫不在時. 此理塞宇宙, 所謂道外無事, 事外無道. 捨此而別有商量, 別有趨向, 別有規模, 別有形迹, 別有行業, 別有事功, 則與道不相干, 則是異端, 則是利欲爲之陷溺, 爲之窠臼. 說即是邪說, 見即邪見.

---

150) 『中庸』 21장.
151) 『孟子』「盡心下」.
152) 『大學』.
153) 『論語』「里仁」.

25. "군자의 도는 비(費)하면서도 은미하다."154) 여기서 '비(費)'란 흩어져있다[散]는 뜻이다.

"君子之道費而隱", '費', 散也.

26. 불가에서는 한 가지 사물이 다른 사물이 될 수 없다고 말하지만 우리 유가는 다르다. 우리 유가는 무엇이든 아우르지 못하는 것이 없고 통괄하지 못하는 것이 없는 반면, 불가는 오직 이 몸뚱이 하나 뿐, 그밖에 나머지 일이라고는 없다. 공사(公私)와 의리(義利)가 여기서 나뉜다.

釋氏謂此一物, 非他物故也, 然與吾儒不同. 吾儒無不該備, 無不管攝, 釋氏了此一身, 皆無餘事. 公私義利於此而分矣.

27. 「계사」에서 '괘에는 큰 것과 작은 것이 있다.'라고 말한 것은 음이 작고 양이 크다는 것을 설명한 것이다.

「繫辭」卦有大小, 陰小陽大.

28. "천하의 지극히 난잡한 것을 말하되 싫어할 수 없다."155)고 한 것은 비록 그 개합(開闔)이 기괴하지만 실제로 이런 이치가 있으므로 싫어할 수 없다는 것이다.

"言天下之至賾而不可惡也", 雖詭怪闔闢, 然實有此理, 且亦不可惡也.

---

154) 『中庸』 12장.
155) 『周易』 「繫辭上」.

29. "천하의 지극한 움직임을 말하되 어지럽힐 수 없다."156)고 한 것은 천하에 바꿀 수 없는 이치가 있기 때문이다. "길흉은 항상 이기는 것이다."라고 한 것은157) 『역』이 사람으로 하여금 길함으로 나아가고 흉함을 피하도록 하고, 올바름에 직면하고 흉함을 이기도록 하기 때문이다.

"言天下之至動而不可亂也", 天下有不可易之理故也. "吉凶者, 正勝者也." 易使人趨吉避凶, 人之所爲, 當正而勝凶也.

30. "반드시 송사가 없도록 할 것이다."158)라고 한 것은 지극히 밝아진 연후에 인정(人情)과 물리(物理)를 알게 되기 때문이다. 백성들 사이에 송사를 없애고자 한 뜻이 이와 같다.

"必也使無訟乎." 至明然後知人情物理, 使民無訟之義如此.

31. 천리와 인욕을 구분하는 논설은 그 병폐가 심각하다. 『예기』에서부터 이런 말이 생겨나 후세 사람들이 인습하였다. 『예기』에서 이르기를, "사람이 나서 고요한 것은 하늘의 성(性)이요, 사물에 감동되어 움직이는 것은 성의 욕심이다."159)라고 하였다. 만약 마음이 옳다면, 움직일 때도 옳고 고요할 때도 옳아야 하니, 어찌 천리와 물욕의 구분이 있겠는가? 만약 옳지 않다면 고요할 때 역시 옳지 못해야 하니, 어찌 움직임과 고요함에 차이가 있겠는가?

---

156) 위와 같음.
157) 『周易』「繫辭下」.「繫辭」에는 '正'이 아니라 '貞'으로 되어 있다.
158) 『論語』「顏淵」.
159) 『禮記』「樂記」.

天理人欲之分論極有病. 自『禮記』有此言, 而後人襲之. 『記』曰:
"人生而靜, 天之性也, 感於物而動, 性之欲也." 若是, 則動亦是, 靜
亦是, 豈有天理物欲之分? 若不是, 則靜亦不是, 豈有動靜之間哉?

32. 기(磯)란 낚시할 때 걸터앉는 바위이다. "불가기(不可磯)"160)란 발을
디딜 곳이 없음을 일컫는다. 즉 어찌할 바를 몰라 한다는 뜻이다.

磯, 釣磯也, "不可磯", 謂無所措足之地也, 無所措手足之義.

33. "앉아서 알아낼 수 있다."161)는 의문문이다. 즉 [也는] '야(邪)'와
같은 뜻이다.

"可坐而致也"是疑辭, 與'邪'字同義.

---

160) 『孟子』「告子下」에 다음과 같은 내용이 있다. "부모의 잘못이 큰데도 불구하
고 원망하지 않는다면 더욱 소원해지고, 부모의 잘못이 작은데도 불구하고 원
망한다면 이는 참지 못하는 것이다. 더욱 소원해지는 것도 불효이고, 참지 못
하는 것 역시 불효이다.(親之過大而不怨, 是愈疏也, 親之過小而怨, 是不可
磯也. 愈疏, 不孝也, 不可磯, 亦不孝也.)" 여기에 나오는 '不可磯'는 역대로
해석이 분분하다. 趙岐는 磯를 激으로 보아 "허물이 작은데도 자식이 격하게
감분하면 부모를 원망하게 되므로 이것 또한 불효일 수밖에 없다.(磯, 激也.
過小耳而孝子感激, 輒怨其親, 是亦不孝也.)"고 해석했고, 朱熹는 "磯란 물
이 돌에 부딪히는 것이다. 不可磯란 조금 부딪혔는데도 자식들이 갑자기 怒함
을 말한 것이다.(磯, 水激石也. 不可磯, 言微激之而遽怒也.)"라고 해석했다.
육구연은 여기서 새로운 해석을 내놓고 있다.
161) 『孟子』「離婁下」에 "하늘은 높고 별은 아득히 멀지만 진실로 그 까닭을 알아
낸다면 천 년 후의 동지를 앉아서 알아낼 수 있을 것이다.(天之高也, 星辰之
遠也, 苟求其故, 千歲之日至, 可坐而致也.)"라는 말이 나오는데, 육구연은
이 말을 경험을 통해 이치를 알아낼 수 있다는 뜻으로 풀지 않고, 의문문이라
고 말하고 있다.

34. 사람에게는 각기 잘하는 것이 있다. 그 잘하는 것에 나아가 뜻을 이루면 이 또한 한 가지 사업인 것이다. 이는 답답한 유자나 곡학 아세하는 사인이 알 수 있는 바가 아니요, 오직 도에 밝은 군자로 서 어딘가에 함몰된 바가 없는 사람이라야 능히 이 경지에 도달할 수 있다.

人各有所長, 就其所長而成就之, 亦是一事. 此非拘儒曲士之所能 知, 惟明道君子無所陷溺者能達此耳.

35. 절차탁마는, 사인(士人) 되는 법을 배우는 자가 반드시 문장에 능 해지듯이 하는 것처럼 비록 재능에 따라 잘하고 못하고의 차이는 있겠지만 각자의 지극함에 도달할 수 있다.

鏪之類如學爲士者必能作文, 隨其才, 雖有工拙, 然亦各極其至而 已.

36. 벗들과 절차탁마할 적에 중요한 것은 표적에 적중시키는 것이지 허황되게 이 말 저 말 하는 것이 아니다. 또 방법도 필요하다. 반 드시 상대로 하여금 재앙이 되는 병을 제거하고, 커다란 병을 없 애게 함으로써 시원하게 탁 트여서 내 몸에서 고질병이 사라지고 맑은 바람에 목욕을 한 듯이 느껴지게 해야 한다. 만약 내가 허황 되게 말하고 상대 또한 허황되게 듣는다면, 이는 곧 앞에서 말한 "명목을 지어내서 그로 하여금 인습하게 한다."는 것과 같다.

與朋友切磋, 貴乎中的, 不貴泛說, 亦須有手勢. 必使其人去災病, 解大病, 灑然豁然, 若沉痾之去體, 而濯淸風也. 若我泛而言之, 彼 泛而聽之, 其猶前所謂"杜撰名目, 使之持循"是也.

37. "솔개는 치솟아 하늘에 다다르고, 잉어는 연못에서 튀어 오른다. 이것은 위아래를 밝게 살필 수 있음을 말한 것이다."[162] 오직 이(理)가 밝고 의(義)가 정밀하기 때문에 천지지간 한 가지 일, 한 가지 외물까지 모두 드러나는 것이다. 우러러 천상(天象)을 관찰하고 만물의 마땅함에 미쳤으니, 오직 성자만이 이처럼 정밀히 살필 수 있다.

"鳶飛戾天, 魚躍于淵, 言其上下察也." 只緣理明義精, 所以於天地之間, 一事一物, 無不著察. 仰以觀象於天, 及萬物之宜. 惟聖者然後察之如此其精也.

38. 공자 문하의 고제(高弟)로는 안연과 민자건과 염백우와 중궁과 증삼 이외에도 남궁괄·복자천·칠조개가 가장 근접하다. 영민함과 빠르게 응대함과 재지(才智)와 교묘함으로 논해볼 때 저들이 어찌 재아·자공·염유·계로·자유·자하를 바라볼 수나 있겠는가? 오직 질박하고 성실하기 때문에 도와 가까울 수 있었던 것이다. 예컨대 남궁괄이 "우임금과 직(稷)은 몸소 농사를 졌는데 천하를 가졌다."[163]라고 한 질문은 가장 질박하다. 공자께서는 답하지 않으셨는데, 침묵으로도 마음이 흡족하셨기에 밖으로

---

162) 『中庸』 12장.
163) 『論語』 「憲問」. "남궁괄이 공자에게 여쭈었다. '예는 활을 잘 쏘았고, 오는 육지에서 배를 끌 정도로 힘이 세었지만 두 사람 다 제명이 죽지 못했습니다. 우 임금과 후직은 몸소 농사를 지었으나 오히려 천하를 얻었습니다.' 선생님께서는 대꾸하지 않으셨다. 남궁괄이 물러난 뒤에 선생님께서 말씀하셨다. '군자로다. 이 사람은. 덕을 숭상하는도다. 이 사람은.'(南宮适問於孔子曰, '羿, 善射, 奡, 盪舟, 俱不得其死然. 禹稷躬稼而有天下.' 夫子不答. 南宮适出, 子曰, '君子哉! 若人. 尙德哉! 若人.')"

말씀을 내지 않았던 것이다. 그래서 남궁괄이 나가자 칭찬을 하셨다.

孔門高弟, 顏淵 · 閔子騫 · 冉伯牛 · 仲弓 · 曾參之外, 惟南宮适 · 宓子賤 · 漆雕開近之, 以敏達, 捷給, 才智, 慧巧論之, 安能望宰我 · 子貢 · 冉有 · 季路 · 子游 · 子夏也哉? 惟其質實誠樸, 所以去道不遠. 如南宮适問禹 · 稷躬稼而有天下, 最是朴實. 孔子不答, 以其默當於此心, 可外無言耳. 所以括出贊之云.

39. "큰 것을 말하면 천하로도 능히 담아낼 수 없다."[164] 도는 바깥이 없을 정도로 커서 만약 담아낼 수 있다 해도 정해진 분량이 있을 것이다. "작은 것을 말하면 천하로도 능히 깨뜨릴 수 없다." 한 가지 일, 한 가지 물건, 지극히 섬세하고 자잘한 것들이라 하여도 도와 떨어져 있던 적이 없다. 천지가 아무리 커도 사람들에게는 아쉬움이 있으니, 이는 아마도 하늘이 땅이 하는 일을 다할 수 없고, 땅이 하늘의 직분을 다할 수 없기 때문일 것이다.

"語大, 天下莫能載焉." 道大無外, 若能載, 則有分限矣. "語小天下莫能破焉." 一事一物, 纖悉微末, 未嘗與道相離. 天地之大也, 人猶有所憾, 蓋天之不能盡地所以爲, 地不能盡天之所職.

40. 형이상(形而上)의 것을 일러 도(道)라 하고, 형이하의 것을 일러 기(器)라 한다. 천지 역시 기(器)이지만, 생성하고 덮고 형성하고 실어주는[165] 것에는 반드시 이치가 있다.

---

164) 『中庸』 12장.
165) 『列子』「天瑞」에 "하늘의 직분은 만물을 생성하여 덮어주는 것이고 땅의 직분

自形而上者言之謂之道, 自形而下者言之謂之器. 天地亦是器, 其
生覆形載必有理.

41. "예순에 귀가 순해졌다."고 한 것은 지식과 분별력이 생겼다는 뜻
이다. "일흔 살이 되었을 때는 마음이 하고자 하는 바를 따라도
법도에 어긋나지 않았다."166)고 한 것은 실천이 완성되었다는 것
이다. "안자(顔子)가 그치는 것을 보지 한 이유는"167) 안자가 이
러한 경지에 이르지 못했기 때문이다.

"六十而耳順", 知見到矣, "七十而從心所欲不踰矩", 踐行到矣. 顔
子未見其止, 乃未能臻此也.

42. 나면서부터 안다[生知]는 것은 태어난 이래 함몰됨 없이 혼후하게
지내고, 해치거나 상하게 하지 않으면 양지(良知)가 온전히 보존
되기 때문이다. 하늘이 내린 재능은 다르지 않다.

生知, 蓋謂有生以來, 渾無陷溺, 無傷害, 良知具存, 非天降之才爾
殊也.

43. 한나라와 당나라 사람 중에 도에 가까웠던 자는 조충국 · 황헌 ·
양관 · 단수실 · 안진경이다.

漢 · 唐近道者, 趙充國 · 黃憲 · 楊綰 · 段秀實 · 顔眞卿.

은 만물을 형성하여 실어주는 것이다.(故天職生覆, 地職形載.)"라는 말이 나
온다.
166) 『論語』「爲政」.
167) 『論語』「子罕」.

44. 왕숙과 정강성(鄭康成: 鄭玄)은 『논어』를 자공과 자유가 엮었다고 말했는데, 이를 고찰해 볼 수 있는 곳이 있다. 예들 들어 「학이편」의 '자왈' 다음 장(章)에 '유약' 장이 수록되어 있고, 또 '자왈' 아래로 '증자' 장이 수록되어 있는데, 모두 이름 없이 자(子)라고만 호칭하고 있다. 자하 등이 평소에 존경하던 사람도 이 둘밖엔 없다.

王肅·鄭康成謂『論語』乃子貢·子游所編, 亦有可攷者. 如「學而篇」'子曰'次章, 便載'有若'一章, 又'子曰'而下, 載'曾子'一章, 皆不名而以子稱之. 蓋子夏輩平昔所尊者, 此二人耳.

45. '자취를 밟지 않는다.'란[168] 이미 혈맥을 아는 사람이 형적에 얽매이고 집착하지 않더라도 또한 심오한 경지에는 이를 수 없다는 뜻이다. 악정자도 이런 단계에 있다.[169] 사람들이 능히 밝아질 수

---

[168] 『論語』「先進」에 "자장이 선인의 도를 묻자, 공자께서 말씀하시기를, '자취를 밟지 않으면 방에 들어가지 못한다.'고 하셨다.(子張問善人之道. 子曰, '不踐迹, 亦不入於室.')"는 내용이 보인다.

[169] 『孟子』「盡心下」에 樂正子에 관한 내용이 보인다. "호생불해가 악정자는 어떤 사람이냐고 묻자 맹자께서 말씀하셨다. '착한 사람이며 신실한 사람이다.' '무엇을 착한 사람이라 하며 무엇을 신실한 사람이라 합니까?' 맹자께서 말씀하셨다. '누구나 좋아하고 따르고 싶은 사람을 착한 사람이라 하고, 착함을 자기 몸에 지닌 사람을 신실한 사람이라 하고, 선을 행하여 충만하게 쌓인 사람을 아름다운 사람이라 하고, 마음속에 충만하여 밖에 드러나 빛나는 사람을 대인이라 한다. 대인이면서 저절로 교화함을 성인이라 하고, 성스러워 알 수 없는 것을 신인이라 한다. 악정자는 두 가지의 중간이요 네 가지의 아래이다.'라고 하셨다.(浩生不害問曰, 樂正子何人也? 孟子曰, '善人也, 信人也.' '何謂善, 何謂信?' 曰, '可欲之謂善, 有諸己之謂信, 充實之謂美, 充實而有光輝之謂大, 大而化之之謂聖, 聖而不可知之之謂神. 樂正子二之中, 四之下也.')"

는 있지만, 갑자기 방종하다 경계하고, 갑자기 밝아졌다 흐려질
수 있으니, 반드시 스스로에게 다 갖추어진 연후라야 터득할 수
있다.

不踐迹, 謂已知血脉之人, 不拘形着迹, 然亦未造閫奧. 樂正子
在此地位, 人能明矣, 然乍縱乍警, 驟明忽暗, 必至於有諸己然
後得也.

46. 공자께서 열다섯에 배움에 뜻을 두었으니, 이때가 바로 도를 알게
된 시점이다. 비록 알기는 했지만 밝아졌다 어두워졌다, 경계하다
방종하다, 하다가 말다가 하는 것을 면치 못했다. 서른이 되어서
야 바로 서게 되어 들어오고 나가고, 밝고 어둡고, 경계하고 방종
하고, 노력하고 그만두는 구분을 할 수 있게 되었지만 아직까지
사물들 간의 차이를 명료하고 분명히 보지 못하다가 마흔이 되어
서야 미혹됨이 사라졌다. 미혹됨이 사라졌다고 해서 반드시 천리
를 환히 꿰뚫어 볼 수 있었던 것은 아니며, 순수하게 성숙한 것도
아니었다. 예순이 되어서야 아는 것이 완성되고, 일흔이 되어서야
실천이 완성되었다. "일에 있어서 옛 것을 본받지 않고 [오래 통치
할 수 있는 자가 없다.]", "모두 옛법을 따라야 한다." "옛날의 가르
침을 배워야 한다." "옛날의 가르침을 본보기로 삼아야 한다." 법으
로 삼아야 할 것은 모두 이 이치이니 그 흔적을 따르거나 일을 모
방하라는 것이 아니다.

孔子十五而志于學, 是已知道時矣. 雖有所知, 未免乍出乍入, 乍
明乍晦, 或警或縱, 或作或輟. 至三十而立, 則無出入, 明晦, 警縱,
作輟之分矣. 然於事物之間未能灼然分明見得. 至四十始不惑. 不

惑矣, 未必能洞然融通乎天理矣, 然未必純熟. 至六十而所知已到,
七十而所行已到. 事不師古, 率由舊章, 學于古訓, 古訓是式. 所法
者, 皆此理之, 非狗其跡, 倣其事.

47. 널리 배우고, 자세히 묻고, 신중히 생각하고 밝게 변별하는 것[170]
이 조리의 시작이다. 마치 [연주를 시작할 적에] 종소리가 울리듯
높고 낮음, 흥함과 죽음, 빠름과 느림, 성금과 빽빽함, 절로 허다
한 절주가 생겨난다. 그러나 힘써 행하는 것에 이르러서는 아무
말도 들리지 않고, [연주가 끝날 때] 옥(玉: 編磬) 소리가 울리듯
순전히 한 가지밖엔 없다. 이를 때를 알고 끝낼 때를 알려면, 모
두 배움으로 말미암은 연후라야 능히 이를 수 있고 끝맺을 수 있
다. 그래서 공자께서 배움에 싫증내지 않고서 발분하여 밥 먹는
것조차 잊었던 것이다. "역(易)이 천지와 더불어 기준이 되고",
"신은 일정한 방소가 없고 역은 일정한 형체가 없다."[171]고 한 것
은 모두 『주역』을 도운 것의 묘용이 이와 같다는 말이다. "일음
(一陰)과 일양(一陽)을 도라고 한다."는 것은 천지만물이 모두 이
음양을 갖추고 있음을 크게 말한 것이다. "이를 이은 것이 선(善)
이고"라는 말은 그 공을 사람에게 돌린 것이고, "이를 이룬 것은
성(性)이다."라고 한 말은 다시 공을 하늘에 돌린 것이다. 천명을
일러 성이라 한다.

博學, 審問, 愼思, 明辨, 始條理也. 如金聲而高下, 隆殺, 疾徐, 疏
數, 自有許多節奏. 到力行處, 則無說矣, 如玉振, 然純一而已. 知

---

171) 『周易』「繫辭上」.

권35
537

至知終, 皆必由學, 然後能至之終之. 所以孔子學不厭, 發憤忘食. "易與天地準", "至神無方而易無體", 此皆是贊『易』之妙用如此. "一陰一陽之謂道", 乃泛言天地萬物皆具此陰陽也. "繼之者善也", 乃獨歸之於人. "成之者性也", 又復歸之於天, 天命之謂性也.

48. 절차탁마의 도를 보자면, 모든 말을 다 받아들일 수 있는 자가 있는가 하면 받아들이지 못하는 자도 있다. 그에게 명백히 드러나는 허물과 큰 악이 있더라도 모든 말을 능히 받아들일 수 있는 자가 아니거든 사사건건 지적할 필요 없다. 그러면 도리어 활기를 잃는다.

切磋之道, 有受得盡言者, 有受不得者. 彼有顯過大惡, 苟非能受盡言之人, 不必件件指摘他, 反無生意.

49. 왕도는 드넓고 평탄하여 무리지음이나 치우침이 없다. 백이와 이윤과 유하혜가 성인이기는 하지만 끝내 드넓고 평탄한 경지에는 도달하지 못했다.

王道蕩蕩平平, 無所偏倚. 伯夷·伊尹·柳下惠, 聖則聖矣, 終未底於蕩蕩平平之域.

50. 괘를 중첩하여 64괘를 얻고, 삼재(三才: 天·地·人)를 나누었다. [六爻에서] 초(初)·이(二)는 땅[地]이다. 초지(初地)가 아래에 있고 이지(二地)가 위에 있다. 삼·사는 사람[人]이다. 삼인(三人)이 아래에 있고, 사인(四人)이 위에 있다. 오·육은 하늘[天]이다. 오천(五天)이 아래 있고, 육천(六天)이 위에 있다. 일이 이를 낳고,

이가 삼을 낳고, 삼이 만물을 낳는다.

重卦而爲六十四, 分三才. 初·二, 地也, 初地下, 二地上. 三·四, 人也, 三人下, 四人上. 五, 六天也, 五天下, 六天上. 一生二, 二生三, 三生萬物.

51. 선유(先儒)는 「둔괘」의 초구(初九)를 설명하면서 고귀향공(高貴鄕公)의 행동이 맞다고 했다.[172]

先儒謂「屯」之初九, 如高貴鄕公, 得之矣.

52. 「몽괘(蒙卦)」에서 "거듭 점을 치면 더러워지니, 더러워지면 알려주지 않는다."고 했다. 깨우친 자가 아니라면 몽매함을 일깨워주지 말아야 한다. 몽매한 자는 아직 뜻이 전일해지지 못했기 때문

---

172) 程頤의 『易傳』에 나오는 말이다. 따라서 先儒는 程頤를 가리킨다. 「屯卦」의 九五 효사 "은택을 내리기 어렵다. 작게 곧으면 길하고 크게 곧으면 흉하다. (屯其膏, 小貞, 吉, 大貞, 凶.)"에 대해 程頤는 이렇게 설명했다. "5가 높은데 거하고 바름을 얻었으나 어려운 때를 만났으니, 만약 강하고 밝은 사람을 얻어 보좌할 수 있다면 능히 그 어려움을 구제할 수 있으나, 그런 신하가 없기 때문에 은택을 내리기 어려운 것이다. 임금의 지존이면 비록 어려운 세상을 만났다 하더라도 그 명위에는 아무런 손해도 없다. 다만 베풂이 행해지지 못하고 은택이 흘러내려가지 못할 뿐이다. 여기서 은택을 내리기 어렵다고 한 것은 임금의 어려움이다. 은택이 흘러내려가지 못한다면 권위가 자신에게 없는 것이요, 권위가 자신에게 없는데 갑자기 바로 잡고자 한다면 이는 흉을 자초하는 방법이다. 노나라 소공과 고귀향공(高貴鄕公: 曹髦)의 일화가 바로 그것이다.(五居尊得正而當屯時, 若有剛明之賢爲之輔, 則能濟屯矣, 以其無臣也, 故屯其膏. 人君之尊, 雖屯難之世, 於其名位非有損也, 唯其施爲有所不行, 德澤有所不下, 是屯其膏, 人君之屯也. 旣膏澤有所不下, 是威權不在己也, 威權去己而欲驟正之, 求凶之道, 魯昭公·高貴鄕公之事 是也.)"

에 두 번 세 번 시험해보아도 선가(禪家)에서 말하는 '불법을 도청하러 온 자'처럼, 끝내 그릇이 되지 못한다. 일단 이런 마음이 생긴다 해도 뜻과 상응하지 못하면 스스로 더러워지고 어지러워질 뿐이어서, 아무리 그에게 이야기해주어도 끝내 이해하지 못하니, 말해주지 않은 것과 마찬가지이다.

「蒙」"再三瀆, 瀆則不告." 非發之人, 不以告於蒙者也. 爲蒙者, 未能專意相向, 乃至再三以相試探, 如禪家云盜法之人, 終不成器. 一有此意, 則志不相應, 是自瀆亂, 雖與之言終不通解, 與不告同也.

53. 팔괘 중에 「건」·「곤」·「감」·「리」만 변하지 않아서, 거꾸로 놓고 봐도 같은 괘이다. 이밖에 네 괘는 그렇지 않다.

八卦之中, 惟「乾」·「坤」·「坎」·「離」不變, 倒而觀之, 亦是此卦. 外四卦則不然.

54. 학문에 털끝만큼의 불순물만 섞여 들어가도 이는 사적이고 소소한 것이 되어 정대(正大)해지지 못하므로 도와 전혀 다른 것이 되어버린다. 부자지간에 있어 인(仁)도 그러하다. 하지만 순임금에게 고수 같은 아비가 있었으니, 운명이란 게 대체 어디 있단 말인가? 하지만 순임금은 이를 운명에 돌리지 않고 기어이 아비를 즐겁게 해드리면서 그 뜻에 순종했으니,[173] 성(性)이 있다는 것을 여기서 확인할 수 있지 않겠는가!

---

173) 『孟子』「離婁上」에 "순이 어버이 섬기는 도를 다하자 고수가 기뻐하였다.(舜盡事親之道, 而瞽瞍底豫.)"는 말이 보인다. 允若은 순종하는 것을 뜻한다.

學問若有一毫夾帶, 便屬私小而不正大, 與道不相似矣. 仁之於父子固也, 然以舜而有瞽瞍, 命安在哉? 故舜不委之於命, 必使底豫允若, 則有性焉, 豈不於此而驗?

55. 원길이 스스로 지혜가 아직 어둡고 마음이 거칠다고 말했다. 선생께서 말씀하셨다. "병폐가 본디 여기에 있으니, 근본은 타고난 골(骨)이 범속하기 때문이다. 학문에 내실이 없으면 벗과 더불어 절차탁마해도 과녁을 맞힐 수 없고, 매번 꺼내는 의론마다 모두가 허황된 의론인지라 안으로는 스스로에게 보탬이 되지 못하고, 밖으로는 사람들에게 보탬이 되지 못한다. 이 모두 스스로 내실이 없고, 요령을 알지 못해 생겨난 일이다. 정밀한 식견을 가진 자를 만났을 때 그의 말 같지도 않은 큰 소리에 압도되어 버리는 것 역시 내실이 없어서이다. 어찌 스스로 면려하지 않을 수 있겠는가?"

元吉自謂智昧而心觕. 先生曰: "病固在此, 本是骨凡. 學問不實, 與朋友切磋不能中的, 每發一論, 無非泛說, 內無益於己, 外無益於人, 此皆己之不實, 不知要領所在. 遇一精識, 便被他胡言漢語壓倒, 皆是不實. 吾人可不自勉哉?"

56. 격물이란 이치를 다스리는 것이다. 복희씨가 천상을 우러르고 지법(地法)을 굽어보았지만, 먼저 이것에 온 힘을 기울였다. 그렇지 않았다면 이른바 격물이란 말단에 그쳤을 것이다.

格物者, 格此者也. 伏羲仰象俯法, 亦先於此盡力焉耳. 不然, 所謂格物, 末而已矣.

57. 안자가 "[공자는] 우러를수록 더욱 높아지고 뚫을수록 더욱 단단해진다."[174]고 말했을 때, 그는 가지와 잎은 아무리 높은 데 있어도 결국은 가지와 잎이라는 것을 알았던 것이다. 학문의 큰 근본이 바로 섰다 하더라도 만 가지 미미한 것들까지 다 살펴야 한다.

顔子仰高鑽堅之時, 乃知枝葉之堅高者也, 畢竟只是枝葉. 學問於大本旣正, 而萬微不可不察.

58. 법도가 엄정하면 도움 되는 바가 적지 않다.

規矩嚴整, 爲助不少.

---

174) 『論語』「子罕」.

| 역주자 소개 |

이주해

연세대학교 국학연구원 연구교수
국립대만대학에서 중국 고전산문 연구로 석사 및 박사학위를 받았다.
주요 역서로는 『한유문집(韓愈文集)』(문학과지성, 2009), 『우초신지(虞初新志)』(공역, 소명출판사, 2011), 『파사집(破邪集)』(공역, 일조각, 2018) 등이 있다.

박소정

성균관대학교 유학동양학과 부교수(한국철학 전공)
연세대학교에서 「樂論을 통해 본 장자의 예술철학」으로 박사학위를 받았다.
주요 역서로는 『한국인의 영성(Korean Spirituality)』(모시는 사람들, 2012), 『문답으로 엮은 교양 중국사(中國文化史三百題)』(이산출판사, 2005), 『아이들의 왕(棋王, 樹王, 孩子王)』(지성의샘, 1993) 등이 있다.

한국연구재단
학술명저번역총서
[동양편] 619

육구연집 陸九淵集 ❹

초판 인쇄 2018년 8월 20일
초판 발행 2018년 8월 30일

저　　자 | 육 구 연
역 주 자 | 이 주 해 · 박 소 정
펴 낸 이 | 하 운 근
펴 낸 곳 | 學古房

주　　소 | 경기도 고양시 덕양구 통일로 140 삼송테크노밸리 A동 B224
전　　화 | (02)353-9908 편집부(02)356-9903
팩　　스 | (02)6959-8234
홈페이지 | http://hakgobang.co.kr/
전자우편 | hakgobang@naver.com, hakgobang@chol.com
등록번호 | 제311-1994-000001호

ISBN　　978-89-6071-788-6 94820
　　　　978-89-6071-287-4 (세트)

값 : 44,000원

이 책은 2014년도 정부재원(교육부)으로 한국연구재단의 지원을 받아 연구되었음(NRF-2014S1
A5A7037589).
This work was supported by National Research Foundation of Korea Grant funded by the
Korean Government(NRF-2014S1A5A7037589).

이 도서의 국립중앙도서관 출판예정도서목록(CIP)은 서지정보유통지원시스템 홈페이지
(http://seoji.nl.go.kr)와 국가자료종합목록시스템(http://www.nl.go.kr/kolisnet)에서 이용하
실 수 있습니다. (CIP제어번호 : CIP2018026620)